Bühler, G.; Karabacek, J.; Müller, D.H.;

Wiener Zeitschrift für die Kunde des Morgenlandes

9. Band

Bühler, G.; Karabacek, J.; Müller, D.H.; Müller, F.; Reinisch, L.

Wiener Zeitschrift für die Kunde des Morgenlandes

9. Band

Inktank publishing, 2018

www.inktank-publishing.com

ISBN/EAN: 9783747777916

WIENER ZEITSCHRIFT

FÜR DIE

KUNDE DES MORGENLANDES.

HERAUSGEGEBEN UND REDIGIRT

VON

G. BÜHLER, J. KARABACEK, D. H. MÜLLER, F. MÜLLER, L. REINISCH

LEITERN DES ORIENTALISCHEN INSTITUTES DER UNIVERSITÄT.

IX. BAND.

WIEN, 1895.

PARIS
ERNEST LEROUX.

ALFRED HÖLDER
K. U. K. HOF- UND UNIVERSITÄTS-BUCHHÄNDLER

OXFORD
JAMES PARKER & C°.

TURIN
HERMANN LOESCHER.

NEW-YORK
B. WESTERMANN & C°.

BOMBAY
MANAGER EDUCATION SOCIETY'S PRESS.

Inhalt des neunten Bandes.

Artikel.

Anzeigen.

Kleine Mittheilungen.

Ueber einen arabischen Dialect.[1]

Von

Th. Nöldeke.

Während wir durch Stumme und Socin mit arabischen Dialecten des Westens, ja des äussersten Westens bekannt gemacht werden,[2] führt uns Reinhardt eine Mundart des fernsten Ostens vor, nämlich die, welche in einem Theile des Binnenlandes von ʿOmān im Thale der Beny[3] Charūz, zwischen er-Ristāq und Nizwe, gesprochen wird. Dorther waren die, meist ganz illitteraten, Araber gekommen und zwar grösstentheils erst eben gekommen, denen er in Zanzibar ihre Sprache abhörte. Diese Mundart ist die Grundlage der arabischen Umgangssprache von Zanzibar. Vom ʿOmāni hat uns zuerst Praetorius in der *ZDMG*. 34, 217 ff. (1880) eine kurze Darstellung gegeben. Allerlei Abweichungen von den Angaben Reinhardt's und das Fehlen einiger characteristischer Züge werden daher rühren, dass seines Gewährsmanns Sprache von den Dialecten gebildeter arabischer Länder nicht unberührt geblieben war, dass er auf alle Fälle nicht

[1] Carl Reinhardt, *Ein arabischer Dialekt gesprochen in ʿOmān und Zanzibar, nach praktischen Gesichtspunkten für das Seminar für Orientalische Sprachen in Berlin bearbeitet.* Stuttgart und Berlin 1894. (A. u. d. T. Lehrbücher des Seminars für Orientalische Sprachen zu Berlin. Bd. xiii.) xxv und 428 S. 8°.

[2] Zu Stumme's im viii. Bande dieser Zeitschrift besprochenen ‚Tunisische Märchen' und Socin's ‚Zum arabischen Dialect von Marokko' kommen jetzt noch Stumme ‚Tripolitanisch-Tunisische Beduinenlieder' und Socin und Stumme ‚Der arabische Dialect der Houwāra des Wād Sūs in Marokko'.

[3] Ich schliesse mich in diesem Aufsatz der Transscription Reinhardt's an. *Y* ist natürlich = ι; *ṙ* = غ.

den Dialect der Beny Charūz sprach. Die ausführlicheren Mittheilungen des indischen Militärarztes A. S. Jayakar im *JRAS* 1889, 649 ff. und (Wortverzeichniss) 811 ff. stimmen mehr zu Reinhardt's Buche, aber im Einzelnen finden wir auch da manche Verschiedenheit. Das kommt einerseits davon, dass Jayakar den Dialect der Stadt Maskat ('Omānisch *Mesked*) schildert, der nach ausdrücklicher Angabe Reinhardt's von dem der Beny Charūz schon ‚wesentliche Abweichungen aufweist'; dann aber davon, dass er die Laute der gesprochenen Sprache lange nicht so genau wiedergiebt wie Reinhardt. Solche Genauigkeit ist ihm schon dadurch unmöglich, dass er nur arabische Schrift anwendet, wie er denn auch auf die Schriftsprache zu viel Rücksicht nimmt. Von dem wirklichen Vocalismus des Dialects bekommt man durch Jayakar keine Vorstellung.

Wir müssen Reinhardt sehr dankbar sein, dass er sich scharf auf den einen Dialect beschränkt, für ihn aber ‚in fünfjähriger schwerer Tropenarbeit' ein reiches und zuverlässiges Material gesammelt hat. Vorbereitet war er auf diese Arbeit u. a. dadurch, dass er sich früher in Aegypten mit dem dortigen Arabisch vertraut gemacht hatte. Zunächst hat er aber, wie schon der Titel andeutet, nicht für unsereinen geschrieben. Er wollte ein practisches Lehrbuch dieses arabischen Dialects zu Stande bringen, der für Deutschland wegen der leidigen ostafricanischen ‚Colonien' wichtig ist. Auf die Regeln hat er daher weniger Nachdruck gelegt als auf die Beispiele; das kann uns allerdings ganz recht sein. Er geht gern vom Deutschen aus, indem er sagt, das und das wird im 'Omāni so und so ausgedrückt. Er verhehlt sich nicht, dass die Anordnung und Fassung der Regeln manchmal zu wünschen übrig lässt. ‚Wie schwer es ist, in den feuchtheissen Tropen, wo der Mensch Morgens müder aufsteht als er Abends zuvor zu Bette gegangen ist, derartige geistige Frische verlangende philologische Arbeiten zu verrichten, kann man sich im gemüthlichen Studirzimmer, umgeben von wissenschaftlichem Hülfsmaterial aller Art, kaum vorstellen. Jetzt, nachdem ich von dort zurück bin, wundere ich mich selbst, warum ich dieses oder jenes nicht so und so gesagt oder nicht hier und da ein erläuterndes Wort zugefügt habe,' sagt er in der zu Cairo geschriebenen Vorrede. Dazu kommt, dass er durch eine schwere Krankheit zu dem Entschluss bewogen wurde, das Werk abzukürzen, es aber später, als schon ein grosser Theil gedruckt war, wieder ausdehnte. Es wäre für uns Stubengelehrten billig, die kleinen Mängel des Buches aufzudecken; statt dessen wollen wir lieber aus den reichen und zuverlässigen Mittheilungen, die wir seinem Fleisse verdanken, zu lernen suchen.

Ich werde nun im Folgenden ähnlich, wie ich es auf Grund von Stumme's prosaischen Texten für die Sprache von Tūnis gethan habe, einige Züge des 'Omānischen Dialects besprechen. Natürlich kann hier aber von Vollständigkeit, strenger Systematik und Consequenz erst recht nicht die Rede sein.

Consonanten. ذ und ث haben den alten Werth. ذ wird aber mehrfach zu ض; ausser den von R. Seite 10 angeführten Fällen (darunter *χaḍ* = أخذ mit allen Ableitungen) noch in *ḍra* = ذَرء 38, *faχaḍ* ‚Geschlecht' = فَخِذ 335. 337 und in *nōχḍa* 227 = ناخُذا (persisch). Auch ist das Flickwort *ḍalḥi* 198 Anm. wohl = *ðelḥyn* ذا الحين ‚hoc tempore' 113. *Bidāto* = بِذاتِه für sich selbst mit د für ذ ist ein gelehrtes Wort, das aus einem andern Dialect eingedrungen sein wird. ز für ذ in *šezz* = شَذّ ‚entlaufen' 178. 403. Auffallend ist das ت in dem sehr beliebten *ḥēt* = حَيْث, *mḥēt* = مِن حيث (zur Präposition geworden ‚bei'), *ḥētinn* = حيث أنّ und noch weit mehr das ganz singuläre *h* in *hintēn* = ثِنْتَيْن. — Für س tritt vielfach die schon dem classischen Arabisch bekannte Verwandlung in ص ein; selten die umgekehrte wie *semet* = صمت ‚still sein' 144. Zu ز wird س, soviel ich sehe, nur in einigen Fällen in der Nähe von *r* und *g*; so noch *zegor* ‚Schöpfbrunnen' 269 zu سجر; umgekehrt *seqa'* ‚krähen' 10 = زقع. — ط wird immer zu ض, d. i. ‚dem mit Nachdruck zu sprechenden *d* des oberen Gaumens'. Für د steht ض in *nāqoḍ* ‚schlägt aus' (vom Baume) 388 f. ناقِد; der Vocal bestätigt diesen Wandel, denn bei د hiesse es *nāqid* mit *i*. — ج ‚ist trocken und vorne im Munde zu sprechen ähnlich unserm *g* in ‚Geld', ‚gieb'. Bei einigen Stämmen 'Omān's soll es mit einer kaum bemerkbaren Hinneigung zu *dj* gesprochen werden.'

1*

و und gewiss auch ى ist stark vocalisch. Daher schreibt R. zuweilen *auw, aij, eij,* wo man nur *aw, aj, ej* (resp. *au, ai, ei*) erwartete: so öfter *ssauwāhil* السّواحِل, *sauwāh* سُواه ,gleich ihm' 428, *lauwādum* الأوّادِم ,die Menschen', *qauwi* قَوِّي ,stark', *ḥaijātek* und andre Formen von حَياة ,Leben', *eijādi* = أيادى ,Hände' u. a. m. Umgekehrt *titmajaḥ* تَتَمَيَّح ,geht schwankend' 315. Inlautend werden و, ى mit kurzen Vocalen leicht zu *ū, ī,* z. B. *lugāh* = اللُّوجاه 371 (andre Beispiele unten).

Die Gutturale halten sich natürlich in ihrer alten Kraft, nur fällt ءَ vielfach weg, verschwindet ع in manchen Formen von عطا und غ arbiträr in manchen von بغى. In einzelnen Fällen wird ءَ zu ع.

Wir finden noch etliche sporadische Lautwechsel, ferner allerlei ganze und halbe Assimilationen; bei genauer lexicalischer Durchforschung wird sich für dies alles wohl noch mehr ergeben. Vielleicht zeigen sich dann auch noch einige stärkere Verstümmelungen, wie wir sie schon jetzt in folgenden Fällen sehen: 1. *ϑlittār* ,dreizehn', *rbātār* ,vierzehn' und so andre Formen der zweiten Decade 2. *ḥa, ha* aus حَتّى, *ḥāl, hāl* aus حتّى ل[1] 3. *dōk, dōkum* u. s. w. ,da nimm' aus دونَك, دونَكُم u. s. w.; schon von JAYAKAR (S. 872) erkannt 4. *'ab* neben und gleichbedeutend mit *'ageb* عَجَب, eigentlich wohl in der Bedeutung des عَجائب andrer Dialecte, dann aber zum blossen Flickwort geworden 5. *ṣinhār, sinhār* ,Mittag' aus *noṣṣ uhār* نِصْف نهار 6. *'al, 'a* aus und neben *'ala,* على.

§ 9 zählt R. Consonantenversetzungen auf. Doch ist dabei einiges zu berichtigen. So sind *mešfar* und *meršaf* ,Lippe'[2] verschiedene Wörter; letzteres eigentlich ,Werkzeug zum Schlürfen' مِرْشَف. Ebenso *rūfqa,* eigentlich ,Genossenschaft' und *furqa* ,Abtheilung', *raqje* ,Beschwörung' und *qarje* ,Lesung' u. s. w.

Vocale. Die langen Vocale werden wenig verändert. Einzeln *ō* für *ū* und *ē* für *ā,* z. B. *sē'a* neben *sā'a* ,Stunde, Uhr'. Die

---

[1] R. hat, nachdem er anfangs *ḥāl,* was ja nahe liegt, als حال gefasst hatte, später gesehen, dass hier überall حتّى ist. Auch die Fälle 1. 4–6 hat R. richtig beurtheilt.

[2] Ibn Aubāry, Aḍdād 41, 4 = Ibn Doraid, Ištiqāq 281, 15.

Diphthonge werden zu *ō, ē;* aus *ē* wird oft weiter *y* z. B. *'alyk* = عَلَيْك. Nur bei Verdopplung halten sich die Diphthonge z. B. *qauwe* ‚stärkte', *gdeijor* ‚Wändchen'.

Auslautende lange Vocale werden verkürzt; für *ū* dann *o*, für *ā* je nach den Consonanten *a* oder *e: ketbo* = كَتَبُوا, *ketebne* كَتَبْنَا, *ḥáṣa* = حَصَى (حَصَى) ‚Kiesel', *rāsi* = رَاسِي. Ausgenommen 1. einige einsilbige wie *bū* = بو (ابو), *mā, bny* = بَنِي, *nty* ‚du' (fem.). Auch in *mé* ‚Wasser', *dé* = ذا ist wohl ein langer Vocal 2. das aus اة entstandene *ā* in Formen wie *ḥaṣā* حصاة ‚ein Kiesel'. Vor Suffixen und Enclitica tritt die Länge wieder ein: *ketbūh* ‚schrieben ihn', *ketbūši* ‚schrieben nicht', (*múbde* ‚Anfang') *mubdáhu* ‚sein Anfang', (*bqi* ‚blieb) *bqylo* ‚blieb ihm' u. s. w. Selbst ursprünglich kurze auslautende Vocale können so gedehnt werden: *hūwāši* ‚nicht er' u. s. w. Ferner werden durch den Frageton auslautende kurze Vocale verlängert oder wiederverlängert: *huwā taḥt* ‚ist er unten?' (sonst *hūwe*), *minnūh* ‚von ihm?' (sonst *minno*).

Kurze Vocale fallen in grosser Menge weg. Das gilt von den meisten ـَ ـِ in offner Silbe. Allerdings mag sich zum Theil ein ganz flüchtiger Vocalanstoss erhalten; so erklären sich vielleicht einige Inconsequenzen wie *bŭjūt*,[1] *bijūt* neben *bjūt* ‚Häuser', *lisān* neben *lsān* ‚Zunge', *gidāl* ‚dicke', *ϑqāl* schwere' (beide 71), *jisemme* 382, 2 neben häufigem *jsemme* يُسَمِّي u. s. w. So *forāχa* ‚Blüthe' 57, *kubār* ‚grosse' كبار 340, wo man *frāχa, kbār* erwartete u. dgl. m. Beim Artikel erhält sich der Vocal in *rrigāl* الرِّجال neben *rgāl* رِجال, in *lluṣūṣ* neben *lṣūṣ* u. s. w. Anlautendes ع ist nie vocallos; es hat *ö* für ـُ. So gewöhnlich auch ح: *'öše* عِشَاء ‚Abend', *'öjūn* ‚Augen', *ḥöšēny* حُصَيْنِى ‚Fuchs', *ḥömār* ‚Esel' u. s. w. ـُ bleibt meistens auch in offener Silbe; vgl. z. B. *keteb* كَتَبَ ‚schrieb' gegenüber *smö'* سَمِعَ (resp. سِمِعَ) ‚hörte', *jsellmo* يُسَلِّمُوا ‚grüssen' gegenüber *jsaijáro* يُسَيِّرُوا ‚werden gebracht' 411. Aber auch hier zeigt sich einiges Schwanken z. B. in *medāin* ‚Städte' neben *mdāris* ‚Schulen', *qatyl* ‚getödtet' neben *ϑqyl* ‚schwer'.

---

[1] R. hat nur selten eine solche Bezeichnung ganz kurzer Vocale.

Anlautendes ـَ fällt mit folgendem kurzen Vocal gewöhnlich selbst dann weg, wenn die Silbe geschlossen ist. So *swed* = أَسْوَدُ, *šgār* = أَشْجَار, *staχdem* = اسْتَخْدَمْ; so immer beim Artikel. Eine Ausnahme bildet die 1. Pers. impf. z. B. *eglis*, *eχāf* = أَجْلِسُ, أَخَافُ und der Elativ: *ekbar* ‚grösser', *aḥsen* ‚besser' u. s. w., der somit von dem einfachen Adj. أَفْعَلُ (fem. فَعْلَاءُ) ganz getrennt wird.[1] Durch jenen Abfall in Verbindung mit der Vocalisierung des و wird so aus أَفْوِدَةٌ (= أَفْئِدَةٌ), Pl. von *fwād* ‚Herz' *fūde* 21, aus إِخْوَتَهُ *χūto* 323;[2] *χūt* aus إِخْوَةٌ eb.

Während das Altarabische und wohl auch die meisten neueren Dialecte die ganze Fülle der wirklich vorkommenden Nüancen kurzer Vocale in drei Gruppen vertheilen, innerhalb derer die Variationen keinen verschiedenen Sinn ergeben, hat das 'Omāni nur zwei solche Gruppen: einerseits die des Fatḥa *(a, ä, e)*, andrerseits die des Kesra und Ḍamma *(u, ü, ö, o, i* und wohl noch einige Schattierungen), welche sich nicht nach Herkunft und Bedeutung, sondern nur nach den benachbarten Consonanten, besonders den silbenschliessenden, unterscheiden. *T, ϑ, d, δ, s, š, z, n, l* und bei Präfixen *ṭ, ḍ, ṣ* bedingen *i*, die andern *u* oder dessen Varianten. Auch für diese Varianten hat R. genauere Regeln festgestellt; doch gelten sie lange nicht in dem Masse wie der Hauptsatz. So bedingen die Labiale *u*, aber auch *ü* kommt da viel vor z. B. *jüksüb* ‚beraubt', *jübṣar* ‚sieht', *jüfhaq* ‚hat den Schluchzer' (= يَفْهَقُ) 346. *X, r, q* verlangen *o*, aber wir haben doch auch *juχḍa'* ‚demüthigt sich' = يَخْضَعُ, *juχṭuf* ‚geht vorüber' (öfter) u. s. w. Unterschiedslos stehen *lluṣṣ* und *lloṣṣ* ‚der Räuber' 309 ff., *ḥorme* und *ḥörme* ‚Weib' u. s. w. In letzterer Aussprache zeigt sich der Einfluss des *ḥ*, das, wie auch ', eben den Vocal *ö* bewirkt, auch wo sonst ein anderer zu erwarten wäre: so z. B. *r'öf* ‚hatte Nasenbluten' (neben *ḍ'uf* ‚war schwach'), *ḥömm* ‚hatte Fieber' حُمَّ, *'ölm* ‚Wissen' عِلْم u. s. w. Von dem Hauptgesetz gibt es sehr wenig Ausnahmen. Für *in* kommt in anlautenden Silben oft *un* oder auch

[1] Damit fällt eine Schwierigkeit weg, die den alten Grammatikern Schmerzen gemacht hat: von *ḥmar* ist der Elativ *äḥmar* 64 u. s. w.

[2] So im Houwāra-Dialect *χōtu* Socin und Stumme 56, 23; vgl. 76, 1.

ün vor: *junqa'* ‚geht los' 292, *jüngiz* ‚geht zu Ende' eb., *jünksor*, *junkisro*, *münksor* 173 يِنْكِسِر, يِنْكِسِروا, مُنْكِسِر 173 neben *minkisrāt* مُنْكِسِرات 177, *jinšrub* يِنْشِرِب 173, *tinredd* ‚sie wird zurückgewiesen' 186 u. s. w. *Büldān* 336 paen. ist ganz singulär für das sonstige *bildān* (z. B. ib., 2). Statt des regelrechten *bilbil* ‚Nachtigal' 272 steht 54 *bulbul*. Auffallend sind *mudde* ‚Zeitdauer' 42, *χaboϑ* ‚Schlagen', *ḥāruϑ* ‚Bauer' 72, bei denen allen man *i* erwartete. Aber das Hauptgesetz wird durch diese vereinzelten Fälle nicht erschüttert, Ḍamma und Kesra haben keinen Unterschied für die Bedeutung. Wir haben also *froḥ* ‚freute sich' = فِرِح oder vielmehr فِرِح, *mislum* = مُسْلِم, *mišruk* = مُشْرِك, *šārub* statt شارِب, *fērājoḍ* = فرايِض, *moqbil umidbor* = مُقْبِل ومُدْبِر 54, *χiddām* = خُدّام, aber *χoṭṭār* = خُطّار ‚Gäste', *joqtil* = ويقْتِل (=يَقْتُل), *jiḍrob* = يِضْرِب, *stoqbāḍ* ‚Quittung' = إسْتِقْباض, *killum* = كُلّهم, *χurrug* = خُرَّج, *biddil* = بَدِّل u. s. w. Wie gesagt, nur die Consonanten entscheiden hier, nicht die ursprüngliche Form.

Das 'Omāni vermeidet gern das Zusammentreffen von drei Consonanten, das durch Verlust eines kurzen Vocals in offener Silbe entstände; es setzt dann meist nach dem zweiten Consonanten einen Vocal ein. Solche ‚aufgesprengte' Formen sind hier noch häufiger als im Tunisischen Dialect.[1] Aber die so entstandene neue Silbe zieht den Accent auf sich,[2] wenn er nicht noch weiter nach hinten liegen muss; in Folge dessen fällt der ursprüngliche Vocal weg. Die Farbe des eingeschobenen Vocals richtet sich nach den umgebenden Consonanten, zum Theil aber auch nach der Ableitung. So entstehen Formen wie *tkitbo* ‚ihr schreibt', *jmišjo* ‚gehn', *ktübto* ‚seine Schrift', *mqubra* ‚Grabstätte', *jḥukjo, jḥükjo, jḥökjo* ‚erzählen' (يِحْكِيوا = يَحْكُوا, resp. يَحْكُون) — *mderse* ‚Schule' (mit *e* wegen مدْرَسه), *tqabro* ‚werdet beerdigt' (mit *a* wegen *joqbar*), *tqaḥmo* ‚geht herunter' (wegen *joqḥam*) u. s. w. Nach Analogie dann Formen wie *juqtóhdo* ‚sind beschäftigt' (nach *jugthid;* nicht direct aus ursprünglichem *jiqtahidu*), *mö'tizle* ‚separata' nach *mö'tzil* u. s. w.

---

[1] S. diese *Ztschr.* viii, 255 f.; ferner Stumme, *Beduinenlieder*, S. 18, Anm. 35.
[2] Wie im Maltesischen; s. Stumme a. a. O.

Ein ursprüngliches oder zur Erleichterung der Aussprache eingeschobenes ـَـ zieht auch sonst wohl den Ton auf sich, so dass der vordere Vocal wegfällt: *rgil* ‚Fuss‘, *tsö* ‚neun‘, *ṣdor*, *ṣdör* ‚Brust‘, *gbin* ‚Käse‘, *lḥoq* ‚schloss sich an‘ لِحِق, und so in allen Verbalformen فُعِل = فِعِل.

Die vorstehenden Vocalveränderungen geben der Sprache ganz besonders ihr lautliches Gepräge. Dagegen tritt ganz zurück, was sonst noch von Vocalwechsel vorkommt. In einzelnen Fällen wird *a* zu *i*: *min* aus مَن, *inno*, *innek* aus أنّه, أنّك, *gidd* ‚Ahne‘ 346 und besonders *it* für das *at* des Fem. beim Nomen und Verbum. Tritt das *i* des Fem. in offene Silbe, so fällt es weg. Hier und da wird *a* wegen eines benachbarten Consonanten zu *o* z. B. *woṣṭ* neben *waṣṭ* = وَسْط, *woḥde* neben *waḥde* ‚eine‘, *qanṭorti* ‚meine Brücke‘ 24.[1] Vielleicht handelt es sich hier nur um die von R. §. 3, 2 besprochene Trübung des *a* nach *o* hin.

Ein silbenanlautendes ع nach geschlossner Silbe nimmt gern vor sich einen Hülfsvocal:[2] *šuge'ān* ‚Tapfere‘ 73 شُجْعان, *sŭba'a* ‚sieben‘, *ḏöre'ān* ‚Schenkel‘ = ذِرْعان XXII u. s. w., aber daneben *tis'a* ‚neun‘, *šub'ān* ‚satt‘ u. s. w. Auch silbenauslautendes ع erhält zuweilen einen solchen Hülfsvocal:[3] *usta'ageb* ‚und wunderte sich‘ 385, *bö'erān* بُعْران ‚Kameelhengste‘ 366, *jö'enyni* ‚meint mich‘ 350, *ba'aḍhum* = بَعْضهم und so *ba'aḍ* بَعْض; aber daneben *jö'raf* ‚kennt‘ u. s. w. Aehnliche Vocaleinschübe manchmal bei ـُـ.

Durch bedeutsame Betonung wird in gewissen Fällen der Vocal verlängert. So 1. bei der Frage s. oben, S. 5 2. im Elativ mit Suffixen *eṭwal*: *eṭwālhin* ‚maxima earum‘, *ekϑārhum* ‚die Meisten von ihnen‘ 66 3. im lauten Zuruf: *jeswēd elwugh* ‚o du Schandkerl‘, *šrōb* ‚trink‘ u. s. w. (296).

[1] Aber *qarbe* ‚Schlauch‘ 70, 3 v. u. = قِرْبَه zeigt nicht das Umgekehrte, sondern ist gewiss nur Druckfehler für das regelrechte *qorbe*; dafür spricht auch der Pl. *qrab* = قِرَبٌ.

[2] Also wie die LXX schreiben Συμεών = שִׁמְעוֹן, Ῥοβοάμ = רְחַבְעָם, Γεδεών = גִּדְעוֹן u. s. w.

[3] Wie יַעֲשֶׂה, יַעֲמֹד u. s. w.

In Folge des Lautwandels werden mehrere schwache Wurzeln umgebildet. أساس ‚Fundament' wird zu *sâs*, pl. *sysân*, Verbum *seijes*, als wäre die Wurzel سيس. Aus أساء wird *ese* ‚beleidigte', fem. *esjit* wie von أسى. *ônên* ‚Ohren' = أُذُنين bildet Dimin. *ôneije*. Andre Wurzelumbildungen haben wir in *fâš* ‚wurde viel' aus فاشى (فاش), *ešrit* ‚sie gab einen Wink' 316, von R. richtig aus أشار erklärt (Masc. wird *ešer* sein). Aus dem Impt. دَعْ ‚lass' entwickelt sich das Verbum دعى z. B. *ede'yk* ‚ich lasse dich' u. s. w. So *ṭtor* ‚war betrogen' 311 wie von غتر aus اِغْتَرّ.

Pronomina. Die merkwürdigste Erscheinung beim eigentlichen Pronomen ist, dass das Suffix der 2. sg. f. *š* statt *ki* lautet. Schon Praetorius hat hierauf aufmerksam gemacht und dazu das von Maltzan angegebne *'alêš* = عَلَيْكِ in Ḥaḍramaut *ZDMG*. 27, 250 und das *ši*, *š* des Amharischen herangezogen. Dass man in Ḥaḍramaut so spricht, bestätigt van den Berg, Hadhramout 249. Nach einer gütigen Mittheilung Ed. Glaser's an mich ist ش auch in ganz Jemen Obj. und Possess.-Suffix der 2. sg. f.[1] Im Mahrî zeigt sich dies ش und zwar, wie im Amharischen, auch für das Subjectssuffix des Perfects (dessen Masc. da *k*, nicht *t* hat). Wir finden also diese Erscheinung im ganzen Süd- und Südostarabien wie im grössten Theil Abessiniens.[2] Es liegt sehr nahe, dies *š* aus *ki* durch Vermittlung einer Palatalisierung (ع) zu erklären, aber das hat doch seine grossen Bedenken. Das 'Omâni zeigt beim *k* höchstens Spuren von Mouillierung Jayakar 653; vielleicht deuten auch R.'s Worte, *k* sei

[1] Nach Wetzstein in *ZDMG*. 22, 166 legt Nešwân diese Eigenthümlichkeit auch den Bekr bei. Leider erfahren wir nicht, ob er die Bekr b. Wâil oder sonst einen Stamm dieses Namens meint. Uebrigens ist möglich, dass der letzte Gewährsmann an einen in oder in der Nähe von 'Omân wohnenden Zweig jenes grossen Stammes dachte; bei R. 420 kommen als 'Omânische Stämme neben Abkömmlingen von ‚Ḥamyar' und Qaḥṭân auch *ûlâd Wâ'il* vor; das soll wohl *Wâ'il* sein. Sind die *Ahûl* 339. 365 vielleicht die بنو ذُهْل, welche allerdings zu den Bekr b. Wâil gehörten?

[2] Aber Geez, Tigrê und Tigriña haben sie so wenig wie die uns sonst bekannten arabischen Dialecte. Im Sabäischen und Minäischen mag dies ش auch schon gewesen sein; jedenfalls setzt Hommel, *Südarab. Chrest.* §. 14 hiefür zu sicher *ki* an.

,etwas mehr vorn im Munde zu sprechen', auf dergleichen. Allein die Palatalisierung des *k* oder *q* ist zwar im Negd und in der syrischen Wüste, wo man grade dies *š* nicht kennt, sehr beliebt, fehlt aber im 'Omāni ganz, und erst recht die Verwandlung in einen Zischlaut. Ebenso wenig finden wir derartiges im Ḥaḍrami bei VAN DEN BERG, wie bei SNOUCK HURGRONJE (in ,Feestbundel voor DE GOEJE'). Im Amharischen wird aus *ki* regelmässig *či*, *č*, aber nie *š*. Somit ist es kaum erlaubt, diese, weiten Landstrichen gemeinsame, also gewiss recht alte, Erscheinung aus einer hier nirgends nachweisbaren lautlichen Veränderung zu erklären. Aber eine andere Lösung dieses Räthsels weiss ich allerdings nicht.

Ueber die sonstigen Pronomina liesse sich noch manches sagen; wir wollen aber nur *bū* betrachten. Dies Wörtchen wird fast ganz wie das alte الذى (التى u. s. w.), das moderne اللى, لى gebraucht, das unserm Dialect verloren gegangen ist. Vgl. *rrāggāl bū fil ṙurfe* ,der Mann, welcher im Zimmer ist'; *lḥörme bū ma'ak* ,die Frau, die bei dir ist'; *lχaṭṭ bū ktebto* ,der Brief, den ich geschrieben habe'; *loχṭūṭ bū ketebnāhin* ,die Briefe, die wir geschrieben haben'; *lbint bū rädd äχūhe* ,das Mädchen, dessen Bruder zurück gekehrt ist'; *nnās bū jilne* (لنا) *ma'hum eš̌ṙāl* ,die Leute, mit denen wir Geschäfte haben'; *bū mā m'endo māl, mā ilo ḥaḍḍ* ,wer kein Vermögen besitzt, hat kein Ansehen' (alle Beispiele S. 35) u. s. w. Es steht fast nur beim determinierten Nomen oder an dessen Stelle. Selten sind Ausnahmen wie in *wāḥi* (واحد) *bū jö'raf* ,einer der versteht' 419 (wo wenigstens eine schwache Determination); *dikkān bū qurbo* ,einen Laden in seiner Nähe' 342 (wo es vielleicht *ddikkān* ,den Laden' heissen sollte); *šei bū mā trūm tqure'o* ,etwas, das du nicht herunter schlucken kannst' 285. R. setzt dies بو mit Recht = أبو. Aus dem Gebrauch der Kunja hat sich bekanntlich, im classischen Arabisch noch spärlich vertreten, die Anwendung von ابو mit einem Genitiv im Sinne von صاحب entwickelt, ,der mit . . . .'[1] Das ist nun in

[1] So ward mein sel. Freund DÜMICHEN in Aegypten wegen seines prächtigen Bartes *abu ddaqn* ,der mit dem Bart' genannt.

unserm Dialect so weit ausgedehnt, dass *bū* heisst: ‚Inhaber von . . .‘, ‚wovon folgendes gilt:‘ also *lχaṭṭ bū ktebto* ‚der Brief, Inhaber von‘ (von dem folgendes gilt): ‚ich habe ihn geschrieben.‘[1]

Substantiv und Adjectiv. Die Pluralbildung entspricht noch fast ganz der der alten Sprache. Die Endungen *āt* und *yn* bleiben streng in den alten Gränzen. Beim Pl. fractus fallen durch die Lautveränderungen theilweise verschiedene Formen zusammen z. B. أفعال und فعال als *f'āl*. Ob *ḥörṣa* ‚Geizige‘, pl. von *ḥaryṣ*[2] = حُرَصَاء oder = حَرْضَى (oder vielmehr حِرْضَى), ist nicht sicher zu entscheiden. *ṫinje* ‚Reiche‘ setzt R. mit Recht = أغْنِيَاء (daraus zunächst *[a]ṫinjā*), wie *'ösje* ‚Stöcke‘ = أعْصِيَة* sein wird. Die Pluralform فعيل hat sich etwas ausgedehnt: *gryr* ‚Krüge‘, *qbyb* ‚Kuppeln‘ und andre von med. gem. Zum Singular ist geworden *niswe* ‚Frau‘ (نِسْوَة), dessen Plural *niswān*. Pluralis pluralis *balādyn* zunächst aus *bildān* von *beled*, wie bei Jayakar 659 فيارين ‚Mäuse‘ aus فيران von فار und لياحين ‚Tafeln‘ aus ليحان von لوح. Noch manche interessante Einzelerscheinung aus der Pluralbildung liesse sich anführen. — Auch der Dual ist beim Nomen in weitem Umfange erhalten.

Wir finden noch allerlei Reste vom Tanwyn. Natürlich müssen wir absehen von Redensarten wie *ḥubban wekerāmen* 295,[3] *selāmin 'alykum, meϑelen*, die, mögen sie auch noch so verbreitet sein, doch aus der Litteratursprache stammen. Anders steht es aber mit *nāsin ϑuqa* ‚vertrauenswerthe Leute‘ 58, dem überaus häufigen *killin* ‚jeder‘, *šeiin qalyl* ‚etwas weniger‘ 81, *kill šeiin* ‚jedes‘ 81 und öfter *šeiin*, *'arbin ḍ'āf* ‚gemeine Männer‘ (‚Araber‘) 80, *'arbin qille* ‚wenig Männer‘ 381, *bwughin 'abūs* ‚mit finsterm Gesicht‘ 342 u. a. m. Es handelt sich da fast stets um kurze und mit dem Folgenden eng verbundene

[1] Ich muss gestehen, dass ich, seit ich dies بو habe kennen lernen, der Erklärung des hebräischen אֲשֶׁר als eines Substantivs nicht mehr abgeneigt bin. Ich würde der Deutung ‚Ort von‘ (= ܐܬܪܐ) ohne Weiteres beitreten, wenn nicht אשׁר أثر አሰር bloss ‚Spur‘ hiesse; nur im Aramäischen heisst ܐܬܪܐ ‚Ort‘, und auch da zeigt sich in בְּאַשְׁר ܥܩܒܐ noch die ursprüngliche Bedeutung.

[2] Ham. 528, v. 5; Pl. جراص Amrlq., Moall. 24.

[3] Die höflichen Redensarten S. 294 f. gehören zum grossen Theile der höheren Sprache an.

Wörter. Auch in *kemmyn* ‚einige‘ steckt vielleicht ein Tanwyn; es könnte, wie das alte كَأَيِّنْ, كَائِنْ = أَيٌّ + كَ ist, aus *kemā* (das im ʿOmānī das blosse *ka* ersetzt) und *aijin* entstanden sein. Schwierigkeit macht nur die Verdopplung des *m*.

Kaum zu verkennen ist auch das Tanwyn in Fällen wie *moḥtāgilli* ‚ist mir nöthig‘ مُحْتَاجٌ لِي 170, *nāqdāt illo* ‚sind ihm gewachsen‘ 158 نَاقِدَاتٌ لَهُ (s. oben S. 3, 6 v. u.), *mešʿālübbhe* ‚sie ist angezündet worden‘ ib. مشعولٌ بِهَا, *bū maḍrūbubbo* ‚womit geschossen ist‘ ib. مَضْرُوبٌ بِهِ, *kātbúbbo* ‚schreibt damit‘ = كَاتِبٌ بِهِ, *ḍārbātübbo* = ضَارِبَاتٌ بِهِ u. s. w. Vgl. dieselben Assimilationen des *n* in *raχjéllo* ‚liessen ihm‘ 233 aus *raχjen* (= classischem *raχaina*) + لَهُ, *ḍārbybbo* aus ضَارِبِينْ بِهِ 140, *jdūrabbo* aus *jdūran* (= يِدُرُّنْ) *bo* 205 u. s. w. Noch häufiger sind die ähnlich lautenden, jedoch nicht wohl durch ein Tanwyn zu erklärenden Formen des Particips mit angehängtem Objectsuffix wie *ḍārbinno* ‚schlägt ihn‘, *ḍārbinnek, ḍārbinni*, pl. *ḍārbynno*, fem. *ḍārbātinno* u. s. w., aber Fem. sg. *ḍārbítno, ḍārbítnek* u. s. w. (*mištāqítnek* ‚nach dir verlangend‘ 304, wie auch *sädkitli* ‚massiert mich‘ 141). So auch die ganz wie die Participia gebrauchten Verbaladjective *nisjāninno* ‚vergisst ihn‘ 224; fem. *ʿölmānitbo* ‚sie kennt es‘ u. s. w. Ganz so finden wir in Wetzstein's Beduinenerzählung *ZDMG.* 22, 75, 10 شَايِفُنَّهُ ‚sah ihn‘ und دَافِلُنَّهُ ‚beschlich ihn‘; vgl. eb. 192, wo auch im Fem. die Verdopplung فَاعِلِتُنَّهُ neben فَاعِلِتَكْ. Es geht kaum an, in diesen Formen mit Wetzstein فَاعِلْ إِيَّاهُ u. s. w. zu finden; im ʿOmānī wird wenigstens *ijā* höchstens zu *jā* verkürzt. ضَارِبٌ لَهُ aber würde in unserm Dialect immer nur *ḍarbillo* ergeben, abgesehen davon, dass in ihm, so viel ich bemerke, nie لِ zur Bezeichnung des directen Objects dient. Es bleibt wohl nichts übrig als eine weit ausgedehnte Analogiebildung anzunehmen, die von ضَارِبُنِي[1] ausgeht. Man bedenke, dass die erste Person in der Sprache des Lebens eine ganz andre Rolle spielt als in der Litteratur.

[1] الْمُسْلِمُنِي und الموافينى Howell 2, 704; قَالِينِي Muwaššā 112, 20 (angeblich von Zuhair); حَامِلُنِي Kāmil 205. Wie יְאַזְּרֵנִי Ps. 18, 33. Vgl. die verdächtigen الآمِرُونَهُ und مُحْتَضَرُونَهُ eb. 206 (alle drei aus dem Kāmil wiederholt Chizānat al adab 2, 186).

Secundäre Verdopplung hat der Dialect auch in Fällen wie *mesmūḫilibbo* ‚ist mir geschenkt‘ مسموح لي به 158, *qālitlóbbo* ‚es ihm sagte‘ 313, *tekkeltnébbo* ‚hast uns damit betraut‘ 310. Analogiebildungen sind hier jedenfalls wirksam.[1]

Von den Zahlwörtern hebe ich nur die nach Analogie von *χamse* u. s. w. gebildete Nebenform *θnēne*, *θnyne* ‚zwei‘ (masc.) mit angehängtem *e* hervor.[2]

Partikeln. Wie in allen oder den meisten Dialecten treten auch im 'Omāni Objectsuffixe mit Subjectbedeutung oder zur Verstärkung des Subjects an allerlei Adverbien: *hēnek* ‚wo du?‘, *tauni* ‚jetzt ich‘, *ḥynek* ‚jetzt du‘, *ba'adni* ‚ich noch‘, *ba'ado* ‚er noch‘, *'ōlāmek* ‚warum du?‘ u. s. w. Aehnlich *ilāni bfaras gāje* ‚da kam mir plötzlich ein Pferd‘ 93 (classisch wäre es اذا انا بفرس جائية mit selbständigem Pronomen); *ilāk bil 'arab gājyn* ‚da kamen dir plötzlich die Araber‘ u. s. w. Neben *ilāh blōḥsēni* ‚da kam ihm plötzlich der Fuchs‘ 299 auch *ilāno bisḥāb* ‚da kam ihm plötzlich eine Wolke‘ 383 mit *no* wie beim Participium (s. oben S. 12). So erscheint bald *yla*, bald *yδa* wesentlich in der Bedeutung des conditionalen اذا ‚und man kann sich kaum der Annahme entziehn, dass dies لا mit seinen Nebenformen, das fast in allen bekannten Dialecten von 'Omān bis Südwest-Marokko erscheint,[3] aus اذا entstanden ist, so völlig fremd meines Wissens der Uebergang von ذ oder auch د in ل sonst dem Arabischen ist. — إنّ scheint gänzlich verschwunden zu sein, wenn es nicht etwa in dem seltsamen *'awēn*, *awēn*, *auwēn*, *ewēn* steckt, das möglicherweise = أوإنّ sein könnte; es bedeutet ungefähr: ‚wirklich‘,

[1] An etwas wie das nordsemitische nun epentheticum mag ich hier nicht glauben trotz des von R. 273 angeführten Baghdādischen *abūnu* ‚sein Vater‘, *qatalūnu* ‚sie tödteten ihn‘, *'alēnu* ‚auf ihm‘, *bynu* ‚durch es‘, in welchen wohl eine Form wie das *hinu* ‚er‘ der Mosuler Gegend steckt; vgl. dazu *línu lénu* ‚ihm‘, *bīnu*, in ihm‘ bei Socin in *ZDMG*. 36, 11, 8; 17, 11 und in ‚Die aramäischen Dialecte‘ 136, 15. In den beiden ersten Fällen ist das Suffix *hū* noch durch *hinu* verstärkt.

[2] Aus Versehen steht S. 82 *θnēn*, *θnyn* als Fem., *hinēn* als Masc.

[3] Ich kenne es bei den syrischen Beduinen, in Ḥaḍramaut, in Mekka, in Tūnis und in Marokko.

wie man erzählt'.[1] Stärker als das alte إنّ ist *ṣāni*, *ṣāk* u. s. w. ‚ecco mi, ecco ti' u. s. w.; ich weiss es nicht zu deuten. — أنّ ist als *inn* mit Suffixen (*inno* u. s. w.) noch ganz lebendig. So *keenno*, *kenno* ‚als ob' und oft etwa in der Bedeutung: ‚so geschah's'. أنّ steckt noch in *ilēn*, *ilyn* = إلى أنّ, oft aber ganz wie einfaches إلى (resp. حتّى) als Präposition gebraucht,[2] sowie in *'asān* ‚ob etwa', ‚damit' = عَسَى أنّ ‚vielleicht ist's, dass'. Das einfache عَسَى kommt auch vor; ebenso *'all* (*'allo* عَلَّه 313, *'allhe* عَلَّها 201) und *n'all* = لعلّ[3] (auch wohl nur mit Suffixen).

Als Negation ist *lā* ziemlich selten geworden, *mā* ist häufiger; am häufigsten steht aber bei der Verneinung ein angehängtes *šy*, *ši*, *š*, d. i. شى mit Weglassung der eigentlichen Negation z. B. *nwebbedši Nāṣor hāδe* ‚wir kennen diesen Naṣor (ناصِر) nicht' 357; *šsgār bū ḥabádši* ‚die Bäume, die niemandem gehören' 334; *šerwe δilχangar šyši* ‚diesem Dolch ist nichts gleich (شَرْوَى)'; *lḫoqnyši šei minno* ‚mir ist nichts davon gekommen' 348; *šyšy ṙer hāδe* ‚sonst nichts?' 357. Die drei letzten Beispiele zeigen uns neben dem negativen شى noch je ein andres.[4] Auch prohibitiv *tlukṡuši* ‚fass es nicht an' 153 (ohne Suffix *lkiš*), *torkoḍši* ‚lauf nicht' eb. Sonst dient *lā* zum Verbot, schwerlich aber *mā*. — Die eigentliche Negation wird auch weggelassen bei *lle* = إلّا, wenn es, wie sehr oft, ‚nur, bloss' heisst.[5] Ferner in *mā zāl* = *mā dām* 122 f. ‚so lange anhält', wo ‚so lange aufhört' steht für ‚so lange nicht aufhört', z. B. *mā zāl ssijūl tinχtufši ddrūb* ‚so lange

---

[1] *Feinno* 394, 5 und gar *feinnaho* 410 nr. 144 = فإنّه ‚denn er', ist gewiss nicht volksthümlich.

[2] So in Mekka *ilēn*, s. SNOUCK HURGRONJE, *Mekkanische Sprichwörter* 93.

[3] نعلّ wird unter den mancherlei Nebenformen bei Ibn Anbārī, Inṣāf, cod. Leid. 77; Chizāna 4, 369 nicht mit aufgeführt. Uebrigens sind diese Formen schwerlich alle richtig.

[4] Dazu kommt dann noch *šein* mit Tanwyn (oben S. 11).

[5] So im Maghrebinischen das blosse *ṙir* (غير) ‚nur' STUMME, *Beduinenlieder* 65 v. 134, 77 v. 283, 123, 874; vgl. STUMME's Glossar s. v. كان. Auch mit dem seltsamen عال in den Houwāra-Texten scheint es sich ähnlich zu verhalten. Parallelen hiezu in verschiedenen Sprachen.

die Regen anhalten, sind die Wege ungangbar' 123; *mā zāl 'ārúfhi* ‚so lange er noch nicht weiss' 211.

Merkwürdig ist das als allgemeines Fragewort enclitisch angehängte *hi*, nach Consonanten *i* z. B. *ḥālēki hāde lbēt* ‚ist das Haus dein?' *gubtūhi luktāb* ‚habt ihr das Buch gebracht?' 34. Verwandt mit dem äthiopischen ሁ?

Die meisten alten Präpositionen sind noch in Gebrauch. لِ *(l)* kommt allein nur noch mit Pronominalsuffixen[1] und zwar fast ausschliesslich enclitisch vor. An seine Stelle tritt *ḥa, ha* (حتّى), mit Suffixen *ḥāl* (حتّى ل) z. B. *ḥāli* ‚mihi' u. s. w. (nicht enclitisch). Auch الى *ile*, meist mit Suffixen *(il, jil)*, tritt in ziemlichem Umfange für لِ ein. — ‚Mit' ist *wijā* (mit Suffixen) وإيا und *bijā* (ebenso) = بِ + ايا. *Ma'* hat die Bedeutung von عِنْد übernommen; es steht sogar in der Bedeutung ‚hin zu' = الى oder vielmehr = dem nachclassischen الى عند. Es bezeichnet auch, ebenso wie على, den Schuldner, während *il, ḥal* den Gläubiger angiebt: *ðāk lhindi iló ma'i* (oder *'alyj ḥālo*) *myt rijāl* ‚jenem Inder schulde ich 100 Dollar' 93.[2] *'end* عِنْد ist aber auch noch vorhanden; beliebt ist *m'end, m'ānd* مِن عند mit der auch sonst vorkommenden Verkürzung des مِن und völligem Verlust seiner eigentlichen Bedeutung; vgl. *minēn* oft ‚wo' und selbst ‚wohin' (366, 2) und manches andre in dieser wie in andern semitischen und nichtsemitischen Sprachen. *'end* und *m'end* wohl nur mit Suffixen.

'an ist noch sehr häufig; es steht sogar wie *min* bei der Comparation: *aχjar 'an hāde* ‚besser als dieses' 65; *ekϑar 'annek* ‚mehr als du'; *zid 'annyne jiboṙḍak* ‚mehr als mich (عنّى أنا) hasst er dich' 106.

Allerdings sind dem 'Omāni einige wichtige alte Partikeln mehr oder weniger verloren gegangen: über إنْ s. oben S. 13; كَيْفَ hat

[1] Alte Formeln wie *lḥamd lillāh* begründen keinen Einwand.

[2] Das nabatäische עם für den Schuldner hätte mir nicht auffallen sollen (Euting, *Nab. Inschr.* S. 31), da עם so schon im Hebräischen vorkommt 2 Sam. 21, 4. عند so Tab. 1, 1802, 9 لى عندك ثلثة دراهم und ähnlich oft in jüngeren Werken. Selbst Sūra 2, 245 kann man schon hierher ziehen.

[3] Fast alle modernen Formen dieser Worte gehn auf عِنْد zurück.

R. nur in einigen festen Formeln wie *kēf ḥālek* كَيْفْ حالك 294; *kēf eḥwālkum* 349, aber bei JAYAKAR 815 finden wir auch كيف شيفته (wäre *kēf šifto*) ,what is his appearance like'. إيْش fehlt bei R. ganz, kommt aber bei JAYAKAR als ويش vor 651. 855; von لَيْش ,warum' giebt dieser jedoch selbst an, dass es in der Schriftsprache üblich sei. Auf alle Fälle kann man aber wohl sagen, dass unser Dialect durch Bewahrung des Alten und passende Neubildung auf diesem ganzen Gebiete mindestens ebenso viel leistet als die classische Sprache.

Vorbum. Die Präfixe des Imperfects haben statt *a* alle den Vocal *i* gehabt, ausgenommen die erste Sg., welche *a* hatte;[1] nur *tera* mit Suffix, wenn es die Bedeutung von إنْ hat, und einige Formen von primae ـ stehn für sich. Das *i* wird dann nach den oben S. 6 f. gegebnen Lautregeln behandelt. Beim I. Stamm ist natürlich zwischen ursprünglichem يِفْعِل und يِفْعَل nicht mehr zu unterscheiden, da die jetzige Vocalisierung von den umgebenden Consonanten abhängt, ohne Rücksicht auf den ursprünglichen Vocal. So haben wir von ursprünglichem يِفْعُل *juχrug* ,geht aus', *jobroḍ* ,hasst', *jitruk* ,lässt', *jürguf* ,zittert', *jismit* ,ist still' (يِصْمُت), *jidχil* ,tritt ein',

[1] Genau so ist es in Aegypten (SPITTA 202; VOLLERS 28); auch da ist نُرَى ausgenommen. So ferner, so viel ich sehn kann, im Ḥaḍramaut, in Mekka, bei Mosul und Mardîn, während in Syrien auch die 1. sg. *i* zu haben scheint. Dieser Vocal liegt auch den maghrebinischen Formen zu Grunde, ausser wo ein anlautender Guttural *a*, *e* bewirkt. Wie es da mit der 1. sg. gestanden hat, lässt sich nicht sagen, weil dafür die Neubildung mit *n* eingetreten ist. Nach Sibawaih 2, 276 ff., dem die andern Grammatiker folgen, sprachen die meisten Araber hier *i* statt *a*, wenn die zweite Silbe *a* hatte (تِفْعَل, aber تَفْعُل), jedoch nur يَ, nie يِ; nach RŒDIGER in *ZDMG.* 14, 488 hatten aber die Kelb auch يِ. Die Angaben Sibawaih's sind jedenfalls unvollständig. Die dialectischen Beobachtungen der Grammatiker reichen nicht weit, und was sie für nicht فصيح halten, lassen sie gewöhnlich weg. Die Sonderstellung der 1. sg. ist jedenfalls zu beachten. Es ist verkehrt, zu meinen, das *a* unserer ,ḥigāzisch' punctierten arabischen Texte habe hier (abgesehen vom *u* der Passiva und des II., III., IV. Stammes) im Ursemitischen allein geherrscht. Dagegen sprechen nicht bloss die hebräischen und aramäischen Formen, sondern viel stärker die der andern arabischen und der abessinischen Dialecte. Wie hier aber *i* und *a* einst vertheilt waren, ist schwerlich mehr auszumachen, da verschiedene Ausgleichungen stattgefunden haben müssen.

von يقعل *jiḍrub* ‚schlägt', *jorlüb* ‚siegt', *juglis*, sitzt', *jugmiz* ‚springt' u. s. w. Ob *joχrot* ‚pflückt ab' يخرط oder يخرط, *jöḥṣid* ‚beneidet' يحسد oder يحسد, ist nicht zu entscheiden u. s. w. Fest hält sich aber das ـَ der zweiten Silbe; es steht in allen intransitiven Formen يفعل und ferner bei allen sec. und tert. Gutt.: 1. *jiśrab* ‚trinkt', *joqrab* ‚kommt nahe', *jislem* ‚bleibt intact', *jilbes* ‚kleidet sich' 2. a) *joqhar* ‚ergreift', *jiś'ar* ‚singt', *jis'el* ‚fragt' b) *jorta'* ‚bleibt da', *jürzaḥ* ‚hebt auf', *jüfsaχ* ‚zieht aus' u. s. w. Mit diesen Formen müssen die des Passivs ganz zusammenfallen: *juqbar* ‚wird begraben', *jiḍrab* ‚wird geschlagen, *juqtel* ‚wird getödtet', *jidfen* ‚wird begraben' u. s. w. *Jiðbaḥ*, *jö'raf* sind activ = يعرف, يذبح, passiv = يعرف, يذبح.

Aber 1. Pers. *ektub (juktub)*, *eqḥam* ‚falle' *(joqḥam)*, *eqbor (joqbor)*, selbst *augid* ‚finde' *(jügid)*[1] und so *eqtel* ‚werde getödtet', *eqbar* ‚werde begraben'.

Im Perfect fallen nicht bloss فعل und فعل (resp. فعل, فعل), sondern auch das Passiv فعل nach den Lautgesetzen gänzlich zusammen. Intr.: *rhub* ‚fürchtete sich' رهب, *shor* ‚wachte' سهر, *smö'* ‚hörte' سمع, *ðhil* ‚vergass' ذهل, *kbor* ‚wurde gross' كبر, *ḍ'uf* ‚wurde schwach' ضعف. Passiv: *χnoq* ‚wurde erdrosselt' خنق, *ðböḥ* ‚wurde geschlachtet' ذبح, *χðil* ‚konnte nicht gehn' خذل, *qtil* ‚wurde getödtet' قتل. Fem. *qitlit* ‚sie wurde getödtet', *ðubḥit* ‚sie wurde geschlachtet' u. s. w. wie *rukbit* ‚sie sass auf' u. s. w.

Das Passiv unterscheidet sich in ɪ vom Intransitiv nur durch den völligen Mangel des Imperativs und durch das Particip مفعول *maχnūq* ‚erdrosselt' u. s. w. So bei tert. ى (و): intr. *lqi* ‚traf zusammen', pl. *loqjo*, Impf. *jilqa*; pass. *gli* ‚ward aufgedeckt', *giljo*, *jugle* u. s. w. Aber bei med. gem. ist im Perf. das Passiv von den Intransitiven unterschieden: *ridd* ‚ward zurückgebracht' = رُدّ (Impf. *jredd*, part. *merdūd*), *ḥömm* ‚hatte Fieber' حُمّ, *jḥamm* (das Part. wird *maḥmūm* sein) gegenüber *śezz* ‚entlief', *jśezz*, *ḥass* ‚merkte' *jḥass*.[2]

---

[1] Vgl. Spitta 223; Vollers 57.

[2] Im Perf. ist kein Unterschied mehr zwischen Formen wie خسست und رددت; wir haben da *ḥassēt* wie *raddēt*.

Ebenso bei hohlen Wurzeln: *qyl* ‚wurde gesagt', *jqāl*, *by'* ‚wurde verkauft', *jbā'* gegenüber *χāf* ‚fürchtete' *jχāf*, *bāt* ‚übernachtete' *jbāt*.

Im Ganzen entsprechen die فعِل und فعُل des Dialects den classischen; doch giebt es allerlei Abweichungen, wie es ja hier auch in der alten Sprache nicht an Schwankungen fehlt. So sagt man *'öruf*, *jö'raf* (das wäre عَرِفَ, يَعْرَفُ) statt عَرَفَ, يَعْرِفُ (etwa nach Analogie von *'ölum* عَلِمَ) und umgekehrt *telef*, *jitlüf* statt تَلِفَ ‚zu Grunde gehn', *ḥafaḍ*, *jöḥfoḍ* für حَفِظَ ‚bewahren'. Neben *ṙaleb*, *joṙlüb* غَلَبَ, يَغْلِبُ ‚siegen' steht *ṙlub* (غَلِبَ).

Das Passiv ist in I (und so in II) noch in vollem Gebrauch. Da es aber lautlich so viel mit dem Activ zusammenfällt, so ist es natürlich, dass auch im 'Omāni VII und andre reflexive Verbalstämme vielfach für das Passiv eintreten. Stamm IV, der zum grossen Theile von I nicht mehr zu unterscheiden wäre, ist auch in diesem Dialect so gut wie ausgestorben. Bei Wurzeln med. و macht er sich noch hier und da durch das *y* des Impf. bemerklich z. B. *rāḥ*, *jryḥ* ‚befreien'. Ausserdem finden wir noch einige als Substantiva oder Adjectiva gebrauchte Participia und Infinitive von IV.

Unser Dialect hat, so viel ich sehe, mehr Mischungen verschiedener Verbalstämme als ein anderer.[1] Ich finde VII + V: *štauwef*, Impf. *jištauwef* ‚ansehn' 213. 423. — VII + VI: *jintqārben* oder *jintqērben* ‚man nähert sich ihnen (fem.)' 392, *jintqēbel* ‚wird erklärt' eb. u. a. m. Hierher wohl auch *jintākel* ‚wird gegessen', *jintēχaḍ* ‚wird genommen', *jintātābhin* ‚man kommt mit ihnen (fem.)'. So wird auch *unṭāuil* ‚und es verlängerte sich' 390 für *unttāwel* stehn.[2] — VII + VIII: *ntewegeḍ* ‚ward gefunden' 251, *jintχarag* ‚lässt sich ausführen' 252, *jintraqa'* ‚lässt sich flicken' eb., *jintkil* ‚wird gegessen' 192, *jinštyf* ‚wird gesehen' (häufig). — VIII und III: *ntāwelhe* ‚nahm sie sich' 394. — X + VI: *estqāḍa* ‚ich muss Rache nehmen' 233.

Leider darf ich nicht noch weiter auf die Verbalformen eingehen, um nicht gar zu ausführlich zu werden. Ich bemerke nur

---

[1] S. diese *Zeitschrift* VIII, 260.

[2] Das *i* der letzten Silbe ist sehr auffallend.

noch, dass die Verba tertiae و ganz in die Bildung der tertiae ى übergehn und dass bei diesen viele Formen nach Analogie der starken Wurzeln das ى zum Consonanten machen: *loqjo* ‚begegneten' wie *sohro* ‚wachten', *tmišji* ‚du (fem.) gehst' wie *tkitbi* ‚du schreibst' u. s. w. und dass sie eigenthümliche Passivparticipia bilden: *meglāi*, f. *meglāje*, wie *mzennāi* ‚geschimpft' (مُزَنَّى) u. s. w. I steht hier unter dem Einflusse von II.

Der Gebrauch der beiden Tempora ist im Wesentlichen der alte. Vor das Imperfect tritt sehr oft *ḥa, ha, he* (aus حَتَّى).[1] Es sollte wohl eigentlich auf die reine Zukunft gehn, steht aber auch gern für das dauernde Präsens z. B. bei Schilderung von Sitten und selbst vom Pflegen in der Vergangenheit, s. 386 f.

Sehr oft finden wir, wo wir das Impf. oder Perf. erwarteten, das Participium oder ein entsprechendes Verbaladjectiv (wie *nisjān* ‚vergessend'). Dabei kann, wenn der Zusammenhang es einigermaassen deutlich macht, ein Ausdruck des Subjects fehlen, selbst wenn das die erste oder zweite Person ist: *'a hēn qāṣid* ‚wohin willst du gehn?' 311; *jōm waḥde*[2] *qāṣid hāδik lḥāl* ‚eines Tages ging ich auf jenes Geschäft aus' 304; *bāri ešrab* ‚ich will trinken' 353; (wir fragten, wo ist der Weg nach dem Orte so und so) *ujqūllne hyje ddarb bū χatfynhe* ‚das ist der Weg, auf dem ihr geht' 364; *bēne mḥēto ṭawi mqābil lbāb wel bēt mustaq'adynna ma' wāḥi smó flān* ‚neben unserm Haus ist ein Brunnen gegenüber dem Thor, und wir haben das Haus von einem Namens NN gemiethet' 343; *bū dāχlyn minno qabil* ‚durch das sie vorher gekommen waren' 317; *rreggāl bū mqabbḍinno ijāhe* ‚der Mann, dem er sie übergeben hatte' 310; *ene ems msarroḥ* ‚ich habe gestern freigelassen'; *jōm mil yjām gālis* ‚eines Tages sass er' 331; *eχūh qātlinno* ‚er hat schon seinen Bruder getödtet' 323; *lākin fāll 'anhum* ‚aber er entfloh (ἔφυγε, nicht ἔφευγε) ihnen' 319; *ene ḥōlmān fillēl* ‚ich habe in der (vergangenen) Nacht geträumt' 389; *ene nisjāninnet* ‚hätte ich dich vergessen?' 309 u. s. w. u. s. w. Dieser

[1] Vgl. marokkanisch *ḥta-ntšour* حتى نتشاور ‚da muss ich mir's erst überlegen' Socin und Stumme 58, 2.

[2] *Jōm* ist gewöhnlich fem.

2*

Gebrauch des Particips findet sich allerdings auch in andern Dialecten,[1] aber kaum in dem Umfange. Ich kann mir diese Erscheinung nur aus der von Alters her und auch jetzt noch häufigen Anwendung des Particips im Ḥâl erklären (z. B. *mhû tbaijo hene gâlsyn* ‚was wollt ihr, dass ihr hier sitzt?' 342; *χaṭafne nâwijyn bjûtne* ‚porreximus appetentes domos nostras' 345). Es ging da natürlich oft auf die Vergangenheit und wurde nun auch ohne Unterschied für sie verwendet, als es selbständig geworden war.[2] Die Klarheit des Ausdrucks muss dadurch zuweilen leiden. Ist der Ausdruck der Tempora überhaupt nicht die starke Seite der semitischen Sprachen, so erkennen wir hier noch einen Rückschritt.

Wir haben soeben und auch schon vorher die Syntax berührt. Obgleich die Syntax des Dialects im Ganzen und Grossen mit der alten übereinstimmt, so könnte ich doch noch manches interessante aus diesem Gebiete hervorheben. Ich beschränke mich aber auf wenige Bemerkungen.

Die Congruenz von Zahl und Geschlecht wird auch beim voranstehenden Verbum gewahrt. Die Plurales fracti von Sachwörtern werden überwiegend als Fem. pl. construiert, seltener als Fem. sg., nie als Msc. pl.

Ganz altarabisch sind noch Constructionen wie *'agûz kebyrit sinn jâbis moχχha* ‚eine Frau alt an Jahren, mit dürrem Gehirn' (يابِسُ مُخُّها) 346; *hyje mḥarreg 'alyhe* ‚ihr ist es verboten worden'; *šâf lḥörme mṣalleb 'alyhe* ‚er sah das Weib fest angebunden' 391;[3] *ḥalmoḥkaillo* ‚dem, welchem erzählt wird' 333, wie لِلمُحْكِيّ له. Auffallend ist dagegen إيّاها beim Passivausdruck in *bû meǧjûbilnejâhe* ‚die man uns gebracht hat' 216.

Der vii. Verbalstamm kann, wenn er passiven Sinn hat, wie das alte Passiv unpersönlich gebraucht werden: *junktubbûši* ‚damit

[1] S. Spitta 356 f. Bei Socin und Stumme *fēn rûdi* ‚wohin willst du?' 62, 17; *lkəšwi li-lābsa* ‚die Kleider, die du (fem.) angezogen hast' 38, 16, vgl. l. 22.

[2] So ist im Tigriña das Gerundium selbständig und zu einem wirklichen Perfect geworden.

[3] Dies *ṣalleb* ‚(einen Strick) fest anziehen' gehört zu صَلّب u. s. w., s. Jatakar 833; nicht etwa zu صليب ܨܠܝܒܐ.

lässt sich nicht schreiben‘ 174; *jinsär fil baḥr* ‚man reist zur See‘ 218. Aehnlich die Mischformen mit vii: *mā jintšerak bhin* ‚man hat sie nicht gemeinsam‘ 252.

Wie im Altarabischen حِينَ und andre Substantiva im St. cstr. vor ganzen Sätzen stehn, so hier *sēʿit* und besonders das beliebte *jōm* ‚zur Zeit, da, als‘ (ar. حِينَ, إِذْ, nicht ‚am Tage, da‘); ferner *liegel* ‚weil‘, *ɣēr* ‚ohne dass‘ (beide ohne أَنْ oder etwas ihm entsprechendes). So *qabil* ‚ehe, bevor‘, *min* ‚seitdem‘ (z. B. *min bdēt* ‚seit du angefangen hast‘ 225; *min χarag* ‚seit er ausgegangen ist‘ 238). Häufig wird so عَنْ ‚davon weg, dass‘ in der Bedeutung ‚damit nicht‘, ‚ohne dass‘[1] gebraucht. In *ʿalēs ḥaqq* ‚ohne Recht‘ على ليس حقّ 132 ward aber ليس حقّ wohl als eine Art zusammengesetztes Nomen empfunden, nicht als ein Satz.

Der **Wortschatz** des ʿOmāni scheint sehr reich zu sein. Wir treffen da viel altes, zum Theil recht seltnes Sprachgut. So ist z. B. das als jemenisch bezeichnete سَحّ ‚Datteln‘ hier ein gewöhnliches Wort (*sôḥ*); ebenso finden wir hier das jemenische عفد ‚springen‘ als *ʿaffed*. Nicht wenige in den Wörterbüchern gar nicht oder ungenügend belegte Wörter oder Bedeutungen werden durch unsern Dialect gesichert. Andrerseits haben in ihm auch viele sonst bekannte Wörter eigenthümliche Bedeutungen. So z. B. *wāḥa* (واحى) ‚erreichen, erwischen‘, das zu وحى ‚eilen‘ und also (nach der sehr plausibeln Ansicht Sgr. Fraenkel's) zu [illegible] und [illegible] gehören wird. *Xallef* ‚condolieren‘ [illegible] ist eigentlich ‚einen Ersatz wünschen‘ (vgl. den Namen خلف u. s. w.); [illegible] eigentlich ‚sich erheben‘, heisst hier ‚kommen‘; [illegible] ‚zusammeln‘ bedeutet ‚kehren‘ (*gemmel a Kehricht*), ganz wie [illegible] im Altarabischen als تمّر aufgenommen u. s. w. Und viele Wörter des Dialects sind uns sonst unbekannt. Aber auch auf diesem entlegenen Gebiet findet sich wieder eine Anzahl von Wortbedeutungen, die dem classischen Arabisch fremd und durch alle oder sehr vielen neueren Dialecten gemeinsam sind. So شوف ‚sehen‘, [illegible] ‚arbeiten‘

---

[1] [illegible]

(aber auch ‚dienen'), *zēn* und *šēn* ‚schön' und ‚hässlich'.[1] Ueberhaupt ist es merkwürdig, in wie vielen Stücken auch dieser Dialect in der Entwicklung mit den andern Schritt gehalten hat, selbst mit den um ungefähr 70 Längegrade entfernten Marokkanischen; freilich haben die das echt arabische Gepräge lange nicht so bewahrt, wie er.

Der rein arabische Character des 'Omāni wird durchaus nicht beeinträchtigt durch die immerhin nicht ganz kleine Zahl von Fremdwörtern. Schon JAYAKAR und R. haben eine Anzahl von 'Omānischen Wörtern als persisch bezeichnet; darunter ist besonders merkwürdig *hest* = p. هَسْت ‚existit' in der Bedeutung ‚gehörig, viel, sehr'. Ich nenne ferner noch *χumra* ‚Dattel' = خُرْما, *zengel* ‚Dickicht' 347 = جَنْگَل, *nemūne*, *nemne* ‚Muster' 45. 58 نمونه, *bitk* ‚Schmiedehammer' 400 پُتْك, *ṣardit lhaue* ‚die Frostzeit ist eingetreten' 263 von سَرْد, *dismāl* ‚Frauenkopftuch' دَسْتْمال, *ṣarrab* ‚machte fett' 397 von چَرْب. *Būme* ‚Erdwerk, Verschanzung' (pl. *bwem*, *buem*) wird zu بوم ‚Erde' gehören. *Būn* ‚Ursprung' 103 ist بُن; damit ist das gleichbedeutende *bunk* 81 eng verwandt (wie syr. ܥܩܪܐ). In *šeiin mā ili fyh raft* ‚etwas, das mich nicht angeht' 100 steckt wohl رُفْت. Das beliebte *hūdār* ‚tüchtig' sieht auch īrānisch aus; doch finde ich nichts sichres dazu. Vielleicht ist dies oder jenes Wort eigentlich balūčisch. Indische und Suāheli-Wörter verzeichnen JAYAKAR und R. Die Zahl dieser Fremdlinge dürfte noch etwas grösser sein. Auch *hanqri* ‚reich' gehört wohl zu ihnen. Jetzt mehren sich auch die europäischen Lehnwörter.

So dankenswerth JAYAKAR's Wortverzeichniss ist, so wird uns doch erst das von R. in Aussicht gestellte einen rechten Begriff von dem Wortschatz dieses Dialects und reiches Material zur Sprachvergleichung geben.

Die Beispiele, welche mit ihrer Uebersetzung den grössten Theil der Grammatik ausfüllen, bestehen meist aus kurzen Sätzen,

[1] Nicht etwa زَيِّن, شَيِّن, sondern die zu Adjectiven gewordenen Substantiva زَيْن, شَيْن.

denen man es aber anmerkt, dass sie so wirklich gesprochen worden sind. Sie geben uns also ein genaues Bild der Sprache, wie man sie im Umgange handhabt. Ausserdem erhalten wir am Schluss eine reichhaltige Chrestomathie von zusammenhängenden Texten mit nebenstehender Uebersetzung. Fast alle sind unmittelbar aus dem Munde von 'Omānī's aufgeschrieben. Darunter sind wichtige Mittheilungen über Geographie, Stämme,[1] Zustände und Sitten des inneren 'Omān's. Wir erfahren da u. a., wie gering die Autorität des Sultan's von Maskat nur wenige Tagereisen landeinwärts ist. Wäre R. nicht leider durch elende Intriguen[2] verhindert worden, von Maskat, wo er sich einige Zeit aufhielt, ins Innere einzudringen, so hätte er uns durch eigne Beobachtung in dem Lande, dessen Sprache er redet und in dem er viele persönliche Anknüpfungen hat, noch ganz andere Aufklärung über diese Gegenden verschaffen können, von denen selbst die alten arabischen Gelehrten so gut wie nichts berichten. — Aber auch die Stücke, welche einfache Geschichten und Erlebnisse der Erzähler geben, sind für uns dadurch werthvoll, dass sie uns das Denken und Fühlen dieser Leute lebendig vor Augen führen. Es sind zwar ansässige Araber, die sogar auf die wilden Nomaden herabsehn wie einst die gleich ihnen den Handel liebenden und reiselustigen Qoraiš, aber sie haben wie diese doch sehr viel Beduinisches in ihrer ganzen Art. — Ganz ohne litterarische Einwirkung geht es übrigens auch hier nicht ab. Der Name *Kesra bin Šerwān* 362 ist nur so zu erklären, dass einmal انوشروان in ابن شروان verlesen war. Der Held der Geschichte ist eigentlich ein römischer Kaiser;[3] sie ist in höchst naiver Weise auf den grossen Perserkönig übertragen. — 'Abdallah's Bericht schliesst mit dem Verse

ebet el murūwe en tefāriq ehlehe
we ebe el 'azyz en je'yš delyle (330)

---

[1] Ausser den oben S. 9 genannten alten Stammnamen werden uns noch *Kinda* und *Uzd* (S. 339) genannt; letztere sind die in der alten Litteratur öfter vorkommenden أَزْدُ عُمان.

[2] Aehnlich denen, die Snouck Hurgronje seiner Zeit nöthigten, Mekka vor der Zeit zu verlassen.

[3] Arnold's *Chrestom.* 50.

der sich ohne Weiteres als Erzeugniss eines gebildeten Poeten kundgiebt:[1]

ابَتِ ٱلْمُرُوَّةُ أنْ تُفارِقَ أهْلَها
وأبَى ٱلعَزِيزُ انْ يَعيشَ ذليلَا

Viel stärker ist das litterarische Element in den 200 Sprichwörtern vertreten. Darunter ist sogar eine Koränstelle (S. 399, Nr. 19 aus Sûra 2, 187). Das erste Sprichwort *säira tbá qrûn git mbéled-nën* ‚sie ging um sich Hörner zu holen und kam ohne Ohren wieder' ist zwar ganz in unserm Dialect, aber seiner Substanz nach sehr alt. Subject ist schwerlich die Gazelle, wie R.'s Gewährsmann meinte, sondern das Kameel, der älteste Träger dieser kurzen Fabel.[2]

Wenn sich bei den Sprichwörtern die fremde Herkunft vielleicht hier und da in der Sprachform etwas bemerklich macht, so zeigen die kurzen Lieder viel mehr sprachliche Abweichungen. Zum Theil beruht dies gewiss auf der poetischen Manier. So sind allerlei Dehnungen kurzer und Verfärbungen langer Vocale wahrscheinlich dem Gesang angepasst, aber theilweise haben wir hier wirklich Züge aus fremden Dialecten. Einfluss wandernder Poeten aus fernen Gegenden und selbst ein, wenn auch sehr mittelbarer, Zusammenhang mit der gelehrten Poesie mögen sich da fühlbar machen. Einstweilen werden wir gut thun, diese interessanten Lieder sprachlich von den andern Stücken ganz zu sondern. Uebrigens möchte ich nicht bei allen die volle Richtigkeit des Textes vertreten. Die Metra werden beim Gesang wohl deutlich zu erkennen sein. Mit einem Verfahren, wie es Stumme bei seinen Beduinenliedern angewandt hat, erhält man meistens ziemlich leicht quantitierende Versmaasse; Ragaz herrscht vor. Grade die längeren Lieder scheinen aber aus kurzen, nur vom Accent beherrschten Versen zu bestehn.

[1] Der zweite Fuss des zweiten Halbverses ist ⏑ – ⏑ – statt ⏒ – ⏑ –; das kommt aber auch sonst gelegentlich vor. — Der ‚Wegweiser' دليل giebt hier keinen guten Sinn; عزيز verlangt als Gegensatz ذليل.

[2] S. meinen ‚Mäusekönig' S. 11 und füge dazu Schâhnâme (Macan) 1884, 20; 'Otbî (am Rande der Ausgabe des Manînî [Cairo 1286] 2, 117 f.) und besonders Agh. 3, 52, wonach schon im 2. Jahrh. d. H. der Esel an die Stelle des Kameels getreten war. Das Fem. in unserer Fassung zeigt aber, dass sie nicht den Esel meint.

Ich verstatte mir nun noch ein paar kleine Verbesserungen. 264, 26 ist *zauwar* wohl nicht ‚vergewaltigte' (vom persischen زور), sondern ‚verfälschte, betrog' (vom arabischen *zūr*). — *Wāḥiš lkebājor* 272, 12 v. u. ist m. E. ‚mit schlimmen Todsünden'. — *Gemyl* 294 ult. 295, 1 ist bloss ‚schön, trefflich', nicht ‚ein Mehrender'. — *Ḥanātybkum llaḍa* 379, 8 ist genauer: ‚wir bringen euch zur Hölle' (اللظا). — Ist وعل 394 und an andern Stellen wirklich ‚Gazelle' und nicht, wie sonst im Arabischen, ‚Steinbock'? — 409, Nr. 125 ist *šjem* doch wohl ‚Eigenschaften' شِيَم. — 428ᵃ, 4 ist gewiss nicht *ulā* zu ergänzen; es heisst: ‚nur Einer (nämlich Gott) ist allgewaltig' u. s. w. Eb. *b* 4 ist *bāb* wirklich das Thor von Chaibar, welches 'Aly ausgerissen haben soll. Das letzte Verspaar kann kaum etwas anderes sein als: ‚und eine (Art der Liebe) ist das schmelzende (glühende) Blei; wen sie schmelzen macht, der schmilzt'.

Ich empfehle zum Schlusse das überaus lehrreiche Werk allen Arabisten zum eifrigen Studium. Sie mögen beachten, dass wir hier zum ersten Mal ein sehr reichhaltiges Material zur Kenntniss eines modernen arabischen Dialects aus Arabien selbst haben. Leider wird aber der ganz unverhältnissmässig hohe Preis der Verbreitung des Buches schaden.

Strassburg i. E., 31. December 1894.

Einige Bemerkungen zu Heller's ‚Das Nestorianische Denkmal zu Singan fu'.

Von

Fr. Kühnert.

Im Besitze einer photographischen Reproduction von einem Abklatsche der Inschrift zu Singan konnte ich darangehen, bezüglich einiger Punkte von Heller's[1] bis jetzt, soviel mir bekannt, erschienenen Arbeiten, die seinerzeit mein Interesse erregt hatten, Umschau zu halten. — Früher war dies nicht möglich, da sich in den genannten Aufsätzen eine Reproduction des Abklatsches nicht vorfindet.

Wenn Laisai in der Sammlung von Erz- und Steintafeln diese Inschrift für eine buddhistische hielt und ebenso der Statthalter in Si-an,[2] so dass der letztere sie in das buddhistische Kloster zu Kin-sching (*Ztschr.*, p. 80) überführen liess, so hat dies seinen guten Grund darin, dass alle hierin vorkommenden kirchlichen Rangbezeich-

[1] Das Nestorianische Denkmal in Singan fu. Von Joh. Ev. Heller S. J., *Zeitschrift für kath. Theologie*, red. v. J. Wieser S. J. und H. Grisar S. J., Innsbruck 1885. IX. Bd., I. Quart., p. 74 ff. Dieselbe wird im Folgenden immer mit *Ztschr.* citirt werden. — Prolegomena zu einer neuen Ausgabe der nestorianischen Inschrift von Singan fu. Von Dr. Joh. Heller S. J., *Verh. d. VII. Orient. Congr.* (Wien) 1889. Hoch-asiatische und Malayo-polynesische Section, p. 37 ff., wird mit *O. C.* citirt.

[2] Wann wird man endlich dahinkommen einzusehen, dass *fu*, *hien*, Kreis, District, nicht zu den Städtenamen gehören? Si-an (oder Si-ngan) ist Kreisstadt *(fu)* in der Provinz Shensi, ebenso wie Shang-hai Districtstadt *(hien)* in der Provinz Kiangsi ist. Im letzteren Falle kömmt es mit Recht Niemandem in den Sinn, Shang hai hien zu sagen; aber ebensowenig darf man Si-an fu sagen.

nungen der buddhistischen Terminologie entlehnt sind. Daher kommt es auch, dass diese Chinesen die ihnen fremden Schriftcharaktere für eine vom Buddhismus sonst angewandte Schrift hielten.

Dieser Umstand, der jedem mit chinesischen Verhältnissen Vertrauten sofort aufstösst, wird in der Folge von Bedeutung werden.

Bedauerlicher Weise hat sich Heller die Identification gewisser Namen sehr leicht gemacht, ohne zu bedenken, wie Hirth[1] sich treffend ausdrückt, dass die Identification eines Namens bei chinesischen Transcriptionen schon an sich ein Problem ist. Auf andern philologischen Gebieten werden Ableitungen wie *Alopex* (*ἀλώπηξ*), *pix*, *pax*, *pux*, *fux* = Fuchs, nur mehr als Scherze gebraucht; im Chinesischen jedoch muss man sich noch heutigen Tages derartige Schnurren nicht selten als wissenschaftliche Ableitungen bieten lassen.[2] Dahin gehört gleich die Bemerkung:[3] ‚*Ta-thsin* ist sicher einer der Namen für das römische Reich, wenn auch die Vorstellungen, welche man damit verband, geographisch oft sehr unbestimmt waren. Somit ist *Tha-thsin* ‚Tempel', eigentlich ‚römischer Tempel' aber im Sinne von ‚christlicher Tempel'; *Ta thsin* ‚Religion' ist soviel als ‚römische', d. h. ‚christliche Religion'. Mit dieser im innigen Zusammenhange steht:[4] ‚Diese märchenhaften geographischen und geschichtlichen Angaben aus dem *Si-yü-ki* und den Annalen der Dynastien Han und Wei suchen manche so zu erklären, dass sie der Wirklichkeit conform werden; doch wie uns scheint, nicht ohne den Worten Gewalt anzuthun.'

Heller meint ferner, man könne *Tathsin* in der Inschrift nicht mit ‚Syrien' übersetzen, denn keiner der genannten Nestorianer kam

[1] T'oung-pao Vol. v, Suppl. p. 6, Z. 3. Hirth, *Die Länder des Islams.*

[2] Einen trefflichen Artikel gegen diese antediluvianische Gelehrsamkeit schrieb Dr. O. Franke in der *China Review*, 1893, ‚China and comparative philology'. Ingleichen war dieser Gegenstand einer der vielen, über die mit Prof. Dr. Hirth persönlich zu discutiren mir während meiner mehrwöchentlichen Anwesenheit bei diesem Gelehrten in Chinkiang gegönnt war.

[3] *Ztschr.* p. 112, Note 2.

[4] *Ztschr.* p. 118, Note 27.

aus Syrien.[1] ‚Wollte man aber *Tathsin* darum für ‚Syrien‘ nehmen, um die Wiege des Christenthums näher zu bezeichnen, dann wäre BOYM's Uebersetzung ‚Judäa‘ viel näherliegend.‘

Wer diesbezüglich die massgebenden Arbeiten HIRTH's in *China and the Roman Orient* und in den hierauf bezüglichen Discussionen im *Journal of the China Branch of the Royal Asiatic Society* (Vol. XXI, New series, p. 98 ff. and p. 209 ff.) kennt, wird obige Ansicht mit Befremden lesen. Was das Märchenhafte in *Si-yü-ki* etc. anbelangt, so hat HIRTH gerade in seiner letzten Arbeit, *Die Länder des Islams nach chinesischen Quellen*, die richtige Antwort gegeben (l. c. p. 4 und 14), nämlich, dass derartige chinesische Angaben eine Menge werthvollen Materials enthalten und dass des Wunderbaren und Märchenhaften in denselben nicht mehr enthalten ist, als bei den Arabern und christlichen Autoren des Mittelalters. Dieser Unterschied zwischen HIRTH und HELLER darf durchaus nicht Wunder nehmen, ebensowenig als HELLER's Bemerkung ‚nicht ohne den Worten Gewalt anzuthun‘ irgend welches Gewicht zukommt; denn HIRTH ist eben Sinologe, ein sorgfältiger, gewiegter, umsichtiger und strengkritischer Forscher.

Bezüglich der von HELLER verpönten Uebersetzung ‚Syria‘ sei in Kürze Folgendes bemerkt.

Das ganze Land an beiden Seiten des mittleren Euphrat bis zur Ostküste des Mittelmeeres, bis zum Hermôn im Süden, hiess Arâm. Nach der Eroberung durch die Assyrer wurde es von den Griechen Assyria oder kurzweg Syria genannt, was noch heutigen Tages erhalten ist. (Vgl. aram. *Sûrjâ*, türk.-pers. *Sûristân*.) Arabisch heisst es *esch-schâm*, das linke (nördl.?). Phönicien und Palästina nannten die Griechen ἡ Συρία Παλαιστίνη, betrachteten sie also als Küstenstrecken Syriens.

Ober-Syrien (ἡ ἄνω Συρία), nach der Seleuciden Eintheilung der nördliche Theil des Landes vom Euphrat bis zum Meere etc., war

[1] Man spricht doch heutzutage noch von nicht-unirten (schismatischen) Griechen (orient. Kirche), wenn auch keiner derselben aus Griechenland kam, aber mit Rücksicht auf den Entstehungsort des Schismas.

noch im dritten Jahrhundert unter dem griechisch-syrischen Reiche. Antiochia (Hafenstadt derselben Seleucia Pieria) wurde noch unter den Römern als Hauptstadt des ganzen Orientes betrachtet.[1] (Hirth sagt daher: Roman Orient.)

Bis zum Ende des fünften Jahrhunderts, wie Heller[2] selbst angibt, gehörten die Christengemeinden im persischen Reiche zum Patriarchat Antiochia. Wegen der durch die Kriege zwischen Persern und Römern so oft behinderten Communication war der Bischof von Seleucia-Ktesiphon[3] der Katholikos[4] oder generalis procurator des Patriarchen. Diesen Titel behielt der Bischof von Seleucia auch nach der Trennung bei.

Auf der Inschrift heisst es nun:

室女誕聖於大秦

wofür Heller als Uebersetzung (nach Wylie?) angibt: ‚Eine Jungfrau (室 女)[5] gebar den Heiligen in Tathsin.' Hier müsste doch Heller nach seiner Anschauung sagen: ‚. . . den Heiligen im römischen Reich', oder ‚gebar den Heiligen in Christlich (?!)'.

Doch fassen wir die Sache ernst, denn diese gegen den chinesischen Sprachgeist verstossenden Hypothesen Heller's können nicht ernst genommen werden.

Nach dem früher Vorgebrachten ist es ganz erlaubt, die Geburtsstätte Christi als in Syrien gelegen zu bezeichnen (ἡ Συρία Παλαιστίνη); es ist aber nicht erlaubt zu sagen, Christus wurde in Rom geboren, daher kann *Ta-thsin* nicht gleich ‚römisch' sein. Kann man denn ferner die Nestorianer ‚römisch-christlich' nennen? Das würde doch auf den Papst weisen.

Hirth sagt darüber: ‚I shall say nothing of the many reason speaking against a connection between the Fu-lin of T'ang records

---

[1] Kiepert, *Atlas der alten Welt*, Einl. pg. 8.

[2] *O. C.*, Abh. p. 44.

[3] Cf. Hirth, *J. Ch. Br. R. A. S.*, Vol. xxi, p. 211 Map.

[4] Der Titel *Katholikos* war hauptsächlich bei den Perso-Armeniern zu finden. Cf. Hergenröther, *Kircheng.* 3. Aufl., i. Bd., p. 506, p. 330.

[5] Ein Mädchen, das noch keinen Umgang mit einem Manne hatte.

and Armenia (Mr. ALLENS Supposition. KHT.), the fact, engraved in ancient stone, of Christ having been born in Ta-ts'in, and the configuration of the country, which faced a sea in the west and another sea in the south, the ‚Coral Sea' (*i. e.* the Red Sea) and was bounded by a desert on the south-east.' Und ‚Further the capital of Ta-ts'in is so unmistakeably described that even the most persistent opponents of the Syrian theory cannot but admit its identity with Antioch, whatever its name may be in Chinese, wether *An* or *An-tu*'.[1]

Bedenkt man überdies die chinesische Gepflogenheit, mit Vorliebe ältere geographische Bezeichnungen anzuwenden, sowie dass der Chinese Religion und Staatsverfassung mehr oder weniger als identisch auffasst, so dass er heutigen Tages kaum von dem Gedanken abzubringen ist, der Katholik sei Franzose, weil die Mehrzahl der katholischen Missionäre von Frankreich ausgingen und ausgehen,[2] so wird man begreifen, dass der Nestorianismus als die syrische[3] (Syrien in dem erläuterten von HIRTH gegebenen Umfang) Lehre bezeichnet wird.[4]

King-Tsing ist zweifelsohne der Verfasser der Inschrift in demselben Sinne,[5] wie die Europäer heutigen Tages Verfasser chinesischer Actenstücke und von Uebersetzungen sind, und identisch mit Adam, Chorbischof und Fapschi von China. Solche Actenstücke werden dortselbst in der Weise verfertigt, dass der Europäer seinem chinesischen Literaten mündlich sagt, was er ausgedrückt wünscht,

---

[1] *J. R. A. S. C. B.*, Vol. XXI, p. 104.

[2] Wozu ürigens auch die Missionäre ein gut Theil beitragen. So hat Mgnr. BRAY, Bischof von Kiang-si, ein Mitbruder HELLER's, auf seiner Bootsflagge die ungerechtfertigte Aufschrift: 欽命大法國主教總理江西各處天主教事務白 ‚BRAY durch kaiserliches Decret Bischof von Frankreich und General-Vicar aller katholischen Kirchengemeinden in der Provinz Kiang-si'. SCHLEGEL, *Nederl. chin. Woordenboek*, s. v. Bisschop.

[3] Nach dem Stammlande des Nestorianismus. Nestorius aus Germanicia in Syrien (HERGENRÖTHER, *Kircheng.*, I. Bd., 3. Aufl., p. 448).

[4] Circa 499 p. Chr. hörte doch jeder Zusammenhang mit dem Stuhle von Antiochien und dem römischen Reiche auf (HERGENRÖTHER, I. Bd., p. 330).

[5] *Ztschr.* p. 118, Note 3.

und es diesem überlässt, das Thema nach seinem Wohlgefallen durchzuführen. Dies leisten nun die Chinesen, zu ihrer Ehre sei es gesagt, gewöhnlich sehr gut. Man gebe ihnen ein précis raisonné dessen, was man zu sagen wünscht und sie werden es sehr nett ausdrücken.[1] Darum ist eben auch die Inschrift von Si-an so gut chinesisch, dass nur ein Chinese sie geschrieben haben kann.

Das chinesische Zeichen für Zehn — sagt Heller[2] — ist ein Kreuz. Dieses Zeichen ist eines der ältesten Symbole, um die vier Weltgegenden zu bezeichnen. Nach Cunningham bedeutet dies Zeichen in der Inschrift von Kalsi ‚vier'; im Pali ist *chaturantâ* (eigentlich ‚vier Enden') die Erde. Die verticale Linie symbolisirt Nord und Süd; die horizontale Ost, West. Daher begegnet man in chinesischen Werken öfters dem Spruch: ‚Die Erde sei in Form des Zeichens Zehn gemacht. Gleichwie nun die Christen das Zeichen für Zehn wählten, um das Kreuz, das Kreuzzeichen auszudrücken, konnten sie auch sagen, Gott habe die Welt in Form des Kreuzes erschaffen.'

Was ist nicht alles schon über die Kreuzesform phantasiert worden, wie z. B. von Hislop[3] in *The two Babylons*, welche mit einer von Galle durchtränkten Tinte geschildert sind; und doch ist bezüglich der chinesischen Zehn die Sache so einfach wie möglich.

Indem ich mich bezüglich näheren Nachweises auf meine unter den Händen befindliche Arbeit über das chinesische Rechenbrett berufe, will ich hier nur Folgendes erwähnen:

Der chinesische Schriftcharakter für 10, nämlich 十 (nach der jetzigen Schreibform) verdankt, wie seine ältere Schriftform und die ganze, naturgemässe Zahlendarstellung der Chinesen von dem ihnen ureigensten dekadischen System klar beweist, dem Umstande sein Entstehen, dass der normale Mensch an jeder Hand fünf Finger hat.

---

[1] *Notes and Queries on China and Japan*, Vol. iv, p. 45. Aus eigener Erfahrung in China, kann ich obigen Modus als zu Recht bestehend bestätigen. S. a. Schlegel, *Nederl. Chin. Woordenboek*.

[2] *Ztschr.*, p. 114.

[3] *The two Babylons* by Rev. Alex. Hislop, London, sev. Edition.

So wie wir jemandem, mit dem ein mündlicher Austausch behindert ist, noch heutigen Tages die Zahl 10 begreiflich machen, indem wir beide Hände mit ausgespreizten Fingern ihm entgegenhalten, so ist diese dem Menschen naturgemässe Action, dieser wahre Entstehungsgrund des Decimalsystems, den Chinesen Mittel zur schriftlichen Darstellung der Zahl 10 geworden, indem sie (der Wirklichkeit entsprechend) schematisch einen Menschen mit ausgestreckten Armen zeichneten, um dadurch die je fünf ausgespreizten Finger jeder Hand anzudeuten. Deswegen waren auch im alten Schriftcharakter die Seitenbalken desselben nicht horizontal, sondern aufwärts gewendet.

Aus der gegenseitigen Stellung der beiden in Frage kommenden Menschen und der normalen Bauweise chinesischer Häuser ergibt sich die Beziehung zu den Weltgegenden.

Normal gebaute chinesische Häuser sind so angelegt, dass man im Norden sitzt und nach Süden schaut. Es gibt sonach der aufrechte Körper die Richtung Süd-Nord (Gesicht Süd, Rücken Nord; daher sagt der Chinese ‚Süd-Nord' und nicht Nord-Süd), die beiden Arme die Richtung Ost-West, der linke Arm nämlich Ost, die Ehrenseite, der rechte West.

Hierin liegt der Grund für die Erklärung im *Shuo-wen*: ‚Weil der Querbalken (von 10) die Richtung Ost-West macht, der senkrechte Süd-Nord, so ist sie wohl eine Darstellung der vier Weltgegenden und der Mitte.'[1]

Wo stehen soll ‚Gott habe die Welt in Form des Kreuzes erschaffen' ist leider nicht angegeben, in der Inschrift jedenfalls nicht; denn selbst HELLER führt für 判十字以定四方 die Uebersetzung an: ‚Er bestimmte das Kreuz (recte das Schriftzeichen für 10, KHT.) zum Mittel, die vier Weltgegenden zu bezeichnen.'(?)[2]

[1] 一爲東西丨爲南北、則四方中央具矣。 S. 說文.

[2] 判 = to cut in two; to separate, to decide, to give judgement, 定 = to fix, to settle, to decide; lit. heisst es: ‚Spalten der Zehn Schriftzeichen um festsetzen vier Weltgegenden.'

Nach welchen Gesetzen 阿羅本 *o-lo-pên* = ‚Ahron' sein soll, wie Heller[1] meint, müsste erst nachgewiesen werden. Wohin kömmt das *b* von *ben*? Soll dies aber nur *n* sein, dann müsste für ein solches Verschwinden des *b* ein unzweifelhafter Beweis erbracht werden. Diesen gibt es aber nicht. *'a-lo-ben* ist sicher ‚Ruben', wie Hirth bereits bemerkt.[2] Bezüglich des Punktes, welchen Hirth mit den Worten einleitet: ‚I am in doubt, whether the two characters (俄羅 or 鄂羅) in the Chinese name for Russia *(O-lo-ssŭ)* stand for foreign *ru* or *ro* alone', gestatte ich mir folgende Bemerkung:

Das Anfangs-*R* einer Silbe ist nur dann mit *L* allein transscribirt, wenn diese Silbe eine der späteren des Wortes ist; denn dann veranlasst die vorhergehende Silbe aus lautphysiologischen Gründen, dass das Transcriptions-*L* eine Vibration erhält, welche (als akustische Täuschung) das dem *R* zukommende Zittern ersetzen kann. In der grösseren Mehrzahl der Fälle schliesst dann die vorhergehende Silbe mit einem Vocale oder Lippenlaut (alter Verschlusslaut).

Fällt aber das anlautende *R* zu Beginn eines Wortes, dann bleibt die Transcription mit *L* zweifelhaft, weil hier keinerlei physiologische Bedingungen vorhanden sind, welche das dem *R* charakteristische Zittern mittelst akustischer Täuschung ersetzen können. In solchen Fällen erscheint in der chinesischen Transcription eine Silbe vorgeschlagen, welche einen der Anlaute aus der VIII. Klasse in Kanghi's Wörterbuch (影曉喻匣) hat oder hatte, in welch letzterem Falle sie rein vocalistisch ist. Wo ein solches *o*, *ho* im Anfang nicht erscheint, mag es im Laufe der Zeit durch Verkürzung ausgefallen sein, wie in 羅漢 statt 阿 | | für Ârhan.

Es ist also in *o-lo-ssŭ* (für Russia) $(o + l) = r$, in *olu-pa* (阿路巴) für Sanskrit *rūpa* gleichfalls $o + l = r$, in *ho-lo-chê-pu-lo* (曷羅闍補羅) für Radjapura *(hol)* das Aequivalent für *R*.

---

[1] *Ztschr.* p. 116, Note 22.

[2] *J. C. B. R. A. S.*, Vol. xxi, p. 214. Chinese aequivalents for the letter *R* in foreign names.

Es lässt sich sogar vermuthen, dass in weiterer Folge auch eine Unterscheidung zwischen ḅ und ḃ wird nachgewiesen werden können.

Wie HELLER o-lo-pên zu Ahron machen möchte, will er in ähnlicher Weise 羅含 lo-ḫan in Abraham verwandeln.[1] Ferner nimmt er an, 僧首 sei Archipresbyter. Sanskrit *Sthavira* — man erinnere sich des eingangs Erwähnten über die Terminologie — durch 居僧之首 wiedergegeben, bedeutet das Haupt der localen Priesterschaft, i. e. Saṁgha sthavira, Sthavira aber 1. Titel buddhistischer Kirchenväter, 2. Titel aller Priester, welche zu lehren ermächtigt sind und Aebte werden können.[2] Erzpriester nach buddhistischer Terminologie wäre wohl 僧綱司.

Was *Lohan (Loham)* = Abraham betrifft, so sieht man nicht ein, warum eine mit *b* anlautende Silbe unterdrückt sein sollte, überdies auch (da ja die erste Silbe in diesem Falle einer der chinesischen Familiennamen sein soll) warum 阿 (einer der Familiennamen) für *a* in Abraham nicht gebraucht ist. Die von HELLER angezogenen Beispiele: Ricci Matteo (= Li Matọ), Aleni Giulio (= Ngi Schulio), Adam Giovanni (= Thang Scho-wang), beweisen für die Sache gar nichts, an sich aber wohl, dass HELLER nicht die zu beobachtenden Gesetze bei Transcription von europäischen Familiennamen berücksichtigte.

Die erste Silbe bei solchen Transcriptionen muss einer der 百姓 sein, die folgenden gelten als 名, doch sollen im Allgemeinen nicht mehr als drei Silben angewandt werden, ausgenommen, wenn als 姓 einer der zweiwortigen Familiennamen angewandt wird. So ist HIRTH's chinesischer Name 夏德, des österreichischen Generalconsuls HAAS 夏士, MANDL nennt sich 滿德. Die kath. Missionäre (speciell die Jesuiten) haben als Ming stets ihre transcribirten Taufnamen beibehalten, daher blieb ihnen zur Transcription ihres Familiennamens nur eine Silbe. Hätten Adam und Aleni die erste Silbe ihrer

---

[1] *Ztschr.*, p. 118.

[2] EITEL, *Handbook of chinese Buddhism*, s. v. *sthavira*.

Namen gewählt, so hätten beide z. B. 阿 heissen müssen, was in einer Gemeinschaft leicht zu Missverständnissen führen kann. Verlangt der Obere e. g. vom chinesischen Frater: 請 阿 伸 父 來 = rufe den Pater *A*, so weiss der Chinese nicht, soll er den Pater Aleni oder den Pater Adam rufen, wenn beide im gleichen Missionshause weilen. Mit dem Ming aber darf man in China niemand bezeichnen. Aus diesem Grund wurde für Aleni *Ngi* (= *ni*), für Adam *Thang* (= *dam*) gewählt.

Bei ‚Abraham' der Inschrift dürfte dieser Grund wohl kaum anzunehmen sein. Erstlich ist *Lohan* nur zweisilbig und kann ganz wohl eine dritte Silbe ebenso vertragen wie *O-lo-pen* = Ruben, zweitens bleibt ja auch eine Silbe mit *b* zur Verfügung, z. B. 伯 *po'*, wenn 阿 aus vorgenannten Gründen nicht anwendbar wäre.

Im Weiteren ist es — dem früher Angeführten zufolge — kaum wahrscheinlich, dass hier *lo* = *ro* sei. Es blieben daher also *Locham* oder *Lochan*, da aber in China häufig *L* mit *N* wechselt, auch *Nocham* oder *Nochan*. (Vergl. 羅 koreanisch: *na*, anamitisch: *la*, Wenchou: *lu*, Ningpo: *lou*.)

Es läge sonach nahe auf Nachem, Nachum, מְנַחֵם = *m' nachem* ‚Tröster', zu denken, Namen die semitisch sind, überdies aber auch mit ‚Emanuel' in Beziehung stehen. Sollte übrigens das *R* beibehalten werden,[1] so läge es nahe, an Racham, Rach'm מְרַחֵם = *m' rachem*, ‚Erbarmer' zu denken, welche ebenso zu Rachmiel in Beziehung stehen könnten, wie die Form Gebri zu Gabriel.

Gebri aber ist auf der Inschrift durch: 及 然 ‚Canton' *Kep-li* = *gebri*, 葉 利 (Hakka) *yap-li* = *yabri*, gegeben.

Bei 普 論, das HELLER[2] *Pholün* transcribirt und als Umschreibung für ‚Paulus' betrachten will, scheint er an Paulinus gedacht zu haben. Nur schade, dass die Syrer aller Wahrscheinlich-

---

[1] Was im Semitischen auch an Stelle des *N* tritt. So soll in der Bibel der Name Nebukadnezar in demselben Abschnitte auch Nebukadrezar geschrieben sein, wenn ich recht berichtet bin. Jeremias hat durchgehends Nebukadrezar, Chronik u. Nebukadnezar.

[2] *Ztschr.*, p. 120, Note 37.

3*

keit nicht lateinisch ihre Namen ansetzten. Uebrigens kann 普論 auch niemals ‚Paulinus' sein. Denn für *Pau* hätten die Chinesen sicher eine Silbe mit *Pao* gewählt und nicht 普, das fast durchgehends *p'u* klingt (also *pę*[1]), während 論 in Mittelchina *luên* (*lęn*[1]), im Norden *lun*, im Ningpo *lêng* klingt. Auch ist hier nach dem früher Angeführten *l* = *r* zu erwarten, so dass wir nach dem Dialect von Ningpo *pu-lêng*, also *pu-reng* = *pu-rem*, oder nach den andern Dialecten *p'u-lun*, *p'u-lun (pę-lęn)*, also *phu-run* = *(phę-ręn)* erhielten, was sich mit *Phelim*, *Ph'lim*, *Ph'rim* der syrischen Inschrift eher in Beziehung bringen liesse.

Den wichtigsten Punkt der HELLER'schen Noten bildet entschieden seine Erörterung über *papschi*, *fapschi* des syrischen Textes.[2] Leider hat er sich hier lediglich von seinen kirchlichen Anschauungen allein leiten lassen, und ist überdies mit dem Chinesischen ganz sprachwidrig umgesprungen.

Schon SCHLEGEL und GABELENTZ[3] hatten darauf hingewiesen, dass 法史 unmöglich ‚kirchlicher Annalist' sein könne. 法 ist einmal ‚Gesetz, Modell', daher auch beim Buddhismus gleich *dharma*; nie aber = ‚Gemeinschaft' 會. Es kann daher von einer Analogie mit 國史, 漢史 nicht die Rede sein. Wenn eine solche Verbindung 法史 existirte, würde sie ‚Rechtsgeschichte' bedeuten.

Eine solche Conjectur ist jedoch gar nicht nöthig. Wie bereits Eingangs erwähnt worden, sind alle Bezeichnungen aus der buddhistischen Terminologie genommen. Dort gibt es aber einen Ausdruck 法師, und dieser ist der hier gemeinte.

HELLER meint: ‚Von diesem *fap-ssi*, *fa-ssi*, japanisch corrumpirt *bôsi*, mit Nasal *bônsi*, stammt unser ‚Bonze', welches zuerst durch die japanischen Briefe des hl. Franz Xaver in Europa gang und gäbe wurde.'

法師 aber lautet japanisch *Hōshi* ホウシ;

[1] S. m. Abh. ‚Die chin. Sprache zu Nanking'. *Sitz.-Ber. Wr. Acad.*, Bd. CXXXI, VI.
[2] *Ztschr.*, p. 123, Note 57.
[3] *Berichte des VII. intern. Orientalisten-Congresses*, Wien, p. 98.

bōshi (パウシ) hingegen ist entweder 眸子 the pupil of the eye, oder 帽子 a cap or bonnet worn by old men or priests.

Bonze kann nur entweder von 坊主,[1] Koan-hoa: *fang-tshu*, alter Laut: *bong-tsu*, japanisch: *bo-zu* (パウズ) = a bonze or buddhist-priest, kommen oder von

凡僧 *fan-sheng*, das japanisch *Bonsō* (ボンサウ) = a common priest, a ignorant priest, ist.

HELLER wendet gegen diesen Ausdruck ein, man sähe nicht ein, was 法師 = ‚Lehrer des Gesetzes, Meister des Gesetzes', für eine kirchliche Würde sein könne.

Zunächst sei bemerkt, dass 大師 ‚grosser Lehrer' (Hoherpriester) ein Synonym für 法師 oder 禪師 ist.[2] Bedenkt man aber, dass 法師 auch jene buddhistischen Geistlichen bedeutet, welche mit der Unterweisung des Volkes in der Lehre betraut wurden, dass ferner 大第子 oder 居僧之首 (‚Kirchenvater') Titel aller buddhistischen Priester ist, denen das Lehren gestattet ist, und die Aebte werden können, so wird man erkennen, dass *fa-ssy* sicher eine kirchliche Würde von keineswegs untergeordneter Bedeutung bezeichnet.

Zur Erkenntniss von deren wahren Geltung bei den Nestorianern gibt uns die Inschrift selbst die Handhabe.

In erster Linie ist die Stelle zu nennen: 時法主僧寧恕知東方之景衆也, für die HELLER die Uebersetzung gibt: ‚In den Tagen, da der Patriarch Nangschu (Hnanischo) an der Spitze der Orientalen stand', während der syrische Text nach ihm besagt: ‚In den Tagen des obersten Vaters, des Katholikos Patriarchen Mar Hnanischo.'

Zur Uebersetzung des Chinesischen muss nun bemerkt werden: So wie 知府 = ‚Präfect', 知縣 = ‚Districtchef' etc. ist, ist 知東方之景衆 = ‚Katholikos' und nichts mehr und nichts weniger.

---

[1] Und von dem aller Wahrscheinlichkeit nach

[2] EITEL, *Handbook. Chin. Buddhism*, p. 186, *upadhyâya*.

主僧 bedeutet ‚Abt' (bei den Buddhisten), sohin auch hier eine entsprechende kirchliche Würde, also ‚Bischof'; 法主僧 aber den (obersten) Patriarchen (im Gegensatze zu 寺主僧 Bischof [s. Eitel: *Vihârasvâmin*]) als den Patriarchen der Lehre, der Gesetze, welcher über diese zu wachen hat. Es heisst also der chinesische Text:

‚Zur Zeit, als der oberste Patriarch Ningshu Katholikos war', ganz in Uebereinstimmung mit dem Syrischen. Wenn nun 法主僧 den (obersten) Patriarchen bedeutet, so wird 法師 zweifelsohne (wegen *fa*) eine kirchliche Würde bedeuten, welche in naher Beziehung steht zum obersten Patriarchen. Dies kann aber nur der Vicar des Katholikos für China sein (wobei Vicar in demselben Sinne zu nehmen ist, wie in ‚apostolischer Vicar' bei der lateinischen Kirche), da der Katholikos nicht in China war.

Ein weiteres Argument gibt die Thatsache, dass das syrische ‚Mar Jazdebozed, Priester und Chorbischof' am untern Rande der Inschrift 僧 durch 靈寶 wiedergegeben wird, wie überhaupt bei allen andern in der Inschrift Genannten nur 僧 vorgesetzt wird, während einzig bei 景淨 gesagt wird 太秦寺僧.

Ist nun erstlich 寺主僧 bei den Buddhisten ‚Abt eines Klosters', 寺僧 ‚Mönch', zweitens das 大秦寺僧景淨述 in gleicher Höhe eine Zeile nach links gerückt, und nicht an den Anfang der neuen Zeile gesetzt, so folgt nach allem chinesischen Usus,[1] dass 大秦寺僧 Amtstitel des Ching-cheng ist. Weil ferner nur bei ihm und dem Katholikos die syrische Zeile hinaufgerückt ist, folgt gleichfalls, dass er einen höheren Rang einnimmt. ‚Priester der Tathsin-Kirche' (nach Heller, übrigens eine unrichtige Uebersetzung) ist aber kein Titel, der ihn vor den übrigen auszeichnet. Heller fasst hier 寺 als Kirche im weiteren Sinne, d. h. als Gemeinschaft aller auf der Welt existirenden Anhänger der syrischen (nestorianischen) Lehre auf. Das ist aber unstatthaft; denn 寺 bedeutet nur: eine Halle, einen öffentlichen Amtsraum, ‚Klostergebäude', sohin eine Baulichkeit, nie aber eine Gemeinschaft, eine Vereinigung, d. i. 會.

---

[1] Vergl. beispielsweise die Kantoner Inschrift *ZDMG.*, Bd. xli, p. 141.

Darum wird bei den Buddhisten *Vihâra* (Eitel, *Handbook*, p. 199) durch 僧坊 ,Wohnung der Saṁgha' oder 佛寺 ,buddhistischer Tempel' wiedergegeben, während ,Kirche' im Sinne von ,Körperschaft' 僧伽 (Transliteration v. *saṁgha*) ist.

Ehe hieraus Schlüsse gezogen werden können, ist noch zu untersuchen, welche Bedeutung die Annalisten, Archivare oder χαρτοφύλακες, zu deren einem Heller den Ching-cheng machen möchte, in der Kirche hatten, sowie die Chorbischöfe etc., da Heller sich gegen die Deutung Wylie's *fap-schi* = Oberhaupt von China, mit den Worten ausspricht:[1] ,Adam ist ,Chorbischof und Papaschi'; die höhere Würde kann doch nicht an zweiter Stelle genannt werden; und was die Hauptsache ist, der Chorbischof nimmt eine untergeordnete kirchliche Rangstufe ein, steht unter dem Bischof und Metropoliten. Da nun Adam Chorbischof ist, so kann er unmöglich das Haupt der Kirche Chinas sein.'

Die Archivare (χαρτοφύλακες) hatten[2] die wichtigen Urkunden aufzubewahren und nicht Actenstücke abzufassen. Letzteres Geschäft besorgten die Notare (νοτάριοι), ,die im Orient ebenso wie die Archivare meistens Diakonen waren, als deren Vorstand der Archidiakon erscheint, auch Primicerius genannt, wie Aëtius zu Chalcedon'. Sonach hätte Heller den Ching-cheng nach seiner Anschauung über *fap-schi* richtiger Notar nennen müssen. Ein solcher Notar würde aber einem Archidiakon unterstehen und dann würde in seinem Titel das Amt des Vorstehers, dessen Notar er ist, genannt werden, dies fordert der chinesische Gebrauch. (Cf. Kantoner Inschrift, l. c., p. 142.)

Nun ist auf der ganzen chinesischen Inschrift und in dem Syrischen auf der Vorderseite der Inschrift ausser dem Katholikos kein anderer höherer Würdenträger genannt, ebenso auch auf den Seitenflächen nirgends eines Metropoliten gedacht. Daraus folgt zweifelsohne, dass es damals (ebenso wie heutzutage bei den katholischen Missionen) keinen obersten Kirchenfürsten über ganz China in China gab. So wie es aber heutzutage (z. B. für Kiangnan, für

[1] *V. VII. O.-C.* Hochas. Sect., p. 46.

[2] Hergenröther, *Kircheng.*, 3. Aufl., 1. Bd., p. 577.

Hupeh, für Shantung etc.) apostolische Vicare gibt, so musste es auch dazumals einen Vertreter des Katholikos (Vicar) geben, und dieser musste unbedingt auf der Inschrift genannt sein, und ist auch genannt. — Es ist eben Ching-cheng = Adam, Chorbischof und Fapschi.

Dass im Syrischen Chorbischof vor Fapschi steht beweist keineswegs, dass Fapschi rücksichtlich der Gewalt eine niedrigere Würde sein müsse als Chorbischof. Im kirchlichen Sinne steht doch Chorbischof, zu dem eine Weihe erforderlich ist, höher im Range als der Vicar des Katholikos, für den es keiner speciellen Weihe bedarf, sondern nur einfacher Delegirung. Auch heutigen Tages noch ist bei Titeln von apostolischen Vicaren diese Rangordnung eingehalten, so heisst es: Joh. B. Anzer, Titular-Bischof von Telepte (Nordküste Afrikas in der kl. Syrte) und apostolischer Vicar von Süd-Schantong; Monsignore Franz Sogaro, Titular-Bischof von Trapezolis und apostolischer Vicar für Central-Afrika. Ueberdies war J. Anzer bereits als einfacher Priester apostolischer Provicar von Süd-Schantong.

Titular-Bischof ist wohl nicht mehr und nicht weniger als Chorbischof. ‚Eine besondere Klasse',[1] sagt Hergenröther, ‚bildeten die Landbischöfe (χωρεπίσκοποι), welche zum Theil wirklich geweihte Bischöfe, zum Theil aber auch blosse Priester waren. Setzt doch das Concil von Antiochien (341) Chorbischöfe mit dem Ordo episcopalis voraus. Metropolen[2] waren jene Kirchen, welche andere nach und nach gegründet hatten, und zu diesen im Verhältnisse von Mutter- oder Stammkirchen standen.' Für die nestorianischen Kirchen in China war einfach der Patriarch von Seleucia-Ktesiphon Metropolit, so wie heutigen Tages der Bischof von Rom (der Papst) Metropolit der katholischen Gemeinden in China ist; und daher gab es auch für die Nestorianer an Ort und Stelle keinen Metropoliten. ‚Zu den besonderen Functionen des Bischofs[3] gehörte die Ausübung des Lehramtes, namentlich in öffentlichen Vorträgen, welche Priester nur mit seiner Erlaubniss und Bevollmächtigung halten durften.'

[1] Hergenröther l. c. I, p. 261.
[2] Hergenröther l. c. I, p. 296.
[3] Hergenröther l. c. I, p. 573.

Es erhellt sonach, dass

1. das Lehramt, ebenso wie die kirchliche Gerichtsbarkeit, alleiniges Recht der Bischöfe ist, dass daher, wer als Lehrer κατ' ἐξοχήν bezeichnet wird, eine höhere Stellung einnimmt als die andern Priester;

2. χωρεπίσκοπος (Titular-Bischof) bezeichnet auch in der kirchlichen Hierarchie sowohl den Vorgesetzten eines grösseren Gebietes (Landes) als auch den eines Ortes.

Fassen wir nun die einzelnen Momente zusammen. Auf der Inschrift wird nirgends eines Metropoliten gedacht, ausser des Katholikos, gleichzeitig ist gesagt, *a)* im Syrischen: Mar Jazdebozed, χωρεπίσκοπος von K u m d a n (Si-an), der im chinesischen Beisatz sheng Ling-pao genannt ist, hätte diese Tafel aufgerichtet, *b)* im Chinesischen: Ching-cheng, der 大秦寺僧, hätte die Inschrift verfasst, und sei (nach dem Syrischen) Chorbischof und Fapschi der Kirche von China.

Jazdebozed ist Chorbischof von Sian, e i n e m b e s c h r ä n k t e n G e b i e t e, einer Stadt, und ist im chinesischen Text nicht genannt, Ching-cheng (Adam) ist Chorbischof und Fapschi v o n C h i n a. Nach dem Syrischen hat Jazdebozed die Tafel aufgerichtet, nach dem Chinesischen Adam den Text verfasst. Der Weihe nach sind beide gleich, dem Wirkungskreise gemäss muss einer dem andern untergeordnet sein. Nach dem chinesischen Zusatz zum syrischen Text ist Jazdebozed einfach 僧 genannt. Adam wird aber ausdrücklich *da-tsin-shi-sheng* genannt, Priester der syrischen Tempel (Gotteshäuser), Jazdebozed ist aber nur Priester schlechtweg genannt, als Priester an einem Tempel gleichsam, weil er Chorbischof von Si-an ist.

Es ist sonach Adam (Ching-cheng), Vorsteher aller syrischen (nestorianischen) Tempel in China, d. h. also delegirter Stellvertreter des Katholikos (i. e. Vicar), dem als solchem vor allem die Ausübung des Lehramtes, einer Prärogative des Bischofs, und jene der Gerichtsbarkeit (i. e. Anwendung der Kirchengesetze) zukommt; der deshalb 法師 für China ist, welchem alle übrigen zu gehorchen haben. Als Vicar des Katholikos hat er auch über die Reinheit der Lehre zu wachen und ist mit Rücksicht auf die ihm zukommende Prärogative des Lehramtes 法師 κατ' ἐξοχήν, der allein berufen war, den Textinhalt der Inschrift zu verfassen, die ja Glaubenslehren enthält.

Hienach ergibt sich der Schluss, es sei:

Ching-cheng (= Adam), Chorbischof (Titular-Bischof) und Vicar des Katholikos, der über alle syrischen Tempel in China zu wachen hat (大秦寺僧) und dem dortselbst die oberste Lehrgewalt (法師) zufällt, gemäss der er einzig berufen war, den Text der Inschrift zu verfassen, weil dieselbe Glaubenslehren etc. enthält.

Ist dem so, dann müsste auch nachweisbar sein, dass im Syrischen kein Wort für diese Amtsstellung bei den Nestorianern, nämlich als Vicar des Katholikos (im gleichen Sinne wie apostolischer Vicar zu nehmen) vorhanden, oder den nestorianischen Priestern in China bekannt war.

Die Beantwortung dieser Frage ist jedoch Sache der Syrologen. Nach den kirchengeschichtlichen Facten aber ist dies nicht so unwahrscheinlich.

Nachdem auf einer Synode 499 der Stuhl von Seleucia-Ktesiphon für einen Patriarchalstuhl erklärt war, dessen Inhaber Katholikos (Jacelich) hiess, hörte jeder Zusammenhang mit dem Stuhl von Antiochien und dem römischen Reiche auf; ingleichen lag nach der Ausdehnung dieser persischen Christengemeinden kein Grund zur Einsetzung eines Vicar des Katholikos vor, so dass demnach auch kein dies bezeichnendes syrisches Wort vorhanden zu sein brauchte. Nach Art der Ausbreitung des nestorianischen Christenthums weiter nach Osten, war diese Amtsbezeichnung erst in späterer Zeit ein Bedürfniss, und bei der keineswegs raschen Verbindung zwischen dem Mutterlande und China ist es ganz gut denkbar, dass bis zur Zeit der Errichtung des genannten Denkmals der etwa gewählte syrische Name für die in Rede stehende Würde noch nicht in China angelangt war.

Ueber die Ausbreitung sagt nämlich HERGENRÖTHER:[1] ‚Der arianische Bischof Theophilus wirkte auch auf seiner Heimatsinsel

[1] HERGENRÖTHER, l. c. I. Bd., p. 330 und 335.

Diu Sokotora (bei den Alten Dioskorideninsel), am Eingange des arabischen Meerbusens, der viele Handelsverbindungen hatte, so wie von da aus in Ostindien, wo es schon vor ihm Christen gab, meistens bekehrte Perser. Kosmas, erst Kaufmann, dann Mönch, von seinen Seefahrten Indienschiffer (Indikopleustes) genannt, Verfasser einer christlichen Topographie, unter Justinian I. und Justinian II. blühend, fand in Male (vielleicht Malabar), auf Taprobane (Ceylon) und zu Calliana (Calikut) christliche Kirchen, an letzterem Orte sogar einen Bischof. Die indischen Christen, auch Thomaschristen genannt, wurden durch ihre Abhängigkeit von der persischen Kirche der nestorianischen Lehre zugeführt. Auch in China bildeten sich seit dem siebenten Jahrhunderte christliche Gemeinden. Im Jahre 636 soll ein Priester O-lo-puen die christliche Lehre nach China gebracht und unter dem Schutze des Kaisers verbreitet haben, wie ein 781 errichtetes, 1625 zu Si-an-fu entdecktes syro-indisches Monument berichtet.'

The Origin of the Kharoṣṭhī Alphabet.

By

Georg Bühler.

(With a Table.)

Though the origin of the Kharoṣṭhī alphabet is much easier to explain than the derivation of the Brāhmī and though the general lines for the enquiry have already been settled by others, yet a somewhat fuller review of the whole question, than the narrow compass of my *Grundriss der indischen Palaeographie* permits, will perhaps not be superfluous. The very considerable progress, which has been achieved, is chiefly due to the discussions of the Kharoṣṭhī by Mr. E. Thomas in his edition of *Prinsep's Essays*, vol. ii, p. 147 ff., by Dr. Isaac Taylor in *The Alphabet*, vol. ii, p. 256 ff., and by Sir A. Cunningham, who has also settled the value of many of its signs, in his book on *The Coins of Ancient India*, p. 31 ff.

Sir A. Cunningham's remarks refer to the first point which requires consideration in all questions of this kind, viz. the true character of the script, the origin of which is to be determined. He has emphatically recalled to the memory of the palaeographists that the Kharoṣṭhī is an Indian alphabet, and by an ingenious utilisation of his finds of ancient coins in the ruins of Taxila he has shown that the Kharoṣṭhī held always, during the whole period for which epigraphic evidence is available, only a secondary position by the side of the Brāhma alphabet even in Northwestern India. It is rather curious that the reminder regarding the essentially Indian character of the alphabet should have been necessary, as even a superficial consideration of its letters teaches that lesson. Its full system of palatals and linguals cannot be designed for any other language than Sanskrit or an ancient Prakrit, the only forms of speech which possess five sounds of each of the two classes mentioned. If this has been sometimes forgotten and even Bactria has been considered as the cradle of the Kharoṣṭhī, the cause is no doubt the loose way in which it used to be called the "Bactrian, Bactro-Pali or Indo-Bactrian" alphabet, which appellations are due to its occurrence on the coins of Greek kings, who, originally ruling over Bactria, conquered portions of Northwestern India. Sir A. Cunningham very properly points out op. cit., p. 35 that not a single Kharoṣṭhī inscription has been found north of the Hindu Kush and that in Bactria a different alphabet seems to have been used. He further proposes to substitute for "Indo-Bactrian" the Indian term "Gandharian", which would have been suitable in every way, if in the mean time the old native name had not been found. The districts, in which the largest number of Kharoṣṭhī inscriptions have been found, are situated roughly speaking between 69°—73°, 30' E. L. and 33°—35° N. L., while single inscriptions have turned up southwest near Multan, south at Mathurā and east at Kangra, and single letters or single words even at Bharahut, in Ujjain and in Maisur. This tract, to which the Kharoṣṭhī inscriptions of the third century B. C. are exclusively confined, corresponds to the Gandhāra country of ancient India, the chief towns of which were Puṣkalāvatī-Hashtnagar to the west of the Indus and Taxila-Shah Deri to the east of the river. And it is here, of course, that the Kharoṣṭhī alphabet must have originated.

In addition, Sir A. Cunningham has shown that the Kharoṣṭhī held always a secondary position and was used even in the earliest times side by side with the Brāhmī. This is proved by the evidence of his coins from Taxila, several of which bear only Brāhma inscriptions or Kharoṣṭhī and Brāhma inscriptions, with letters of the type of Aśoka's Edicts. The analysis of the legends, which I have given in my *Indian Studies* No. III, p. 46 ff., shows that those of four types have been issued by traders' guilds and that one is probably a tribal coin, belonging to a subdivision of the Aśvakas or Assakenoi, who occupied portions of the western bank of the Indus at the time of Alexander's invasion. This result considerably strengthens Sir A. Cunningham's position, as it indicates a popular use of the Brāhma alphabet in the very home of the Kharoṣṭhī.

The next step which is required, is to find the class of alphabets, to which the prototypes of the Kharoṣṭhī belonged. This problem is settled, as Mr. Thomas has first pointed out, by the close resemblance of the signs for *da, na, ba, va* and *ra* to, or identity with, the *Daleth, Nun, Beth, Waw* and *Resh* of the transitional Aramaic alphabet, and requires no further discussion.

Then comes the question, how the Hindus of northwestern India can have become acquainted with the Aramaic characters and which circumstances may have induced them to utilise these signs for the formation of a new alphabet. Dr. Taylor, *The Alphabet*, vol. ii, p. 261 f., answers this by the suggestion that the Akhaemenian conquest of northwestern India, which occurred about 500 B. C. and led to a prolonged occupation, probably carried the Aramaic or, as he calls it, the Iranian,. Persian or Bactrian, alphabet into the Panjab and caused its naturalisation in that province. Though it seems to me, just as to Sir A. Cunningham, impossible to accept Dr. Taylor's reasoning in all its details, I believe with Sir A. Cunningham that he has found the true solution of this part of the problem.

One argument in his favour is the occurrence of the Old Persian word *dipi* "writing, edict" in the Northwestern versions of the Edicts and of its derivatives *dipati* "he writes" and *dipapati* "he causes to write", which are not found in any other Indian language. *Dipi* is undoubtedly as Dr. Taylor himself has stated an Old Persian loanword, and all the three words mentioned point to a Persian influence, dating from the Akhaemenian period. And the Sanskrit and Pali *lipi* or *libi* "writing, written document", which does not occur in the Vedic and Epic literature, nor in the ancient works of the Buddhist Canon of Ceylon, but appears first in Sūtras of Pāṇini, a native of Gandhāra (traditional date 350 B. C.), furnishes the same indication, since in all probability, as Dr. Burnell conjectured, it is a corruption of *dipi*, favoured by a fancied connexion with the verb *lip, limpati* "he smears". Equally valuable is a second point, the fact that the territory of the Kharoṣṭhī corresponds very closely with the extent of the country, presumably held by the Persians. Dr. Taylor and Sir A. Cunningham very justly lay stress on the statement of Herodotus (iii, 94, 96) who asserts that the Persian satrapy of India paid a tribute of 360 talents of gold dust. They naturally infer that the Indian possessions of the Akhaemenians must have been of considerable extent, as well as that it must have included the greater portion of the Panjab.

But there remain still two gaps which must needs be filled up. The Akhaemenian theory requires it to be shown that the ancient Persians actually used the Aramaic letters and that peculiar circumstances existed which compelled the Hindus to use these letters. The second point is at present particularly important, because the literary evidence regarding the use of writing in India[1] (with which the epigraphic evidence fully agrees) proves that the Hindus were by no means unlettered in the fifth and sixth centuries B. C., but possessed and extensively used an alphabet, which probably was a form of the Brāhmī *lipi*. As long as it was possible to maintain that the Hindus became acquainted with the art of writing not earlier than 400 B. C., it was, of course, easy to understand, that the use of the Aramaic letters by the conquerors of Northwestern India should have acted as a natural incentive for their Hindu subjects to form out of these characters an alphabet suited for their own language. But the case becomes different, if it must be admitted that the Hindus possessed already a script of their own before the Persian conquest. With this admission it becomes neccessary to show that there were special circumstances which forced them to use the alphabet of their conquerors.

Both the points just discussed are explained, it seems to me, by certain discoveries, made of late years in Semitic palaeography. M. Clermont-Ganneau's important articles in the *Revue archéologique*

[1] *Indian Studies*, No. iii, p. 6 ff.

of 1878 and 1879 have shown that the Aramaic language and writing, which already in the times of the Assyrian empire occur in contracts and on the official standard weights, were frequently employed for official correspondence, accounts and other official purposes during the rule of the Akhaemenian kings in many different provinces of their empire. Egypt has furnished Aramaic inscriptions on stones and potsherds as well as Aramaic Papyri, addressed to Persian governors; in western Asia and in Arabia both inscriptions and numerous Satrap coins with Aramaic legends have been found, and even Persia has yielded an Aramaic inscription (of which unfortunately no trustworthy facsimile exists) at Senq-Qaleh, midway between Tabriz and Teheran.[1] And, I may add, there is also a scrap of literary evidence to the same effect. A statement in the Book of Ezra iv. 7, points to the conclusion that the Aramaic language and writing was well-known in the Imperial *chancellerie* at Susa. For it is said that a letter, addressed by the Samaritans to Artaxerxes, "was written", as the Revised Version of the Bible has it, "in the Syrian *(character)* and in the Syrian tongue". The Samaritans would hardly have adopted the "Arāmit" in addressing their liege lord, if it had not been commonly used in official correspondence, sent out from, or in to the Imperial Secretariat.[2] The custom itself, no doubt, has to be explained by a strong infusion of Aramaeans, or of men trained in the learning of the Aramaeans, in the lower grades of the Persian Civil Service, among the scribes, accountants, treasurers and mintmasters, and this is no more than might be expected, when a race like the Persian suddenly comes into the possession of a very large empire and becomes the heir of an older civilisation.

Under these circumstances it appears natural to assume that the Persian Satraps carried with them also into India their staff of

[1] See Ph. Berger, *Histoire de l'Écriture dans l'Antiquité*, p. 218 ff., where M. Berger pertinently remarks with respect to the last inscription, that it puts us on the road to India.

[2] As Prof. Euting kindly points out to me, a similar inference has already been drawn from the above passage by the authors of the *Kurzgef. Commentar z. d. heil. Schriften d. N. u. A. Test.*, hg. v. H. Strack und O. Zöckler; Alt. Test., Abth. 8, p. 159.

subordinates, who were accustomed to the use of the Aramaean letters and language. And this would fully explain, how the Hindus of the Indo-Persian provinces were driven to utilise the characters, commonly employed by the scribes and accountants of their conquerors, though they already possessed a script of their own. The Kharoṣṭhī alphabet would appear to be the result of the intercourse between the offices of the Satraps and of the native authorities, the Indian chiefs and the heads of towns and villages, whom, as the accounts of the state of the Panjab at the time of Alexander's invasion show, the Persians left in possession in consideration of the payment of their tribute. The Hindus probably used at first the pure Aramaic characters, just as in much later times they adopted the Arabic writing for a number of their dialects, and they introduced in the course of time the modifications, observable in the Kharoṣṭhī alphabet, for which process the additions to the Arabic alphabet, employed for writing Hindī, furnish an analogy, perhaps not perfect but nevertheless worthy of notice.

In support of these conjectural combinations three further points may be adduced. First, the Kharoṣṭhī alphabet is not a Pandit's, but a clerk's, alphabet. This appears to me evident from the cursive appearance of the signs, which has been frequently noticed by others, from its (according to Indian views) imperfect vowel-system, which includes no long vowels, from the employment of the Anusvāra for the notation of all nasals before consonants and from the almost constant substitution of single consonants for double ones. The expression of the long vowels by separate signs, which occurs in no other ancient alphabet but the Brāhmī lipi, was no doubt natural and desirable for the phoneticists or grammarians, who developed that alphabet.[1] But it is a useless encumbrance for men of business, whose aim is rather the expeditious despatch of work than philological or phonetic accuracy. Hence, even the Indian clerks and men of business using the Brāhmī, have never paid much attention to their correct use, though they were in-

[1] *Indian Studies*, No. III, p. 82.

structed by Brahmans in the principles of their peculiar alphabet.[1] If, therefore, these signs, which have only a value for schoolmen, do not occur in the Kharoṣṭhī, the natural inference is that this alphabet was framed by persons who paid regard only to the requirements of ordinary life. The other two peculiarities mentioned, the substitution of the Anusvāra for all nasals, standing before consonants, and the substitution of *ka* for *kka*, of *ta* for *tta* and so forth and of *kha* for *kkha*, of *dha* for *ddha* and so forth, are clearly the devices of clerks, who wished to get quickly through their work. If thus the Kharoṣṭhī appears to be an alphabet, framed with particular regard to the wants of clerks, that agrees with and confirms the assumption, put forward above, according to which it arose out of the official intercourse between the scribes of the Satraps and those of the native chiefs or other authorities.

More important, however, is the second point, which is intimately connected with the details of the derivation of the Kharoṣṭhī. The originals of the Kharoṣṭhī letters are, it seems to me, to be found in the Aramaic inscriptions, incised during the rule of the earlier Akhaemenian kings. The whole *ductus* of the Kharoṣṭhī with its long verticals or slanting downstrokes is that of the Saqqārah inscription of 482 B. C. and the probably contemporaneous larger Teima inscription, which Professor Euting assigns to *circiter* 500 B. C. It is also in these inscriptions that most of the forms occur, which apparently have served as models for the corresponding letters of the Kharoṣṭhī. One or perhaps two seem to rest on forms found in the somewhat later Lesser Teima, Serapeum and Stele Vaticana inscriptions, while three are connected with older letters on the Assyrian Weights and the Seals and Gems from Babylon.

The accompanying Comparative Table[2] illustrates the details of the derivation, as I understand it. Cols i and ii have been reproduced by photozincography from Professor Euting's Tabula Scripturae

[1] *Indian Studies*, Nr. iii, p. 41 f., note 3.

[2] Arranged by Dr. W. Cartellieri and etched by Messrs. Angerer & Göschl of Vienna.

Aramaicae, Argentorati 1892, and give the twenty Aramaic signs, which, as I believe, have been utilised by the Hindus, *Theth* and *Ain* being rejected by them.[1] In Col. I the fat signs belong to the Teima inscription (Euting, Col. 9) with the exception of No. 1, I, b and No. 9, I, b—c, which come from the Stele Vaticana (Euting, Col. 12). The thin signs have been taken from the Saqqârah inscription (Euting, Col. 11) with the exception of No. 4, I, a; No. 9, I, a; No. 10, I, b and No. 20, I, a, which are from the Assyrian Weights and the Babylonian Seals and Gems (Euting, Cols. 6, 8), as well as of No. 17, I, a—b, which are from the Serapeum inscription (Euting, Col. 12) and of No. 10, I, a, which Professor Euting has kindly added on once more looking over the Babylonian Aramaic inscriptions.[2]

The signs of Col. II have all been taken from Professor Euting's Cols. 14—17, and represent the chief types on the Aramaic Papyri, which M. J. Halévy[3] and others believe to be the prototypes of the Kharoṣṭhī. They have been given in my Table chiefly in order to show that they are not suited for the derivation. Col. III gives the oldest forms of the borrowed Kharoṣṭhī letters according to Table I of my *Grundriss der Indischen Paläographie*, and Col. IV with the signs, which I consider to be derivatives invented by the Hindus, comes from the same source.

Before I proceed to give my remarks on the details of the derivation, I will restate the general principles which have to be kept in mind for this and all other similar researches.

---

[1] According to Dr. Taylor these two characters are also, reflected in the Kharoṣṭhī. But the sign opposite *Theth* in his Table, *The Alphabet*, vol. II, p. 236, is a late *tra*, and *Ain*, cannot be *O*, as he doubtingly suggests. M. Halévy identifies *Theth* with the letter, which used to be read *tha*, but is in reality *ṭha* and a derivative from *ṭa*, see below.

[2] In this as well as in other respects I have to acknowledge Professor Euting's kind assistance, who sacrificed a good deal of time in order to verify the Semitic signs, which I had selected for comparison, in the Plates of the Corp. Inscr. Sem. and carefully went with me through my Table during a personal interview in Strassburg.

[3] *Journ. Asiatique* 1885, p. 251 ff.

4*

(1) The oldest actually occurring signs of the alphabet to be derived (in this case the Kharoṣṭhī) have to be compared with the supposed prototypes (in this case actually occurring Aramaic signs) of the same period (in this case of ca. 500—400 B. C.).

(2) Only such irregular equations of signs are admissible as can be supported by analogies from other cases, where nations are known to have borrowed foreign alphabets. Thus it is not permissible to identify the Kharoṣṭhī sign for *ja* with the Aramaic *ga* on account of a rather remote resemblance between what the modern researches have shown to be a secondary form of the Kharoṣṭhī palatal media and the guttural media of the Aramaeans.

(3) The comparison must show that there are fixed principles of derivation.

The latter are given chiefly by the unmistakable tendencies underlying the formation of the Kharoṣṭhī signs,

(1) A very decided predilection for forms, consisting of long vertical or slanting lines with appendages added do the upper portion,

(2) An antipathy against such with appendages at the foot of the verticals, which in no case allows a letter to consist of a vertical with an appendage at the foot alone;

(3) An aversion against heads of letters, consisting of more than two lines rising upwards, though otherwise a great latitude is allowed, as the ends of verticals, horizontal strokes and curves may appear at the top.

These tendencies required two Aramaic letters, *Lamed* (No. 11, I and III) and *Shin* (No. 19, I and III) to be turned topsy-turvy, and caused in the Shin the development of a long vertical out of the short central stroke, as well as mutilations of some other signs. And it would seem that the aversion against appendages at the foot is probably due to the desire to keep the lower ends of the *mātṛkās* free for the addition of the medial *u*, the Anusvāra and the *ra*-strokes which are ordinarily added here. Some other changes, such as turnings from the right to the left, have been made in order to avoid collisions with other signs, while again other modifications are purely cursive or due to considerations of convenience in writing.

As regards the details, I have to offer the following remarks regarding the Borrowed Signs.

No. 1. The identity of *A* with *Aleph* is evident enough (Thomas, Taylor, Halévy). The long stretched shape of the Kharoṣṭhī letter, which leans to the right, makes it in my opinion more probable that it is a simplification of a sign like that from the Saqqârah inscription in Col. i, a, than that it should be connected with the diminutive letters in Col. i, b and in Col. ii, which are inclined the other way.

No. 2. *Ba* is, of course, a slightly modified form of the *Beth* in Col. i, a—b (compare Thomas, Taylor and Halévy). The upward bulge next to the vertical has been introduced in order to make the letter with one stroke of the pen, and the bent line at the foot is represented by a prolongation of the vertical in accordance with the principle stated above. The *Beth* of the Papyri, (when cursive forms are used as in Col. ii, b—c and in Professor Euting's Col. 15 b—c, 16 b—d), is more advanced than the Kharoṣṭhī *ba*.

No. 3. The identity of *ga* (Col. iii) with *Gimel* (Cols. i and ii) has been recognised by Dr. Taylor alone. The loop on the right has been caused by the desire to make the letter with one stroke of the pen. It may be pointed out as an analogy that in the late Kharoṣṭhī of the first and second centuries A. D. cursive loops are common in ligatures with *ra* and *ya* and that there is a looped *ja*, exactly resembling a *ya*, on the Bimâran vase in the word *Muṃja-vuta*. The Aramaic prototype may possibly have been set up straighter than the forms given in Cols. i and ii, and it may be noted that such forms occur already on the Mesa stone and in other old inscriptions, see Euting, Cols. 1 and 3.

No. 4. *Da* (Col. iii) comes, as has been asserted by all my predecessors, from a *Daleth* like that in Col. i, a, which is found, as Professor Euting informs me, already on an Assyrian Weight of *circiter* 600 B. C. The cursive simplification of this letter was therefore ancient in Mesopotamia. It re-occurs in the Papyri, with a slight modification, compare especially Euting, Col. 14 b. The hook of the *da*, Col. iii, b, which occurs twice in the Aśoka Edicts and survives in the later inscriptions, seems to have been added in order to distinguish the letter from *na* (No. 13, iii, a).

No. 5. The identity of *ha* (Col. iii) with *He* has not been recognised hitherto. But it seems to me derived from a round *He*, like the Teima form in Col. i, a, with the cursive transposition of the central vertical to the lower right end of the curve, which is particularly clear in the letter, given in Col. iii, b, a not uncommon form in the Aśoka Edicts. Similar transpositions of inconvenient pendants are not unusual, compare *e. g.* below the remarks on No. 17. The *He* of the Papyri, though not rarely round at the top, shows nearly always a continuation of the central bar on the outside of the top-line, and hence is less suitable for comparison.

No. 6. *Va* has preserved, as all previous writers have acknowledged, exactly the form of the *Waw* in the Teima inscription, which re-occurs on various later documents as the Ostraka from Elephantine and the Cilician Satrap coins, and which is foreshadowed by the letter of the ancient Assyrian Weights, Euting, Col. 6. The Papyri again offer a more advanced round form, which is common in the Kharoṣṭhī inscriptions, incised during the first and second centuries of our era.

Nr. 7. Dr. Taylor alone derives *ja* (Col. iii, a—b) from *Zain*, apparently relying on the similar Pehlevi letter. The form in Col. iii, a, which is found repeatedly[1] in the Mansehra version and survives in the legends of the Indo-Grecian and Śaka coins, is, however, without doubt the oldest, and derived from a *Zain*, like those of the Teima inscription (Col. i, a—b) in which the upper bar has been turned into a bent stroke with a hook rising upwards at the left end. In the second *ja* (Col. iii, b) the lower bar has been dropped in order to keep the foot of the sign free. The Pehlevi letter is no doubt an analogous development. The *Zain* of the Papyri (Col. ii) is again

[1] Edict iii, 9 in *raja*, iv, 16 in *raja*, v, 19 in *raja*, v, 24 in *praja*, viii, 35 in *raja*, xii, 1 in *raja*.

much more advanced and unfit to be considered the original of the Kharoṣṭhī sign.

No. 8. With respect to the representative of the *Cheth* I differ from all my predecessors. The Aramaic letter, such as it is found in the Saqqārah inscription (Col. I, a—c), in Teima and various other documents[1] is exactly the same as the Kharoṣṭhī palatal sibilant *śa*. The pronunciation of the Indian *śa* comes very close to the German *ch* in *ich*, *lich* etc.,[2] and hence the utilisation of the otherwise redundant *Cheth* for the expression of *śa* appears to me perfectly regular and normal.

No. 9. The derivation of *ya* (Col. III) from the Aramaic *Yod* has been generally assumed, and it has been noticed that the Kharoṣṭhī sign is identical with the late Palmyrenian and Pehlevi forms (Euting, Cols. 21—25, 30—32, 35—39, 58), which of course are independent analogous developments, as well as that it resembles the *Yod* of the Papyri (Col. II, c and Euting, Cols. 14—17), where however the centre of the letter is mostly filled in with ink. Still closer comes the first sign (Col. II, b) from the Stele Vaticana, and it may be that a form like the latter is the real prototype. But I think the possibility is not precluded, that the Kharoṣṭhī *ya* may be an Indian modification of a form like the more ancient Assyrian Aramaic sign in Col. I, a, which differs only by the retention of the second bar at the right lower end. The rejection of this bar was necessary in accordance with the principles of the Kharoṣṭhī, stated above, and may therefore be put down as an Indian modification. The height of the Kharoṣṭhī *ya* seems to indicate that its prototype had not yet been reduced to the diminutive size, which it usually has in the Papyri, but which is not yet observable in the otherwise differing letters of the Teima and Saqqārah inscriptions.

No. 10. The connexion of *ka* (Col. III) with the Aramaic *Kaph* is asserted by M. J. Halévy, but he compares the sign of the Papyri

[1] It occurs even in the Papyri though these offer mostly more advanced, rounded forms.

[2] Prof. A. Kuhn long ago expressed his belief that etymologically *śa* is derived from *ka* through *χa*.

(Col. II), which is very dissimilar. I think, there can be no doubt that the Kharoṣṭhī letter is a modification of the Babylonian *Kaph* in Col. I, b, which was turned round in order to avoid a collision with *la* and further received the little bar at the top for the sake of clearer distinction from *pa*. The sign in Col. I, a, which likewise comes from Babylon, has been added in order to show the development of Col. I, b, from the oldest form.

No. 11. *Lamed,* consisting of a vertical with an appendage at the foot had, as stated above, to be turned topsy-turvy in order to yield the Kharoṣṭhī *la*, with which Dr. Taylor and M. Halévy have identified it. Moreover, the curve, which then stood at the top was converted into a broken line[1] and attached a little below the top of the vertical, in order to avoid a collision with *A*. The signs of the Papyri, Col. II, are mostly far advanced and cursive, so that they can not be considered the prototypes of the Kharoṣṭhī *la*.

No. 12. The Kharoṣṭhī *ma* (Col. III, a—c) is, as has been generally recognised, not much more than the head of the Aramaic *Mem*, Col. I. The first two forms, which are common in Aśoka's Edicts and the second of which occurs also on the Indo-Grecian coins, still show remnants of the side-stroke and of the central vertical or slanting stroke. But they have been placed on the left instead of on the right. The mutilation of the letter is no doubt due, as has been suggested by others, to the introduction of the vowel signs, which would have given awkward forms, and the fact of the mutilation is indicated by its size, which is always much smaller than that of the other Kharoṣṭhī signs. The curved head appears in the Saqqārah *Mem*, which I have chosen for comparison, as well as on Babylonian Seals and Gems (Euting, Col. 8, e) and in the Carpentras inscription (Euting, Col. 13, c), and the later forms from Palmyra prove that it must have been common. The *Mem* of the Papyri are again much more cursive and unsuited for comparison.

---

[1] The *la* of the Edicts invariably shows the broken line. The later inscriptions offer instead a curve open below.

No. 13. Regarding *na* (Col. III, a), which is clearly the *Nun* of the Saqqârah (Col. I, a—b) Teima, Assyrian and Babylonian inscriptions, it need be only pointed out that the forms of the Papyri are also in this case further advanced than those of the Kharoṣṭhī. The *na*, given in Col. III, b, is a peculiar Indian development, not rare in the Aśoka Edicts.

No. 14. The identity of *sa* with the Aramaic *Sameck* (Col. I) has hitherto not been recognised. Nevertheless the not uncommon form of *sa* with the polygonal or angular head, given in Col. III, permits us to assert that also in this case the Gandharians used for the notation of their dental sibilant the sign which one would expect to be employed for the purpose. The top stroke and the upper portion of the right side of the Kharoṣṭhī *sa* correspond very closely to the upper hook of the *Sameck* of Teima, being only made a little broader. The little slanting bar in the centre of the *Sameck* may be identified with the downward stroke, attached to the left of the top line of *sa*, and the lower left side of *sa* appears to be the corresponding portion of the *Sameck*, turned round towards the left in order to effect a connexion with the downward stroke. These remarks will become most easily intelligible, if the component parts of the two letters are separated. Then we have for *Sameck* and for *sa* . The forms, in which the right portion of the head of *sa* is rounded, are of course cursive. The Teima form of the *Sameck* with the little horn at the left end of the top stroke is unique in the older inscriptions. But the Palmyrenian letters (Euting, Cols. 24—29, 32—33, 37, 39—40), though otherwise considerably modified, prove that the *Sameck* with an upward twist must have been common. Finally, the corresponding Nabataean characters (Euting, Cols. 46—47), are almost exactly the same as the Kharoṣṭhī *sa* and show that the changes, assumed above, are easy and have actually been made again in much later times. The signs of the Papyri are again far advanced and unsuited for comparison.

No. 15. The identity of *pa* with *Phe* is plain enough (Thomas, Taylor, Halévy). The Semitic letter (Col. I) has been turned round in order to avoid mistaking it with *A*. The form with a hook, attached to the right top of the vertical (Col. III, a) occurs still a few times in the Mansehra version of the Edicts. Usually the hook or curve is placed lower, as in Col. III, b, and it may be noted that in the Mansehra *pa* it is attached nearly always very high up, in the Shâhbâzgarhî letter not rarely lower.

No. 16. On phonetic grounds it may, of course, be expected that *Tsade* should have been used for the Indian *ca*. But the recognition of the real Kharoṣṭhî representative has been impeded by the circumstance that the earlier tables of the alphabet neglect to give the form of *ca*, which comes closest to the Semitic letter, viz. that with the angular head (Col. III). The tables give only the *ca* with the semicircular top, though the other form is by no means rare in the Edicts and is used also in the *cha* (Col. IV) of the same documents and even survives in the late Kharoṣṭhî inscriptions of the first and second centuries of our era. If the angular *ca* is chosen for comparison, it is not difficult to explain how the Kharoṣṭhî sign was developed. The Hindus made the top of the *Tsade* (Col. I, a—b) by itself, separating it from the remainder of the vertical, and omitted in accordance with the principles of their writing, which do not admit more than two strokes at the tops of letters (see above p. 52) the small hook on the right of the angle. Next, they placed the lower part of the vertical under the point of the angle and in doing so added a small flourish to the top of this line, which in course of time became an important element of their sign. The *Tsades* of the Papyri (Col. II) come very close to the Kharoṣṭhî and the second even shows the small projection on the left, just below the top. Nevertheless they are only independent analogous developments. For in both, the long line on the left has been made continuous with one stroke of the pen and the hook or curve on the right has been added afterwards. Moreover, in the sign Col. II, b, it is very plain that the small projection on the left of the main line, which makes the letter so very like the Kharoṣṭhî *ca*, has been caused by a careless continuation of the right hand hook across the vertical.

No. 17. The utilisation of the ancient *Qoph* for the expression of *kha* in the Brāhma alphabet suggests the conjecture that the curious Kharoṣṭhī sign for *kha* may be derived from the corresponding Aramaic character. And in the Serapeum inscription the *Qoph* (Col. I) has a form which comes very close to the Kharoṣṭhī *kha*. Only the upward stroke on the left is shorter and there is still a small remnant of the original central line of the ancient North-Semitic character. The smaller Teima inscription[1] (Euting, Col. 10) has a *Qoph*, in which the central pendant has been attached to the lower end of the curve (compare above the case of the Kharoṣṭhī *ha*). These two forms, it seems to me, furnish sufficient grounds, for the assumption, that in the earlier Aramaic writing the component parts of the looped *Qoph* (Col. II, c) were disconnected and arranged in a manner, which might lead to the still simpler Kharoṣṭhī sign, where the central pendant seems to have been added to the upstroke on the left in order to gain room for the vowel-signs. To this conclusion points also the first corresponding sign of the Saqqârah inscription (Euting, Col. 11, a) though the top has been less fully developed and the ancient central pendant has been preserved much better.[2]

No. 18. *Ra* (Col. III) has been recognised as the representative of *Resh* by all previous writers. But it deserves to be noted that the sign, which comes nearest to the Kharoṣṭhī letter is the character from Saqqârah, given in Col. I, b.[3] The Papyri offer mostly more advanced forms with top lines sloping downwards towards the right.

No. 19. Regarding *Shin* (Col. I) and its Kharoṣṭhī counterpart, the sign for the lingual sibilant *ṣa* (Col. III), see above p. 52. I may add that round forms of *Shin* appear already on the Babylonian Seals and Gems (Euting, Col. 8).

No. 20. The oldest representatives of the Semitic *Taw* appear in the dental *tha* (Col. IV, a), which consists of the old Assyrian

[1] Compare the end of l. 1 of the facsimile in M. Ph. Berger's *Histoire de l'Écriture*, p. 217.

[2] Compare also the sign from the Lion of Abydos, Euting, Col. 7.

[3] Compare also Euting, Col. 7, b.

Aramaic *Taw* (Col. I, a) of the 8th century B. C.,[1] or of a slight modification of the very similar Saqqârah letter (Col. III, I, b) (turned round from the right to the left) *plus* the bar of aspiration on the right, about which more will be said below, and in the lingual *ṭa* (Col. IV, b—c), where the second stroke on the right in *b* and on the left in c denotes the organic difference or, as the Hindus would say, the difference in the Varga. In the second form of *ṭa* (Col. IV, c) the bar, which originally stood at the side, has been added at the top, and out of such a form the dental *ta* (Col. III) appears to have been developed. Its top line has been lengthened considerably and the downstroke has been shortened and bent in order to avoid a collision with *va* and *ra*. The steps, which led to its formation, are therefore (1) ⊢ or ⊬, (2) ˥, (3) ˥.

With respect to the derivative signs, my views are as follows.

(1) The aspiration is expressed by a curve, by a hook or by a straight stroke, which latter, as the case of *bha* shows, is a cursive substitute for the curve. At the same time the original form of the unaspirated letters is sometimes slightly modified. The curve appears on the right of the *ga* in *gha* (No. 3, Col. IV) at the top of *da* in *dha* (No. 4, Col. IV, a) without any change in the original forms. In *bha* (No. 2, Col. IV, a) it is attached to the right of *ba*, the wavy top of which is converted into a simple straight stroke, from the middle of which the vertical line hangs down. The same sign shows also frequently in the Aśoka Edicts a hook for the curve and as frequently a cursive straight stroke (No. 2, Col. IV, b), slanting downwards towards the right. The hook alone is found in *ṭha* (No. 20, Col. IV, d),[2] which has been derived from the preceding form of *ṭa* (No. 20, Col. IV, c) by the addition of a hook opening upwards. The straight stroke alone is found, on the left of the original letter and slanting downwards, in *jha* (No. 7, Col. IV), and likewise on the left but rising upwards,[3] in *pha* (No. 15, Col. IV). In *tha* (No. 20, Col. IV, a)

[1] See *Indian Studies*, No. III, p. 69.

[2] The sign in the table is really *ṭho*.

[3] There are also examples, in which the stroke is made straight.

the stroke of aspiration appears on the right. It has the same position in *chha* (No. 16, Col. iv) and in *ḍha* (No. 4, Col. iv, c). But in the former sign the small slanting stroke at the top of the vertical on the left has been straightened and combined with the sign of aspiration into a bar across the vertical. In *ḍha* the whole head of the unaspirated letter (No. 4, Col. iv, b) has been flattened down and reduced to a single stroke, which together with the sign of aspiration forms the bar across the top of the vertical.

With respect to the origin of the mark of aspiration I can only agree with Dr. Taylor, who explains it as a cursive form of *ha*, *The Alphabet*, vol. ii, p. 260, note 1. The manner, in which it was attached in each particular case, seems to have been regulated merely by considerations of convenience and the desire to produce easily distinguishable signs. The way in which the hook or curve of aspiration has been used in the Brāhma alphabet is analogous. It is added, too, very irregularly sometimes to the top, sometimes to the middle and more frequently to the foot of the letters, where properly it ought to stand.[1] If the Kharoṣṭhī characters never show in the last mentioned place, the cause is no doubt the desire to keep the lower ends of the signs free from encumbrances, as has been noticed above p. 52.

The device for expressing the lingualisation in *ṭa* (No. 20, Col. iv, b—c) and *ṇa* (No. 13, Col. iv, a) is very similar to that sometimes used in the Brāhma alphabet, in order to indicate the change of the Varga or class of the letter. A straight stroke, added originally on the right, serves this purpose in the Bhaṭṭiprolu *ḷa*, in the Brāhma *ṇa*, *ña* and *ṅa*.[2] The case of the Kharoṣṭhī *ṭa* has been stated above in the remarks on the representatives of *Taw*. With respect to *ṇa* it is sufficient to point out that it has been developed from the *na* No. 13, Col. iii, b, by a slight prolongation of the right hand stroke. The case of the lingual *ḍa* (No. 4, Col. iv, b) is doubtful. Possibly it may be derived from an older dental *da*, like that

[1] See *Indian Studies*, No. iii, p. 73 f.

[2] See *Indian Studies*, No. iii, pp. 63, 73.

in No. 4, Col. i, a, by the addition of a short vertical straight line on the right, which coalesced with the vertical of the *da* and thus formed the sign with the open square at the head. But it is also possible that the Aramaic alphabet, imported into India, possessed several variants for *Daleth*, and that the heavier one (No. 4, Col. i, b) was chosen by the Hindus to express the heavier lingual *ḍa*, while the lighter or more cursive one was utilised for the dental *da*.

The origin of the remaining two Kharoṣṭhī consonantic signs, the palatal *ña* (No. 13, Col. iv, b, c) and of the Anusvāra in *maṃ* (No. 12, Col. iv) has been already settled by Mr. E. Thomas. He has recognised that the palatal *ña* consists of two dental *na*, joined together, and it may be added that in the Aśoka Edicts sometimes the right half and sometimes the left half is only rudimentary, as shown by the two specimens given in the Table. He has also asserted that the Anusvāra is nothing but a subscript small *ma*, which proposition is perfectly evident in the form given in the table, less apparent, but not less true in other cases, for which I must refer to Plate i of my *Grundriss der indischen Palaeographie*.

As regards, finally, the Kharoṣṭhī vowel system, and the compound consonants (not given in the accompanying table) I can only agree with Mr. E. Thomas, Professor A. Weber and Sir A. Cunningham, that they have been elaborated with the help of the Brāhma alphabet. Among the vowel signs the medial ones have been framed first and afterwards only the initial *I, U, E, O* (No. 1, Col. iv, a—d). They consist merely of straight strokes, which (1) in the case of *i* go across the left side of the upper or uppermost lines of the consonant, (2) in the case of *u* slant away from the left side of the foot, (3) in the case of *e* stand, slanting from the right to the left, on the top line of the consonant (mostly on the left side) and (4) in the case of *o* stand below the top line (compare *ṭho*, No. 20, Col. iv, d) or slant away from the upper half of the vertical as in *O*. The position of the four medial vowels thus closely agrees with that of the corresponding signs of the Brāhma alphabet, where *i*, *e* and *o* stand at the top of the consonants and *u* at the foot. This circumstance alone is sufficient to [illegible] a close nexus between the two systems of vowel-notation. And the suspicion becomes stronger, if some further facts are taken into consideration. In the Brāhmī alphabet of the Aśoka Edicts the medial [illegible] are mostly expressed by straight strokes. The medial e has, however, at least in one case, Jaugaḍa Separate Edict [illegible], the position of a straight bar across the top of the consonant, and has the same form frequently in the Bhaṭṭiprolu inscriptions as well as in somewhat later documents. Again the medial o of the Dhauli version is expressed by a shallow curve, which in many instances is not distinguishable from the medial ā. Thus even the oldest Brāhmī documents furnish instances, in which all the four vowels, expressed in the Kharoṣṭhī by straight strokes, have exactly the same form, and it is very probable that in the ordinary writing of every day life these cursive forms were, in the case of e and o, much more frequent than the Edicts show, as well as that they go back to earlier times than the third century B. C. If, finally, the fact is added that the Kharoṣṭhī like the Brāhmī considers the short a to be inherent in all consonants and does not express it by any sign, it becomes difficult to avoid the inference, drawn already by Professor Weber, that the Kharoṣṭhī system of medial vowels has been borrowed from the older alphabet.

The marking of the initial *I, U, E, O* (No. 1, Col. [illegible]) by *A plus* the corresponding medial vowel-sign is, of course, an independent invention of the framer or framers of the Kharoṣṭhī and probably due to a desire to simplify the more cumbersome system of the Brāhmī, which first developed the initial vowels, next used them in combination with the consonants and finally reduced their shapes in such combinations to simple strokes and curves.[1] Similar attempts have been repeatedly made on Indian ground. The modern Devanāgarī has its अो and अौ since the thirteenth or fourteenth century, the modern Gujarātī has its e, ai, o and au and

[1] See *Indian Studies*, No. III, p. 76 ff.

the Tibetan alphabet, framed out of the *Vartu* letters of the seventh century A. D., expresses even I and *U* by A *plus i* and *u*. These examples show that the idea at all events came naturally to the Hindus and that it is unnecessary to look for a foreign source of its origin.

The rules for the treatment of the compound consonants again agree so fully with those of the Brāhmī, especially with those adopted in the Girnār version, that they can only be considered as copies of the latter.

(1) Double consonants like *kka, tta*, and groups of unaspirated consonants like *kkha, ttha* etc., are expressed by the second element alone, except in the case of two nasals of the same class, where the first may be optionally expressed by the Anusvāra as in *aṃña* or *añña*. Three times, however, a double *ma* is used in the word *samma°* *(samyak-pratipatti)*, Shāhbāzgarhī Ed. ix. 19, xi. 23 and xiii. 5.

(2) Groups of dissimilar consonants are expressed by ligatures of the signs except if the first is a nasal, for which the Anusvāra is used throughout.

(3) In the ligatures the sign for the consonants, to be pronounced first, stands above and the next is interlaced with the lower end of the first, except in the case of groups with *ra*, where *ra* is almost invariably placed below.[1] The forms of the Kharoṣṭhī ligatures are shaped exactly like those of the Brāhmī and, like these, illustrations of the grammatical term *saṃyuktākṣara* "a conjunct consonant". The neglect of non-aspirates, preceding aspirates, and of the double consonants, with the exception of the nasals, which can be marked without trouble by the Anusvāra, is, as already pointed out, a clerks' trick and the same as that used in the Brāhmī lipi. The treatment of *ra* in groups is closely analogous to that adopted in Girnār, where this letter or its cursive representative always occupies the same position, whether it must be pronounced before or after the consonant with which it is combined. There is, however, this

[1] There is only one exception in the Mansehra version Ed. v, 24, *kaṭabhikare*.

difference that in the Girnār Brāhmī *ra* stands always at the top and in the Kharoṣṭhī invariably at the foot. The one writes *e. g. rta* for *rta* and *tra*, and the other *tra* both for *rta* and *tra*.

These remarks at all events suffice to show that a rational derivation of the Kharoṣṭhī from the Aramaic of the Akhaemenian Period, based on fixed principles, is perfectly possible and the attempt has this advantage that it shows some letters, as *da*, *ka* and *ta*, to be closely connected with Mesopotamian forms, which *a priori* might be expected to have been used by the writers of the Satraps, ruling over the extreme east of the Persian empire. If the ruins of the eastern Persian provinces are ever scientifically explored and ancient Aramaic inscriptions are found there, forms much closer to the Kharoṣṭhī will no doubt turn up.

The third and last point, the existence of which has been indicated above, furnishes perhaps the most convincing proof for Dr. Taylor's theory. It is simply this, that Mr. E. J. Rapson has discovered of late on Persian silver *sigloi*, coming from the Panjab, both Kharoṣṭhī and Brāhma letters. Mr. Rapson was good enough to show me specimens, belonging to the British Museum, during my late visit to England, and I can vouch for the correctness of his observation. I think, I can do no better than quote his paragraph on the Persian coins in India from the MS. of his contribution to Mr. Trübner's *Grundriss der Indo-Arischen Philologie und Aterthumskunde*, which will appear in Vol. II, Section 3:—

(5) "During the period of the Achaemenid rule (c. 510—331 B. C.) Persian coins circulated in the Panjāb. Gold double *staters* were actually struck in India, probably in the latter half of the 4th cent. B. C. [Babelon, *Les Perses Achéménides*, pp. IX, XX, 16, Pl. II, 16—19; 27.] Many of the silver *sigloi*, moreover, bear countermarks so similar to the native punch marks[1] as to make it seem probable that the two classes of coins were in circulation together; and this probability is increased by the occurrence on *sigloi*, recently acquired by the British Museum, of Brāhma and Kharoṣṭhī letters."

[1] Babelon, *op. cit.*, p. XI attributes these countermarks to other provinces of Asia.

This appears to me sufficient to establish the conclusion that the Kharoṣṭhī did exist in India during the Akhaemenian times and did not originate after the fall of the empire. At the same time we learn that before 331 B. C. the Kharoṣṭhī and the Brāhma letters were used together in the Panjab, just as was the case in the 3rd and 2nd centuries B. C. (see above p. 45).

In conclusion I may offer a suggestion regarding the name of the script of Gandhāra. The Buddhist tradition derives the term Kharoṣṭhī from the name of its inventor who is said to have been called *Kharoṣṭha* "Ass'-lip". I am ready to accept this as true and historical, because the ancient Hindus have very curious names—apparently nicknames. Thus we find already in the Vedas three men, called *Śunaḥśepa, Śunaḥpuccha* and *Śunolāṅgūla* "Dog's-tail", and *Śunaka* "Little-Dog" is the progenitor of a very numerous race. Again a *Kharījaṅgha* "She-Ass'-Leg" is according to a Gaṇa in Pāṇini's Grammar likewise the father of a tribe or family.

March 31. 1895.

Comparative Table of the Perso-Aramaic and the Kharoṣṭhī.

	Inscriptions	Papyri	Kharoṣṭhī: Borrowed Letters	Kharoṣṭhī: Derivatives
	I	II	III	IV
1				
2				
3				
4				
5				
6				
7				
8				
9				
10				
11				
12				
13				
14				
15				
16				
17				
18				
19				
20				

Anzeigen.

Leopold Pekotsch, *Praktisches Uebungsbuch zur gründlichen Erlernung der osmanisch-türkischen Sprache sammt Schlüssel*, i. Theil, Wien, bei A. Hölder, 1894.

Das Unternehmen des Verfassers, der hiermit etwa das erste Viertel seines Werkes der Oeffentlichkeit übergibt, entspricht in vorzüglicher Weise einem unleugbaren Bedürfniss, weniger für den Anfänger, dem ein Lehrbuch wie das von Manissadjan vielleicht bessere Dienste leistet, als für den mit den Grundregeln der Grammatik bereits vertrauten Schüler. Jedes der in diesem ersten Heft enthaltenen acht Kapitel bringt in seinem theoretischen Theil eine Fülle sprachlicher Erscheinungen, die sämmtlich auf sorgfältigster eigener Beobachtung beruhen und von denen manche noch in keinem Lehrbuch zur Erörterung gelangt sind; überall ist dabei das erste leitende Beispiel sehr glücklich gewählt und die Regel — mit Ausnahme von dem etwas ungeschickt abgefassten §. 26, wo es jedenfalls ‚Quantität' statt ‚Qualität' heissen muss — auf einen einfachen, leicht verständlichen Ausdruck gebracht. Der grösste Vorzug des Werkes aber liegt in dem reichen Uebungsstoff. Nicht nur, dass er an sich überaus mannigfaltig ist und sich auf die verschiedensten Dinge erstreckt, die im praktischen Gebrauch des Türkischen zur Besprechung kommen können, er ist auch so gewählt, dass er den Studierenden weit schneller und tiefer als irgend ein anderes Hülfsmittel in die eigenthümliche Denkweise und Vorstellungswelt des Osmanen einführen muss. Was der Verfasser in dieser Beziehung auf S. iii und iv des Vorworts als sein Ziel bezeichnet, ist ihm in einem Masse gelungen, dass man mit Sicherheit von den übrigen Heften

5*

Entsprechendes erwarten und das Ganze schon jetzt als unersetzlich für alle diejenigen bezeichnen darf, welche wirklich in die Sprache eindringen wollen. Dabei ist kaum irgend etwas von dem verwendeten Sprachgut veraltet oder im Absterben, und offenbar hat Herr PEKOTSCH noch mehr Stoff aus dem in gebildeteren türkischen Kreisen Gesprochenen als aus der jüngsten Litteratur herbeigeschafft. Auch die vorhandenen Wörterbücher erhalten durch das Werk insofern keine geringe Bereicherung, als eine Reihe von Wörtern und Wendungen hier zuerst vollkommen entsprechend wiedergegeben sind; ich verweise nur auf die Uebersetzung von ماداما S. 7 durch ‚geradezu' (vgl. S. 12 بیانی das denselben Bedeutungswandel durchgemacht hat).

Die Transscription der Texte ist mit grosser Genauigkeit durchgeführt und bildet in Bezug auf Betonung und Aussprache eine sehr wünschenswerthe Berichtigung dessen, was die Grammatiken über diese bisher stark vernachlässigten Dinge bieten. Nur hätte der Verfasser in der Einleitung angeben sollen, welche Grundsätze er dabei befolgt. Auch wird sich der Leser durch die dem Transscriptionssystem S. VIII f. beigegebenen Anmerkungen über die Aussprache einiger Laute nicht befriedigt finden, und eine lautphysiologische Bestimmung namentlich der mit *ğ*, *kj*, *gj*, *ñ* und *l* umschriebenen Laute wäre wohl am Platze gewesen, weil darüber noch unklare Vorstellungen herrschen. Die Anmerkung b auf S. IX enthält eine sehr richtige Beobachtung, müsste aber, um keinen Zweifel übrig zu lassen, etwa so lauten: ‚*ae* ist ein kurzes offenes *e*, noch um einen Grad offener als unser *e* oder *ä* in *bergen, März*'; der von den Lernenden regelmässig gehörte Fehler liegt ja darin, dass sie es geschlossen sprechen (wie in deutsch *schnell*).

Im Einzelnen möchte ich mir noch folgende Bemerkungen gestatten:

Uebungsbuch S. 2, Z. 2 v. u. *anda*. In Parenthese wäre *onda* hinzuzufügen, da man die Formen von آن wohl zu schreiben, aber die von dem gleichwerthigen او immer allgemeiner dafür zu sprechen pflegt, z. B. *onsuz* statt *ansyz*. — S. 21: Die Aussprache *wāqa'ā* ist, wenn sie auch vorkommen sollte, zu verwerfen und *wāqy'a* dafür zu setzen. — S. 27, Z. 5 v. u. statt ‚Sohn' l. ‚des Sohnes'. — S. 38, Z. 2 v. u. streiche ‚neuerdings' als Austriacismus. — S. 40, Z. 13 v. u. l. . . . *Galata*. Der Sirkeği-Bahnhof liegt in Stambul. Die hohe . . . . — S. 44, Z. 8 v. u.: Man muss طوبچی schreiben, weil die Form aus طوپ und dem Berufungssuffix gebildet ist. — S. 45, Z. 5: schr. مجیدیه. Z. 2 v. u. ist nach یوقمیدر die Antwort واردر ausgelassen. — S. 47, Z. 14 f. l. ‚kein Einsehen'. — S. 49, Z. 3 v. u. schr. سفره und صراحی. — S. 60 u.: Statt قبادت, das im Arab. nicht existirt, also, wo es aufkommen sollte, unterdrückt werden muss, l. قبالق. — S. 61, Z. 6 سزگزدر Druckfehler für سزکدر. — S. 64, Z. 4 v. u. Sollte صویتار statt صویتاری wirklich irgendwo vorkommen? — S. 67 u. l. *alağaq* = was zu nehmen ist, ein Guthaben. — S. 72, Z. 12: statt ‚kühn' (wofür eher ‚frech' gesetzt werden könnte) l. ‚zungenfertig'. — S. 73 e ‚nur von Volksnamen' ist zu viel behauptet, vgl. استانبولجه. — S. 76, §. 55: Dies betrifft die 3. Pers. Sing. zwar am häufigsten, aber nicht ausschliesslich; so kommt vor طالمشی کیتمشم . . . — S. 75, Z. 1—4: Die beiden Beispiele enthalten zwar Composita, aber nicht, wie die auf S. 74 vorhergehende Regel verspricht, solche, die ‚durch einfache Nebeneinanderstellung' gebildet sind; ebenso entspricht S. 81, Z. 5 das Beispiel آرقه جهتی nicht dem Z. 1 f. Gesagten, da hier das Berufungssuffix hinzukommt, mithin آرقه substantivisch gebraucht ist. — S. 84, Z. 6 l. حیله‌سز. — S. 86, Z. 9 ff. wäre besser die gewöhnliche, hier allein richtige deutsche Wendung gebraucht: ‚Weit entfernt, sie zu lieben, will er sie sogar . . . .' —

Schlüssel S. 30, Z. 8, l. *аѵropanýň*. — S. 35, Z. 4 v. u. l. (der Uebersetzung im Uebungsbuch S. 41 entsprechend) فرارگاه. — S. 39, Z. 12 l. ‚etwa' für den Austriacismus ‚beiläufig'. — S. 41, Z. 4 v. u.: statt شیسی l. شینی (der Barbarismus der Vulgärsprache verdient keine Aufnahme). — S. 59, Z. 6 l. ‚ . . . nicht, der Kerl ist mächtig. Ja, daran denke . .' und Z. 20 ‚Haselhühner' statt ‚Wachteln'. — S. 60, Z. 4 v. u. l. *sél* (ar. *seil*); سیل existirt nicht im Arabischen; auch im Persischen ist سَیل und سَیلاب correct. — S. 69, Z. 3 l. . . . طورسون (بویله selten) شویله . . . —

Dr. C. Lang.

PLATTS, JOHN T., *A Grammar of the Persian Language.* Part I. Accidence. London. WILLIAMS AND NORGATE. 1894. 8⁰. XI & 343 S.

Das vorliegende Buch kann als die beste neupersische in englischer Sprache geschriebene Grammatik und als eines der brauchbarsten Lehrbücher dieser Art überhaupt bezeichnet werden. Es ist die Frucht von Vorlesungen, welche der Verfasser, ehemaliger Inspector der Schulen der Central-Provinzen Indiens, an der Universität von Oxford als Lehrer der persischen Sprache in den letzten zehn Jahren abgehalten hat.

Ausser der lebendigen Kenntniss des Persischen steht dem Verfasser, wie man aus seinem Buche ersieht, eine gute sprachwissenschaftliche Bildung zu Gebote, die sich darin äussert, dass er die wichtigsten Resultate der modernen historischen Sprachforschung seiner Arbeit einverleibt hat. Es waren vor Allem J. DARMESTETER's *Études Iraniennes,* welche ihm dabei als Führer dienten.

Leider fehlt dem Buche die Grundlage, nämlich die wissenschaftliche Lautlehre, ohne welche manche in der Formenlehre gegebenen Erklärungen gleichsam in der Luft schweben und es kann infolgedessen von Niemandem, der das vorliegende Buch zum Ausgangspunkte seiner Studien nimmt und eine wissenschaftliche Kenntniss des Neupersischen anstrebt, die *Grammatica persica* von VULLERS oder das soeben erschienene Buch HÜBSCHMANN's, *Persische Studien,* (n. *Neupersische Lautlehre,* S. 113 ff.) umgangen werden. Auch sonst hat der Verfasser manche der Fragen, welche hätten beantwortet werden sollen, bei Seite gelassen und manche Irrthümer seinem Führer nachgesprochen.

Beim Substantivum (S. 30) hätte die Frage aufgeworfen werden sollen, welchem der Casus der alten Sprache jene Form, die als Singularstamm und Nominativ auftritt, entspricht. Wie ich dargelegt habe (‚Bemerkungen über den Ursprung des Nominalstammes im Neupersischen', Wien 1878. 8⁰. *Sitzb. d. k. Akad.* Bd. 88) kann diese Frage nur an der Hand der sogenannten stammabstufenden Nomina beantwortet werden. Daraus ergibt sich nun, dass in der heutigen Nominativform des Neupersischen der alte Accusativ steckt. Die Formen پدر, مادر, برادر, دادار, گرفتار, جوان, روان können nur den Accusativen awest. *pitarem, mātarem, brātarem, dātārem, gereptārem, jawānem, urwānem* entsprechen,[1] und ebenso müssen چرم, چشم, دام auf die Accusative *čarema, čašhma, dāma* (von den Neutralstämmen *čareman-, čašhman-, dāman-*) zurückgehen. Wenn daher der moderne Perser sagt برادرِ پدر, so entspricht dies keineswegs dem alten altpers. *brātā hja piϑra*, sondern es ist aus *brātaram hja pitaram* hervorgegangen. — Dies darf uns nicht auffallen, da doch z. B. اسپانِ مردان unzweifelhaft einem alten *aspānām hja martijānām* entspricht.

Die Erklärung des Plural-Suffixes *-hā* aus *-āχam*, dem Ausgange des Genitivs Plur. des Personal-Pronomens, welche Darmesteter bietet und der Verfasser von diesem Gelehrten annimmt (S. 34), ist unrichtig, da, wenn wirklich *-āχam* zu Grunde läge, dann das Suffix höchstens *-āχ*, nicht aber *-hā* lauten könnte. Eher möchte ich bei der völligen Identität des Pahlawi-Plural-Suffixes *-ihā* mit dem Adverbial-Suffix *-ihā* (z. B. [Pahlavi], [Pahlavi] — [Pahlavi], [Pahlavi]), von denen ich das letztere aus dem alten *jaϑā* erkläre ([Pahlavi] = awest. *daēnā jaϑā*), an einen Zusammenhang beider Bildungen glauben. Diese Ansicht fände eine Stütze in der Verwendung des Suffixes *-ān*, welches sowohl als Plural-Suffix als auch im Sinne eines Adverbial-Suffixes (z. B. = بامدادان, بهاران S. 245) fungirt. Doch scheint mir eher ein Zusammenhang des neupers. *-hā* mit den Plural-Suffixen des Kurdischen: *-te*, *-dā* (z. B. *kelešete* ‚Räuber‘, *ševānite* ‚Hirten‘) und des Ossetischen *-tha*, *-thä* (vgl. meine Abhandlung ‚Beiträge zur Kenntniss der neupersischen Dialecte. II. Kurmāngī-Dialect, die Kurdensprache‘. Wien. 1864. 8°. *Sitzb. d. k. Akad.* Bd. 46) vorzuliegen und eine alte Abstract-Bildung dahinter zu stecken.

Bei den Numeralien (S. 69) hätte der Verfasser das *z* in یازده, دوازده, سیزده, شانزده, نوازده erklären sollen, umsomehr als Vullers in seiner Grammatik bereits die richtige Erklärung gegeben hat.[2]

[1] Die Bemerkung, welche der Verfasser auf S. 246 über جوان macht, beweist, dass er von dem vorliegenden Thatbestande keine rechte Vorstellung hat.

[2] Vgl. über dieses Thema weiter unten S. 75.

Bei der Verbindung der Zahlen mit Substantiven mittelst bestimmter Kategorien-Ausdrücke (نفر bei Menschen, راس, bei Pferden, زنجير bei Elefanten u. s. w., S. 72) ist der analoge Vorgang in den einsilbigen Sprachen Ost-Asiens (vgl. meinen *Grundriss der Sprachwissenschaft*, ɪɪ, 2, S. 353, 376, 413) und im Malayischen (اورغ ‚Mensch' bei menschlichen Wesen, ايكر ‚Schweif' bei Thieren, بوه ‚Frucht' bei Früchten, Häusern, Städten, Seen, Inseln, Schiffen, باتغ ‚Stamm' bei Bäumen, Stangen und allen langen Objecten u. s. w.) zur Vergleichung heranzuziehen.

Das Verbum (S. 134 ff.) ist nicht mit jener Klarheit behandelt, wie dies bei der Wichtigkeit dieses Redetheiles wünschenswerth wäre. Der Verfasser hätte gleich am Beginn des betreffenden Abschnittes angeben sollen, mit welchem Material der alten Sprache der ganze Organismus dieses Redetheiles aufgebaut worden ist. Bekanntlich sind es, wenn man von den beiden Formen des Subjunctivs (کناد, بواد) und des Imperativs (کن) absieht, blos zwei Formen der alten Sprache, welche dem Verbal-Organismus des Neupersischen zu Grunde liegen, nämlich das Präsens (der Verfasser nennt dies irrthümlich the aorist stem) und das Participium Perfecti passivi in *-ta*. Wenn der Verfasser in letzterer Beziehung von einem infinitive stem spricht, so hat dies wohl seinen Grund darin, dass er der Autorität der persischen Grammatiker gefolgt ist, welche dem Infinitiv des Neupersischen dieselbe Bedeutung wie dem arabischen مصدر zuschreiben.

Das, was der Verfasser über den Ursprung der Personal-Suffixe des Verbums bemerkt, ist ungenügend; er hätte das, was ich in meinem Aufsatze ‚Bemerkungen über die schwache Verbalflexion des Neupersischen', Wien 1874. 8° (*Sitzb. d. k. Akad.* 77) und in der Techmer'schen *Zeitschrift* ɪᴠ, 97 ff., darüber geschrieben habe, berücksichtigen sollen. Mein Aufsatz bei Techmer hätte besonders auf S. 170 herangezogen werden sollen, ohne welchen die Formen ايم, ايد, welche den alten Formen *amahj*, *astā* entsprechen, vollkommen räthselhaft bleiben müssen.

Dass ich Recht habe, die beliebte Erklärung von هست = است abzulehnen und an dem Ursprunge von هستم aus awest.

hištāmi festzuhalten (vgl. diese *Zeitschrift* VIII, S. 99), beweisen des Verfassers Darlegungen auf S. 171, wo er sagt خدا بهترین پادشاهان است sei ‚God is the best of the kings' (türkisch در, negat. دکل), dagegen خدا هست ‚God is, God exists' (= türkisch وار, negat. یوق). — Daher ist sein Schluss ‚Again هست (von dem er ausdrücklich sagt, es werde nie, gleich است, as a simple copula gebraucht) is made the stem to form the remaining persons of the present' ganz falsch. — Das Richtige habe ich in dieser *Zeitschrift* VIII, S. 99 dargelegt.

Dass im Praeteritum die Personalzeichen des Hilfsverbum *ah* stecken, wie der Verfasser S. 174 bemerkt, scheint mir nicht richtig zu sein; das Praeteritum, das ursprünglich nichts anderes war als das Participium perfecti passivi, ist keine zusammengesetzte Form, sondern eine ziemlich späte mit den einfachen Personalsuffixen des Praesens bekleidete Analogiebildung (vgl. meine Abhandlung ‚Bemerkungen über den Ursprung des Praeteritums im Neupersischen.' Wien 1895. *Sitzungsber. der kais. Akad.* Bd. CXXXII, 1. Abh.).

In شمردن (S. 140) steckt nicht *awa* + *mar*, sondern *abi* + *mar* *(hmar)*. Bei درودن (S. 141) ist nicht *dru* als Wurzel anzusetzen, sondern *drap* (δρέπω, δρέπανον). پرسیدن von *fras* abzuleiten ist völlig unrichtig; es ist *pars* (eigentlich ein Denominativum desselben *parsa-jāmi*) anzusetzen. آسودن und افزودن (S. 144) sind falsch etymologisirt. پالودن (ebends.) kann nicht auf *pati-ā-lu* zurückgehen, da es für *pallūdan* = *pat-lūdan* steht. Bei پالودن (ebends.) hätte die Wurzel als altp. *bard* = awest. *barẹz* (wie S. 213 Note) oder richtiger *ward* (skr. *wardh*) angegeben werden sollen. Bei شنودن hätte das neupersische *š* gegenüber dem altiranischen *s* *(sru)* einer Erklärung bedurft. آمیختن, گمیختن (S. 154) können unmöglich von *mis* abgeleitet werden, da dann der Infinitiv آمیشتن, گمیشتن und das Präsens آمیسم, گمیسم (vgl. نوشتن, نویسم von *ni* + *pis*) lauten müssten. Es liegt hier *μιχ*, *μιγ* zu Grunde. همی aus dem awestischen *hamaϑa* abzuleiten (S. 165) geht nicht an, da zwischen-vocalisches altes *ϑ* im Neupersischen nie in *j* übergeht; es ist, wie ich (vgl. diese *Zeitschrift* V, S. 64, und dann noch weiter unten S. 82) nachgewiesen habe, hier ein altpersisches *hamaij* (= *hamā* + *it*) vorauszusetzen.

In dem Suffixe *-tār* (S. 257), das Nomina agentis, patientis und actionis bildet, sind, wie ich bereits (‚Beiträge zur Kritik und Erklärung des Mīnōīg Chrat.' Wien 1892. S. 8, Note 1. *Sitzungsber. der kais. Akad.* Bd. CXXV) bemerkt habe, die beiden Suffixe *-tār* (Masc.) und *-tram* (Neutr.) vereinigt. Die Suffixe *-jār* und *-ār* (S. 258) können nur von altir. *-dara* = altind. *-dhara* stammen; der Unterschied zwischen beiden besteht darin, dass in dem ersteren das wurzelerweiternde *a* gelängt wurde, während es in dem letzteren kurz geblieben ist. Das Wort سترون (S. 260) als ‚mule like' zu erklären, es also mit استر zusammen zu bringen, geht doch nicht an; سترون ist bekanntlich mit dem altind. *starī*, arm. *ստերջ*, griech. *στεῖρα*, lat. *sterilis*, got. *stairō* identisch (HORN, S. 158, Nr. 716). Das Wort باربد wird wohl anders zu deuten sein, als es der Verfasser auf S. 261 thut; ich glaube, es ist nichts anderes als eine, mit Anlehnung an بربط, das griechische βάρβιτος, βάρβιτον, welches Strabo bekanntlich für ein Fremdwort erklärt, entstandene Bildung. Der Verfasser weiss, wie aus S. 251 hervorgeht, dass die Pahlawiform von بازار mit *w* anlautet (vgl. auch arm. *վաճառ*); trotzdem bringt er S. 264 DARMESTETER's unmögliche Etymologie dieses Wortes als = altpers. *abāčari* ‚comitii locus' vor. Die einzig richtige Ableitung dieses Wortes habe ich in dieser *Zeitschrift* IV, S. 308 gegeben. In کارزار ‚field of battle' (S. 264) steckt nicht کار ‚deed, action', sondern das altpersische *kāra-* ‚Heer' = got. *har-ja-* (Nom. *harjis*), unser ‚Heer' (HORN, S. 186, Nr. 804).

Zum Schlusse kann ich dem Verfasser einen Vorwurf nicht ersparen, nämlich den, dass er es unterlassen hat, auf den Köpfen der einzelnen Seiten die Paragraphen zu bezeichnen. Bei vorkommenden Rückverweisungen ist es oft nicht leicht, den betreffenden Paragraphen gleich zu finden.

FRIEDRICH MÜLLER.

Kleine Mittheilungen.

[1]*Die neupersischen Zahlwörter von 11—19.* — Wenn man die Etymologien der neupersischen Zahlwörter von 11—19 bei Horn genauer durchgeht, so sieht man bald, wie oberflächlich der dünkelhafte Iranolog gearbeitet hat, und welch haarsträubender Unfug von den sogenannten ‚Junggrammatikern‘ mit dem Terminus ‚Analogiebildung‘ getrieben wird.

Bekanntlich zerfallen die Zahlwörter von 11—19 im Neupersischen in zwei Reihen, nämlich 1. die Zahlwörter 14, 17, 18, welche als einfache Zusammensetzungen von 4 + 10, 7 + 10, 8 + 10 auf den ersten Blick sich verrathen und 2. die Zahlwörter 11, 12, 13, 16, 19, in denen zwischen der kleineren und der grösseren Zahl ein Element, dessen Hauptbestandtheil *z* ist, zu Tage tritt.

In die zweite Reihe gehört sicher auch der Ausdruck für 15 = پانزده. Dieses پانزده kann nicht aus پنجده entstanden sein, sondern muss als eine Zusammenziehung von پنجزده erklärt werden.

Die Uebersicht der beiden Reihen ist die folgende:

I. Reihe.	II. Reihe.
14. چهارده oder چارده	11. یازده oder یانزده
17. هفتده	12. دوازده
18. هشتده	13. سیزده
	15. پانزده
	16. شانزده
	19. نوازده.

[1] Das Manuscript dieser Mittheilungen war vor dem Erscheinen der ‚*Persischen Studien*‘ H. Hübschmann's der Druckerei übergeben worden.

یازده, پانزده vergleicht HORN, S. 251 (Nr. 1122) mit awest. *aēwadasa*, findet also an dem *z* oder *nz* nichts Auffallendes. Auf S. 128 (Nr. 576) findet sich دوازده verzeichnet, mit der Erklärung, dass die neupersische Form eine ‚Analogiebildung‘ ist. Auf S. 168 (Nr. 763) steht سیزده auch als ‚Analogiebildung‘ bezeichnet. Auf S. 170 (Nr. 770) findet sich شانزده, welches nach HORN durch das ihm vorhergehende پانزده beeinflusst worden ist. Auf S. 234 (Nr. 1048) wird endlich نوازده abgehandelt, das für eine ‚Analogiebildung‘ statt *nudeh* erklärt wird.

Also lauter ‚Analogiebildungen‘, ohne dass man dabei erfährt, wo das Prototyp aller dieser ‚Analogiebildungen‘ zu suchen ist.

Wenn HORN, wie es für den Verfasser eines ‚*Grundrisses der neupersischen Etymologie*‘ eine Pflicht war, seine Vorgänger überall berücksichtigt und citirt hätte (HORN citirt aber blos ‚Junggrammatiker‘ und aus leicht begreiflichen Gründen seinen Ordinarius NÖLDEKE), dann hätte er vor allem anderen VULLERS *Grammatica linguae Persicae* ed. II nicht übersehen dürfen. Dort hätte er pag. 184 die richtige Erklärung des räthselhaften *z* aus از, awest. *haća* gefunden und wäre nicht in die Nothlage gekommen, seine Leser mit der faulen Ausrede der ‚Analogiebildung‘ abzuspeisen. Falls HORN durch VULLERS nicht überzeugt ist, dann rathe ich ihm, wegen der slavischen Zahlwörter von 11—19, welche hier zur Vergleichung herangezogen werden müssen, bei BRUGMANN II, S. 489 nachzulesen.

Aus unserer Darlegung dürfte wohl Jedermann klar geworden sein, dass hier keine Analogiebildungen, sondern Neubildungen vorliegen.

Neupersisch استخوان. — Dieses Wort verzeichnet HORN a. a. O. S. 21, Nr. 85, ohne es bis auf den handgreiflichen Zusammenhang mit استه, استه (ebend. S. 20, Nr. 81) zu erklären. Nach meiner Ansicht ist استخوان entweder als Plural (im Sinne eines Collectivums) oder, was mir wahrscheinlicher vorkommt, als eine mittelst des Suffixes *-ān* (vgl. weiter unten گران) später gebildete Form auf ein vorauszusetzendes altiran. *astahwa-*, das mit dem griech. ὀστέον (= ὀστεσϝον nicht aber ὀστεϝον oder ὀστεjον) identisch ist, zurückzuführen. Wegen des griech. ὀστέον = ὀστεσϝον, vergl. man das Imperativsuffix 2. Pers. Singul. des Mediums λύου = λυεσϝο.

Neupersisch افزودن. — افزودن ‚zunehmen‘ führt Horn (S. 23, Nr. 96) auf ein vorauszusetzendes awest. *aivi-saw* zurück. Nach den Lautgesetzen kann nur altind. *abhi-ǵan (abhi-ǵājatē)* zu Grunde liegen.

Neupersisch انباشتن. — انباشتن leitet Horn (a. a. O., S. 26, Nr. 111) von awest. *hām* + *par* ab. Diese Etymologie stammt von Spiegel; sie wurde von Vullers im *Supplem. Lex.*, pag. 36, b verworfen. Vullers bezieht انباشتن richtig auf *bar* mit Bezug auf *hām-barętar-, hām-bęręϑa-, hām-bęręϑva-*. Ich mache darauf aufmerksam, dass, wenn die Ableitung unseres Wortes von *par* richtig wäre, die dem Pahlawi entlehnte armen. Form Համբար (Համբարանել) nicht also, sondern Համփյար (Համփյարանել) lauten müsste. Mit انباشتن hängt اوباشتن (Horn, S. 31, Nr. 132) nicht zusammen, da es auf *par* zurückgeht.

Neupersisch اوی. — Horn (a. a. O. S. 31, Nr. 136) erklärt اوی aus dem altpers. *awa* + *hja* ‚hic qui‘. Wenn auch diese Erklärung mit den Lautgesetzen des Neupersischen im vollen Einklang sich befindet, so ist sie dennoch unrichtig. — اوی muss genau so wie من, تو, ما, شما erklärt werden, ist also als = altpers. *awahjā* aufzufassen.

Horn bemerkt an der betreffenden Stelle: ‚اوی und وی sind im Neupersischen zwei Doubletten ohne jede Bedeutungsnuance‘, ohne dabei وی zu deuten. Nach meiner Ansicht kann hier von Doubletten ebensowenig die Rede sein, wie bei *rōz* und *rūz*, *pēš* und *piš* u. s. w., da وی nichts anderes als eine an die Aussprache *ūi*, *ūj*, statt *ōi* sich anlehnende orthographische Umbildung von اوی repräsentiren dürfte.[1]

Die weitere Bemerkung Horn's: ‚وی wird dann auch im Sinne des latein. *-plex* verwendet‘, ist schülerhaft, da dieses وی mit dem Pronomen اوی gar nicht zusammenhängt, sondern das altind. *widha* (vgl. Böhtlingk-Roth, *Sanskritwörterb.* unter *widhā*) reflectirt.

[1] Oder ist وی = *wahjā* (*awahjā* mit Aphärese des anlautenden *a*)?

Neupersisch برگ. — برگ ‚Blatt' führt HORN (S. 47, Nr. 203) auf das im *Zand-Pahlavi Glossary* enthaltene *warṣkahê* zurück. — Ich mache darauf aufmerksam, dass ورق im Arabischen ‚Blatt' bedeutet, das aber dem Persischen nicht entlehnt sein kann, da es im Hebräischen als ירק wiederkehrt.

Neupersisch برين. — برين ‚höchster' wird von HORN (S. 44, Nr. 191) richtig von altpers. *uparij*, awest. *upairi*, Pahl. [illegible] abgeleitet. — In der Note 2 unterlässt es der grosse Sprachforscher nicht ausdrücklich zu bemerken: Pahl. *barîn* ‚höchster'. — Das ist für einen speciellen Kenner des Pahlawi doch zu stark! (Vgl. diese *Zeitschrift* VI, S. 306.)

Neupersisch پرخاش. — پرخاش ‚Kampf, Streit' fehlt bei HORN. Ich führe es auf ein altiran. *parikarša-* (vgl. Sanskr. *parikarṣa-*) zurück und vergleiche damit in Betreff der inneren Sprachform das griech. πόλεμος ‚Krieg', das mit πάλη zusammenhängt und ursprünglich ‚Ringkampf' bedeutet. Das neup. $\chi = k$ darf nicht auffallen; wir finden denselben Wechsel bei *kan*, in خشى = كشى (awest. *kašha-*) u. s. w.

Neupersisch پل, پول. — Das Wort پل, پول ‚Brücke' = Pahl. [illegible] entspricht bekanntlich dem awestischen *pṛṛtu-*. Awest. *pṛṛtu-* (wofür im Altpers. *partu-* angenommen werden muss) ist ebenso zu Pahl. [illegible] geworden, wie altpers. nach awestischem *ašhawan-* vorauszusetzendes *artawan-* zu Pahl. [illegible] geworden ist. HORN bemerkt S. 72, Nr. 325 über das betreffende neupersische Wort: ‚Nie *pūl* gesprochen oder geschrieben (VULLERS), das nur ‚Geld' bedeutet.' — Auf S. 70, Nr. 318, hat HORN *pûr* ‚Sohn' = Pahl. [illegible] ([illegible]). Da nun aus Pahl. [illegible] neup. پور geworden ist, so muss auch aus Pahl. [illegible] neup. پول hervorgegangen sein, aus dem پل erst später verkürzt wurde.

Neupersisch تاراج und تاليدن. — تاراج ‚direptio, praedatio' und تاليدن ‚praedari' (unbelegt und blos von dem Lexicon Farhang-i-

šu'ūrī citirt) kommen bei Horn nicht vor. Ich beziehe sie auf die altindische Wurzel *tṛd* ‚durchbohren, spalten'.

Neupersisch خاخيدن. — Vullers citirt (*Lex. Pers.-Lat.* ɪ, pag. 634, *b*) خاخيدن ‚calcare, conculcare pedibus' mit der Bemerkung: ‚sine exemplo. Verbum dubium.' — Dieser Bemerkung kann ich nicht beistimmen. Ich halte das Verbum, wenn es auch bis jetzt nicht nachgewiesen werden konnte, für echt, da es unzweifelhaft eine Denominativform des awest. *haχa-* ‚Fusssohle' (Horn, S. 279, Nr. 104) ist. — خاخيدن hat die Form خكيدن neben sich, für welche Vullers (a. a. O., pag. 711, b) einen Vers aus مير نظمى beibringt. Dabei meint er خاخيدن, خكيدن seien von خاك abzuleiten, was ganz unrichtig ist. — Durch خاخيدن wird das bei Horn unter dem ‚verlorenen Sprachgut' citirte Wort *haχ* ausser allen Zweifel gestellt.

Neupersisch خرما. — خرما ‚Dattel' fehlt bei Horn. Es ist in der That ein räthselhaftes Wort, besonders wenn man weiss, dass die (dem Pahlawi entlehnte) Form des Armenischen արմաւ lautet. Von արմաւ muss jedenfalls bei der Bestimmung der Etymologie ausgegangen werden.

Was die Etymologie von արմաւ, خرما anbelangt, so möchte ich es auf ein vorauszusetzendes altiranisches *armawan-*, *armāwan-* zurückführen, im Sinne von ‚alimentarius' von einem vorauszusetzenden *ar-man-* = latein. *alimentum*.

Neupersisch زندان. — زندان ‚Gefängniss' führt Horn (a. a. O., S. 149, Nr. 671) auf ein vorauszusetzendes awest. *zaēna-dāna-*, ursprünglich ‚Waffen-Arsenal', zurück. Angesichts der in die Augen springenden sachlichen Unmöglichkeit, ein ‚Waffen-Arsenal' als ‚Gefängniss' einzurichten, da man ja den Gefangenen bei einer ausgebrochenen Revolte dadurch den Sieg förmlich in die Hände spielen würde, muss man eher an *zaēno-dāna-* (= *zaēnah* + *dāna-*) ‚Bewachungs-Ort' denken. — Ich mache aber darauf aufmerksam, dass im Mongolischen das ‚Gefängniss' *gindan* heisst. Hängen neup. زندان

und mong. *gindan* zusammen? — Arm. գրիգան kann, wenn زندان = *zaēno-dāna* ist, nicht dem Pahlawi, sondern erst dem Neupersischen entlehnt sein.

Neupersisch سخن und پاسخ. — سخن führt HORN (a. a. O., S. 160, Nr. 724) auf awest. *saqārę* (Jasna XXIX, 4), *sāqęni* (Jasna LII, 5), پاسخ dagegen (ebend., S. 62, Nr. 275) auf ein vorauszusetzendes awest. *paiti-sañhwa-* (mit DARMESTETER, *Études Iraniennes* I, 79, respective ASCOLI) zurück. Dies ist nicht richtig, da beide Formen von einander nicht getrennt werden dürfen. Neup. پاسخ ist, wie das armen. պատասխանի (= *pati-suχan-ja-*) beweist, auf *passuχ* = *pat-suχan* zurückzuführen. Und *suχan* ist weder *sañhwa-* noch auch *saqārę*, *sāqęni*,[1] (wo neben, oder richtiger vor BARTHOLOMAE, JUSTI, *Zend-Wörterbuch*, S. 293, b von HORN hätte citirt werden sollen), sondern ist auf ein vorauszusetzendes altpers. *sāhana-*, awest. *sañhana-* = altind. *śāsana-* zurückzuführen. *suχan* steht also für *sañhan*.

Neupersisch شلم (vgl. HORN a. a. O., S. 169, Nr. 768 und HÜBSCHMANN, *Persische Studien*, S. 79.) — Ob nicht auch türk. الخشام zur Vergleichung heranzuziehen ist?

Neupersisch كلاه. — HORN (S. 192, Nr. 863) bringt كلاه mit dem gotischen *huljan*, dem latein. *celare* in Verbindung und bemerkt, das Suffix desselben sei specifisch iranisch. Dagegen bemerkt HÜBSCHMANN (*Persische Studien*, S. 88), dass diese Etymologie unsicher ist, da im Neupersischen ein Suffix *-āh* nicht vorliegt. Nach HÜBSCHMANN dürfte كلاه, wegen des kurdischen *kulāw*, eine Form *kulāf* im Pahlawi voraussetzen. Dieses *kulāf* beziehe ich nun auf das türkische قلپاق (= Pahl. *kulāfak?*), welches bekanntlich auch in die slavischen Sprachen und ins Magyarische übergegangen ist.

Neupersisch گران. — HORN stellt (S. 200, Nr. 898) dieses Wort richtig mit altind. *guru-* zusammen und bemerkt dabei: ‚Die Grund-

[1] Auf das *q* dieser beiden Worte darf man nicht Gewicht legen, da es nicht mehr bedeutet als das *q* in *spęṇtaqjā*, *qjęm* und anderen der Sprache des älteren Awesta angehörenden Ausdrücken.

form hatte einen *r*-Vocal.' — Hübschmann (*Persische Studien*, S. 91) frägt: Neup. *girān* ‚schwer' = altp. *grāna-?* — Dies ist nicht richtig, da گران ebenso zu beurtheilen ist wie دهان, زبان, مسلمان, یزدان und andere Formen, welche erst später das Suffix *-ān* angenommen haben.

Neupersisch گم. — گم ‚verloren, verschwunden' fehlt bei Horn. Ich erkläre گم = altiran. *gumna* = *gub-na-* (wie کم = *kamna-* = *kab-na-*) und beziehe es auf das altslav. *gŭbnŏti* ἀπόλλυσθαι (Miklosich, *Lex. palaeoslov.-graeco-latinum*, pag. 150, *a*).

Neupersisch گواره. — گواره, auch گوواره, گوباره geschrieben, ‚armentum boum vel bubulorum' fehlt bei Horn. — Es ist ein Compositum, bestehend aus awest. *gaō-* und einem vorauszusetzenden altiran. *wāra-*, welches Vullers (unter باره) bereits richtig in dem altind. *wāra-* erkannt hat. — Bei Horn ist demnach S. 37 hinter Nr. 161 neben باره ‚Pferd' und باره ‚Mauer, Schutzwall' noch باره ‚Heerde' einzufügen.

Neupersisch مالیدن. -- مالیدن ‚reiben, glätten' wird von Horn (a. a. O. S. 214, Nr. 962) aus awest. *marz (marězaiti)*, altind. *marǵ (mārṣṭi)* erklärt. Auf *marz* wird auch مشتن zurückgeführt, welches Horn S. 220, Nr. 983 als eine Doublette von مالیدن bezeichnet. Auf S. 12, Nr. 49 wird آمرزیدن ‚verzeihen' aus awest. *ā-marz* erklärt.

Da wir im Neupersischen Formen wie برز (Horn, S. 46, Nr. 198) von awest. *warz-*, اندرز (Horn, S. 122, Nr. 549) von awest. *hām* + *darz*, سپرز (Horn, S. 155, Nr. 702) = awest. *spěrěza-*, مرز (Horn, S. 218, Nr. 974) = awest. *měrězu-* begegnen, worin awestischem *rz* im Auslaute wieder im Neupersischen *rz* entspricht, so kann مالیدن, welchem دستمال, رومال, گوشمال zur Seite stehen, nicht auf die awestische Wurzel *marz* zurückgeführt werden.

Die Formen دستمال, رومال, گوشمال können in Hinblick auf دل, سال, گل nur auf vorauszusetzende altpers. *dasta-marda-*, *rauda-marda-*, *gauša-marda-* zurückgehen und ist demnach neup. مالیدن mit Vullers auf altind. *mard* (vgl. نالیدن = altind. *nard* und بالیدن = awest. *ward*, altind. *wardh*) zu beziehen.

Wenn مالیدن ohne دستمال, رومال, گوشمال da stünde, dann könnte man wohl, um seine Abstammung von awest. *marz* aufrecht zu halten, auf بالا ‚hoch', بالش ‚Kissen' = awest. *barezah-* und awest. *barezis-* sich berufen, worin an Stelle des alten *rz* im Neupersischen *l* uns entgegen tritt. Diese Vertretung erscheint aber hier blos im Inlaute und ist auf den Wechsel von *d* und *z* im West-Iranischen zurückzuführen. Man hat also bei بالا, بالش von den west-iranischen Formen *bardah-*, *bardiša-* auszugehen.

Ob man, um die Identificirung von مالیدن mit *marz* zu retten, einen theilweisen Uebergang des letzteren in *mard* annehmen könne, dies zu entscheiden will ich Anderen überlassen.

Neupersisch نکوهیدن. — نکوهیدن ‚vituperare, contemnere, male loqui' kommt bei HORN nicht vor. Das Wort wurde bereits von VULLERS richtig auf das altind. *kuts* bezogen. Aus altind. *kutsa-* wurde altiran. *kusa-*, neup. *kūh-* wie aus altind. *matsja-*, altiran. *masja-*, neup. ماهی geworden ist. Mit neup. نکوهیدن identificire ich Pahl. ווכיתן, das ich für einen Schreibfehler statt ונכיתן halte.

Neupersisch همی, می. — Ich habe in dieser *Zeitschrift* v, S. 64 همی auf ein vorauszusetzendes altpers. *hamaj* = *hamā-it* zurückgeführt und همیشه damit in Verbindung gebracht. HÜBSCHMANN (*Persische Studien*, S. 106) meint, dass aus altpers. *hamaij* im Neupersischen هم geworden sein müsste. Ich glaube, dass همی, می ebenso wie neupers. نی, نه = altper. *naij* beurtheilt werden muss. Das altpers. *naij* hat unter dem Schutze des Accentes (نیاید, نیامد, sprich: *náj-ājad*, *náj-āmad*) die unregelmässige Form *naj*, *nē* gerettet; dasselbe muss auch bei dem gleich behandelten *hamaij*, *maij* (میاید, میامد, sprich: *míj-ājad*, *míj-āmad*) der Fall gewesen sein.

Neupersisch هوش (Bemerkung zu VIII, S. 191). — Awest. *ušhi* bedeutet 1. ‚Verstand, Einsicht, Sinn', 2. ‚die beiden Ohren' (HÜBSCHMANN, *Persische Studien*, S. 106 zu HORN, Nr. 1111). HORN schreibt an der betreffenden Stelle: ‚Die abgeleitete Bedeutung 'Verstand' aus der ursprünglichen 'Ohr' ist erst mittelpersisch.' — Dies ist deswegen ganz unrichtig, weil für das awest. *ušhi* beide Bedeutungen, sowohl ‚Verstand' als auch ‚die beiden Ohren' neben einander citirt werden. Und dann, wer kann beweisen, dass *ušhi* ‚Verstand' und *ušhi* ‚die beiden Ohren' wirklich zusammenhängen, da es immerhin möglich ist, dass beide von Haus aus verschiedene Formen später lautlich zusammengefallen sind. Es ist daher für die Erklärung von هوش das awest. *ušhi* in der Bedeutung ‚Ohr' gar nicht heranzuziehen, sondern blos *ušhi* ‚Verstand, Einsicht, Sinn' zu citiren.

Armenisch կտաւ. — Dieses Wort, welches ‚Linnen- und Baumwollstoff' bedeutet, fehlt unter den von Hübschmann in *ZDMG.* xlvi, S. 226 ff. behandelten semitischen Lehnwörtern des Armenischen. Es ist identisch mit syr. ܟܬܢܐ (Brockelmann, p. 317, *b*).

Rabbinisch פלמטר. — Levy, *Neuhebr. u. chald. Wörterbuch* iv, S. 54, *a* hat פלמטר (nach Musafia zusammengezogen aus πόλεμος und νοτάριος) ‚Notar des Kriegsheeres' (?), Perles, *Etym. Stud.*, p. 132, denkt an ‚frumentarius'. Dies dürfte wohl Alles blosse Dichtung sein. Die beiden citirten Stellen geben eher die Bedeutung ‚Auftrag-Träger' an die Hand, so dass ich פלמטר auf ein persisches فرمان دار zurückführen möchte.[1] Man übersetze also: משה היה פלמטר של הבקה ‚Moses war der Auftragträger dessen, der gepriesen und heilig ist'. אף אני מקרבו ועושה פלמטרין שלי ‚auch ich werde ihn (den Stamm Levi) mir nähern und sie zu meinen Auftrag-Trägern machen'.

Arabisch دفعة*, hebr.* פעם. — H. Schuchardt bespricht in seiner an A. Leskien zum 4. Juli 1894 gerichteten Gratulations-Schrift das slavische (russ.-poln.-čech.) *raz* ‚mal', das eigentlich ‚Schlag' bedeutet. Damit stimmen nun der inneren Form nach arab. دفعة, hebr. פעם, welche unser ‚mal' wiedergeben, aber ursprünglich ‚Schlag' bedeuten, überein. — Arm. անգամ (vgl. diese *Zeitschrift* viii, S. 99) von *gam* ‚gehen', stimmt wieder mit arab. خطوة ‚Schritt', مرّة ‚Vorübergang', welche beide unser ‚mal' ausdrücken.

[1] Damit stimmt das, was Fleischer, S. 226, *b* bemerkt, nämlich פלמטר sei ‚legatus, nuncius publicus' שליח. Dagegen ist Fleischer's Annahme פלמטר sei = latein. ‚*praemonitor*' unrichtig.

Die Sajābidžah. — M. J. de Goeje theilt in seiner interessanten Abhandlung *De Sajābidja* (Festbundel van taal-, letter-, geschied-en aardrijkskundige bijdragen ter gelegenheid van zijn tachtigsten geboortedaag an Dor. P. J. Veth oud-hoogleeraar door eenige vrienden en oud-leerlingen aangeboden. Leiden, 1894, fol.) meine ihm brieflich vorgetragene Vermuthung mit, dass سيابجة ein Fehler für سيانجة zu sein scheint, der Pluralform von سينج, welches auf ein vorauszusetzendes altindisches *saindhja-* = *saindhawa-* ‚sindhisch' hinführt. — De Goeje meint, dass die Leseart سيابجة so fest stehe, dass man an eine derartige Corruption kaum denken kann. Ich hatte schon bei meiner Mittheilung diesen Einwand im Auge, dachte aber, dass سيابجة statt سيانجة ein Seitenstück zu pers. هيتال, هياتله, arab. هياطلة (Vullers, *Lex. Pers.-Lat.* II, p. 1491 a) statt هبتال, هباتله bildet. Dass nämlich هيتال, هياتله aus هبتال, هباتله corrumpirt ist, und diese alte Corruption, die sich aus dem Charakter der arabischen Schrift leicht begreift, durch den Gebrauch förmlich sanctionirt wurde, dies wird durch das armen. Հեփթաղ und den Namen, den dieses Volk bei den Byzantinern trägt, bewiesen.

Friedrich Müller.

Fragen.

Ist es statthaft in den altpersischen Formen:

Bardiya	verglichen mit gr.	Σμέρδης
Hahāmaniš	„ „ „	Ἀχαιμένης
Armaniya	„ „ „	Ἀρμενία

den *i*-Umlaut zu setzen, sodass also *Bürd°*, *Berd°* etc. zu sprechen wäre, und erlauben diese Formen Schlüsse auf die Aussprache von altpers. *apiy, abiy* etc.? In welcher Weise wäre dann phonetisch die awestische ‚Epenthese' zu erklären; dürfte sie z. Z. mit jenen altpers. Erscheinungen auf eine Stufe gestellt werden; lassen sich sodann die Ergebnisse historisch verwerthen?

Löwen. W. Bang.

Ueber einen Psalmencommentar aus der ersten Hälfte des VI. Jahrhunderts p. Chr.

Von

Dr. Ludwig Lazarus.

Im Herbst 1869 hat Herr Professor Bickell gelegentlich seiner Anwesenheit in Rom von dem damaligen Chor-Episcopus von Mossul, Namens Josef — als Erzbischof von Damascus hiess er später Clemens (bar David) — das Fragment eines syrischen Psalmencommentars käuflich erworben; die ersten Mittheilungen über dieses in mehrfacher Hinsicht merkwürdige Manuscript veröffentlichte später Herr Professor Bickell in seinem bekannten *Conspectus rei Syrorum literariae* (pag. 40, not.) und stellte mir im Herbst 1892 dieses MS. behufs Bearbeitung gütigst zur Verfügung. Nachdem ich mich längere Zeit in eingehender Weise mit diesem Ineditum beschäftigt hatte, gelangte ich zu bestimmten Ergebnissen über Autor, Inhalt und Abfassungszeit dieses eigenartigen Werkes, die ich hier mittheile.

Ich halte es noch für angemessen, eine kurze Beschreibung der Handschrift voranzuschicken. Dieselbe ist in Octav, auf Papier, stammt ungefähr aus dem 15. Jahrhundert und besteht aus 140 Blättern, die auf beiden Seiten sorgfältig vollgeschrieben sind; jede Seite ist in zwei Columnen getheilt, die gewöhnlich je dreissig Zeilen haben. Die Ueberschriften zu den einzelnen Psalmenhomilien sind mit rother Farbe geschrieben, am Rande finden wir zuweilen erklärende Bemerkungen von zweiter Hand. Das Manuscript ist im Allgemeinen recht gut erhalten, die Schrift ist jacobitisch und deutlich ausgeführt.

An dieser Stelle sei schliesslich meinen hochverehrten Lehrern, dem Herrn Professor BICKELL für die freundliche Ueberlassung dieses seines Manuscriptes und für die vielfache Förderung und Belehrung, sowie Herrn Professor D. H. MÜLLER für die gütige Unterstützung bei der Publicirung dieser Studie der wärmste und tiefgefühlteste Dank ausgesprochen.

1. Die Manuscripte.

Dieser Psalmencommentar bildet ein Fragment einer ursprünglich vollständig erhalten gewesenen Homiliensammlung über alle 150 Psalmen. Das ganze Werk zerfiel in drei grosse Bücher, von denen das erste Buch Ps. 1—50, das zweite Ps. 51—100 und das dritte Ps. 101—150 behandelten. In dieser Vollständigkeit scheint jedoch das Werk in syrischer Sprache nicht mehr vorhanden zu sein. Denn während die beiden ersten Theile (Ps. 1—100) im Britischen Museum[1] und ein grosser Theil davon (Ps. 1—68) in der Vaticana[2] aufbewahrt sind, besassen wir bis jetzt vom dritten Theile dieses umfangreichen Werkes (Ps. 101—150) nur eine arabische Uebersetzung[3] (Carshuni). Unser MS. nun, das von Ps. 79, v. 9ᵇ bis Ps. 125 inclusive[4] reicht, ist daher insoferne von besonderem Werthe, als es uns von Ps. 103 bis 125 das in syrischer Sprache bietet, was bis jetzt nur in arabischer Uebersetzung in Berlin handschriftlich vorhanden war. Während wir also für den Commentar von Ps. 79—98 zwei Handschriften besitzen (die eine, Eigenthum meines hochverehrten Lehrers, des Herrn Professor BICKELL, und die andere, im Britischen Museum befindliche), sind wir für den syrischen Commentar zu Ps. 103—125 inclusive nur auf unser als das einzige derartige MS. angewiesen. Zu diesem letzteren Theile besitzen wir noch den in der Berliner königlichen Bibliothek vorhandenen Carshuni-Text, der Ps. 101—150 umfasst.

[1] Vid. WRIGHT, *Catalogue of Syriac Manuscr. in the British Mus.*, p. 605—606.
[2] Ibid., *Cod. Vat.* CIV [vid. *Codd. MSS. Syriaci in Bibl. Vatic.* III, 297].
[3] Vid. WRIGHT, ibid., Berlin, SACHAU 55.
[4] Mit mehreren, oft sehr grossen Lücken, so fehlt Ps. 98—102 fast vollständig.

2. Ueber den Autor.

Als Verfasser dieses grossen Commentars galt bisher in der Ueberlieferung ein gewisser Daniel von Ṣalaḥ (Dorf, nordöstlich von Midyād, in Tur Abdin, vgl. noch *ZDMG.*, Bd. 32, p. 741). Dieser lebte nach Assem. (*B. O.* I, 495) um 700 p. Chr., war somit ein Zeitgenosse Jakobs von Edessa, Georgs, des Araberbischofs, Athanasius' II. von Balad. Er verfasste einen Commentar in syrischer Sprache über den Ecclesiastes (vid. Wright, *Catal.*, p. 605, col. 2) und auf das Ansuchen Johanns, Abtes des Klosters des Eusebius in Kaphra dhĕ-Bhārthā (Kafr al-Baraḥ, nahe bei Apamea) einen Commentar über die Psalmen,[1] wie aus der Einleitung dieses Werkes zu ersehen ist. Dass nun unser MS. mit jenem unter dem Namen Daniels von Ṣalaḥ als Verfassers überlieferten Psalmencommentare identisch ist — soweit sich aus Fragmenten auf das Ganze schliessen lässt — ergibt sich aus folgenden Momenten:

I. Zwei Stellen dieses Commentars sind bereits in Ephraem Syrus' Werken veröffentlicht; dort wird Daniel von Ṣalaḥ ausdrücklich als Autor genannt. Beide Stellen haben wir auch in unserem fragmentarischen MS. bis aufs Wort genau wiedergefunden. Die erste Stelle, welche Bd. II der römischen Ausgabe des Ephraem Syrus abgedruckt ist, lautet dort also (p. 41):

ܕܕܢܝܐܝܠ ܨܠܚܝܐ. ܬܪ̈ܬܝܢ ܓܝܪ ܙܒܢܝܢ ܐܚܘܝ ܗܘ ܡܪܝܐ[2] ܦܘܪܩܢܗ
ܠܥܡܐ ܐܝܣܪܝܠ. ܚܕܐ ܟܕ ܐܦܩܗ ܐܢܘܢ ܡܢ ܫܥܒܕܘܬܐ ܕܡܨܪ̈ܝܐ.
ܘܐܚܪܬܐ ܟܕ ܐܦܩܗ ܐܢܘܢ ܡܢ ܒܒܠ. ܐܦ ܐܚܪܬܐ ܕܝܢ[3] ܗܘܐ
ܐܚܪܢ ܕܦܘܩܕ ܡܪܝܐ ܕܐܝܬܘܗܝ ܕܢܘܒܐ ܥܒܪܐ ܕܡܫܝ̈ܚܐ[4]
ܘܐܬܦܢܝܘ ܡܢ ܡܪܝܐ ܗܘܝܢ ܐܬܦܢܝ.

Von Daniel Ṣalaḥensis: ‚Denn zweimal offenbarte der Herr sein Heil dem Volke Israel: Zum ersten Male, als er dasselbe aus der Knechtschaft Aegyptens herausführte; zum zweiten Male, als er es

---

[1] Nach einer Note in Payne Smith's *Catal. der syr. MSS. der Bodleiana* (p. 62) war Daniel Bischof von Tella dhĕ-Mauzĕlath; aber als er seinen Psalmen-Commentar schrieb, war er nur Abt eines Klosters (vid. Wright, *Catal.*, p. 605).

[2] ܐܠܗܐ unser MS. [3] ܦܩܕ ibid. [4] ܕܡܫܝܚܗ ibid.

7*

aus Babylon heraufbrachte; denn auch Jesaia sprach also: Der Herr wird zum zweiten Male seine Hand ausstrecken, zu erwerben den Rest seines Volkes, der übriggeblieben von Aegypten und Assur.'

Wörtlich lesen wir ebenso (mit wenigen Varianten) in unserem MS., und zwar im zweiten Drittel der 122. mimrô.

Die zweite Stelle lautet bei Ephr. (ibid. p. 79):

ܐܫܥܝܐ ܢܒܝܐ. ܡܢ ܦܘܪܩܢܐ ܕܐܢܫܐ. ܡܟܢܫ ܐܢܘܢ ܠܟܠ ܐܬܪ
ܦܬܓܡܐ ܡܫܝܚܐ. ܕܡܟܠܝܢ ܠܡܢܒܝܐ ܥܡ ܟܢܘܫܬܐ. ܕܟܠ
ܐܬܪܘܬܐ ܕܢܓܝܕ ܒܢܓܡܐ ܡܢ ܦܘܠܚܢܐ ܕܐܟܪܐ ܘܡܢ ܩܠܐ
ܕܐܢܫܘܬܐ. ܗܟܢܐ ܣܪܝܩܝܢ ܗܘܘ ܥܡܡܐ ܡܢ ܝܕܥܬܗ
ܕܐܠܗܐ. ܟܕ ܕܝܢ ܐܬܐ ܡܫܝܚܐ.[1] ܫܕܪ ܠܫܠܝܚܐ ܕܒܡܕܒܪܐ
ܕܥܡܡܐ ܩܕܝܫܐ. ܘܥܒܕܘ ܐܓܡܐ ܥܠ ܐܬܪܐ[2] ܨܗܝܐ ܘܡܕܒܪܐ
ܕܡܝܐ ܚܝܐ ܡܢ ܡܠܦܢܘܬܗ. ܘܐܪܥܐ ܨܗܝܬܐ ܘܡܬܚܦܛܢܘܬܐ ܗܘܬ
ܡܥܝܢܘܬܐ ܘܡܒܘܥܝܘܬܐ. ܘܫܪܝܘ ܒܗ ܫܘܥܠܐ. ܘܫܒܩܘ
ܠܥܡܐ ܕܡܫܝܚܬܐ. ܘܐܢܘ ܟܬܒܐ ܗܢܐ ܗܘܐ ܚܝܠܐ ܡܫܝܚܐ.
ܘܪܘܚܐ ܡܫܝܚܬܐ ܘܢܘܗܪܬܐ: ܗܘ ܦܪܝܫܬܐ ܠܥܡܡܐ[3] ܕܒܗܝܡܢܘܬܐ.
ܘܢܦܩܘ ܡܥܡܕܢܝܬܐ ܫܠܝܚܘܬܐ ܐܪܒܥܐ[4] ܕܒܫܡܐ ܕܐܝܟ ܡܠܬܐ ܘܡܠܦܘ
ܒܫܡܐ ܕܝܢ ܗܘ ܕܗܘܐ[5] ܠܫܠܝܚܐ ܕܥܡܡܐ ܐܬܦܫܛܬ ܘܐܬܪܒܬ
ܠܡܠܟܘܬܗ.

Von Daniel Ṣalaḥensis, ein Auszug aus seinem Psalmencommentare: ,Die heiligen Schriften pflegen nämlich die Völker mit dem Beinamen ,Wüste' zu bezeichnen; denn wie die Wüste der Bearbeitung ihres Bodens durch Ackersleute und der Stimme der Menschen entbehrt, ebenso waren auch die (heidnischen) Völker jeder Gotteserkenntniss bar; als aber der Gesalbte kam, schickte er die heiligen Apostel in die Wüste der Völker und sie schufen Teiche auf Wüsten-

[1] ܡܫܝܚ ibid. [2] ܡܪܘܒܐ ibid. [3] ܠܥܡܡܐ ibid. [4] ܐܪܒܥ ibid.
[5] ܗܘ ܕܗܘܐ ܠܫܠܝܚܐ ܕܥܠܡܐ ܐܬܦܫܛܬ ܘܐܬܪܒܬ ܠܡܠܟܘܬܗ ibid.

grund und Wasserquellen unter Dürstenden; das schmachtende, (vom Durst) gequälte Land wurde zu einem reichlich tränkenden und befruchtenden Erdreich; es wohnten darin die Hungrigen, die satt wurden vom Brote des Evangeliums. In dieser Wüste bauten die Apostel heilige und wohnliche Ortschaften, d. h. Kirchen zur Versammlung der Gläubigen, und sie streuten in die Seelen, wie auf Felder, den guten Samen des Hausherrn und sie pflanzten einen Weinberg von dem, der da war ein Weinstock der Wahrheit für die Welt, deren Pflanzung verwüstet und verödet war.'

Dieselben Worte haben wir mit den wenigen, unten angemerkten Varianten in unserer Handschrift, und zwar gegen Ende der 107. mîmrô wiedergefunden.

II. Die Vergleichung einzelner Stellen unseres MS. mit dem Londoner[1] handschriftlichen Psalmencommentar des Daniel von Ṣalaḥ hat die völlige Identität beider HSS. ergeben.

III. Der Berliner Carshuni-Commentar des Daniel zu Ps. 101—150 ist — was den Theil von Ps. 103—125 betrifft — eine fast wörtliche Uebersetzung unseres syrischen MS.

IV. Aus mehreren Stellen unseres MS. geht hervor, dass der Autor aufgefordert wurde, einen Psalmencommentar zu schreiben; so sagt er z. B. Anfang Ps. 87: ,Denn ich bin nicht aufgefordert worden, über den Bau des Hauses des Ezechiel zu schreiben.' Einige Mal apostrophirt unser Autor einen Abt, zu dessen Ehren er diesen Commentar verfasst habe. Anfang Ps. 88 sagt er: ,Du aber, o frommer Vater, wirst nicht von mir verlangen, dass wir alle Worte des Psalmes nach dem Propheten noch ein Mal wiederholen [ohne sie zu erklären]'. Ebenso redet er gegen Ende von Ps. 110 einen ,frommen Vater' an.[2] All dies stimmt mit der Ueberlieferung, die an den im

[1] Herr Prof. C. Bezold war so gütig, einige Stellen aus der dortigen HS. für mich zu collationiren.

[2] Diese Stelle lautet: ܐܠܐ ܡܛܠ ܗܢܐ ܠܟ ܐܘ ܐܒܐ ܢܟܦܐ ܘܐܠܗܝܐ: ܠܐ ܙܕܩܐ ܘܠܐ ܡܫܟܚܐ ܕܢܬܪܓܡܢܘܢ ܡܠܬܐ ܦܘܫܩܐ ܗܘܐ ܕܒܬܪܐ ܕܡܙܡܘܪ̈ܐ ܠܐ ܠܡܬܢܝܘܬܐ.

7. Jahrhundert lebenden Daniel von Ṣalaḥ von einem Abte die Aufforderung ergehen lässt, einen Psalmencommentar zu schreiben.

So einleuchtend nun aber auch einerseits dieses Ergebniss zu sein scheint, so schwierig stellt sich andererseits bei näherem Zusehen die Frage über den wirklichen Autor unseres Commentars. Denn dass Daniel von Ṣalaḥ unmöglich der Originalverfasser sein kann, ergibt sich schon aus einer in dem Werke vorkommenden Jahreszahl. In der Homilie (ܡܐܡܪܐ) zum 83. Psalm schreibt unser Verfasser (vgl. *Conspectus rei Syrorum literariae* ed. BICKELL, p. 40, Anm.): ܘܗܟܢܐ ܬܘܒ ܩܡܘ ܐܦ ܢܣܛܘܪܝܢܐ ܘܐܬܚܫܒܘ ܢܟ̈ܠܐ ܡܢ ܫܢܬ ܬܠܬܝܢ ܕܡܠܟܘܬܗ ܕܬܐܘܕܘܣܝܘܣ ܘܥܕܡܐ ܠܗܕܐ ܫܢܬܐ ܗܕܐ: ܕܐܝܬܝܗ̇ ܫܢܬ ܬܡܢܡܐܐ ܘܚܡܫܝܢ ܘܬܠܬ: ,...So erhoben sich auch die Nestorianer und ersannen Ränke vom 30. Regierungsjahre des Theodosius bis zu diesem Jahre, das ist das Jahr 853.' Unser Verfasser gehört also der Mitte des 6. Jahrhunderts[1] p. Chr. (853 seleuc. Aera = 542 p. Chr.) an, während Daniel von Ṣalaḥ nach gutbeglaubigten Zeugnissen 150 Jahre später blühte. Infolge dieser grossen, chronologischen Schwierigkeit, die sich bei einer solchen Gleichsetzung ergeben würde, müssen wir ein- für allemal die bisher behauptete Autorschaft des Daniel von Ṣalaḥ zurückweisen. Ja, wir fühlen uns sogar genöthigt, noch einen Schritt weiter zu gehen, indem wir unseren Commentar für kein original-syrisches Werk halten. Von vornherein ist zu betonen, dass wir die classische Schriftsprache der Syrer, die im 5. und 6. Jahrhundert ihre Blüthe erreichte und als Muster eines guten Prosastils gelten kann, in unserem Commentar, der doch dieser Zeit angehört, vergebens suchen. Es ist indessen bei einer Literatur, wie der syrischen, die in so hohem Grade von fremden (namentlich griechischen) Mustern beeinflusst wurde, oft sehr schwierig, ja fast unmöglich, einen stricten Beweis dafür anzutreten, dass das betreffende Literaturwerk einem einheimischen Schriftsteller zuzuschreiben sei, oder als Ueber-

[1] Auch die Londoner HS. hat diese Jahreszahl; die authentische Richtigkeit derselben ist also über jeden Zweifel erhaben.

setzung aus einer fremden Sprache zu gelten habe. Immerhin glauben wir auf einige Momente hinweisen zu können, welche die Annahme rechtfertigen, dass uns in diesem Commentar kein syrisches Original, sondern eine Uebersetzung, resp. Umarbeitung eines griechischen Psalmencommentars vorliegt. Diese Momente sind:

1. Mitte der 116. Homilie (mîmrô) äussert sich der Verfasser in der Erklärung des 117. (LXX. und Peschita 116.) Psalmes folgendermassen:[1] „. . . . Es werden preisen die eine Majestät des einen Gottes alle Völker: Griechen und Barbaren, das sind aber Weise und Thoren, die, welche Gott erkannt haben, und jene, welche durch die Verkündigung die Erkenntniss von ihm nicht erlangt haben‘. Hier werden also die Griechen als Weise und Gottesbekenner den Barbaren, als den Thoren und Götzendienern, gegenübergestellt. Dies kann unmöglich von einem Syrer herrühren; denn welche Veranlassung hätte dieser gehabt, die Griechen als Vertreter der weisen und gotterkennenden Gemeinschaft hinzustellen? Wie könnte er als syrisch redender Christ alle Nichtgriechen, also auch die Syrer, seine Stammesgenossen, zu den Thoren und Heiden rechnen? Nur ein Grieche kann diese Worte niedergeschrieben haben; denn von seinem beschränkt-nationalen Standpunkte aus war er wohl berechtigt, sein Volk als den Typus der weisen und gläubigen Gesammtheit hinzustellen, während alle Nichtgriechen von ihm den thörichten Heiden gleichgesetzt wurden.

Allerdings muss man sich über die Naivität und allzu grosse Gewissenhaftigkeit wundern, mit der unser syrischer Uebersetzer sogar diese, sein eigenes Volk verletzende Bemerkung aus dem griechischen Originaltext mit herübernahm; allein bei der peinlichen Genauigkeit, mit der unser Autor den griechischen Text umarbeitete, wurde er gewiss von dem Bestreben geleitet, eine möglichst sorg-

[1] ܘܡܫܒܚܝܢ ܠܚܕܐ ܪܒܘܬܐ ܕܚܕ ܐܠܗܐ ܟܠܗܘܢ ܥܡ̈ܡܐ. ܚܢ̈ܦܐ ܘܒܪ̈ܒܪܝܐ. ܗܢܘ ܕܝܢ ܚܟ̈ܝܡܐ ܘܣܟ̈ܠܐ ܘܐܝܠܝܢ ܕܝܕܥܘ ܠܐܠܗܐ. ܘܐܝܠܝܢ ܕܠܐ ܩܒܠܘ ܡܫܘܕܥܢܘܬܐ ܒܟܪܘܙܘܬܗ.

fältige Uebertragung des ihm vorliegenden Textes herzustellen, wobei natürlich manches fremdartig Erscheinende nicht getilgt werden durfte, um den Charakter des Ganzen nicht zu verwischen.

2. Unser Verfasser zählt einige Völker auf, welche zu seiner Zeit noch Heiden waren.[1] Zwei derselben sind es vor Allem, die unser besonderes Interesse in Anspruch nehmen, die Sabiren und Anten (vgl. BICKELL, *Consp.*, p. 40). Erstere (Σάβειροι), ein uralischer, den Hunnen verwandter Volksstamm, hatten sich durch ihre Plünderungszüge nach den kaukasischen Ländern um die Mitte des 6. Jahrhunderts einen gefürchteten Namen erworben (vgl. SCHAFARIK, *Slavische Alterthümer* I, 331); bereits gegen Ende desselben Jahrhunderts verloren sie jedoch so viel von ihrer Macht, dass ihrer nach 585 in den kaukasischen Ländern nicht weiter gedacht wird. Im Anfange des 7. Jahrhunderts waren sie bereits so geschwächt, dass sie nur noch als Unterthanen der Bulgaren erscheinen, unter welchen ‚sie in harter Dienstbarkeit bis auf ihren Namen verschwanden‘. (SCHAF. I, 332.)

Das Vorkommen dieses Völkernamens liefert uns einen ferneren Beweis dafür, dass unser Commentar nicht Daniel Ṣalaḥensis als seinen Verfasser beanspruchen darf. Denn dieser lebte zu einer Zeit (um 700 p. Chr.), da die Macht dieses Volkes geschwunden, das Volk selbst kaum noch dem Namen nach bekannt war. Wichtiger für die Entscheidung der Hauptfrage ist der zweite Name. Denn die Bezeichnung Ἄνται findet sich nur in griechischen Originalquellen[2] und galt wohl ursprünglich als Gesammtname der Slaven; die Sitze der Anten lassen sich am passendsten zwischen Dniepr und Don annehmen (SCHAF. II, 21).

---

[1] ܡܛܠ ܕܐܝܬ ܗܘ ܥܡ̈ܡܐ. ܕܠܐ ܩܒܠ ܥܕܡܐ ܠܗܫܐ ܣܒܪܬܗ ܕܥܡܢܘܐܝܠ. ܘܝܬܝܪܐܝܬ ܣܒܝܪ̈ܐ. ܗܠܝܢ ܕܥܡܪܝܢ ܒܙܘܝܬܐ ܡܕܢܚܝܬܐ ܘܓܪܒܝܝܬܐ ܕܥܠܡܐ. ‚Da es Völker gibt, welche bis jetzt noch nicht empfangen haben das Evangelium Emmanuels, ganz besonders die Sabiren, die im östlichen und nördlichen Winkel der Welt wohnen.‘

[2] Bei Procop, Agathias, Menander, Mauritios, Theophylakt, Theophanes, Paulus Diakonus (vid. SCHAF. ibid.).

Die Nennung der Anten verräth griechischen Einfluss; der Name kommt nur im 6. Jahrhundert, jedoch nie bei Slaven selbst vor;[1] die Syrer kannten diese Bezeichnung gar nicht, da sie nirgends (weder in deutschen, noch in slavischen oder orientalischen Quellen) gebräuchlich war, ausser bei griechischen Historikern, besonders bei Procop, der gerade um 552 p. Chr. blühte. Der Name Ἄνται, dessen Etymologie dunkel, dessen weite Verbreitung aber auf griechischem Boden (etwa Konstantinopel) vollkommen gesichert ist, weist uns auf einen griechischen Originalhistoriker hin. Für einen solchen war der Name ‚Anten', seitdem er durch Procop eingeführt war, etwas ganz Geläufiges, und auch das griechisch redende Publicum, für welches er seinen Commentar schrieb, konnte sehr wohl unter diesem Namen die Slaven überhaupt oder einen Hauptstamm derselben verstehen. Bezeichnend ist endlich, wie die Anten als Heiden geschildert werden. ‚Sie wollten' — so sagt unser Autor — ‚bis zur Stunde die schlimmen Sitten, die ihnen von ihren Vätern überkommen, nicht aufgeben.'[2] Diese Redensart erinnert ganz an den griechischen Kirchenhistoriker Procop, aus dem unser Autor unmittelbar geschöpft haben dürfte.

3. Unser Verfasser verräth an mehreren Stellen genaue Bekanntschaft mit der jüdischen Schrifterklärung und Kenntniss der hebräischen Sprache. Wir finden in unserem Commentare nicht nur so manche, dem jüdischen Gedankenkreise entnommene Traditionen, sondern an einigen Stellen weist er sogar direct auf andere, speciell hebräische Commentatoren (ܡܦܫܩܢܐ) hin. So heisst es im Anfange der 119. Homilie (ܐܡܪܐ), dass hebräische Erklärer diesen 120. (nach LXX. und Peschita 119) Psalm auf jene Zeit bezögen, da Tatnai gegen Esra eine Gesandtschaft schickte, um ihn zu tödten.[3]

[1] Diese Mittheilung verdanke ich Herrn Prof. Brückner in Berlin.

[2] ܘܐܡܘܪܝܐ ܕܡܬܩܪܝܢ ܐܢܛܣ. ܐܝܠܝܢ ܗܢܘܢ ܨܒܘ ܥܕܡܐ ܠܫܥܬܐ. ܕܢܫܒܩܘܢ ܥܝܕܐ ܒܝܫܐ ܕܩܒܠܘ ܡܫܠܡܢܘܬܐ ܡܢ ܐܒܗܝܗܘܢ.

[3] ܐܡܪܝܢ ܐܢܫܝܢ ܡܦܫܩܢܐ ܥܒܪܝܐ ܕܡܬܪܓܡܝܢ ܡܥܠܬܐ: ܕܡܙܡܘܪܐ ܗܢܐ ܕܡܣܩܬܐ. ܕܟܠܗ ܐܬܐܡܪ ܥܠ ܥܙܪܐ ܗܘ ܣܦܪܐ ܗܘ ܕܫܕܪܘܗܝ ܥܠ ܒܢܝܐ ܕܐܘܪܫܠܡ ܡܠܟܐ ܐܬܘܪܝܐ.

Dort sagt auch unser Verfasser, dass ܩܕܪ (düster, finster sein = קדר) im Hebräischen ‚Finsterniss' bedeute.[1] Nach dem Gesagten wäre es nun höchst befremdend, dass unser Autor als Kenner der hebräischen Sprache und jüdischen Exegese, sich einen Irrthum zu Schulden kommen liesse, der seine nach Obigem mit Recht anzunehmende Vertrautheit mit dem Hebräischen wieder ausschlösse. In der Homilie zum 116. Psalme (nach LXX. und Peschita 115) behauptet nun unser Autor, dass im hebräischen Texte mit den Worten: ‚credidi, propter quod locutus sum' ein neuer Psalm beginne[2] (vgl. auch *Conspectus*, ibid.), was natürlich ganz unrichtig ist. Wohl aber beginnt der Grieche mit diesen Worten einen neuen, und zwar den CXV. Psalm. Auch diese Stelle verräth also griechischen Einfluss.

4. Ein schweres Bedenken gegen die Annahme eines syrischen Originals erhebt sich ferner, wenn wir den Commentar von der sprachlichen Seite einer näheren Prüfung unterziehen und den grossen Einfluss eines fremden, und zwar des griechischen Sprachgeistes merken. Die zahlreich vorkommenden griechischen Wörter bilden zwar kein sicheres Kriterium, da diese auch von syrischen Schriftstellern sehr gerne und häufig gebraucht werden; allein einerseits die grosse Menge derselben in unserem Commentar, von denen manche durch gute, syrische ersetzt werden könnten (wie z. B. das äusserst selten vorkommende ܐܪܛܐ = ἀρετή, wofür die Syrer ܡܝܬܪܘܬܐ setzen), andererseits das Nichtvorkommen mancher dieser Wörter in syrischen Originalwerken, diese beiden Momente dürften doch in die Wagschale fallen. Der lange Periodenbau, ein charakteristisches Merkmal des griechischen Stils, ist in unserem Commentar besonders stark ausgebildet; entscheidend jedoch für unsere Frage sind, von der sprachlichen Seite aus angesehen, die vielfach in dem Werke vorkommenden echt griechischen Phrasen, Redensarten, die wir sonst in der Originalliteratur der Syrer nur selten oder vielleicht gar nicht

[1] ܩܕܪ ܕܝܢ ܚܫܘܟܐ ܡܬܦܫܩ ܡܠܬܐ ܥܒܪܝܐ.

[2] ܡܫܪܝܬ ܠܗ ܘܡܡܠܠܬ ܘܐܬܗܝܡܢܬ ܠܗ. ܗܢܐ ܕܝܢ ܦܬܓܡܐ ܡܠܬܐ ܥܒܪܝܐ ܪܫܐ ܕܡܙܡܘܪܐ ܐܚܪܢܐ.

finden dürften. Manche Stelle kann man gar nicht wörtlich übersetzen, weil sie eben das Gepräge einer Uebertragung aus der fremden (griechischen) Sprache in sich trägt. Wir haben uns bemüht, in der an anderer Stelle zu publicirenden deutschen Uebersetzung an den Stellen, wo es möglich war, auf die entsprechende Ausdrucksweise im Griechischen aufmerksam zu machen; doch werden einzelne sprachliche Eigenthümlichkeiten noch in einem besonderen Capitel zu behandeln sein.

Fassen wir nun die bisherigen Ergebnisse unserer Untersuchung zusammen, so sind es zwei Momente, die zu betonen sind: 1. Daniel von Ṣalaḥ kann nicht der Autor unseres Commentars, sondern nur ein späterer Uebersetzer eines ihm vorliegenden Psalmencommentars gewesen sein; 2. das Original dürfte ihm allem Anscheine nach in griechischer Sprache vorgelegen haben und von ihm ins Syrische übersetzt oder völlig umgearbeitet worden sein. — Letztere Hypothese ist umso gerechtfertigter, als uns kein Name eines syrischen Schriftstellers aus der Mitte des 6. Jahrhunderts überliefert ist, welcher einen Psalmencommentar (und noch dazu einen so umfangreichen!) verfasst hätte; wohl aber führt uns die Tradition auf einen griechischen Schriftsteller dieser Zeit, von dem vielfach bezeugt ist, dass er eine Psalmenerklärung in griechischer Sprache, da er Syrisch nicht verstand, verfasst habe. Es ist dies Severus, der Führer der Monophysiten, welcher von 512 bis 518 p. Chr. Patriarch von Antiochien war. Schon der Maronite Naironus hatte ausdrücklich auf diesen Commentar[1] unter Berufung auf Barhebr. in Ethica[2] hinge-

[1] ‚Severus, Pseudo-Patriarcha Antiochiae, qui varia exaravit opera, ac praesertim, super Psalmos, tam soluta, quam stricta oratione teste Gregorio Barhebraeo in Ethica, cap. 4.'

[2] Cap. 5, sect. 4: ܐܝܟܐ ܕܒܬܪ ܣܘܢܗܕܘܣ ܗܝ ܕܒܟܠܩܐܕܘܢܐ ܐܬܟܢܫܬ. ܗܘ ܒܚܝܪܐ ܒܬܪ̈ܥܝܬܐ ܪܒܐ ܕܝܠܢ ܣܘܝܪܐ. ܒܟܠܗܘܢ ܒܟܬܒܘܗܝ ܗ̈ܢܘܢ ܝܘ̈ܢܝܐ. ܕܠܣܘܪ̈ܝܝܐ ܐܬܬܪܓܡܘ. ܠܬܫܒܘ̈ܚܬܐ ܕܡܕܪ̈ܫܐ ܕܒ ܦܘܡ ܦܘܡ ܚܠܝܡܝܢ ܐܪ̈ܒܥܐ ܢܦ̈ܫܬܐ ܗܠܝܢ. ‚Hierauf — nach jener in Chalcedon versammelten Synode — baute dieser unser in dogmatischen Dingen erprobte, grosse Severus mittelst aller jener grie-

wiesen (*Euoplia fidei Cathol.*, p. 52). In dieser Richtung folgte ihm auch CAVE in *Histor. liter. scriptor. ecclesiasticorum* (tom. primus, p. 499). Gegen Dionysius Telmaḥr., der in seiner Chronik 538 als Severus' Todesjahr[1] annimmt (ASSEM. *B. O.* II, 54), bezeugt Barhebr. in seinem *Chronicon eccles.* (ed. ABBELOOS I. 1872, p. 212), Severus sei ann. graec. 854, 8. Febr. (= 543 p. Chr.) gestorben.

Die letzten Jahre führte er in Aegypten in stiller Einsamkeit und höchster Askese ein Mönchsleben und beschloss in Alexandrien in dem Stadtviertel Csutha sein ruheloses, an Kämpfen so reiches Erdendasein. Um diese Zeit, da Severus in Aegypten weilte, wurde dieses Land von den umwohnenden afrikanischen Völkern, die mit ihren Horden Einfälle machten, fortwährend beunruhigt. Namentlich waren bis in das 6. Jahrhundert hinein die Blemmyer (Βλέμμυες) wegen ihrer häufigen, räuberischen Einfälle in Aegypten bis nach Koptos und Ptolemaïs herab, der Schrecken des Landes.[2] Während die Nubier um 545 bereits das Christenthum angenommen hatten,[3] waren die benachbarten Blemmyer[4] und Psyllen[5] noch Heiden. Als

chischen Gesänge, welche ins Syrische übersetzt wurden, auf die ihnen vorausgeschickten Psalmenverse gediegene Gedanken.' (Vgl. noch ASSEM. I, 166.) Hier denkt jedoch Barhebr. offenbar an die bei den Westsyrern üblichen Strophen von Hymnen, die an einzelne Psalmenverse angeschlossen wurden.

[1] Dies dürfte Verwechslung mit Joh. v. Tella sein, der 6. Febr. ann. graec. 849 starb (KLEYN, *Johan. v. Tella*, 1882, S. 87).

[2] Vgl. LEPSIUS, Einleitung zu seiner *Nubischen Grammatik*, p. 115.

[3] Ebd. p. 116.

[4] Sie sind nach Strabon, Plinius Völker Aethiopiens gewesen. Strabon schildert sie als Nomaden, nicht sehr zahlreich und nichts weniger als kriegerisch, mit der Bemerkung, dass nur die Anfälle, die sie nach Räubersitte auf unbedachtsame Reisende machten, sie in den Ruf kriegerischer Völker gebracht haben. Die Legende, sie hätten keine Köpfe, sondern Augen, Mund und Nase auf der Brust gehabt und wären — die menschliche Gestalt ausgenommen — den Satyren gleich gewesen, ist bei Plinius v, 8, *Hist. nat.* zu lesen.

[5] Volk Afrikas, das von Natur eine Kraft in sich gehabt haben soll, durch seinen Geruch die Schlangen zu vertreiben. Wenn Jemand von Letzteren gebissen worden, saugten sie das Gift aus der Wunde und beschwuren die Schlangen, dass sie weiter nicht schaden konnten. (Herod. I, 4 n. 173, Plin. I, 7, cap. 2.)

solche werden sie auch in unserem Commentar[1] erwähnt; es ist gewiss kein Spiel des Zufalls, dass Severus Antiochenus zu derselben Zeit, da dieser Psalmencommentar niedergeschrieben wurde (542), in Aegypten[2] lebte; denn weist uns obige Stelle unseres Commentars auf einen in Aegypten weilenden Schriftsteller hin, der aus der grossen Menge damals noch heidnischer Völker die ihm nächsten (Blemmyer und Psyllen) herausgegriffen haben dürfte, was liegt näher, als an Severus zu denken, der gerade damals im Stadtviertel Csutha Alexandriens in stiller Abgeschiedenheit mit dem Studium der heiligen Schriften beschäftigt war und im darauffolgenden Jahre[3] (543)

---

[1] ...ܘܐܪ̈ܥܐ ܕܡܬܩܪܝܢ ܒܠܡܘ. ܘܐܪ̈ܥܐ ܕܡܬܩܪܝܢ ܦܣܠܘ. ܕܠܘܬ ܬܝܡܢܐ ܕܡܨܪܝܢ ܘܐܪ̈ܥܐ ܕܟܘܫܝܐ ܕܩܪܝܒܝܢ.

[2] Johannes Asiae (Land, *Anecdota Syr.* II, 246) berichtet: Severus habe zwei Jahre in Konstantinopel für den Monophysitismus gekämpft, dann diese Stadt verlassen und sich nach den südlich von Alexandrien gelegenen Gegenden gewandt; in einer Einsiedelei (ܡܥܡܘܪܐ) verbrachte er dort seine Tage in Stille, Askese und eifriger Beschäftigung mit den heiligen Schriften, indem er ein mühevolles, hartes und enthaltsames Leben führte. Er verfiel dann in eine Krankheit, worauf man ihn aus der Einöde heraus nach dem Stadttheile Csus (ܟܣܘܣܐܐ oder ܟܣܘܣܬܐ) brachte, wo er auch starb.

[3] Nach dem ausdrücklichen Zeugnisse des Barhebr. — Die Nachricht Assem. (*B. O.* II, 321), Barhebr. setze 539 als das Todesjahr des Severus, ist somit falsch. Auch Renaudot setzt in *Historia Patriarch. Alexandr.*, p. 138, obiges Todesjahr; vgl. *B. O.* II, 321, not. — Die falsche Nachricht des Dionys. Telmachr. in *Chron.*, Severus sei 538 gestorben, dürfte auf der falschen Annahme beruhen, Severus habe bereits 508 oder 509 den antiochenischen Stuhl bestiegen, nach sechs Jahren sei er vertrieben worden und habe noch 23 Jahre in der Verbannung gelebt, das ergäbe also 538 oder 539 als sein Todesjahr. In der That steht diese falsche Chronologie in zwei Berliner Handschriften; die erste (Sachau 70, p. 74[b]) hat folgenden Wortlaut: ܣܘܝܪܐ ܦܛܪܝܪܟܐ: ܡܢ ܦܝܣܝܕܝܐ ܐܝܬܘܗܝ ܘܡܢ ܡܕܝܢܬܐ
ܣܘܙܘܦܘܠܝܣ: ܐܬܬܣܝܡ ܒܬܡܢܝܐ ܒܬܫܪܝܢ ܐ̄ ܕܫܢܬ ܬܬܡܐ ܘܥܣܪܝܢ ܦܛܪܝܪܟܐ ܥܠ ܐܢܛܝܘܟܝܐ.
ܘܒܬܪ ܐܬܛܪܕܗ ܠܘܬ ܐܠܟܣܢܕܪܝܐ ܘܡܝܬ ܒܡܕܝܢܬܐ ܕܝܠܗ: ܘܐܬܢܝܚ
ܒܬܪ ܫܬ ܫܢܝܢ: ܥܠ ܐܠܟܣܢܕܪܝܐ: ܘܗܘܐ ܫܢܝܢ ܥܣܪܝܢ ܘܬܠܬ
ܫܢܝܢ: ܒܗ ܒܫܒܬܐ ܕ̄ ܒܬܫܪܝܢ: ܥܠ ܐܠܟܣܢܕܪܝܐ ܘܩܒܝܪ: „Severus, der Patriarch, stammte aus Pisidien, und zwar aus der Stadt Sozopolis. Am 8. November des Jahres 820 ann. graec. = 509 p. Chr. wurde er zum Patriarchen ernannt, nach sechs Jahren vertrieben, starb er in Alexandrien nach 23 Jahren am

starb? — Während uns jedoch diese Erwägungen die Autorschaft des Severus nur ahnen lassen, sprechen viele innere, gewichtige Momente für unsere Annahme.

Wenn wir zunächst die dogmatische Stellung unseres Autors ins Auge fassen, so bedarf es wohl für den aufmerksamen Leser dieses Commentars keines weiteren Beweises dafür, dass sein Verfasser ganz auf monophysitischem Standpunkte steht. Die bereits von Herrn Professor Bickell (*Conspectus*, p. 40, not.) angezogene Stelle: ܘܠܐ ܠܬܪܝܢ ܟܝܢܐ ܡܦܠܓܝܢ ܠܗ ܬܠܡܝܕܘܗܝ ܕܦܘܠܐ ܫܡܝܫܛܝܐ ‚Und die Schüler des Paulus von Samosata werden ihn (beim jüngsten Gericht) nicht in zwei Naturen theilen' (110. Hom.) spricht dafür am deutlichsten, während unser Verfasser an anderen Stellen sich unbestimmt und zweideutig ausdrückt. Gegen Ende der 84. Homilie heisst es: ‚Es gibt also in Emmanuel nicht zwei, sondern einer ist er . . . . .'. Dies kann entweder heissen: ‚zwei Personen' oder ‚zwei Naturen'; doch müssen wir wohl die zweite Annahme für die richtige halten und ܟܝ̈ܢܐ (φύσεις) ergänzen. Entsprechend dem Grundsatze der Monophysiten die Person[1] (ܦܪܨܘܦܐ, ܩܢܘܡܐ) von der Natur[2] (ܟܝܢܐ) nicht zu unterscheiden, sondern beide Bezeichnungen promiscue zu gebrauchen, heisst es auch in der 108. Homilie: ‚ܗܘ ܚܝܐ ܒܟܝܢܗ܂ ܘܠܐ ܡܝܘܬܐ ܒܩܢܘܡܗ܂' ‚Dieser seiner Natur nach Lebendige und seiner Person nach Unsterbliche.'

Dass aber der Monophysitismus unseres Verfassers von dieser Häresie, wie sie uns in ihrer ursprünglichen Gestalt entgegentritt, bereits sehr stark abweicht, erhellt schon daraus, dass Eutyches in der Liste der aufgezählten Ketzer steht. Die Monophysiten des

---

Sabbat, 8. Schebât 849' 849 seleuc. Aera = 538 p. Chr. — Aehnlich lautet die Nachricht in dem zweiten MS. (Sachau 166, p. 4b), nur setzt dieses 508 als den Beginn des Patriarchats des Severus. Da aber nachgewiesenermassen Severus erst im Jahre 512 oder, wie Baronius (*Annales Eccles.* ed. Theiner ix, p. 120) und noch Andere annehmen, erst 513 Patriarch von Antiochien wurde, müssen vier oder gar fünf Jahre dazu addirt werden, das ergibt dann 542 oder besser 543, wie Barhebr. überliefert.

[1] Person = πρόσωπον, ὑπόστασις = ܦܪܨܘܦܐ, ܩܢܘܡܐ.

[2] Natur = φύσις = ܟܝܢܐ.

6. Jahrhunderts hatten sich trotz der grossen Feindseligkeiten, denen sie von Seiten der Orthodoxen ausgesetzt waren, der altkirchlichen Auffassung eher genähert als entfernt. Namentlich gilt dies von den Severianern. Severus' Lehre von der Person Christi weicht vom Dogma der Katholiken mehr durch Worte als in Wirklichkeit ab;[1] denn nach ihm ist Emmanuel Gott und Mensch zugleich, auf dieselbe Person müssen alle Handlungen und Leiden zurückgeführt werden; es ist aber in dieser einen Person Gottheit und Menschheit unvermischt vorhanden: dies lehrten beide, den Streitpunkt bildete nur die Frage, ob sie als Naturen (φύσεις = ܟ̈ܝܢܐ) bezeichnet werden könnten. In unserem Commentar finden sich nun einige Stellen, welche echt severianisch klingen: ‚Emmanuel, welcher die Strahlen des Lichtes seiner Natur mit der Hülle des dichten Fleisches verdeckte', ‚Er bedeckte seine Göttlichkeit mit der Hülle des Fleisches', ‚die unsterbliche Göttlichkeit wurde vom sterblichen Fleische bedeckt', ‚gleichwie[2] die Schuhe mit ihrem Leder die lebendigen Füsse bedecken, ebenso wurde auch die unsterbliche Göttlichkeit in sterbliches Fleisch gehüllt.' Aus all diesen Stellen spricht klar und deutlich die severianische Ansicht, dass ‚Emmanuels' Körper zwar den Gesetzen der menschlichen Natur unterworfen gewesen sei und die menschliche Natur nicht verändert habe, aber er sei mit einer besonderen Vortrefflichkeit ausgerüstet worden, vermöge deren er zuweilen jener Gesetze sich entäussert und das ihm innewohnende Göttliche gleichsam durch die Entfernung des Schleiers geoffenbart habe.[3]

Ein fernerer Beweis dafür, dass unser Verfasser auf dem Standpunkte des severianischen Monophysitismus steht, ist die an sehr

[1] Zu diesem und Folgendem vergl. J. C. L. Gieseler, *Commentationes, qua Monophysitarum veterum variae de Chr. persona opiniones illustrantur*, 2 Theile, Göttingen 1835, 1838. (Universitäts-Programm.)

[2] Mitte der 108. Homilie: ܘܡܣܐܢܐ ܒܡܫܟܗܘܢ ܕܓܠ̈ܕܝܗܘܢ ܕܡܟܣܝܢ ܡܟܣܝܢ ܠܪ̈ܓܠܐ ܚ̈ܝܐ. ܐܬܟܣܝܬ ܐܠܗܘܬܐ ܠܐ ܡܝܘܬܬܐ ܒܒܣܪܐ ܡܝܘܬܐ.

[3] Vgl. Gieseler, *Comm.*, part. II, p. 3—6.

vielen Stellen ausgesprochene Ansicht, Christi Leib sei vor der Auferstehung der Verwesung fähig gewesen. War es doch gerade Severus, der mit der ganzen Macht seiner Beredsamkeit und mit allem Feuer seiner Ueberzeugung für diesen ihm zu einem der wichtigsten Glaubensdogmen gewordenen Satz eintrat, bis zu seinem letzten Athemzuge mit Zähigkeit daran festhielt und die entgegengesetzte Ansicht der Julianisten mit der Schärfe seiner Dialektik und mit unerbittlicher Strenge bekämpfte. War er es doch gerade, der nach seiner Flucht aus Antiochien diese Streitfrage in Aegypten anregte, den Kampf der aufgeregten Gemüther entfachte und als Haupt der Phtartolatren oder Corrupticoler (Verehrer des dem Untergange Ausgesetzten) in dem heissen Wortgefechte eine führende Rolle spielte. Ende der 81. Homilie sagt unser Autor: ‚Aber das Fett des Weizens ist die Veränderung an dem Weizen (Chr.), d. h. an seinem Leibe durch die Auferstehung von der Verwesung zur Unverweslichkeit.' In der 93. Homilie heisst es: ‚Und weil er einen verweslichen Körper angenommen hatte, kleidete er sich durch die Auferstehung in Unverweslichkeit' u. s. w.

Wie ein rother Faden zieht sich dieses Dogma durch unseren Commentar, es wird immer und immer wieder des Langen und Breiten ausgesprochen; die Erwägung einerseits, dass die Phtartolatrenlehre so oft und so nachdrücklich in unserem Commentar betont und bei jeder Gelegenheit mit unermüdlichem Eifer auf dieselbe hingewiesen wird, die geschichtlich verbürgte Thatsache andererseits, dass gerade damals (Mitte des 6. Jahrhunderts) der Streit um diese Frage die Gemüther erregte, und die Lehre der Corrupticoler in Severus Antiochenus ihren eifrigsten und hitzigsten Vertreter fand, diese beiden Momente dürften gewiss die Annahme begründen, dass unser Werk von einem Severianer, ja vielleicht von Severus selbst herrührt.

Mit den Katholiken lehrte Severus, dass Christus vor der Auferstehung jener φθορά zugänglich gewesen sei, die in den natürlichen Leiden des Fleisches selbst, z. B. in Durst, Hunger, Mattigkeit u. s. w. besteht; dies wurde von den Julianisten geleugnet, welche behaupteten, sein Leib sei von jeder φθορά (Hunger, Durst u. s. w.) befreit und ἄφθαρτον geworden.[1] Diese Lehre des Julianos wurde also nicht nur von den Katholiken, sondern auch von den Monophysiten, und zwar von den Severianern bekämpft.

Wir lesen daher in der 89. Homilie: ‚In der menschlichen Hinfälligkeit überwand er die Uebermüthigen (Dämonen), indem er einen den Leiden ausgesetzten, sterblichen und dem Hunger unterworfenen Körper annahm'; in der 93. Homilie heisst es: ‚Nach der Auferstehung nun hat er das aufgegeben, was zur Niedrigkeit gehört, und nicht wurde er ferner vom Hunger und von Leiden versucht, wie zur Zeit seines Wandels im Fleische.'

Severus lehrte, dass selbst nach der ἀνάστασις die σάρξ trotz des Unvergänglichwerdens menschliche σάρξ bleibe, völlig gleich also den durch die dereinstige ἀνάστασις vollendeten Christen.[2] So schreibt er contra Felicissimum: ‚ἡ σάρξ τοῦ Ἐμμανουήλ τὸ ἐκ γῆς εἶναι μετὰ τὴν ἀνάστασιν οὐ μετέβαλε καὶ μετεχώρησεν εἰς θεότητος φύσιν, ἀλλ' ἔμεινεν ἐπὶ τῆς ἰδίας οὐσίας.' Dementsprechend lesen wir auch in unserer 98. Homilie: ‚Er wurde (nach der Auferstehung) als auf den Cherubim thronend mit dem Leibe gefeiert und zur Rechten des Vaters sitzend, nicht ohne Fleisch, und in Herrlichkeit steigt der Richter zu den Wolken auf, indem er die Annahme des Fleisches nicht verleugnet.' In der 110. Homilie heisst es: ‚Nicht ohne Leib kam er zur Welt, sondern gleichwie er mit demselben auf Erden erschien, ebenso erscheint (nach der Auferstehung) der Richter der Todten und Lebenden in diesem Fleische, mit welchem er Leid erduldet und Schmach ertragen hatte.'

Wie Cyrill, hält ferner Severus im Gegensatze zu den Julianisten daran fest, dass der Unterschied der Wesenheiten durch die ἕνωσις oder unio nicht aufgehoben sei. In *Epist. ad Solonem* (bei Mai, *Scriptorum veterum nova collectio*, tom. vii, p. 137[b]) heisst es: ‚Τὰ, ἐξ ὧν ὁ Ἐμμανουὴλ ὑφεστήκει, καὶ μετὰ τὴν ἕνωσιν οὐ τέτραπται, ὑφεστήκει δὲ ἐν τῇ ἑνώσει.'

---

[1] Vgl. Gieseler, *Comm.* ii, p. 5.

[2] Vgl. Loofs, *Leontius v. Byzanz*, S. 55.

Noch deutlicher als Cyrill sagt Severus, dass diese Natur durch Zusammensetzung zweier bewirkt, daher zusammengesetzt sei; er verwirft die Vermischung und Vermengung (μῖξις, σύγχυσις = ܡܙܘܓܝܐ, ܒܘܠܠܐ) und lehrt die Zusammensetzung (σύνθεσις = ܡܪܟܒܘܬ ܟܝܢܘܬܐ). Aber trotz dieser durch die unio bewirkten Zusammensetzung betont Severus immer wieder die begriffliche Verschiedenheit der beiden Wesenheiten.[1] Nach ihm wünschte Emmanuel den Tod vermöge seines göttlichen Willens, er übernahm ihn aber vermöge seines Körpers. So sagt er lib. I ad Felicissimum (bei Mai, ibid., p. 8): ‚καὶ τὸ . . . . . ἰδοὺ φύσιν ἡμετέρα νκαὶ φύσιν θείαν παρεδήλωσεν. Ohne uns weiter in die vielen Widersprüche dieser πολυποίκιλος σοφία (Eusth. bei Migne 86, 1, coll. 917 D) des πολύμορφος (ibid. 913 B) oder μυριόμορφος Σευῆρος (ibid. 929 A) einzulassen, bemerken wir nur, dass gerade diese beiden Momente: 1. die durch ἕνωσις bewirkte, völlig untrennbare Zusammensetzung der beiden Naturen; 2. die scharfe Trennung zwischen den beiden Naturen in unserem Commentare — wenn auch nicht deutlich genug — hervorgehoben werden. In der 108. Homilie: ‚Weil diesem unsterblichen Logos Körper und Seele eigenthümlich waren, vereinigte er diese in unzertrennlicher Weise vom Mutterschosse aus mit sich‘. Ferner folgende, etwas dunkle Stelle: ‚. . . Indem die Göttlichkeit Seele und Körper nicht ausserhalb (ferne) von sich gesetzt hat, sondern in der Person des Logos waren sie, indem eines vom andern losgelöst war, da sie von dieser untheilbaren Zusammensetzung nicht getrennt wurden, sondern durch die Vereinigung der Natur[2] des Logos mit Körper und Seele, brachte sie der Logos, der von ihnen nicht getrennt werden kann, zur Einheit[3] zurück.‘

‚Ebenso[4] hat diese unveränderliche und unwandelbare Sonne, als sie im Tode untergegangen war, den sie im Fleische auf sich

[1] Vgl. Giesseler, Comm. I, p. 18 ff.

[2] ܡܬܚܝܕܢܘܬ ܟܝܢܘܬܐ (ἕνωσις), vgl. Ebed Jes. 203.

[3] ܚܕܝܘܬܐ.

[4] ܗܟܢܐ ܗܘ ܫܡܫܐ ܠܐ ܡܫܬܚܠܦܢܐ ܘܠܐ ܡܬܬܠܝܡܢܐ. ܟܕ ܒܡܘܬ ܥܪܒ ܦܓܪܬܐ ܗܘ ܕܒܣܪ ܠܒܫ: ܠܗ ܫܡܫܐ ܐܠܗܝܐ

genommen hatte, den Tod nicht ihrer göttlichen Natur nach gekostet, denn dies konnte unmöglich geschehen; vielmehr übernahm er das Leiden (Prüfung) des Todes im Fleische auf sich, indem in ihm das Leben seiner Natur erhalten blieb.' (104. Homilie.) Aus all diesen Stellen spricht die von Severus so oft und mit soviel Nachdruck betonte Lehre, dass trotz der durch die ἕνωσις bewirkten, untrennbaren und in Eine verschmolzenen Zusammensetzung der beiden Naturen die begriffliche Unterscheidung derselben nicht aufgehoben ist.

Verlassen wir das Gebiet der Dogmatik, so lassen sich noch andere Berührungspunkte zwischen unserem Werke und der Auslegungsweise des Severus Antiochenus nachweisen. Cave hebt in seiner *Histor. lit.* (I, p. 499) die Art und Weise, wie Severus den biblischen Text erklärt, besonders hervor; er charakterisirt diese Auslegungsweise mit den Worten ,modus anagogicus', dessen sich Severus bei der Deutung der heiligen Schrift in hervorragender Weise bediene. In unserem Commentar nun ist diese Eigenthümlichkeit in ihrer ganzen Fülle und Mannigfaltigkeit ausgeprägt. Wenn auch unser Verfasser den Wortsinn des öftern berücksichtigt, geschichtliche Erinnerungen wachruft und an dieselben beherzigenswerthe Mahnungen anknüpft, so trägt doch sein Commentar vorzüglich den Charakter einer ,geistlichen' Auslegung in sich. ,Dieser Vers muss ܡܣܬܟܠܢܐܝܬ (intelligibiliter) aufgefasst werden', ,wenn sich dies Ereignis auch in Wirklichkeit zugetragen hat, so ist doch nur die symbolische Deutung das allein Richtige', ,diejenigen, welche diesen Psalm auf jenes geschichtliche Ereigniss beziehen, irren gar sehr, denn er kann nur in geistlichem Sinne, parabolisch, im Hinblick auf bestimmte Mysterien der Kirche ausgelegt werden', vorzüglich solchen Aeusserungen begegnen wir in unserem Werke. Wir lesen darum oft von ,geistlichen' Feinden, die z. B. David bekämpften (Dämonen), vom ,geistlichen' Kriege, den er zu bestehen hatte, vom

ܠܟܠܗܘܢ ܠܢܒܝܘܬܐ. ܗܘܐ ܓܝܪ ܠܐ ܡܬܦܣܩܐ ܗܘܬ ܠܢܒܝܘܬܐ. ܦܠܓ ܕܝܢ ܢܦܫܩܘܢܗ ܕܢܒܝܘܬܐ ܡܢ ܡܫܝܚܐ: ܕܗ ܢܠܦܝܢ ܗܘ ܡܢܐ ܕܦܘܫܩܗ.

intelligiblen Himmel, den intelligiblen Bergen; die gesetzlichen Opfer haben nach unserem Autor eine ‚geistliche' Bedeutung angenommen,[1] ebenso der Ausdruck ‚Same und Thron',[2] unter den ‚Thieren des Feldes' sind die hässlichen Leidenschaften zu verstehen, der ‚Dünger für Ackerland' gilt unserem Verfasser als symbolische Bezeichnung für das Land der Sünde (im 83. Psalme) u. s. w.; kurz gesagt, wenn je ein Psalmencommentar den Namen einer ‚geistlichen Auslegung' verdient, so gilt dies in ganz besonderem Masse von unserem Werke, in welchem das Charaktermerkmal der severianischen Auslegungsweise, der modus anagogicus, so deutlich zu Tage tritt. Christus wird im Commentar zumeist ‚Emmanuel' genannt; auch dies ist eine specielle Gepflogenheit des Severus Antiochenus. Die Bezeichnung ‚Emmanuel' für Christus, die ein beliebtes Stichwort Cyrills ist, lässt sich in den erhaltenen Fragmenten des Severus oft genug nachweisen.[3] In seiner Auffassung von der Höllenfahrt stimmt unser Verfasser mit den Katholiken überein, welche lehren, dass Christus nach dem Tode und vor seiner Auferstehung in die Unterwelt hinabgegangen sei, um aus derselben die alttestamentlichen Gläubigen zu befreien. ‚Er führte aus dem Scheol die Seelen der Heiligen[4] heraus' (86. Homilie). Ganz in demselben Sinne billigt auch Severus Antiochenus in einer Stelle seines ‚Briefes an 'Αμμώνιος' die Ansicht, dass Christus, als er in die Unterwelt hinabgestiegen war, nicht alle daselbst Eingeschlossenen befreit habe, sondern blos die, welche, solange sie lebten, gläubig gewesen waren und ihren Glauben durch gute Werke empfohlen hatten;[5] er bekräftigt dies durch Zeugnisse des Gregorius Nazianzenus und Ignatius' θεοφόρος. Severus theilte

---

[1] ܡܛܠ ܐܬܚܠܦܘ ܠܗܘܢ ܕܒܚܐ ܢܡܘܣܝܐ ܠܪܘܚܢܝܘܬܐ

[2] ܘܐܬܚܠܦܘ ܠܪܘܚܢܝܘܬܐ ܙܪܥܐ ܘܟܘܪܣܝܐ.

[3] So z. B. in ‚epistola ad Solonem' (bei Mai, p. 137): Τά, ἐξ ὧν ὁ 'Εμμανουὴλ ὑφεστήκε, καὶ μετὰ τὴν ἕνωσιν οὐ τέτραπται ‚ad Sergium Grammaticum' epist. III (Mai, 138): . . . ὡς οὐ χρὴ λέγειν τὸν 'Εμμανουὴλ μιᾶς οὐσίας . . . ‚ad Sergium' lib. II. (Mai, p. 288): 'Ο γὰρ 'Εμμανουὴλ, καθ' ὃ μὲν θεός, δοκήσει πέπονθεν, καθ' ὃ δὲ ἄνθρωπος, ἀληθείᾳ.

[4] ܘܐܦܩ ܡܢ ܫܝܘܠ ܢܦܫܬܐ ܕܩܕܝܫܐ:

[5] Vid. Montfaucon, *Bibliotheca Coisliniana*, p. 77, oben.

also **die katholische Ansicht** über die Höllenfahrt, die in unserem Commentar klar ausgesprochen wird. Trotz dieser vielen Berührungspunkte zwischen unserem Autor und Severus Antiochenus könnte die Frage, ob unser Werk identisch mit Severus' Psalmcommentar und nur eine Umarbeitung desselben ist, oder blos Fragmente aus Severus' Commentar enthält, erst dann eine völlig befriedigende Lösung finden, wenn es gelänge, sämmtliche Bruchstücke des severianischen Psalmencommentars zu sammeln und mit unserem Texte zu vergleichen. Immerhin dürfte aber die **auffallende Uebereinstimmung einiger Stellen unseres MS.** mit einzelnen, in Corderius' Psalmen-catena **enthaltenen Scholien des Severus Antiochenus** von Interesse sein und als weitere Begründung unserer Annahme gelten: Ende der 103. Homilie citirt unser Autor den Satz aus Hebr. 1, 14, wie folgt: ܗܠܝܢ ܓܝܪ ܠܬܫܡܫܬܗ ... ܡܛܠ ... ܐܝܠܝܢ ܕܥܬܝܕܝܢ ܠܡܐܪܬ ܚܝܐ. ‚Denn diese werden in seinem Dienste gesandt um **derentwillen, die die Seligkeit erben sollen.**'

An **ebenderselben** Psalmstelle sagt auch Severus (Corderius III, S. 45): Τούτοις καὶ τὸ εἰρημένον τῷ Ἀποστόλῳ προσθεῖναι καλόν· οὐχὶ πάντες εἰσὶ λειτουργικὰ πνεύματα εἰς διακονίαν ἀποστελλόμενα, διὰ τοὺς μέλλοντας κληρονομεῖν σωτηρίαν; (Hebr. 1, 14). Dieses Citat aus Hebr. scheint Severus überhaupt gerne gebraucht zu haben, wir finden es z. B. auch in Cant. Moys. in Deuteron. (Cord. III, S. 868), wo Severus sich äussert: Καὶ γὰρ εἶτα διὰ τοὺς μέλλοντας κληρονομεῖν αὐτοὺς πνεύματα λειτουργικὰ εἰς διακονίαν ἀποστελλόμενα σωτηρίαν πάλιν ... ἀκούομεν. Auch unser Verfasser citirt es mehrfach, so z. B. wieder Anfang der 107. Homilie: ܡܕܝܢܬܐ ܩܕܡܝܬܐ. ܦܠܓܘܬܐ ܕܡܠܐܟܐ ܩܕܝܫܐ. ܗܠܝܢ ܕܐܬܬܣܝܡܘ ܡܢ ܐܠܗܐ ܕܢܗܘܘܢ ܪܘܚܐ ܕܬܫܡܫܬܐ. ܡܛܠ ܐܝܠܝܢ ܕܥܬܝܕܝܢ ܠܡܐܪܬ ܚܝܐ. ‚Die erste Stadt' ist ein Theil der heiligen Engel, die von Gott bestellt wurden, dienstbare Geister zu sein **um derentwillen, welche die Seligkeit erben sollen.**

Unter ‚Antlitz der Erde' am Ende des 104. Psalmes versteht unser Autor die Körper der Menschen, ebenso äussert sich auch

Severus an derselben Stelle (Cord. III, S. 90): . . . καὶ ἀνακαινίζεσθαι τὸ πρόσωπον τῆς γῆς, δηλαδὴ τοὺς ἀπὸ γῆς πλασθέντας ἀνθρώπους.

Mitte der 110. Homilie bezieht unser Verfasser den Ausdruck ‚Stab der Stärke' auf Christus: ܡܥܝܕܝܢ ܐܢܘܢ ܓܝܪ ܩܪܝܢ ܠܗ ܢܒܝܐ ܚܘܛܪܐ ܠܥܡܢܘܐܝܠ . . . ܐܫܥܝܐ ܓܝܪ ܐܡܪ. ܢܦܘܩ ܚܘܛܪܐ ܡܢ ܓܘܙܥܗ ܕܐܝܫܝ ܘܢܦܪܥ ܢܘܪܒܐ ܡܢ ܥܩܪܗ. ‚Denn die Propheten pflegen Emmanuel ‚Stab' zu nennen; denn Jesaia sprach: ‚Es geht hervor ein Stab aus dem Stamme Isais und ein Sprosse erblüht aus seiner Wurzel' . . .

Ebenso lauten Severus' Worte zur Stelle (Cord. III, S. 246): Ἐπειδὴ ῥάβδος ἐστὶν ὁ Χριστός· ὡς καὶ Ἡσαΐας εἶπεν· Ἐξελεύσεται ῥάβδος ἐκ τῆς ῥίζης Ἰεσσαί . . .

Ebendaselbst sagt unser Verfasser mit Bezug auf das Psalmwort: ‚Setze dich mir zur Rechten', wie folgt:

ܝܡܝܢܐ ܓܝܪ ܘܫܘܠܛܢܐ. ܠܘܬܟ ܚܫܘܒ: ܘܠܘܬ ܒܪܝܬܐ
ܐܝܬ ܠܗܝܢ ܐܬܪܐ. ܐܠܗܐ ܕܝܢ ܡܢ ܗܠܝܢ ܠܥܠ ܗܘ . . .
ܘܐܝܟܢܐ ܕܦܠܝܓܐ ܕܡܫܒܚܐ ܠܘܬ ܝܡܝܢܐ ܘܫܘܠܛܢܐ: ܡܛܠ
ܕܫܘܝܘܬܐ ܕܐܝܩܪܐ ܗܝ ܕܡܫܬܡܗ: ܐܬܝܬܗ: ܗܘܝܐ ܐܦ ܗܘ ܒܠܚܘܕ
ܦܫܝܛܐ ܘܗܕܐ ܠܝܚܘܕܐ. ܠܡܘܗܒܐ ܐܬܝܬܗ ܡܬܝܕܥ. ܘܡܥܠܝܐ ܗܘ
ܡܢ ܫܘܚܠܦܐ ܕܡܟܝܟ ܘܡܥܠܝ.

‚Denn die ‚Rechte' und die ‚Linke' finden blos bei uns und den Geschöpfen ihre Anwendung; Gott aber ist über diese örtlichen Bestimmungen (‚rechts' und ‚links') erhaben . . . . .'

Ebenso äussert sich auch Severus an dieser Stelle (Cord. III, S. 245): . . . Ἐπὶ γὰρ τῆς ἀσωμάτου οὐσίας οὐ δυνατὸν νοῆσαι δεξιὸν ἢ ἀριστερὸν.

Zu den Worten בְּהַדְרֵי קֹדֶשׁ מֵרֶחֶם bemerkt unser Autor (Psalm 110, 3. Vers):

ܗܕܪ̈ܝ ܩܘܕܫܐ ܐܬܦܫܛܘ: ܦܪܝܫܘܬܐ ܕܫܒܝܠܐ ܐܠܗܝܐ.
ܕܐܝܟ ܕܠܐ ܡܬܚܙܝܐ ܘܠܐ ܡܬܦܫܩܐ: ܡܢ ܡܪܚܡܐ ܕܪܘܚܐ ܘܠܐ
ܡܬܒܨܝܢܝܬܐ. ܠܗܘ ܕܠܐ ܡܬܒܨܝܢܐ ܘܠܐ ܡܬܒܨܝܢܝܬܐ: ܗܟܢܐ
ܡܫܬܡܫܝܢ ܠܐܠܗܐ ܢܛܪܝܗ.

‚Die ‚heilige Pracht‘ ist die Schönheit der göttlichen Natur, die ohne Leiden und Abtrennung aus dem unverweslichen Schosse des Lichtes jenes ewige, unverwesliche Kind hervorbrachte, das in **Allem dem Vater, seinem Erzeuger, gleicht.**‘

Auch Severus bezieht diesen Psalmvers auf die consubstantialitas: Τὸ ἐκ γαστρὸς καὶ ἐγέννησα σημαίνει τὸ ὁμοούσιον· (Cord. III, S. 249).

Erinnert man sich der Behauptung Montfaucon's in den Noten zu Athanasius[1] (tom. I, p. 1007), dass die catena des Daniel Barbarus in *assignandis auctoribus* viel sorgfältiger sei als die des Corderius, auf den wir einzig und allein bei der Vergleichung angewiesen sind, gedenkt man ferner des Umstandes, dass zahlreiche Fragmente des severianischen Psalmencommentars in anderen, handschriftlichen, sehr reichhaltigen Catenen[2] vorhanden sind, dann wird es nicht so auffallend erscheinen, dass die Vergleichung vorläufig eine nur so spärliche Auslese zu Tage gefördert.

Fassen wir nun noch einmal die Ergebnisse unserer bisherigen Untersuchung zusammen, so können wir nur sagen: Viele Momente sprechen gegen die Annahme eines syrischen Originals und legen die Vermuthung nahe, dass der Commentar ursprünglich in griechischer Sprache abgefasst wurde; der von der Ueberlieferung als Autor bezeichnete Daniel von Ṣalach kann dies schon aus chronologischen Gründen nicht sein, dagegen verrathen uns einige beachtenswerthe

---

[1] Vgl. Fabricius, *Bibl. Graeca*, Bd. VIII, S. 651.

[2] Die Catenen, in welchen Stellen aus Severus' Psalmencommentar citirt werden, sind: 1. Catena in Psalmos (1—50) von Daniel Barbarus; 2. Catena in Psalmos von Balthasar Corderius; 3. Montfaucon (*Bibliotheca Coisliniana*, S. 244), codex CLXXXVIII, 222 f. Psalterium cum Com. variorum: Diodoti, Origenis ... Severi; 4. Jacob. Morellii ‚Bibliothecae regiae Divi Marci Venetiarum Biblioth. manuscr. Graeca et Latina, I. Catena in Psalmos‘ (Aquila, Athanasius ... Severus Antiochenus) [‚Uberrima catena est, ac multa continet, quae in duabus aliis a Dan. Barbaro et B. Corderio minime exstant‘ (S. 33)]; 5. Graeca D. Marci Bibliotheca (Zanetti) cod. manuscr. von Laur. Theupolus, 1740, S. 19 ‚Psalterium cum amplissima marginali Patrum catena‘ (Apollinaris etc., Severus); 6. Cat. Codd. MSS. Bibl. Bodleian., Bd. III, S. 68 ‚catena in Psalmos‘; 7. Petrus junior citirt auch eine Stelle des Severus in expos. Ps. 92 (B. O. II, 81); 8. Bar-Hebraeus erwähnt im *Horreum mysteriorum* unter den vielen Patres auch Severus Antiochenus.

Eigenthümlichkeiten und höchst charakteristische Momente, dass unser Verfasser jedenfalls ein Severianer, vielleicht Severus von Antiochien selbst gewesen ist; denn dass letzterer einen Psalmencommentar verfasste, das wissen wir aus gut beglaubigten und bestimmt lautenden Zeugnissen. Allem Anscheine nach hat der ungefähr 150 Jahre später lebende Daniel von Ṣalach einen derartigen, griechischen Commentar ins Syrische übersetzt oder vielleicht gar in völlig selbstständiger Weise umgearbeitet.

(Schluss folgt.)

Bemerkungen zu H. Oldenbergs Religion des Veda.[1]

Von

L. v. Schroeder.

Die rüstig fortschreitenden ethnologischen Forschungen der neueren Zeit haben unsern Blick nach den verschiedensten Richtungen hin überraschend und sehr bedeutsam erweitert, unsere Einsicht wesentlich vertieft. Die Ausdehnung des Studiums der Völkerpsyche über den ganzen Erdenrund, die Ansammlung eines für die Vergleichung unschätzbaren Materials, insbesondere bezüglich der früher wenig beachteten Völker auf primitiver Culturstufe rückt Vieles, was uns von diesem oder jenem Culturvolk aus alter Zeit überliefert ist, in ein ganz neues Licht, nimmt ihm den Charakter des Singulären, hellt es oft in seiner ursprünglichen Bedeutung, in den Motiven, die ihm zu Grunde liegen, auf, und verhilft uns so zu neuem, tieferem Verständniss. Das gilt für religiöse, mythologische und abergläubische Vorstellungen, cultliche Gepflogenheiten, Sitten und Bräuche aller Art, rechtliche und sociale Institutionen und vieles Andere mehr. Es ist daher eine durchaus zeitgemässe und fruchtbare Aufgabe, das Culturleben der höher entwickelten geschichtlichen Völker, insbesondere in seinen frühesten Stadien, in dieser Beleuchtung zu betrachten. Das ist es, was Oldenberg im vorliegenden Buche bezüglich der Religion, des Cultus und Aberglaubens der vedischen Zeit versucht hat, und, wie nicht anders zu erwarten, hat er seine Aufgabe in geschickter, scharfsinniger und kenntnissreicher Weise durchgeführt und der Hauptsache nach vorzüglich gelöst. Indologie und Ethnologie erhalten durch dies Buch beide gleichermassen einen werthvollen Zu-

[1] Berlin 1894. Verlag von Wilhelm Hertz.

8**

wachs und hat sich der Verfasser durch dasselbe ein Anrecht auf den Dank weiter Kreise erworben.

Der Inhalt des Werkes ist in Kürze folgender: Die Einleitung behandelt ‚die Quellen', das alte Indien und den Rigveda, den Yajurveda und den Atharvaveda, die jüngere vedische und ausservedische Literatur, Veda und Avesta in ihrem Verhältniss zu einander, die indogermanische und allgemeine Religionsvergleichung. Der daran sich schliessende erste Abschnitt ist den vedischen Göttern und Dämonen im Allgemeinen gewidmet; sie werden in ihrem Verhältniss zur Natur und den übrigen Substraten der mythischen Conception untersucht, wobei namentlich auch in feiner Weise die Thiergestaltigkeit mancher Dämonen und Götter als Vorstufe des Anthropomorphismus zur Besprechung gelangt. Der zweite Abschnitt, von p. 102—301 reichend, behandelt die einzelnen Götter und Dämonen, Agni, Indra, Varuṇa, Mitra und die Âdityas, die beiden Açvin, Rudra und andere Gottheiten; ferner böse Dämonen, priesterliche und kriegerische Heroen; endlich in einem Anhang die Vorstellung von Gut und Böse mit Anwendung auf die Götter, die göttliche und die sittliche Welt in ihrem Verhältniss zu einander. Der dritte Abschnitt, p. 302—523, ist dem Cultus gewidmet und bespricht nach einander Sühnopfer und Sühnzauber; den Antheil des Opferers und des Priesters an der Opferspeise; Zauberfeuer, Opferstreu und Opferfeuer; Opferspeise und Opfertrank; den Opfernden und die Priester; Dîkshâ und Opferbad; sonstige cultische Observanzen; das Gebet; die einzelnen Opfer und Feste; Zauberei und Verwandtes. Der vierte Abschnitt, zugleich der letzte, p. 524—597, handelt vom Seelenglauben und Todtencultus, bespricht die Seele, Himmel und Hölle; Spuren älterer Formen des Seelenglaubens; die Todten und die Lebenden; die Bestattung; und gibt schliesslich noch einen Rückblick. Ein Excurs, ‚der Soma und der Mond', und ein Register der behandelten Gegenstände machen den Schluss des Buches.

Wenn ich nun, von der verehrten Redaction dieser Zeitschrift dazu aufgefordert, mein Urtheil über den Werth des Oldenberg'schen Werkes im Einzelnen abgeben soll, so stehe ich nicht an, die zweite

Hälfte desselben für den bei weitem am besten gelungenen Theil zu erklären. Hier ist die Aufgabe, welche ich oben charakterisirte, in sehr vollkommener, ja mustergiltiger Weise gelöst. Und es gilt dies in ganz besonderem Grade von dem dritten, den Cultus behandelnden Abschnitt. Manche vom Verfasser hier besprochene Einzelheit des vedischen Opferwesens dürfte von Indologen, die mit den ethnologischen Forschungen vertraut sind, auch früher schon ebenso betrachtet und erklärt worden sein, — das mit grosser Meisterschaft in dieser Beleuchtung gezeichnete, fein ausgeführte Gesammtbild des Cultus und des mit ihm sich oft berührenden, oft ganz verquickten Zauberwesens wird ohne Zweifel für Alle in hohem Grade belehrend sein. Ueberall fühlt man es dem Verfasser ab, wie ganz er seinen Stoff beherrscht, mit welcher Sicherheit er sich auf dem schwierigen und complicirten Gebiete des vedischen Rituals bewegt; was aber seiner Behandlung desselben den fesselnden Reiz verleiht, ist neben der hohen Kunst der Darstellung die Neuheit des Gesichtspunktes, unter dem hier Alles betrachtet wird. Man darf behaupten, dass das auf den ersten Anblick so abschreckend öde Ceremoniell des altindischen Opfers, wie es uns aus der trockenen, ermüdenden Darstellung der Brâhmaṇas und Sûtras bekannt ist, durch Oldenbergs Behandlung ein ganz neues, wesentlich erhöhtes Interesse gewonnen hat. Wollte ich die besonders beachtenswerthen Partieen dieses Abschnittes hervorheben, so müsste ich fast alle oben angeführten Kapitel noch einmal namhaft machen; und sollte ich mein Urtheil im Einzelnen begründen, so müsste ich ins Referiren verfallen, was doch zu weit führen dürfte. Ich hebe nur hervor, in wie feiner Weise Oldenberg hier Zauberei und Cultus in ihrem gegenseitigen Verhältniss behandelt. Im Uebrigen sei dieser Abschnitt zu Lectüre und Studium wärmstens empfohlen.

Auch der darauf folgende vierte Abschnitt (Seelenglaube und Todtencultus) ist interessant und werthvoll. Die vedischen Nachrichten werden hier wie auch an anderen Stellen des Oldenbergschen Buches, durch jüngere, namentlich buddhistische Quellen ergänzt, und kommt des Verfassers Kennerschaft auf letzterem Gebiete seinem

Werke wiederholt zu gut. Nicht übereinstimmen kann ich mit Oldenbergs Auffassung des Liedes Rv. 10, 18, welches er im Gegensatz zu Roth nicht auf ein eigentliches Begräbniss bezogen wissen will. Er meint: ‚Die Gebeine, die bei der Verbrennung übrig bleiben, werden in die Erde gesenkt: dass nicht dieser Act, sondern das Begraben des ganzen Leibes gemeint sei, ist dem Text schlechterdings nicht anzusehen' (p. 571). — Ich denke doch! Das Lied, eines der schönsten des Rigveda, macht einen durchaus einheitlichen, in sich abgeschlossenen Eindruck.[1] Vers um Vers ganz ungezwungen erklärend lässt Roth in überzeugendster Weise die Begräbnissceremonieen sich vor unsern Augen entwickeln. Was wird aus dem Liede bei Oldenbergs Auffassung? Dass während der Recitation der ersten neun Verse die Leiche unverbrannt daliegt, ist klar, und offenbar nimmt auch Oldenberg dies an (p. 575). Die Wittwe ruht oder sitzt neben der Leiche des Gatten; sie wird aufgefordert, sich zu erheben und wieder in die Welt der Lebenden einzutreten;[2] der Bogen wird aus der Hand des Todten genommen (v. 9); und unmittelbar darauf heisst es: ‚Geh ein in die Mutter Erde' etc. Zwischen v. 9 und 10 müsste also, wenn man Oldenbergs Anschauung acceptirt, die Verbrennung stattfinden und während dieser wichtigen, geraume Zeit beanspruchenden Handlung müssten entweder gar keine Verse oder die eines andern Liedes recitirt worden sein. Das Erstere ist undenkbar und wird auch von Oldenberg nicht angenommen; das Letztere würde die Einheitlichkeit (und damit die Schönheit) des Liedes Rv. 10, 18 total zerstören, und bliebe in diesem Falle unverständlich, warum die betreffenden Verse nicht hier zwischen v. 9 und 10 Platz gefunden haben. Es kommt dazu, dass nach dem Ritual, wie Oldenberg selbst p. 579 anführt, das Sammeln der Gebeine am dritten Tage nach der Verbrennung der Leiche stattfindet. Zwischen

[1] Ob vielleicht der Schlussvers später angeflickt ist, wie Roth meint, und wie das abweichende Metrum wahrscheinlich macht, kommt hier nicht in Betracht. Ich übersetze denselben anders als Roth.

[2] Oldenbergs Uebersetzung von v. 8 scheint mir der Rothschen gegenüber keinen Fortschritt zu bedeuten.

v. 9 und 10 läge also ein Zwischenraum von mindestens einigen Tagen! So hätten wir nur noch zwei zusammengeklebte Fragmente vor uns, das eine vor der Verbrennung, das andere mehrere Tage später beim Versenken der Gebeine zu recitiren. Eine derartige Zerreissung und Verstümmelung des schönen Liedes vorzunehmen, liegt aber nicht der mindeste Grund vor. Oder spricht auch nur irgend etwas in dem Liede selbst gegen die Roth'sche Annahme, dass hier ein einfaches Begräbniss, das Begräbniss einer unverbrannten Leiche zugrunde liegt? Wenn auf den Vers: ‚Den Bogen nehme ich aus der Hand des Todten' etc. unmittelbar folgt: ‚Geh in die Mutter Erde ein' etc., so ist es — meine ich — dem Texte so deutlich wie nur irgend möglich anzusehen, dass es sich hier um Begräbniss ohne Verbrennung handelt. Aber auch den weiteren, die Einsenkung begleitenden Versen ist, wie mir scheint, dasselbe anzusehen. Wenn es heisst: ‚Thu dich auf, o Erde, beenge ihn nicht, gewähre ihm guten Eingang, lass ihn sich schön an dich anschmiegen; wie die Mutter den Sohn mit dem Bausch des Gewandes umhülle ihn, o Erde', — dann sieht und fühlt man es diesen Worten ab, dass sie geschaffen sind, um bei der Einsenkung eines geliebten Todten gesprochen zu werden, den man noch leibhaftig vor sich sieht, wo man zärtlich darum besorgt ist, dass der Leib recht weich drunten gebettet ruhe, — nicht für das Eingraben verbrannter Gebeine, wo solch zarte Besorgniss höchst unnatürlich wäre. Wenn es weiter heisst: ‚Sich aufthuend stehe die Erde fest, tausend Pfeiler sollen sich anlehnen (oder darauf stützen); diese Wohnungen sollen von Butter überströmen und immerdar ihn hier schirmen; ich befestige dir die Erde rings um dich herum, — diese Säule sollen die Väter dir halten', — so hat man einen ähnlichen Eindruck, ja man möchte fast vermuthen, dass von der Herstellung einer Grabkammer für die Leiche die Rede ist. Wenn es ausserdem, wie Oldenberg selbst, p. 571, hervorhebt, durch andere Stellen feststeht, dass in vedischer Zeit das Begraben neben dem Verbrennen Sitte war, so liegt nicht der mindeste Grund vor, Rv. 10, 18 die bisher allgemein anerkannte Bedeutung abzusprechen. Denn dass nach dem späteren Ritual, zu einer Zeit, wo das Begraben abgekommen war, die Verse 10, 18, 10 ff. beim Einsenken der verbrannten Gebeine gesprochen werden, kann für die Auffassung des Rigvedaliedes nicht entscheidend sein. Wie man in diesem Ritual sich einigermassen passende Verse aus den verschiedensten Liedern des Rigveda zusammenstellte, ist ja bekannt genug.

Weit weniger günstig, wie über die zweite, urtheile ich über die erste, hauptsächlich die vedische Götterwelt behandelnde Hälfte des Oldenberg'schen Buches. Zwar finden sich auch hier manche vortreffliche Partieen, wie z. B. das, was Oldenberg über ‚Götter und Thiere' sagt (p. 68—87), die Bemerkungen über die bösen Dämonen (p. 262—273) u. a. m., indessen gewinnt man doch den Eindruck, dass die Stärke des Verfassers nicht auf dem mythologischen Gebiete liegt, und ist dasjenige, was er auf diesem Gebiete an neuen Gedanken entwickelt, nach meinem Urtheil nur zu einem kleinen Theile glücklich zu nennen.[1]

Schon die einleitende allgemeine Charakteristik finde ich nicht ganz gerecht. Wenn Oldenberg die Götter des Rigveda als Barbarengötter bezeichnet, von Barbarenpriestern angerufen (p. 3); wenn er mit Hinweis auf die Thatsache, dass als Hörer der vedischen Lieder vor Allem der Gott selbst gedacht ist, bemerkt: ‚So häufen sie auf ihn alle verherrlichenden Beiworte, welche der schmeichlerisch-plumpen Redseligkeit einer das Helle und Grelle liebenden Phantasie zu Gebote stehen', — so ist, wenn man an Götter wie Varuṇa und an die besten Lieder des Rigveda denkt, damit doch wohl zu viel gesagt. ‚Da ist kein Gott — sagt Oldenberg weiter — bei dessen Augenwinken und dem Wallen der ambrosischen Locken von dem unsterblichen Haupt die Höhen des Olympos erbeben'; — freilich, allein da ist ein Gott, der alle griechischen Götter, den olympischen Vater

[1] Indem ich mich hier auf das Mythologische beschränke, lasse ich manche wichtige Frage, wie z. B. die Zeitbestimmung der vedischen Periode, ganz bei Seite. Oldenberg's Annahme, die ältesten vedischen Quellen möchten aus der Zeit von 1200—1000 vor Christi stammen (p. 1), ist durchaus unhaltbar. Dass dieselben viel älter sein müssen, hat vor Allem Bühler in überzeugender Weise dargethan im *Indian Antiquary*, September 1894, p. 246 ff.

nicht ausgenommen, an echter, tief religiöser Bedeutung, an moralischer, göttlicher Hoheit und Reinheit überragt, — der schon genannte Varuṇa. Soll der Werth einer Religion, die religiöse Bedeutung bestimmter Göttergestalten abgeschätzt werden, so kann unmöglich das den Massstab bilden, inwieweit die betreffenden Götter plastisch fein individualisirt sind, — ein wesentlich ästhetischer Gesichtspunkt; da kommen ganz andere, specifisch religiöse Momente in Betracht, und so gewiss es ist, dass die homerischen Götter die vedischen an ästhetischer Vollendung bergehoch überragen, so gewiss auch scheint es mir, dass kein homerischer Gott an specifisch religiöser Bedeutung sich mit dem vedischen Varuṇa messen kann. Indessen, Oldenberg ist wohl kaum dieser Meinung. Er bemerkt nach einer grau in grau gehaltenen Schilderung der Rigveda-Poesie: ‚Priesterlichem Meistergesang, der so von den Göttern und göttlichen Dingen redet, kann auch in dem, was er von der Menschenseele und menschlichen Geschicken zu sagen hat, nicht voller Klang, nicht die Beredsamkeit der Leidenschaft eigen sein; er kann nicht die Töne besitzen, aus denen die Wärme und Tiefe, das leise Erzittern des frommen Herzens spricht. Von den Abgründen der Noth und der Schuld weiss diese Poesie wenig' etc. Ich muss bekennen, dass mich dies summarische Urtheil aus der Feder eines so ausgezeichneten Veda-Kenners, wie Oldenberg, Wunder genommen hat. Ich rede nicht von der grossen Masse der vedischen Lieder, — aber darf ein solches Urtheil ausgesprochen werden, wenn wir doch unter diesen Liedern die herrlichen, rührenden Varuṇa-Hymnen finden, welche man ganz mit Recht schon oft mit den Psalmen des Alten Testamentes verglichen hat und welche gerade das in hohem Masse bieten, was Oldenberg hier dem Rigveda abspricht. Da haben wir zarte, innige Sehnsucht nach dem Anblick des Gottes, nach der Vereinigung mit ihm, tiefes aufrichtiges Schuldgefühl, ergreifende Sehnsucht nach Vergebung der Schuld und Wiederherstellung des durch die Sünde zerstörten Verhältnisses zu dem Gotte (religio!), und den Glauben an einen Gott, von dem sich das grosse Wort sagen lässt, dass er selbst über den Sünder sich erbarmt! (Rv. 7, 87, 7.) Allerdings kommt Oldenberg in späteren Partieen seines Buches auf diese Varuṇalieder zu sprechen und spendet ihnen Lob; dass er sie aber doch nicht so würdigt, wie sie es verdienen, scheint mir schon das oben angeführte summarische Urtheil der Einleitung zu beweisen.

Die Erwähnung des Varuṇa führt mich zu Ausstellungen, denen man vielleicht grösseres Gewicht zugestehen wird. Bei Behandlung dieses Gottes lässt Oldenberg, wie mir scheint, die sonst für ihn so charakteristische grosse Vorsicht vermissen. Er hält Varuṇa für einen Mondgott, eine Ansicht, die vor ihm Hillebrandt als Vermuthung vorsichtig und zögernd ausgesprochen, Hardy mit grösserer Bestimmtheit vertreten hat. Oldenberg operirt mit dieser Anschauung, zu welcher er, seiner eigenen Angabe gemäss, unabhängig von den genannten Forschern gelangt ist, fast wie mit einem wissenschaftlich gesicherten Ergebniss, wovon dieselbe aber sehr weit entfernt ist. Schon auf p. 48 erklärt er es für nicht zweifelhaft, dass Mitra ein Sonnengott gewesen und hält es für ‚kaum minder sicher, dass Mitra's göttlicher Gefährte Varuṇa ein Mondgott war', obwohl er auf derselben Seite als einzigen Zug, der bei Varuṇa direct auf den Mond hinweisen soll, seine Herrschaft über die Nacht anführt. Dieser Zug aber kann die Mondnatur des Varuṇa keinesfalls erweisen. Er erklärt sich ganz gut auch bei der bisher herrschenden Anschauung des Varuṇa als Gottes des allumfassenden Himmels. Der sternengeschmückte Nachthimmel ist eindrucksvoller, stimmt das Gemüth in höherem Grade zur Andacht als der Himmel bei Tage. So erschien der allumfassende Himmel, Varuṇa, grösser, herrlicher, majestätischer bei Nacht offenbart als bei Tage, zeigte sich gewissermassen erst bei Nacht in seiner vollen Herrlichkeit, und darum die besonders ausgeprägte Beziehung zur Nacht.[1] Es ist ja aber bekannt genug, dass Varuṇa keineswegs auf die Nacht beschränkt ist. Die Sonne heisst im Veda das Auge des Varuṇa (wie auch des Mitra); ist eine solche Bezeichnung wohl denkbar, wenn auch nur der Schatten eines Mondgottes in Varuṇa steckte? Für den Himmel aber ist dies eine

[1] Dazu kommt noch etwas Anderes, was weiter unten besprochen werden soll, — der Gegensatz des Varuṇa zu Dyâus, dem Taghimmel.

sehr passende mythologische Vorstellung. — Varuṇa hat der Sonne ihre Pfade gebahnt, er hat sie, die goldene Schaukel am Himmel, geschaffen, dass sie leuchte (Rv. 7, 87, 1. 5); wie kommt ein ursprünglicher Mondgott zu dergleichen? Bei dem Himmelsgott ist alles dies ganz passend. — Der Veda schildert uns Gott Varuṇa weiter als lichten himmlischen König, der sich droben in seiner Veste hingesetzt hat und von dort aus Alles sieht und bemerkt, was geschehen ist und noch geschehen wird, alles Thun der Menschen als höchster und heiligster Richter überwacht. Wie schön stimmt diese Anschauung zum allumfassenden Himmel, der Tag und Nacht auf uns herniederschaut! Wie wenig dagegen passt der Mond zu einer solchen Rolle! Der Mond mit seinem wechselnden Licht, der nicht einmal bei Nacht beständig oben wacht, sondern bald da ist, bald verschwindet, bei Tage aber, wo doch der Menschen Thun hauptsächlich vor sich geht, ganz regelmässig fehlt! Das wäre ein gar seltsamer Ueberwacher alles menschlichen Thuns. Aus der Vorstellung des lichten Himmels kann sich leicht die eines obersten himmlischen Sittenrichters entwickeln. Das zeigt uns unter Anderem auch der von Scherer erwiesene germanische Tiwaz Thingsaz (Mars Thingsus). Ich wüsste nicht, dass der Mond irgendwo zu einer ähnlichen Rolle gelangt wäre; es müsste das auf seltsamen Umwegen zugehen und wäre es mir interessant zu erfahren, ob Oldenberg irgendwelche überzeugende Analogie zu Gebote steht. Vorderhand erscheint eine solche Entwicklung sehr unwahrscheinlich.

Es heisst weiter von Varuṇa in einem der schönsten an ihn gerichteten Lieder (Rv. 7, 87, 5): ‚Die drei Himmel sind in ihn hineingesetzt, die drei Erden darunter, eine Reihe von Sechsen bildend.' Wie gut passt diese Vorstellung wieder zu Varuṇa als dem allumfassenden Himmelsgewölbe, wie ganz unmöglich erscheint sie, sobald man sie auf einen Mondgott anwenden wollte.

So lässt sich an Varuṇa nicht ein einziger Zug nachweisen, der deutlich auf einen Mondgott hinwiese, dagegen zahlreiche Züge, die mit einer solchen Annahme durchaus im Widerspruch stehen. Andererseits findet sich am vedischen Varuṇa nicht ein einziger Zug, der nicht vortrefflich zu der bisher allgemein angenommenen Ansicht des Varuṇa als eines Himmelsgottes stimmte, auch hat Oldenberg gar nicht ernstlich den Versuch gemacht, diese wohlbegründete Ansicht als aus irgend einem Grunde unwahrscheinlich zu erweisen.[1]

Wir kennen gar manche verblasste, in ihrem ursprünglichen Wesen verdunkelte Göttergestalten. Dieselben haben in der Regel etwas Farbloses, Undeutliches an sich, stehen aber doch nicht mit klar und stark ausgeprägten Zügen ihres Wesens geradezu in Widerspruch zu ihrem ursprünglichen Charakter (wie das bei dem Mondgott Varuṇa der Fall wäre). Das nächstliegende Beispiel ist für uns in diesem Falle Mitra. Er ist aller Wahrscheinlichkeit nach ein alter Sonnengott, darauf deutet mancher Zug; dies ursprüngliche Wesen ist verdunkelt, aber kein einziger bedeutender, charakteristischer Zug — das ist sehr wichtig — steht in directem Widerspruch zu einer derartigen Annahme.

Wie kommt unter solchen Umständen ein Forscher wie Oldenberg zu der Behauptung, Varuṇa sei ursprünglich ein Mondgott gewesen? Ihn hat augenscheinlich das Verhältniss, in welchem Varuṇa zu Mitra und den andern Âdityas steht, zu seiner Aufstellung bewogen. Mitra ist aller Wahrscheinlichkeit nach ein alter Sonnengott. Er erscheint im Veda oft mit Varuṇa zu einem Paar eng dualisch verbunden. Und diese beiden hehren Götter einer himmlischen Lichtwelt schliessen sich mit fünf andern wesensverwandten geringeren Genien zu dem Kreise der sieben Âdityas zusammen. Ihnen steht bei den Persern, wie längst von Roth und Andern erwiesen ist, deutlich entsprechend die Schaar der sieben Amesha çpentas gegenüber, an ihrer Spitze Ahura Mazdâ, der dem Varuṇa deutlich verwandt ist, oft dualisch eng verbunden mit dem alten Sonnengott

[1] Auch die einzig wahrscheinliche, meines Wissens allgemein angenommene Etymologie des Namens Varuṇa stimmt zu dieser Annahme. Denn mag man die Zusammenstellung Varuṇa = Οὐρανός auch aus lautlichen Gründen für unwahrscheinlich halten, — dass Varuṇa von der Wurzel *var* ‚umfassen, umhüllen, einschliessen‘ herkommt und also den Umfassenden, Umschliessenden bedeutet, ist doch im höchsten Grade wahrscheinlich und lässt sich meines Wissens dagegen nichts Stichhaltiges einwenden.

Mithra, der dem vedischen Mitra entspricht. Ist nun Mitra die Sonne und erscheint er, namentlich in jüngeren vedischen Büchern, speciell in Beziehung zum Tage, Varuṇa zur Nacht gesetzt, — um welches andere Paar kann es sich da wohl handeln als um Sonne und Mond? Wer anders sind dann jene sieben Lichtgötter als Sonne und Mond und die fünf Planeten? Dieser auf den ersten Anblick allerdings bestechende Schluss erscheint nun Oldenberg so sicher, so nothwendig, dass er von ihm als einem Ergebniss spricht, das nach seiner Meinung kaum einem Zweifel unterliegen kann. Aber sehen wir uns die Stützen dieses Beweises etwas näher an! Von der Beziehung Varuṇas zur Nacht sprachen wir schon und sahen, dass dieselbe sich auch bei der bisherigen Ansicht vom Wesen des Gottes ausreichend erklärt. Es muss aber noch hervorgehoben werden, dass diese Beziehung Varuṇas zur Nacht in den ältesten und wichtigsten Zeugnissen von seinem Wesen, den Liedern des Rigveda, so gut wie gar nicht vorhanden ist. Auch der Rigveda bietet nur einige Stellen, die wahrscheinlich so zu deuten sind, wenn sie sich auch nicht gerade durch grosse Klarheit auszeichnen. Erst die Brâhmaṇa-Literatur bringt den Gedanken klar ausgedrückt und oftmals wiederholt, dass dem Mitra der Tag, Varuṇa die Nacht gehöre, oder dass Mitra den Tag, Varuṇa die Nacht geschaffen habe. Das Zeugniss der Brâhmaṇas kann aber dem des Rigveda nicht gleichwerth gesetzt werden. Diesem von ihm natürlich vorausgesehenen Einwurf sucht Oldenberg mit folgenden Sätzen zu begegnen: ‚Es wäre ein schablonenhaftes Verfahren, dessen Unrecht sich an immer zahlreicheren Punkten des vedischen Forschungsgebiets herausstellt, wollte man aus dem verhältnissmässig jungen Alter dieser Stellen schliessen, dass es sich hier um eine gegenüber dem rigvedischen Gedankenkreise secundäre Vorstellung handelt. Es liesse sich nicht absehen, wo im Kreise der alten Auffassungen — wenn wir für alt nur die in den alten Texten belegten anerkennen — die Wurzeln der neuen gelegen hätten: zumal die Richtung, in welcher das jüngere Zeitalter die Conception des Varuṇa weiter entwickelt hat, bekanntlich eine ganz andere ist als die auf eine Gottheit der Nacht.‘

Es ist unzweifelhaft, dass jüngere Quellen vielfach ältere Anschauungen darbieten. Noch heute lebt, wie wir alle wissen, im griechischen Volke manche mythologische Anschauung, die älter ist als die Mythologie Homers. Aber es wäre gerade ein schablonenhaftes Verfahren, wenn man darum überhaupt jüngeren Quellen das gleiche Gewicht wie älteren einräumen wollte. Es ist nothwendig — das wird mir auch Oldenberg nicht bestreiten — in jedem einzelnen Falle die betreffende jüngere Quelle auf ihren Werth kritisch zu prüfen. Festwurzelnde primitive Anschauungen eines Volkes haben ein ganz anderes Gewicht, als die Aussagen spitzfindiger theologischer Werke, wie der Brâhmaṇas, welche sich geradezu nicht genug thun können in unaufhörlichem Systematisiren und Schablonisiren, vergleichendem Zusammenstellen, Identificiren und Symbolisiren. Es ist bekannt, was da Alles zusammengebracht und zusammengestellt wird, oft auf ganz schattenhafte Gründe hin. Für diese Theologen war es wohl genug zu wissen, dass Mitra und Varuṇa seit Alters ein fest zusammengehöriges Paar bilden und dass Mitra zu Sonne und Tag in Beziehung steht, um zu dem Ausspruch zu kommen: Mitra gehört dem Tag, (also) Varuṇa der Nacht. Dies beweist noch nicht viel für den ursprünglichen Charakter des Varuṇa, den Oldenberg doch ergründen möchte. Es kann höchstens den Beweis liefern, dass eine solche Vertheilung dem Wesen des Varuṇa nicht absolut widerstrebt, obwohl diese Theologen auch gelegentlich das Vieh mit dem Luftraum oder den Wassern identificiren[1] u. dgl. m. Es würde nicht einmal viel beweisen, wenn es in den Brâhmaṇas geradezu hiesse: Mitra ist die Sonne, Varuṇa der Mond; so weit gehen aber diese Theologen gar nicht, sie bleiben bei der obigen Zusammenstellung, welche sich, wie schon oben dargelegt und weiter unten noch mehr gestützt werden soll, mit dem Wesen des Varuṇa als des allumfassenden Himmels noch ganz leidlich verträgt, uud das ist für Brâhmaṇa-Speculationen schon ziemlich viel. Das Zeugniss des Avesta, welches Oldenberg den oben angeführten Sätzen (p. 192) anschliesst, beweist nur für Mitra etwas, denn dass Ahura Mazdâ nicht die leiseste Spur eines

[1] Mâitr. S. 3, 9, 7; 3, 8, 4.

Mondgottes an sich hat, bedarf keiner Erörterung. — Varuṇas spätere Entwicklung zu einem Gotte der Gewässer ist ganz unabhängig von diesen Brâhmaṇa-Speculationen; deutliche Ansätze zu derselben finden sich schon im Rigveda; jedenfalls hat man keinen Grund, die Gedanken über Varuṇas Beziehung zur Nacht darum für besonders alt zu halten, weil sie sich nicht in der Richtung bewegen, die zum Wassergott Varuṇa führt. Es sind eben ganz für sich stehende und darum auch für sich zu beurtheilende Speculationen über einen Gott, dessen überaus reiches, vielseitiges Wesen zu den mannigfaltigsten Entwicklungen die Ansätze darbot. Im Uebrigen will ich die Möglichkeit, ja die Wahrscheinlichkeit nicht leugnen, dass in der Beziehung des Varuṇa zur Nacht etwas Altes steckt. Ich wollte nur deutlich machen, dass wir das Zeugniss der Brâhmaṇas in diesem Punkte nicht überschätzen dürfen. Der betreffende Zug tritt keinesfalls in der Art hervor, dass wir in ihm den eigentlichen Schlüssel zum Wesen des Varuṇa zu suchen veranlasst wären; ich halte ihn aber auch für einen bedeutsamen Zug, der alt sein dürfte. Wie er zu erklären, wird weiter unten näher erörtert.

Wie kommt denn nun aber schon der Rigveda zu der dualischen Zusammenstellung des Mitra und Varuṇa? Nun, ist es denn wirklich so unnatürlich oder gar unverständig, Sonne und Himmel, diese beiden herrlichsten und hehrsten Erscheinungen, zu einem Paare zusammen zu fassen, als ein Paar gemeinsam zu verehren? Sonne und Himmel, die am Ende doch noch enger zusammen gehören als Sonne und Mond, die nie zusammen erscheinen. — Die Sonne erscheint immer mit dem Himmel verbunden, der Himmel nicht immer mit der Sonne. Diesem Verhältniss entspricht es durchaus, dass Mitra in der Regel mit Varuṇa verbunden auftritt, Varuṇa dagegen eine von Mitra unabhängige, überragend grosse und hohe, ja universale Bedeutung hat. Bei dem Paare Sonne und Mond erscheint durchaus die Sonne grösser, mächtiger, glänzender, herrlicher, segensreicher als der Mond; bei dem Paare Sonne und Himmel fällt der Sonne keine nur annähernd ähnliche Bedeutung zu, und so ist es denn auch Regel bei den meisten Völkern, dass der Himmelsgott über dem Sonnengott steht.

Sonne und Himmel gehören gewiss ihrer Natur nach enger zusammen als Agni und Soma oder andere im Rigveda dualisch verbundene Götterpaare. Diese enge Verbindung des Varuṇa mit Mitra spricht nach alledem nicht gegen Varuṇa als Gott des allumfassenden Himmels und kann nicht als Beweis für die Mondnatur des Gottes angeführt werden. Die Siebenzahl der Âdityas und der Amesha çpeñtas fordert zu ihrer Erklärung aber auch nicht die Planeten als natürliche Unterlage. Die Sieben ist seit Alters eine heilige Zahl, sie tritt als solche im Rigveda oft hervor; wenn man die beiden grossen himmlischen Lichtgötter mit einem Hofstaat wesensverwandter Genien umgeben wollte, war es ganz natürlich, dass man die Gesammtzahl dieser Lichtwesen auf sieben ansetzte, welche Zahl übrigens nicht so fest stand, dass sie nicht geschwankt hätte und späterhin durch andere Zahlen verdrängt worden wäre. Eine ganz andere Frage wäre die, ob die Heiligkeit der Siebenzahl nicht im letzten Grunde auf die Siebenzahl der Planeten (einschliesslich Sonne und Mond) zurückzuführen sei. Auf diese allzuweit führende Frage brauche ich hier nicht einzugehen. Ihre Bejahung würde ja noch nicht im mindesten beweisen, dass Âdityas und Planeten direct zusammenhängen. Auch muss stark betont werden, dass die Âdityas von irgend welchem planetarischen oder Stern-Charakter absolut nichts an sich haben und dass lediglich ihr allgemeiner Charakter als Lichtgötter, ihre Verbindung mit Mitra-Varuṇa und ihre Siebenzahl Oldenbergs mit so grosser Sicherheit hingestellter Behauptung zugrunde liegt. Er sagt, p. 194, sie wären ‚ihrem ursprünglichen Wesen nach unverständlich geworden'. Dass sie aber jenes angeblich ursprüngliche Wesen überhaupt jemals an sich gehabt, hätte zuerst ganz anders bewiesen werden müssen.

Wir haben nach alledem keine Veranlassung, die wohlbegründete, bislang geltende Ansicht von Varuṇa als dem allumfassenden Himmelsgotte aufzugeben. Alles, was wir im Veda von ihm hören, stimmt zu dieser Anschauung, nichts steht dazu in irgend ernstlichem Widerspruch, und auch die grossartige Gestalt des avestischen Ahura kann aus keiner natürlichen Anschauung leichter und besser sich entwickelt haben als der des hohen Himmelsgottes. Andererseits finden wir bei Varuṇa nicht einen einzigen Zug, der deutlich auf einen Mondgott wiese oder gar ihn forderte, dagegen zahlreiche wichtige und entscheidende Züge, welche mit der Natur eines Mondgottes in schreiendstem Widerspruch stünden und ganz unerklärlich wären, wenn dem Gotte ursprüngliche Mondnatur zukäme. Man kann zwar behaupten, der Gott habe seine ursprüngliche Natur so gut wie vollständig verloren und mit einer ganz anderen Natur vertauscht, allein eine solche Behauptung ist doch ohne jeden wissenschaftlichen Werth, denn sie lässt sich nicht beweisen, nicht einmal annähernd wahrscheinlich machen. So kann die ganze OLDENBERGsche Ansicht von dem Mondgott Varuṇa im besten Falle den Werth einer ganz geistreichen Hypothese für sich beanspruchen, aber sie steht nur auf schwachen Füssen; von einem gesicherten wissenschaftlichen Resultat kann hier gar nicht geredet werden.

OLDENBERG hat es gar nicht unternommen, die bisherige Anschauung von Varuṇa als unrichtig, unzulänglich, unbefriedigend zu erweisen; er geht auf die auf der Hand liegenden Widersprüche im Wesen des Varuṇa mit ursprünglicher Mondnatur gar nicht ein, versucht es nicht einmal ihre Entstehung zu erklären, macht sich also die Beweisführung leicht. So kann dieselbe allenfalls blenden und bestechen, — einer ernstlichen Prüfung hält sie nicht Stand.[1]

Ich muss nun aber noch einer andern, mit der oben besprochenen in engstem Zusammenhang stehenden Hypothese OLDENBERGS Erwähnung thun. Er glaubt, wenigstens ‚mit grosser Wahrscheinlichkeit',[2] die weitere Behauptung aufstellen zu dürfen, das indoiranische Volk habe den in Rede stehenden Götterkreis von aussen

[1] Die Art, wie OLDENBERG seine Hypothese behandelt, steht in auffallendem Gegensatz zu der kritischen und besonnenen Weise, mit welcher er in dem Excurs ‚der Soma und der Mond' HILLEBRANDTS bekannte Theorie bekämpft. Und HILLEBRANDTS Vorgehen war doch insofern mehr begründet und berechtigt, als Soma thatsächlich später der Mondgott ist und schon in einigen jüngeren Rigvedahymnen zweifellos als solcher auftritt. Für Varuṇa aber ist die Mondnatur zu keiner Zeit erweislich.

[2] Die Sperrung rührt von OLDENBERG her.

her übernommen (p. 193). So deutlich bei den betreffenden Gottheiten die Uebereinstimmung zwischen Indien und Iran sei, so ganz versage die Vergleichung von Gottheiten anderer indo-europäischer Völker. Das indo-iranische Volk müsse dieselben also entweder neu gebildet oder von aussen her übernommen haben. ‚Nun erwäge man, dass jenes Volk einen Sonnengott und Mondgott von altersher hatte, die als solche auf das unverkennbarste charakterisirt waren und ‚Sonne‘ und ‚Mond‘ hiessen. Hier nun erscheint ein zweiter Sonnengott; hier erscheint ein Mondgott, dessen Naturbedeutung allem Anschein nach schon in indo-iranischer Zeit über ethischen Attributen vergessen oder nahezu vergessen war; hier erscheinen weiter in diesem Kreise höchster Herren der Welt, gleichfalls ihrem ursprünglichen Wesen nach unverständlich geworden, Götter der fünf Planeten, um welche sich das vedische wie das avestische Volk kaum bekümmerte und die überdies im iranischen Glauben zu den bösen Mächten gerechnet wurden. Ist es da nicht wahrscheinlich, dass die Indo-iranier hier von einem benachbarten Volke, welches ihnen in der Kenntniss des gestirnten Himmels überlegen war, also aller Vermuthung nach von Semiten entlehnt haben — entlehnt als etwas vielleicht von Anfang an nur halb Verstandenes?‘ (p. 194). Zu ‚Semiten‘ ist in der Anmerkung die Möglichkeit erwähnt, dass die Entlehnung vielleicht auch von den Akkadiern geschehen sei, und in einer weiteren Anmerkung (p. 195) wird auf den akkadisch-babylonischen Hymnus an den Mondgott bei Sayce, Hibbert lectures 160 ff., hingewiesen und dem Leser die Frage zur Erwägung gegeben, ob derselbe dem Tone der Varuṇahymnen nicht ganz nahe stehe. Im Uebrigen wird im Text noch die Frage aufgeworfen, ob die Âdityas nicht den übrigen Göttern des Veda gegenüber sich wie etwas Eigenartiges, Fremdes abhöben, — Varuna gegenüber Indra wie der Repräsentant einer älteren, höheren Cultur, der Zeuge einer belebenden Berührung des Volkes, das damals vor der Schwelle Indiens stand, mit der Cultur westlicherer Nationen, — und das ist in Kürze der ganze Beweis.

Es ist dagegen zunächst zu bemerken, dass die indo-iranische Zeit an Neubildungen auf religiösem Gebiete nicht arm ist, und die

Annahme, wir haben es bei den Âdityas mit einer solchen zu thun, wäre durchaus die nächstliegende. In die Urzeit können wir überhaupt von den Göttern der indogermanischen Völker bisher nur eine verhältnissmässig kleine Anzahl mit Sicherheit verfolgen und wenn dies bei einem Gotte oder einem ganzen Götterkreise nicht möglich ist, so brauchen wir darum noch nicht gleich auf fremdländischen Ursprung desselben zu schliessen. Einen urindogermanischen Mondgott, von dem Oldenberg mit solcher Bestimmtheit redet, kennen wir zunächst noch gar nicht mit irgend welcher Sicherheit. Die übereinstimmende Bezeichnung des Mondes mit demselben oder doch einem von derselben Wurzel stammenden Namen beweist in dieser Beziehung nichts und selbst der Umstand, dass der Mond in einer wahrscheinlich urindogermanischen Mythe (von der Hochzeit der Sonnenjungfrau) personificirt auftritt, gewährt noch keine völlige Sicherheit für die Annahme eines Mondgottes. Selbst über den urindogermanischen Sonnengott sind wir noch gar nicht im Klaren. Das schwankende Geschlecht der Sonne bei den Indogermanen (bald männlich, bald weiblich, bald sächlich, bisweilen — wie bei den Gothen — alle drei Geschlechter neben einander) lässt zu keiner Sicherheit gelangen und der Mangel sicher urzeitlicher Mythen von einem Sonnengott macht die ganze Annahme fraglich, wenn auch nicht unmöglich. Jedenfalls hätte der Neubildung eines Sonnen- und eines Mondgottes bei den Indo-iraniern gar nichts im Wege gestanden. Mitra konnte an die Stelle des alten Sonnengottes treten so gut wie Apollon in späterer Zeit die Function des Helios übernommen hat, ohne dass darum der ältere Gott zu verschwinden brauchte; und bei Varuṇa ist nun gar weder die eigene Mondnatur erweislich, noch die Existenz eines älteren Vorgängers auf diesem Gebiete. Es ist überhaupt keine richtige Voraussetzung, als könne ein und dasselbe Volk als Träger ein und desselben Naturphänomens nur eine Göttergestalt entwickeln. Auch Savitar ist z. B. ein Sonnengott; wenn er es vielleicht nicht von Hause aus war, so ist er es doch jedenfalls geworden;[1] Parjanya und Indra

[1] Oldenbergs Behandlung des Savitar, p. 64. 65 überzeugt mich nicht. Savitars enge Beziehung zur Sonne steht fest und Oldenbergs Einwand: ‚Aber es hiesse

sind beide Gewittergötter, Zeus und Uranos beide Götter des Himmels; ja Oldenberg selbst muss Aehnliches annehmen, wenn er die Sonnenjungfrau Sûryâ, welche die Açvinen (resp. den Mond) ehelicht, für die Sonne selbst erklärt (p. 213, 214), denn neben ihr steht doch unzweifelhaft der männliche Sonnengott Sûrya. Es würde indess zu weit führen, wollte ich dies Thema hier näher erörtern,[1] da es nach dem Obigen für die Beurtheilung des uns hier hauptsächlich beschäftigenden Gottes gar nicht in Betracht kommt.

Varuṇa ist nach Ausweis des Veda ein höchster allwaltender Himmelsgott; für seine noch höher gehobene Parallelgestalt Ahura ist gleichfalls eine passendere natürliche Unterlage nicht denkbar. Nun verehrten die Indogermanen schon in der Urzeit unter dem Namen Dyâus den lichten Himmel, resp. den Taghimmel, denn das Wort scheint die Begriffe Himmel und Tag von Anfang an vereinigt zu haben. Aus jenem Taghimmel Dyâus wurde bei den Griechen der Himmelsgott Zeus; ihn ergänzend aber trat auf griechischem Boden Οὐρανός hinzu, eigentlich das Himmelsgewölbe bedeutend, wie der Sprachgebrauch lehrt, ein Gott, der es zu keiner hervorragenden Bedeutung gebracht hat. In analoger Entwicklung trat in indoiranischer Zeit neben dem alten Taghimmel Dyâus ein Gott Varuṇa auf, den Himmel als den erhabenen Allumfasser bedeutend.[2] Auf

---

die Structur dieses ganzen Vorstellungscomplexes von Grund aus verkennen, wollte man darum Savitar für einen Sonnengott erklären', besagt wenig.

[1] Bei der Neuschöpfung eines Gottes für ein Naturphänomen, das schon göttlich verehrt wird, pflegt eine bestimmte Seite desselben besonders betont zu werden und den Anlass der Schöpfung zu bilden, wie das bei dem Himmel Uranos gegenüber dem Himmel Zeus sich deutlich zeigt. Welche Seite des Phänomens der Sonnengott Mitra gegenüber einem älteren Sonnengotte repräsentirte, ist bei unserer geringen Kenntniss des Letzteren und der Verdunkelung im Wesen des Mitra nicht sicher zu erweisen, doch scheint Mitra den Sonnengott, insofern derselbe Freund und Helfer ist, zu bedeuten; Savitar ist die Sonne, insofern sie anregt und in Bewegung setzt.

[2] Ob Οὐρανός und Varuṇa etymologisch zusammen hängen, ist dabei vollkommen gleichgiltig; ich behaupte das weder noch will ich es bestreiten, darüber mögen die Sprachvergleicher entscheiden. Gewiss ist nur, dass οὐρανός ‚Himmelsgewölbe' bedeutet und Varuṇa einen Gott des allumfassenden Himmels; die beiden

diesen Gott ging im Laufe der Zeit fast die ganze Grösse und Herrlichkeit, die überragende Machtstellung des Dyâus über, der neben ihm immer bedeutungsloser wurde, während der griechische Zeus dem Uranos gegenüber seine volle Grösse bewahrte. An diesen Varuṇa (der auch Asura oder höchster Herr genannt wurde) knüpfte die grosse zarathustrische Reformation an, die ihn zum allüberragenden Gott erhob. Der indische Varuṇa, wenn auch nicht so weit gelangt, ist doch der Erbe des Besten, was einst Dyâus besessen, der höchsten Himmelsherrschaft, und erscheint ausserdem noch nach verschiedenen Seiten in seinem Wesen weiter ausgestaltet. Der Umstand, dass dieser Varuṇa zuerst als Ergänzung des Taghimmels Dyâus ins Leben trat, lässt es nun auch besonders begreiflich erscheinen, warum er in näherer (wenn auch keineswegs ausschliesslicher) Beziehung zur Nacht steht. Der herrliche sternengeschmückte Nachthimmel ist es ja, der uns ganz anders als der Taghimmel die Vorstellung eines Himmelsgewölbes erweckt; er brachte jenes Volk dazu, den Allumfasser, d. i. das Himmelsgewölbe, als eine Gottheit zu verehren, die noch grösser und erhabener vorgestellt wurde als der alte Dyâus und jenen immer mehr verdrängte. Nichts natürlicher, als dass diesem Gott die besondere Beziehung zur Nacht verblieb, ohne dass er auf dieselbe beschränkt worden wäre.

So wäre denn Varuṇa zwar kein urindogermanischer Gott, aber doch mit einem grossen Theil seines Wesens der Erbe eines solchen.[1]

Unter den kleineren Âdityas aber ist einer unzweifelhaft ein alter, urindogermanischer Gott — Bhaga, der avestische Bagha, welcher mit dem slavischen bogŭ, dem phrygischen Ζεὺς Βαγαῖος zusammen gehört, wie längst bekannt ist.

Gestalten decken sich durchaus nicht, haben aber doch einen wichtigen Zug in ihrem Wesen mit einander gemein.

[1] Denkbar wäre es natürlich auch, dass der den Taghimmel ergänzende Gott des Himmelsgewölbes schon in der Urzeit existirt hätte, da sich dies aber nicht direct erweisen lässt, auch Varuṇa und Uranos gar nicht wie urverwandte Götter aussehen, halte ich selbständige analoge Entstehung derselben bei Indo-iraniern und Griechen für das Wahrscheinlichste.

Wenn Oldenberg uns den ausserarischen, semitischen oder akkadischen Ursprung der Âdityas und Amesha çpeñtas einigermassen wahrscheinlich machen wollte, hätte er uns mindestens bei einem dieser Völker ein passendes Vorbild dieses Götterkreises zeigen müssen. Er begnügt sich aber damit, auf die Semiten (resp. Akkadier) im Allgemeinen hinzuweisen als auf Völker, die den Indo-iraniern in der Kenntniss des gestirnten Himmels überlegen, Träger einer älteren, höheren Cultur waren, früher als die Indogermanen zum Ernst ethischer Lebensbetrachtung herangereift, wozu dann noch der Hinweis auf den erwähnten akkadisch-babylonischen Hymnus an den Mondgott kommt[1] (p. 194. 195). Das aber ist doch zu wenig, um uns wirklich zu dem Glauben an ein semitisches oder akkadisches Vorbild der Âdityas zu bringen.

Oldenbergs ganze Theorie von Varuṇa muss nach alledem als durchaus ungenügend begründet abgelehnt werden. Wir haben keine Ursache die bisherige, durchaus wohlbegründete, allseitig befriedigende Anschauung von diesem Gotte mit einer neuen zu vertauschen, welche nur auf einige ganz geistreiche Combinationen aufgebaut uns in eine Reihe unlösbarer Schwierigkeiten und Widersprüche verwickelt.

Das mythologische Gebiet ist ein missliches. Die Gebilde der Phantasie, mit welchen wir es hier zu thun haben, lassen sich nicht mit derselben Exactheit wie andere Theile der philologischen Wissenschaft behandeln. Wie Wolkengebilde scheinen sie oft vor unsern Augen ihre Gestalt zu wechseln, zu schwanken, in ihren Umrissen zu verschwimmen. Was dem Einen wie ein Wiesel aussieht, erscheint dem Andern wie ein Walfisch und dem Dritten wieder anders. Wenn irgendwo so ist hier Irren menschlich und natürlich, daher ein Jeder

[1] Ich kann in dem betreffenden Hymnus nur Anklänge sehr allgemeiner Art finden, die schwerlich etwas beweisen. Zwischen Varuṇaliedern und gewissen Psalmen des Alten Testaments bestehen reichlich ebenso viel Anklänge und doch wird wohl Niemand da historischen Zusammenhang annehmen wollen. Die allgemeine Völkerkunde zeigt uns weit auffälligere Uebereinstimmungen zwischen Völkern, wo weder an Urverwandtschaft noch an Entlehnung gedacht werden kann.

Ursache hat im Urtheil über Andere, die was Anderes sehen, nicht zu streng zu sein. Hätte Oldenberg seine Theorie von Varuṇa und den Âdityas blos den Fachgenossen vorgelegt, mit aller ihn sonst auszeichnenden Vorsicht, man könnte ihm für die Anregung dankbar sein, das Problem einmal von einer ganz anderen Seite anzuschauen. Nun aber hat die Sache doch ein wesentlich anderes Aussehen, da er diese Theorie in einem Werke entwickelt, welches sich augenscheinlich an einen weiteren Leserkreis wendet und denselben auch gewiss finden wird. Das halte ich für sehr bedenklich, umsomehr als Oldenberg zufolge seiner sonstigen Arbeiten bereits grosse und berechtigte Autorität geniesst, weit über die Kreise der Fachgenossen hinaus. Viele, welche die Sache selbst zu prüfen nicht im Stande sind, dürften auf diese Autorität hin jetzt den Mondgott Varuṇa für erwiesen halten und eventuell mit demselben weiter operiren.[1] Umsomehr habe ich es für meine Pflicht erachtet, mein abweichendes Urtheil mit aller Entschiedenheit auszusprechen und zu begründen.

Für durchaus zutreffend halte ich Oldenberg's Beurtheilung der beiden Açvin (p. 207—215). Sie ist nicht neu, — das hebt Oldenberg selbst klar hervor — fusst vielmehr ganz auf den Ergebnissen Mannhardtscher Forschung. Allein ich halte es auch für ein Verdienst, gute, gesicherte Resultate der Arbeit Anderer festzuhalten. In ein Buch, das für weitere Kreise berechnet ist, gehören gerade in erster Linie Resultate, welche die Probe der Zeit bereits bestanden haben. Die Deutung der beiden Açvin auf Morgen- und Abendstern ist durchaus richtig,[2] ihre Beziehung zu den lettischen Gottessöhnen und den griechischen Dioskuren eines der bestgesicherten Resultate der vergleichenden Mythologie.

---

[1] Das fast bedingungslose Lob, mit welchem Oldenbergs Buch und gerade auch der mythologische Theil desselben im *Literar. Centralblatt*, 1895, Nr. 5 (von H—r) angezeigt wird, dürfte in derselben Richtung wirken. Ueber Varuṇa sagt der Recensent daselbst, p. 165: ‚die Beziehung Varuṇas auf den Mond — — darf allem Anschein nach nunmehr als gesichert gelten.'

[2] Oldenbergs Kritiker im *Literar. Centralblatt* ist auffallenderweise gerade bezüglich der Açvin anderer Ansicht. Er sieht in ihnen Sonne und Mond, — eine wenig glückliche Idee.

Die Darstellung hätte an einigen Punkten vielleicht noch mehr vertieft, das Resultat noch fester gestützt werden können. So muss z. B. als ein hervorragend wichtiger, für die Identität der Açvin und der lettischen Gottessöhne sehr beweiskräftiger Punkt der Umstand betont werden, dass genau ebenso wie die beiden Açvin die eine Sûryâ, auch die beiden lettischen Gottessöhne die eine Sonnentochter heiraten. Es ist das etwas ganz Singuläres — zwei engverbundene Gatten eines und desselben Weibes — unzweifelhaft ein uralter Zug, da solch ein Verhältniss den späteren Anschauungen, namentlich der Letten, strict widersprach. Bei den Indern ist die Sache klar, aber auch bei den Letten, z. B. in Liedern wie die folgenden:

Zwei Lichterchen brennen im Meere
Auf silbernen Leuchtern,
Die zünden an die Gottessöhne,
Wartend auf die Sonnentochter.[1]

Und von der Heimführung, wo die Neuvermählte vor Aufregung zittert, heisst es:

Gottes Söhne bauten eine Kleete,
Goldene Sparren zusammenfügend;
Die Sonnentochter ging hindurch
Wie ein Blättchen bebend.

Eine jüngere Zeit sucht das ihr Anstössige wegzuschaffen, indem sie die Sonnentochter von nur einem Gottessohn oder vom Monde (Soma) heimgeführt werden lässt, — das Letztere sowohl bei den Letten wie auch bei den Indern. In dem rituell bei der Hochzeit verwendeten Vedaliede konnte nur ein Freier gebraucht werden, — dort ist es der Mond; die Açvin erscheinen dabei als Brautwerber, gerade wie die lettischen Gottessöhne auch als Brautwerber für den Mond auftreten. Man hat sich übrigens bei den Letten auch anders noch zu helfen gewusst, indem man den beiden Gottessöhnen gelegentlich zwei Sonnentöchter zugesellte:

---

[1] Die hier angeführten Lieder gehören sämmtlich zu den schon von Mannhardt mitgetheilten.

Gottes Söhne bauen ein Haus auf,
Goldene Sparren auf dem Dache:
Eingehn dort zwei Sonnentöchter,
Wie zwei Espenblättlein zitternd.

Indessen das Alte ist ohne allen Zweifel das Gattenpaar der einen himmlischen Braut.

Weiter ist es ein wichtiger, uralten Zusammenhang beweisender Umstand, dass die bezüglichen lettischen Lieder gerade bei Hochzeiten gesungen werden, ebenso wie das Lied von der Sûryâ, obschon durch Priesterweisheit entstellt und den Soma statt der Açvin als Freier bietend, gerade beim Hochzeitsfeste recitirt wird, — in seinem Kern uralt-volksmässigen Mythus bergend. Die himmlische Hochzeit der Sonnenjungfrau galt offenbar schon in der Urzeit als Prototyp der menschlichen.

Zu der bekannten interessanten Uebereinstimmung der Açvin und der Dioskuren als helfende Götter, speciell als Retter in Wassersnoth, im Meere, möchte ich ergänzend ein mythologisches Lied der Letten anführen, das uns die Gottessöhne auch gerade als Retter aus Wassersnoth im Meere vorführt, und zwar ist die Gerettete dabei die Sonnentochter, resp. die Sonne. Es lautet:

Die Sonnentochter watete im Meere,
Man sah nur noch das Krönchen,
Rudert das Boot, ihr Gottessöhne,
Rettet der Sonne Leben.[1]

Es scheint, dass das Versinken der Sonne im Meere hier als Ertrinken, ihr Aufsteigen am Morgen als eine Rettung derselben durch die Gottessöhne aufgefasst ist. Sollte nicht das eine uralte Mythe sein und vielleicht den Ausgangspunkt all der Rettungsgeschichten der betreffenden Götter aus Wassersnoth und Meeresfluth gebildet haben, woran sich dann später weitere Rettungsgeschichten

[1] Die Gestalt der Sonnentochter scheint in diesem Liede geradezu der Sonne gleichgesetzt. Das ist interessant. Es spricht für Oldenberg's Ansicht, p. 213, 214.

anschlossen? Dass diese letzteren nicht auf Naturvorgänge zu deuten sind, sondern von mythischen Menschen handeln, darin stimme ich ganz mit OLDENBERG überein; aber könnte der Ausgangspunkt nicht doch der oben vermuthete sein? Das wäre interessant und würde unter Anderem auch wieder für die Ansicht sprechen, dass die Indogermanen schon in der Urzeit das Meer kannten.

(Fortsetzung folgt.)

Die Lautwerthbestimmung und die Transscription des Zend-Alphabets.

Von

Friedrich Müller.

Den Anlass zu der vorliegenden Abhandlung gab das Erscheinen der 1. Lieferung des Werkes: ‚*Grundriss der iranischen Philologie*‘, unter Mitwirkung von F. K. ANDREAS, CHR. BARTHOLOMAE, C. H. ETHÉ, K. F. GELDNER, P. HORN, H. HÜBSCHMANN, A. V. W. JACKSON, F. JUSTI, J. MARQUART, TH. NÖLDEKE, C. SALEMANN, A. SOCIN, E. W. WEST und V. ŽUKOVSKIJ, herausgegeben von WILH. GEIGER und ERNST KUHN. Strassburg. C. TRÜBNER. 1894. 8°. In diesem Werke findet sich S. 152 ff. die Lautwerthbestimmung und Transscription des awestischen Alphabets von CHR. BARTHOLOMAE, dem Verfasser des Abschnittes ‚Awestasprache und Altpersisch‘ abgehandelt. Da ich gerade an diesem Punkte vieles auszusetzen habe, so sei es mir nun gestattet, zum Nutzen und Frommen der Wissenschaft meine abweichenden Ansichten vorzutragen und zu begründen. Ich bemerke ausdrücklich, dass ich dies besonders deswegen thue, weil BARTHOLOMAE auf dem Gebiete der iranischen Lautforschung mit Recht für eine grosse Autorität gilt und seine Arbeit in allen Theilen vom Chorus der jüngeren Generation der Sprachforscher gewiss mit einem lauten weithinschallenden Ja und Amen! begrüsst werden wird. Hier gilt der Spruch: ‚Principiis obsta, sero medicina paratur.‘

BARTHOLOMAE stellt für die Awesta-Sprache die folgende Lautübersicht auf:

1 *a* 2 *ā* 3 *e* 4 *ē* 5 *ə* 6 *ə̄* 7 *o* 8 *ō* 9 *å* 10 *ą* 11 *i* 12 *ī*
13 *u* 14 *ū* — 15 *k* 16 *g* 17 *x* 18 *γ* 19 *č* 20 *j* 21 *t* 22 *d*

23 *ϑ* 24 *đ* 25 *t̰* 26 *p* 27 *b* 28 *f* 29 *w* 30 *ń* 31 *ṅ* 32 *n* 33 *n m* 34 *m* 35 *y* 36 *y* 37 *v* 38 *v* 39 *r* 40 *s* 41 *z* 42 *š* 43 *š* 44 *ś* 45 *ž* 46 *h* 47 *h́* 48 *xʷ* 49 *y*.

In der Original-Schrift entsprechen diesen Buchstaben die folgenden Zeichen:

1 [illegible] 2 [illegible] 3 [illegible] 4 [illegible] 5 [illegible] 6 [illegible] 7 [illegible] 8 [illegible] 9 [illegible] 10 [illegible] 11 [illegible] 12 [illegible] 13 [illegible] 14 [illegible] 15 [illegible] 16 [illegible] 17 [illegible] 18 [illegible] 19 [illegible] 20 [illegible] 21 [illegible] 22 [illegible] 23 [illegible] 24 [illegible] 25 [illegible] 26 [illegible] 27 [illegible] 28 [illegible] 29 [illegible] 30 [illegible] 31 [illegible] 32 [illegible] 33 [illegible] 34 [illegible] 35 [illegible] 36 [illegible] 37 [illegible] 38 [illegible] 39 [illegible] 40 [illegible] 41 [illegible] 42 [illegible] 43 [illegible] 44 [illegible] 45 [illegible] 46 [illegible] 47 [illegible] 48 [illegible] 49 [illegible].

BARTHOLOMAE wendet sein Transscriptions-Alphabet auf eine ganz originelle Weise an. Er verfährt dabei so, dass er die sogenannten Umlaut-Vocale (von den älteren Forschern Epenthese genannt) sowie auch das stumme *ə* über die Zeile schreibt. Man findet daher bei ihm: *kərᵊntaⁱti, kərᵊnaoⁱti, paⁱti, vaēnaⁱti* u. s. w.

Gegen diese über den Zeilen baumelnden Vocalzeichen — eine Geschmacklosigkeit sondergleichen — muss ich mich entschieden aussprechen. Dahinter steckt nichts anderes als ein pedantischer Rigorismus. Da doch hoffentlich die ‚Iranische Philologie' nur Sprachforscher von Fach in die Hand nehmen und studieren werden, so finde ich es ganz überflüssig, durch solches geschmackloses Zeug den Bücher-Satz zu erschweren und zu vertheuern. Der Sprachforscher vom Fach weiss, was z. B. awest. *baraiti, paiti* gegenüber altpers. *tarsatij, patij* zu bedeuten haben.[1] Mit demselben Rechte könnte ein Germanist schreiben: ich falle, du faᵉllst, er faᵉllt; gast, gaᵉste; koch, koᵉche; lob, loᵉblich u. s. w., was doch Jedermann als arge Geschmacklosigkeit rügen würde.

Mit dieser überflüssigen Künstelei ist nur in die Schrift ein Element hineingetragen, welches nicht ihr, sondern der Lautlehre

[1] Bei der Schreibung *baraⁱti* sieht man den Schulmeister mit dem erhobenen Bakel leibhaftig vor sich, wie er einem mit gerunzelten Augenbrauen zuruft: ‚Du! Du! gib Acht und bedenke genau, was das über den Zeilen baumelnde *i* hier zu bedeuten hat!'

angehört. Wenn dieses Princip von den ‚Junggrammatikern' noch weiter ausgebildet werden wird — und sie werden es gewiss thun — dann können wir es noch erleben, dass ein Sprachforscher, um die zwei *r* des Latein von einander zu unterscheiden, *sor̃or, vir̃us, gener̃is, gener̃a, Miner̃va* u. s. w. schreiben wird.

Ausser dieser ganz überflüssigen Verunzierung des Druckes habe ich, was die Form betrifft, noch Folgendes auszusetzen:

Erstens die Verwendung von umgekehrten Buchstabenzeichen (*ə, ə̄*). Wozu solche blos in den elendesten Winkeldruckereien einigermassen zu entschuldigende Nothbehelfe, über welche jeder, der nicht ein eingefleischter ‚Junggrammatiker' ist, in helles Lachen ausbrechen muss? Können wir denn nicht unser Alphabet in jener vernünftigen Weise erweitern, wie dies Lepsius in seinem Standard Alphabet mit grossem Erfolg gethan hat?

Zweitens die überflüssige Bildung neuer monstroser Figuren, wie dies bei 30 und 31 der Fall ist, wo *ń, ṅ* uns dieselben Dienste leisten.

Drittens die irreführende Verwendung mancher Zeichen. Dahin gehört vor allem 17 *x*. Das awestische ⸻ ist der Fricativlaut zu *k* und sollte durch *χ* wiedergegeben werden. Bartholomae nimmt aber dafür lieber das lateinische *x (ks!)* in Anspruch. Man kann diese unglückliche Wahl wohl kaum damit entschuldigen, dass der Autor es grundsätzlich vermeiden wollte, Zeichen aus der griechischen Schrift ins lateinische Alphabet hineinzumengen, da er ja ⸻ durch *γ*, ⸻ durch *ϑ* und ⸻ durch *δ* umschreibt. — Neben *γ, ϑ, δ* hätte *χ* wohl auch noch Platz finden können.

Warum wird zur Bezeichnung des nasalirten Vocals *a* das dem Polnischen entlehnte und typographisch unschöne *ą* angewendet und nicht lieber das gefälligere und leichter verständliche *ã*? Dann wäre es auch consequenter gewesen, nachdem ⸻ $=$ *č (tš)* gesetzt worden ist, den tönenden Laut dazu, nämlich ⸻ $=$ *ǧ (dž)* und nicht $=$ *ǰ* zu setzen.

Ich wende mich nun der Lautwerthbestimmung jener Zeichen des Awesta-Alphabets zu, in welcher nach meiner Ansicht Bartholomae sich geirrt hat.

10*

Ueber [illegible] [illegible] bemerkt BARTHOLOMAE: ‚*e* *ē* — früher *e* *ē* umschrieben — bezeichnen, wie ANDREAS gesehen hat, einen nach *u* zu liegenden *a*-Vocal, etwa *ö*² des WINTELER'schen Schemas.'

Diese ohne Beweis hingestellte Behauptung ist ganz unrichtig. Ich halte [illegible] phonetisch für gleich mit dem äthiopischen *e* (in [illegible] *le*, [illegible] *ge* u. s. w.) und zwar aus den folgenden Gründen:

1. Bezeichnet [illegible] im Pārsī *e* (das aus *a* und *i*, nicht aber aus *u* verkürzt ist) z. B.: [illegible] = [illegible], neupers. من, [illegible], [illegible] = neupers. كنم, گيرم, [illegible] = neupers. پرسد, [illegible] = neupers. پرسند, [illegible] = neupers. كه, [illegible] = neupers. مهربان, wo doch, wie ich glaube, Niemand *mön, kunöm, giröm, pursöd, pursönd, köh, möhörbān* lesen wird.

2. Dass [illegible] wirklich *e* ist, dies beweist schlagend seine Länge [illegible]. Dieses [illegible] bezeichnet im Pārsī das sogenannte *Jā-i-maǵhūl*, d. i. *ē*, z. B.: [illegible] = neupers. ديو, [illegible] = neupers. گيهان, [illegible] = neupers. خورشيد, welche Worte gewiss Niemand *dōw, gōhān, χfarśōd* aussprechen wird.

3. Sind [illegible] [illegible] sicher aus dem griechischen ε ([illegible] ist doppeltes [illegible] wie [illegible] doppeltes [illegible], [illegible] doppeltes [illegible], [illegible] doppeltes [illegible] ist) hervorgegangen, welchem blos die Lautung von *e*, nie und nirgends aber jene von *ö* zugekommen ist.

Ich finde es übrigens im höchsten Grade sonderbar, dass BARTHOLOMAE, nachdem er erkannt hat, dass [illegible] [illegible] = *ö* *ō̈* sind, nicht lieber gleich diese Buchstaben dafür in Anwendung bringt und [illegible], [illegible], [illegible] nicht *bastöm, böröta-, hjōm* schreibt.

Das Zeichen [illegible] bestimmt BARTHOLOMAE als 7 *o*, [illegible] dagegen als 8 *ō*. Diese Lautbestimmung ist, obgleich allgemein angenommen, dennoch grundfalsch. Sie geht rein nur von der Betrachtung der Schrift aus. Da [illegible] gegenüber [illegible] um einen unten angebrachten Strich vermehrt ist, so muss — so schliesst man — [illegible] die Kürze und [illegible] die Länge repräsentiren. Eine Bestätigung dafür findet man im Pārsī, wo [illegible] das sogenannte *Wāw-i-maǵhūl* bezeichnet, z. B.: [illegible] = neupers. روز, [illegible] = neupers. فرود, [illegible] = neupers. دوزخ, [illegible], [illegible] = neupers. دروغ.

Dies ist alles nicht richtig. Die Laute der beiden Zeichen 𐬋 und 𐬊 hängen mit einander phonetisch gar nicht zusammen. Das Zeichen 𐬋 kommt weder im Awesta noch auch im Pārsī selbständig vor, sondern blos in Verbindung mit vorangehendem *a*, wo es im Awesta den Diphthong *aǭ* (mit langem spitzem *o*), im Pārsī den Diphthong *au* bezeichnet, z. B.: [illegible] = neupers. نوروز, [illegible] = neupers. روغن. Das Zeichen 𐬊 dagegen repräsentirt das kurze breite *o* (*ǫ*) und seine Länge ist [illegible] (*ō*, gewöhnlich *å* umschrieben).

Dass 𐬊 wirklich den kurzen Vocal *o* (breites *o* = *ǫ*) repräsentirt, dies geht aus folgenden Punkten hervor:

Erstens daraus, dass ihm im Altpersischen regelmässig der Vocal *a* gegenübersteht, z. B.: Nomin. Sing. [illegible] = altpers. *baga*, dann [illegible] = altpers. *taχma-spāda-*, wo keine Sophisterei das lange *o* in *aspō*, *bayō-* zu erklären im Stande ist.

Zweitens aus dem Diphthonge [illegible], der nur *oi*, nicht aber *ōi* gefasst werden kann. Dieses [illegible] ist gleichwerthig mit [illegible], mit welchem es auch wechselt, z. B.: [illegible], [illegible], [illegible]. Awest. [illegible] verglichen mit altpers. *haraiwa-* steht für *haroiwǫm*. Hier den Diphthong *ōi* hineinzuklügeln, wäre doch der höchste Grad der Willkür.

Und dass 𐬋 wirklich nicht kurzes, sondern langes *o* (genauer das gespitzte, gegen *u* sich neigende *o* = *ǫ*) ist, dies beweist seine Verwendung in der Verbindung mit *a* (also *aǭ*) zur Darstellung des alten Diphthonges *au*, der ihm im Altpersischen auch entgegentritt. Diese Lautbestimmung wird auch durch den Parallelismus mit [illegible] = *aē* (richtiger *aę̄* mit spitzem dem *i* zuneigendem *e*) dem Ausdruck des alten Diphthonges *ai*, der ihm im Altpersischen auch entgegentritt, gefordert. Ist nämlich [illegible] = *aę̄*, dann muss auch [illegible] = *aǭ* sein. Dies fordert das einfache Gesetz der Logik.

Doch kann die Sache noch anders sich verhalten. 𐬋 kann vielleicht kurz sein; in diesem Falle ist dann [illegible] in [illegible] auch kurz. Man muss dann schreiben [illegible] = *aǫ*, [illegible] = *aę*, beide = alten *ai*, *au*. In diesem Falle darf [illegible] = *ē* blos am Ende des Wortes geschrieben werden und [illegible] = [illegible], in der Mitte des Wortes, ist zu vermeiden. Wenn dies richtig ist, dann hängen 𐬊 = *ǫ* und 𐬋 = *ǫ* mit einander gar nicht zusammen; beide sind Kürzen, aber 𐬋 das breite, 𐬊 dagegen das spitze *o*. 𐬋 ist, wie ich schon bemerkt habe, mit 𐬃 zusammenzustellen.

Was die Zeichen 𐬗 = 19 *č*, 𐬘 = 20 *ǰ* anbelangt, so scheint es mir, dass es das Beste wäre, bei der Wiedergabe von Original-Texten an *č*, *ǧ* oder *ć*, *ģ* festzuhalten, dagegen in sprachwissenschaftlichen Werken dafür *tš*, *dž* in Anwendung zu bringen. Die Laute *tš*, *dž* sind jedoch nicht Affricaten, wie BARTHOLOMAE meint, sondern echte Consonanten-Diphthonge. Dies sieht man deutlich, sobald man dieselben zu verlängern sucht. Man spricht dann ***tšššš***, ***džžžž*** in derselben Weise, wie man ***aiiii***, ***auuuu*** spricht.

Zwischen 𐬙 = 21 *t* und 𐬚 = 25 *ṯ* ist kein Unterschied in der Aussprache festzustellen; 𐬚 ist blos das am Schlusse des Wortes stehende mit dem auslaufenden Strich versehene 𐬙. Das Zeichen 𐬚 nach dem Pārsī und nach dem ersten Zend-Alphabet, wo es mit 𐬛 𐬘 verbunden auftritt (vgl. diese *Zeitschrift* v, S. 250), für einen tönenden Laut zu erklären, geht nicht an, da die Sprache des Awesta am Schlusse der Wörter keine tönenden Laute duldet. Ich schreibe daher für beide, nämlich 𐬙 und 𐬚 einfach *t*, da ich nicht einsehe, was mit dem Punkte oder dem Zeichen des griechischen Circumflex unterhalb des *t* für die Lautwerthbestimmung des 𐬚 gewonnen ist.

Die Zeichen 𐬡 = 29 *w* und 𐬬 = 37 *v* sind ganz unrichtig bestimmt, ein Irrthum, der leider allgemein verbreitet ist und als eingefleischt gelten kann. Ueber 𐬡 und 𐬬 bemerkt WEST (*The book of the Mainyo-i-Khard,* Glossar p. 168, Note): 'Neriosengh . . . clearly prefers using 𐬬 for *w*, and 𐬡 for *v*, which is precisely the reverse of practice of modern Zendists'. Darin hat er gewiss Recht. Wie ich in dieser *Zeitschrift* nachgewiesen habe (Bd. VIII, S. 180) ist 𐬡 aus dem Pahlawi 𐬡 hervorgegangen, während 𐬬 mit dem alten aus dem semitischen ו hervorgegangenen Zeichen (vgl. diese *Zeitschrift*, Bd. v, S. 254) in Verbindung steht. Es wird daher in den beiden überlieferten Zend-Alphabeten (vgl. diese *Zeitschrift* v, S. 250 ff.) 𐬡 mit 𐬎 zusammengestellt, während im ersten Zend-Alphabet 𐬬 mit 𐬎 verbunden erscheint. Es ist demnach ganz umgekehrt 𐬡 durch *v* (vgl. ‚Volk, Vater‘) und [illegible] durch *w* (vgl. unsere und die englische Aussprache und die Entstehung von *W* aus *VV*) wiederzugeben.

Für [illegible] ein eigenes Zeichen 33 *n m* anzusetzen ist ganz überflüssig; [illegible] unterscheidet sich von [illegible] 32 *n* durch nichts als durch die orthographische Verwendung. Dem Lautwerthe nach ist zwischen [illegible] und [illegible] kein Unterschied vorhanden.

Bartholomae setzt für *š* drei Zeichen an (42, 43, 44), ohne diese auseinanderzuhalten. Ich finde diesen Vorgang sehr sonderbar. Nach meiner Ansicht lassen sich nur zwei Zeichen, nämlich [illegible] und [illegible] als zu Recht bestehend begründen. Dann aber sollte man dieselben auch in der Transscription von einander scheiden. Ich schreibe für [illegible] = *š*, für [illegible] dagegen *šh*.

Die Definition des Zeichens [illegible] (gewöhnlich [illegible]) = 48 *x*ᵘ als ‚labialisirtes *x*‘ scheint mir ein pures Unding zu sein. Der betreffende Laut ist ursprünglich nichts anderes als *hw*.[1] Dieses *hw* gieng später durch Erhärtung des *h* und Schwund des ihm folgenden *w* in den einheitlichen Laut [illegible] (= Pahl. [illegible]), armen. [illegible], neupers. خو (ich möchte daher für [illegible] *q* schreiben, um die harte Aussprache des *χ* zu bezeichnen) über.

Zwischen [illegible] = 35 *y* und [illegible] = 49 *y* war einmal ein phonetischer Unterschied vorhanden, gegenwärtig aber lässt er sich nicht aufrechterhalten.

Ich möchte nach dem in den vorangehenden Zeilen Dargelegten an Stelle des überaus schwerfälligen, theilweise unrichtigen und überladenen Transcriptionssystems Bartholomae's das nachfolgende Schema zur Anwendung empfehlen. Dieses Schema schliesst sich so viel als möglich an die von Lepsius im Standard Alphabet vertretenen Grundsätze an und stellt an die Leistungsfähigkeit jeder Druckerei keine besonderen Anforderungen, ein Punkt, der nach meiner Ansicht nicht ganz aus den Augen gelassen werden darf.

[1] Dass man im Altpersischen für *hwa uwa* schreibt, ist ganz natürlich. Der Laut *h* scheint im Altpersischen so schwach geklungen zu haben, dass er förmlich überhört wurde. Darauf gründet sich die Schreibung *ϑaatij* für *ϑahatij*, *dārajawauš* für *dārajawahuš*, *wiwaana* für *wiwahana*, *baga* für *bagah* u. s. w. Dass aber dieses *h* doch noch manchmal gehört wurde, dies beweist der Eigenname *Κυαξάρης* = altpers. *uwaχštara* (vgl. diese *Zeitschrift* vii, S. 112).

A. Vocale.

1. Einfache Vocale: [illegible].

2. Echte Diphthonge: [illegible].

3. Umlaut-Diphthonge: [illegible].

B. Consonanten.

[illegible]

A. Vocale.

1. Einfache Vocale: *a ā i ī u ū ę ę̄ e ē o (ǫ) å (ǭ) ā̆.*

2. Echte Diphthonge: *aē (aę?) oi ę̄ē āi aō (aǫ?) ę̄u āu.*

3. Umlaut-Diphthonge: *ai āi ui ūi ei au āu ę̄u ou aēi (aęi?) aōi (aǫi?) aēu.*

B. Consonanten.

k g χ χ̇ q h γ ṅ

ć (tš) ǵ (dž) š šh ž ń

t d ϑ s δ z n

p b f v m

j w r ṙ.

Im Anschluss an die Betrachtung der Zend-Schrift und ihrer Transscription sei es mir gestattet, einige Bemerkungen über die Transscription der asiatischen Schriftsysteme (Sanskrit, Zend und Armenisch) in BRUGMANN's *Grundriss der vergleichenden Grammatik der indogermanischen Sprachen* hier niederzulegen.

BRUGMANN's Transscription ist nicht genau und nicht consequent. Er transscribirt altind. च, ज, awest. 𐬗, 𐬘 mit *c, j,* dagegen die ihnen vollkommen entsprechenden armen. ճ, ջ mit *č, ǰ,* während er *c, j* für armen. ծ, ձ anwendet. Dass armen. չ = *ç̌* und ց = *ç*, soviel wie *thš* (d. i. *th* + *š*), *ths* (d. i. *th* + *s*) bedeuten, ist ganz unrichtig; չ, die Aspirate von ճ, ist *tšh*, d. i. *tš* (ճ) + *h* und ց, die Aspirate von ծ, ist *tsh*, d. i. *ts* (ծ) + *h*. Die altindischen ‚aspirirten tonlosen Verschlusslaute' (ख, छ, ठ, थ, फ) bezeichnet Brugmann durch *kh*, *ch*, *ṭh*, *th*, *ph*; dagegen die armenischen ք, թ, փ, welche er ‚aspirirte Tenues' nennt, durch *k'*, *t'*, *p'*. Armen. խ ist ihm *x* (mir ist es *χ*), ein ‚tiefgutturales *ch*'. Nach meiner Meinung ist խ = neup. خ, awest. 𐬑 und ք = neup. خو (mit واو معدوله), awest. 𐬓 (= Pahl. ր).

Ueber die altindischen Laute, welche in च, छ, ज, झ stecken, bemerkt Brugmann: ‚Die Palatalen *c*, *ch*, *j*, *jh* spricht man gewöhnlich wie die (zusammengesetzten) *tsch*-Laute, z. B. die Anfangslaute von *ca* ‚und' und *janas* ‚Geschöpf', wie die Anfangslaute der italienischen *cento* und *gente*, oder diejenigen der englischen *church* und *judge*. Es waren aber einfache Laute, ähnlich unserem *k* und *g* vor palatalen Vocalen, z. B. in *Kind*, *Gift*.'

Beiläufig bemerke ich, dass Brugmann die in den armenischen Zeichen ճ, չ, ջ, ծ, ց, ձ steckenden Laute, die man ‚wie *tš*, *thš*, *dž*, *ts*, *ths*, *dz* sprechen soll', ‚Affricatae' nennt, welche Bezeichnung, gegenüber der oben für die indischen Palatalen angewendeten, nur zu einer Confusion führen kann.

Dass nun die in den indischen Zeichen च, छ, ज, झ steckenden Laute nicht einfache Laute sind (sie waren es in der Ursprache, aber nicht mehr im Arischen, d. i. im Indo-Iranischen), dies beweist schon der Umstand, dass च im Auslaute nicht stehen darf, was ihm, falls es ein einfacher Laut wäre, gestattet sein müsste. Ferner, wenn च die Geltung des *k* in *Kind* hätte, dann müsste man ihm das verwandte *k* assimiliren und für *wāk-ća* = *wāćća* (वाच्च) sagen können. Im Gegentheile sagt man *wāk-ća*, *pṛthag-ǵana-*, aber für *tat-ća* = *taćća* (तच्च), für *tad-ǵajati* = *taǵǵajati* (तज्जयति), was man nicht sagen könnte, wenn nicht च = *tš*, ज = *dž* mit *t*, *d*, den ersten Bestandtheilen der Lautgruppen *tš*, *dž* lautverwandt wären.

Nach meiner Ansicht sind altind. च, छ, ज, झ echte Consonanten-Diphthonge, beziehungsweise Triphthonge, und phonetisch als *tš*, *tšh*, *dž*, *džh* zu schreiben.

Vom Visarga sagt BRUGMANN: ‚ḥ (Visarga) ist unser *h*.‘ Und von ह bemerkt er: ‚*h* spricht man wie unser *h*; doch war es ein tönender Laut, dessen Charakter zweifelhaft ist‘.[1] Dann heisst es weiter vom zendischen ꭥ: ‚*h* ist unser *h* (nicht = altind. *h*, d. i. ह)‘.

Nach meinem Dafürhalten sind ह und ꭥ der Aussprache nach (nicht dem Ursprunge nach) vollkommen gleich; sie entsprechen unserem *h*. Dagegen ist der Visarga das stumme *h* der Slaven. Dieses *ḥ* klingt wie das neupersische *h* in ده, شه, oder beinahe wie ein schwach gesprochenes arabisches ح. Man hört stets den ihm vorangehenden Vocal nachklingen, also देवः wie *dēwaḥa*, कविः wie *kawiḥi*, भानुः wie *bhānuḥu*.

Ich möchte daher für das Altindische und das Armenische das nachfolgende Transscriptionssystem vorschlagen:

I. Altindisch.

a ā i ī u ū r̥ r̥̄ l̥ ē āi ō āu ă ā̆ ĭ ī̆ ŭ ū̆ r̥̆ r̥̄̆ ĕ ăĭ ŏ ăŭ k kh g gh
ṅ ć (tš) ćh (tšh) ǵ (dž) ǵh (džh) ń ṭ ṭh ḍ ḍh ṇ t th d dh n p ph
b bh m j r l w š ṣ s h ḥ.

Ich schreibe daher: *ăśus, swādĭjā̆sam, wĭśati, ǵjōtĭṣi, pūsas, ćakṣū̆ṣi br̥̆hati, nr̥̆štša, pū̆ńsjam.*

II. Armenisch.[2]

a i u o e ē ę j w ea aj oj au iu r (ր) ŕ (ռ) l (լ) λ (ղ) n m k t
p g d b q̇ th ph tš tšh dž ts tsh dz χ s z š ž h (յ), ḥ (հ).

Daher: տրդատայ *trdatah*, մարդոյ *mardoh*, ամենայն *amenajn*, քոյր *q'ojr*, յիսուն *hisun* (BRUGMANN's *yisun* ist mir unverständlich), հայր *ḥajr*.

[1] Wenn man weiss, dass ह ein tönendes *h* ist und dass es das Residuum des Aspirations-Processes von *gh*, *ǵh*, *dh*, *bh* darstellt, dann ist sein Charakter gar nicht zweifelhaft.

[2] Ich gebe die Zeichen in derselben Reihenfolge, wie sie sich bei BRUGMANN I, S. 27 finden. Als Verfasser einer ‚*Vergleichenden Grammatik*‘ ist man nicht gezwungen, sich an das Transscriptions-System eines Specialforschers zu halten, im Gegentheil ist man verpflichtet, ein für alle Sprachen, die der lateinischen Schrift sich nicht bedienen, geltendes einheitliches Transscriptions-System durchzuführen. Es berührt einen höchst sonderbar, wenn man erfährt, *c* sei im Sanskrit und in der Awestasprache wie *tš*, im Armenischen dagegen wie *ts* auszusprechen.

Warum Brugmann an Stelle der armenischen այ, ոյ — *ai*, *oi* schreibt und die in der Orthographie begründete Schreibweise absichtlich meidet, vermag ich nicht zu enträthseln.

Das, was Brugmann, S. 26, Anmerkung, über den Charakter der altpersischen Keilschrift bietet, ist verworren und theilweise unrichtig; er scheint darnach die altpersischen Keilinschriften sich nie angesehen zu haben.

Die altpersische Keilschrift war ursprünglich eine Silbenschrift, sie ist aber auf dem Wege zur Lautschrift und zwar zur unreinen Lautschrift mit inhärirendem *a* (gleich der indischen),[1] sich zu entwickeln. Man findet daher in ihr alle drei Systeme, nämlich jenes der Silbenschrift, jenes des Uebergangsstadiums von der Silbenschrift zur Lautschrift, und jenes der Lautschrift vereinigt.[2] Dem ersteren System gehören die Zeichen für *d* (𐎭 vor *a*, 𐎮 vor *i*, 𐎯 vor *u*) und *m* (𐎶 vor *a*, 𐎷 vor *i*, 𐎸 vor *u*), welche eigentlich *da, di, du, ma, mi, mu* sind, an. Dem Uebergangsstadium von der Silbenschrift zur Lautschrift (zwei verschiedene Zeichen besitzend) gehören an: *t* (𐎫 vor *a* und *i*, 𐎬 vor *u*), *n* (𐎴 vor *a* und *i*, 𐎵 vor *u*), *r* (𐎼 vor *a* und *i*, 𐎽 vor *u*) *w* (𐎺 vor *a* und *u*, 𐎻 vor *i*). Zweifelhaft (ob der ersten oder der zweiten Reihe angehörend) sind *k* (𐎣 vor *a*, 𐎤 vor *u*; das Zeichen vor *i* ist nicht

---

[1] Auch die indische Schrift war ursprünglich eine Silbenschrift oder richtiger indifferente Consonantenschrift und trägt in Betreff der inneren Form ihren semitischen Ursprung noch deutlich an sich. Da die Anbringung der Vocalzeichen oberhalb und unterhalb der Consonantenzeichen in der indischen Schrift und in den Schriften der Semiten (vgl. die Vocalisation der Araber und der Hebräer, und zwar sowohl die gewöhnliche als auch die von S. Pinsker entdeckte) eine gewisse Uebereinstimmung zeigt, so scheint es, als ob schon die altsemitische Schrift zwar nicht auf Denkmälern, aber im täglichen Verkehr, besonders im Gebrauche der Kaufleute, Punkte oder Striche bald oberhalb bald unterhalb der Consonantenzeichen zur näheren Bezeichnung der Vocale besessen hätte. In der indischen Schrift mussten gleich bei ihrer Einführung die Zeichen für die Vocale in Anwendung treten, da der Vocal im Indischen eine ganz andere Bedeutung hat als in den semitischen Sprachen. Dabei blieb jener Vocal, der am häufigsten vorkommt, nämlich *a*, gleichwie in der altpersischen Keilschrift, unbezeichnet.

[2] Dasselbe ist auch innerhalb der ägyptischen Hieroglyphen-Schrift der Fall.

vorhanden), *g* (𐎥 vor *a*, 𐎦 vor *u*; das Zeichen vor *i* fehlt), *ž* (𐎩 vor *a*, 𐎪 vor *i*; das Zeichen vor *u* ist nicht vorhanden).

Dem System der reinen Lautschrift gehören an: *ϑ* (𐎰), *p* (𐎱), *b* (𐎲), *j* (𐎹), *s* (𐎿), *š* (𐏁) und wahrscheinlich auch *z* (𐏀), *h* (𐏃). Zweifelhaft, ob dem System der Lautschrift, oder jenem des Uebergangsstadiums von der Silbenschrift zur Lautschrift angehörend, ist *ć (tš)*, von welchem sich das Zeichen 𐎨 blos vor *a* und *i* nachweisen lässt.

Ganz zweifelhaft, welchem der drei Systeme angehörend, sind *χ* (𐎧) und *f* (𐎳), welche blos vor *a* nachgewiesen werden können.

Die Schwierigkeit, welche dem exacten Lesen der altpersischen Keilinschriften sich entgegenstellt, besteht nicht blos darin, dass der vocallose und der mit dem Vocal *a* verbundene Consonant ganz gleich bezeichnet erscheinen, sondern auch in dem Umstande, dass ausser bei *d* und *m* die einfachen Vocale *i* und *u* und die mit ihnen verwandten Diphthonge *ai*, *au* von einander nicht geschieden werden. Darnach sind zwar *di*, *du*, *mi*, *mu* von *dai*, *dau*, *mai*, *mau* geschieden, nicht aber *ti* und *tai* (wohl aber *tu* und *tau*), *ni* und *nai* (wohl aber *nu* und *nau*), noch weniger *ϑi*, *ϑu* und *ϑai*, *ϑau*, *ši*, *šu* und *šai*, *šau*. Daher kann HUMWRZ sowohl *humawarza*, als auch ebenso gut *haumawarza* gelesen werden (letzteres ist deswegen richtiger, weil *hu* sonst im Anlaute als *u* erscheint), NDITBIR *nadĭtabira* oder *nadĭtabaira*, JUTIJA *jutijā* oder *jutaijā* oder *jautijā* oder *jautaijā* u. s. w. Ganz unrichtig ist die Bemerkung BRUGMANN's: ‚So kann denn z. B. mit *ma* + *a* (*mā*), sowohl *mā* als *ma*[1] gemeint sein', die wohl nur auf einem argen Missverständniss beruhen kann.

[1] *ma* kann nur entweder *ma* oder *m* sein.

Ku Yen-wu's Dissertation über das Lautwesen.

Von

Dr. A. von Rosthorn.

(Mit einer Reimtafel.)

Ku Yen-wu (顧炎武), *alias* T'ing-lin (亭林), war 1613 im K'unshan (崑山) District, Präfectur Suchou, geboren und starb im Jahre 1682.[1] Er war einer der hervorragendsten Kenner und Schriftsteller auf dem Gebiete der chinesischen Sprachgeschichte. Sein Hauptwerk erschien im Jahre 1643 unter dem Titel ‚Yin hsüo wu shu' (音學五書), ‚Fünf Bücher zur Lautforschung'. Einige Nachträge, wie das Yün pu chêng (韻補正), sind in seinen nachgelassenen Schriften, T'ing lin i shu (亭林遺書), enthalten.

Die genannten ‚Fünf Bücher zur Lautforschung' sind folgenden Inhalts:

1. Yin lun (音論), ‚Dissertation über das Lautwesen', 1 Heft;
2. Shih pên yin (詩本音), ‚Die ursprünglichen Lautwerthe im Shih', 10 Hefte;
3. I yin (易音), ‚Die Lautwerthe des I', 3 Hefte;
4. T'ang yün chêng (唐韻正), ‚Die Reime der T'ang Dynastie wiederhergestellt', 20 Hefte, und
5. Ku yin piao (古音表), ‚Uebersicht der alten Laute', 2 Hefte.

Die Sammlung ist eine wahre Fundgrube für den Sprachhistoriker und harrt, wie so manches andere Werk der einheimischen Literatur, einer besseren Würdigung und eingehenderen Beachtung,

[1] Watters, *Essays on the Chinese Language*, p. 85.

als ihr bisher zu Theil geworden ist. Im Folgenden sei mit dem Yin lun ein Anfang gemacht.

In einer höchst interessanten Einleitung in der Form eines Schreibens an einen gewissen Li Tzŭ-tê (李子德) beklagt sich der Autor über die unverantwortlichen Aenderungen, welche man aus Unkenntniss der alten Lautwerthe in den alten Texten vorgenommen, um die Reime der jeweiligen Aussprache anzupassen. Wenn es z. B. Shu (Cap. Hung fan) hiess

無偏無頗　遵王之義

was Legge übersetzt:

> Without deflection, without unevenness,
> Pursue the Royal righteousness;[1]

so glaubte man den Reim dadurch herzustellen, dass man das Zeichen 頗 *p'o* durch das Synonym 陂 *p'i* ersetzte, welches zu 義 *i* besser zu passen schien. Nun war aber der alte Lautwerth von 義 nicht *i* sondern *ngo*, was wohl mit *p'o*, aber nicht mit *p'i* reimt. Und ähnlicher Beispiele führt Ku noch eine ganze Reihe an. Der Unfug der Textverstümmelung nahm in der Periode K'aiyuan (713—741) der T'ang Dynastie seinen Anfang und ist deshalb beklagenswerth, weil die alten Texte in vielen Fällen nicht mehr herzustellen sind und die Lautforschung dadurch ausserordentlich erschwert wird.

Unser Autor schliesst sich der Ansicht an, welche vor ihm von Ch'ên Ti (陳第) vertreten worden war, dass die Wörter in der alten Poesie immer in ihren ursprünglichen Lautwerthen (本音) zu nehmen seien und sich nicht den Reimen anpassten (非叶韻).[2] Unter den Beispielen sei nur eines erwähnt, um den Manen des verstorbenen Terrien de Lacouperie einen Tribut zu zollen. Das Zeichen 能, jetzt *nêng* gelesen, findet sich als Reim zu 臺 *t'ai* und ist im Kuang yün in der Reimclasse 咍 *t'ai* angeführt. Da es unzweifelhaft das Phoneticum von 熊 ist, so mag der Name des Kaisers Huang-ti in der That einmal *Nai* gelesen worden sein. Damit will

[1] Legge, *Chinese Classics*, p. 331.

[2] Watters, *Essays*, p. 83.

indessen nicht gesagt sein, dass die Identificirung dieses Patriarchen mit dem König Nakhunte von Elam gut zu heissen ist.[1]

Die Reconstruction der alten Lautwerthe war die Aufgabe, welche Ku Yen-wu sich stellte. Er ging dabei ganz in derselben Weise vor, wie die moderne Philologie es thut, indem er den Lautwandel zeitlich rückwärts verfolgend erst die Reime der T'ang Dynastie wiederherstellte und von diesen ausgehend die Lautwerthe im Shih und I untersuchte. Die kritische Methode, verbunden mit der ungewöhnlichen Sachkenntniss, welche die Schriften unseres Autors bekunden, verleihen ihnen jenen hohen Werth für die Sprachgeschichte, auf welchen ich bereits hingewiesen habe.

Das Yin lun ist gleichsam eine Einleitung zu den anderen, mehr encyclopädischen Werken der Sammlung und erörtert die allgemeinen Grundbegriffe und Principien, welche sich aus der Vergleichung der Thatsachen und der Kritik der einschlägigen Literatur für den Autor ergeben haben. Das Buch zerfällt in drei Abschnitte. Der erste Abschnitt enthält eine vergleichende Uebersicht der ältesten phonetischen Wörterbücher; der zweite ist vorwiegend der Besprechung der Töne gewidmet, und der dritte Abschnitt handelt von der phonetischen Transscription.

In der modernen Sprache bedeutet 聲 *shêng* entweder a) jedweden Laut, ohne Rücksicht auf dessen Verwendung zu Zwecken der Mittheilung, oder b) den eigenthümlichen Tonfall, welcher in isolirenden Sprachen der Silbe als Träger einer bestimmten Bedeutung zukommt. 音 *yin* dagegen ist ein Sprachlaut oder Lautcomplex, ohne Rücksicht auf Betonung und Sinn, welche ihn erst zum Worte machen. 韻 *yün* endlich ist die tontragende Silbe, das phonetische Aequivalent eines Wortes oder Schriftzeichens; wird aber auch in der engeren Bedeutung von Reim gebraucht. Die Reimendung an einem einsilbigen Worte begreift den vocalischen Inlaut mit oder ohne consonantischem Auslaut und behaftet mit einem bestimmten Tonfall in sich.

[1] Terrien de Lacouperie, *Western origin of the Early Chinese Civilisation*, pp. 320 f.

Ku weist nach, dass der Ausdruck *yün* sich in dieser Bedeutung bei den Schriftstellern der Han und Wei Perioden nicht findet, sondern erst in der Ch'in Periode oder noch später aufkam. Der erste, der ihn gebrauchte, soll Lu Chi (陸機) gewesen sein, welcher 261 bis 303 lebte.[1] Die Alten bezeichneten mit *yin* das, was wir jetzt unter *yün* verstehen, das phonetische Aequivalent eines Wortes (聲成文謂之音).

Einen ähnlichen Bedeutungswandel erfuhr das Zeichen 文 *wên*, welches bis zur Ch'in Periode die allgemeine Bezeichnung für das geschriebene Wort war und noch einen Hinweis darauf enthält, dass die älteste Schrift eine Bilderschrift war. Als dann im 2. und 3. Jahrh. v. Chr. die Ku wên Schrift durch die Hsiao chuan und Li shu ersetzt wurde, ging der bildliche Charakter der Schrift verloren, die graphischen Symbole wurden fortan als 字 *tzŭ* bezeichnet und *wên* nahm die Bedeutung einer literarischen Composition an.

Die Erkenntniss und Beschreibung der vier Tonclassen wird Gelehrten des 5. Jahrh. zugeschrieben, insbesondere Chou Yü (周顒) und Shên Yo (沈約),[2] deren Werke uns nicht erhalten sind; allein es ist wahrscheinlich, dass dieselben schon früher, und zwar in jener Periode bekannt wurden, als die indischen Missionäre die buddhistischen Bücher übersetzten und zu diesem Behufe ein phonetisches Transscriptionssystem einführten. Der Beginn dieser Thätigkeit lässt sich zeitlich nicht genau feststellen, doch scheint sie zu dem Studium des Lautwesens den ersten Anstoss gegeben zu haben.

Als das erste phonetisch (nach Reimen) geordnete Wörterbuch gilt das Ch'ie yün (切韻) des Lu Fa-yen (陸法言), welches 601 veröffentlicht wurde.[3] Ihm folgte im Jahre 751 das T'ang yün (唐韻) des Sun Mien (孫愐).[4] In der Periode Yunghsi (984—987) der Sung Dynastie endlich erschien das Kuang yün (廣韻),

---

[1] WATTERS, *Essays*, p. 41.

[2] Ib. p. 42.

[3] Ib. p. 47.

[4] Ib. p. 50.

welches uns in einer Ausgabe von 1008 erhalten ist,[1] das älteste phonetische Wörterbuch, welches wir kennen.

Aus den Traditionen über die verlorenen Werke der Sui und T'ang Perioden, welche Ku gesammelt hat, ergibt sich, dass das Kuang yün bloss eine neue Auflage des T'ang yün war und dieses sich kaum wesentlich vom Ch'ie yün unterschieden haben dürfte. Jedenfalls ist die Anordnung und das ihr zu Grunde liegende phonetische System unverändert geblieben und auch die Aussprache scheint nicht die der Sung, sondern jene der T'ang Dynastie zu sein.

Für die Kenntniss der alten Auslaute also ist das Kuang yün unsere älteste Quelle und gibt uns die Auslaute (und Töne) der T'ang-Dynastie. Diese sind in der ersten Rubrik der angehängten Tafel wiedergegeben. Im Original sind sie jedoch einfach im verticalen Sinne in der Reihenfolge der vier Töne aufgezählt, und für die Anordnung der zusammengehörigen Reime in horizontalen Colonnen, nach dem Muster des Yün fu t'ung piao (韻府通表) in Chalmers' *Concise K'anghi* bin ich selbst verantwortlich.

Das Kuang yün hat wie seine Vorgänger, das Ch'ie yün und das T'ang yün, fünf Bände. Das *p'ing shêng* umfasst zwei Bände, jede der andern Tonclassen je einen Band. Die Reime, welche dem ersten Ton angehören, sind demgemäss in zwei Gruppen getheilt, welche als *shang* und *hsia* bezeichnet sind, und die Zählung beginnt bei der zweiten Serie von neuem. Es ist naheliegend, an die moderne Spaltung des *p'ing* Tones in einen oberen und unteren zu denken; es zeigt sich jedoch bei näherer Betrachtung, dass nicht nur diese Vermuthung völlig grundlos, sondern ein innerer Eintheilungsgrund überhaupt nicht vorhanden ist. Man wird demnach Ku Recht geben, wenn er auf Grund beigebrachter Zeugnisse behauptet, dass die besagte Eintheilung eine rein äusserliche ist und nur darauf beruht, dass die Wörter der *p'ing* Classe eben doppelt so zahlreich waren wie die jeder anderen und deshalb in zwei Bänden untergebracht wurden. Dass der zweite Band mit einer neuen Zahlenserie beginnt, ist somit eine blosse Formsache.

---

[1] Watters, *Essays*, p. 59.

Das Kuang yün enthält 206 Reimendungen, und zwar 57 im ersten, 55 im zweiten, 60 im dritten und 34 im vierten Ton. Die auf unserer Tafel in eine Spalte zusammengezogenen Reime sind indessen schon im Kuang yün als vertauschbar (同用) bezeichnet und Ku zieht daraus den berechtigten Schluss, dass die Tafel der 206 Reimendungen aus einer viel früheren Periode, vielleicht von Shên Yo, übernommen sei und nur die Zusätze aus der T'ang Dynastie stammen. Wenn diese Ansicht richtig ist, so hätte es in dieser Periode nur mehr 115 verschiedene Reime gegeben.[1]

Die Vereinfachung des Auslautsystems macht in der nächsten Zeit noch weitere Fortschritte. Das nächste Werk, welches uns erhalten ist, ist das Li pu yün lüo (禮部韻略),[2] welches nach Ku im Jahre 1037 erschien und dessen älteste uns bekannte Ausgabe das Datum 1162 trägt. Die Zahl und Anordnung der Reimendungen stimmt im Allgemeinen mit jener des Kuang yün überein. Im Einzelnen sind, wie aus der angehängten Tafel ersichtlich, einige Abweichungen zu verzeichnen. Im ersten Ton finden wir 殷 ersetzt durch 欣 und 桓 durch 歡. Diese Aenderungen waren bedingt durch den Usus, dass die Zunamen der Kaiser (御名) der regierenden Dynastie dem ‚Tabu' unterworfen waren (避諱), d. h. ausser Gebrauch gesetzt wurden. Das erste der beiden Zeichen war im Namen Hsüan tsu's, des Vaters des Begründers der Dynastie, das zweite im Namen Ch'in tsung's enthalten.[3] Wir sehen ferner, dass die Reimgruppen 文 und 殷 (xii), welche im Kuang yün noch auseinandergehalten wurden, im Yün lüo in allen vier Tonclassen zusammenfallen. Die letzten drei Gruppen des Kuang yün endlich sind in dem späteren Werke in zwei Gruppen (xxix, xxx) vereinigt. Einige unwichtige Abänderungen übergehe ich, indem ich auf die Tafel verweise. Die 115 Reimgruppen, welche in der T'ang Dynastie thatsächlich noch

[1] 32 im *p'ing*, 31 im *shang*, 33 im *ch'ü* und 19 im *ju shêng*.

[2] Watters, *Essays*, p. 61.

[3] Nicht nur diese Zeichen selbst waren ausser Gebrauch gesetzt, sondern auch alle Composita derselben. So fehlen im Yün lüo 29 Zeichen, in welchen 桓 vorkommt, 13 Zeichen mit 匡, dem Namen T'ai tsu's, 20 Zeichen mit 構, dem Namen Kao tsung's, etc.

verschieden waren, sind in der Sung Periode auf 108 reducirt, die Fiction der 206 Reime jedoch auch im Yün lüo noch aufrecht erhalten. Die Reduction soll das Werk Ting Tu's (丁度) gewesen sein, gegen den Ku die Anklage grosser Ungenauigkeit und Willkür erhebt. Uebrigens war das Yün lüo bloss ein Compendium für den Gebrauch der Studierenden und enthält gegenüber den 26,194 Zeichen des Kuang yün nur 9,590 Zeichen, vermehrt um 2,655 in der Ausgabe Mao Huang's (毛晃). Ein umfassenderes Werk soll fast gleichzeitig (1039) von Ting Tu, Li Shu (李淑) u. A. unter dem Titel Chi yün (集韻) herausgegeben worden sein, ist uns aber nicht erhalten.[1]

Der Uebergang zu dem modernen Auslautsystem vollzog sich noch im Laufe der Sung Dynastie. Ueber die Fortschritte, welche man im 11. und 12. Jahrh. in der Behandlung der Lautlehre machte, sei auf die vortreffliche Darstellung von Watters verwiesen. Der erste, der sich entschloss mit dem überlieferten System zu brechen, war Liu Yuan (劉淵) in seiner Ausgabe des Li pu yün lüo vom Jahre 1252.[2] Er war es, der durch die Elimination der Doppelformen in der alten Reimtafel das System von 107 Reimendungen gewann.[3] Durch diese zeitgemässe Aenderung verfällt er denn auch der tadelnden Kritik Ku Yen-wu's, dem es mehr um die Reconstruction des Lautwesens der Ch'in und Han Perioden zu thun ist, denn um eine getreue Wiedergabe der Laute der Sung.

Liu Yuan's Reimtafel wurde indessen zur allgemein giltigen und wurde auch von Huang Kung-shao (黃公紹) im Yün hui chü yao (韻會舉要) unverändert angenommen.[4] Dieses Wörterbuch erschien im Jahre 1292 und ist das dritte Werk, welches Ku zur Vergleichung heranzieht. In der That überblickt man in der Zusammenstellung der drei Tafeln, welche wir reproduciren, eine fast tausendjährige Geschichte der Auslaute, und diese sind, wie jeder

[1] Watters, *Essays*, p. 60.
[2] Ib. p. 72.
[3] Je 30 im 1., 2. und 3., 17 im 4. Ton.
[4] Watters, *Essays*, p. 75.

weiss, das schwierigste Capitel der chinesischen Lautgeschichte. Eine weitere Neuerung im Yün hui ist die, dass die Wörter in jeder Reimclasse nach den Anlauten, und zwar in der Reihenfolge des Sanskrit-Alphabets, angeordnet sind. Es werden 36 (consonantische) Anlaute unterschieden. Diese Anordnung soll von Wu Yü (吳棫) in seinem Yün pu (韻補) zuerst angewendet worden sein (12. Jahrh.).[1]

Vergleicht man die Reimtafel des Yün hui mit dem modernen System, etwa mit dem Index des P'ei wên yün fu (佩文韻府) von 1711 oder mit Chalmers' *Concise K'anghi*, so ergibt sich, dass das letztere nur um einen Reim weniger, also 106 Reime hat. Der zweite Ton der Gruppe xxiv fällt nämlich jetzt mit dem der Gruppe xxv zusammen und wird durch das gemeinsame Zeichen 迥 ausgedrückt. Diese letzte Revision scheint bereits im Yün fu ch'ün yü (韻府羣玉) der Brüder Yin (陰) vorgenommen zu sein und die moderne Reimtafel somit in den Anfang des 14. Jahrh. zurückzugehen.

Wir gehen nun zum zweiten Abschnitt des Yin lun über. Der Verfasser kommt auf das Eingangs besprochene Thema zurück und plaidirt für die Ansicht Lu Tê-ming's (陸德明), dass die Alten es mit ihren Reimen nicht sehr genau nahmen und man daher nicht voreilig die Texte ändern sollte (古人韻緩不煩改字). Er begründet diese Hypothese damit, dass die älteste Poesie Volkspoesie war und zumeist mündlich überliefert und nicht aufgezeichnet wurde (多以風誦不專在竹帛). Als die Lieder dann aufgezeichnet wurden, konnte man auch nur die bildlichen Symbole und nicht die Laute wiedergeben. Bis gegen Ende der Han Dynastie hatte man kein phonetisches System der Lautbezeichnung. Im Shuo wên (說文, 121 u. Z.) sind die Lautwerthe noch durch Homonyme ausgedrückt. Dass diese primitiven Angaben mit den ausgebildeten Methoden späterer Zeiten nicht immer übereinstimmen konnten, ist leicht einzusehen. Die als *fan ch'ie* (反切) bezeichnete phonetische Transcription ist vom Westen (西域) nach China gekommen und kam in den Ch'i und Liang Perioden (479—556) zu allgemeiner An-

[1] Watters, *Essays*, p. 69.

wendung. Reimwörterbücher nehmen mit dem Ch'ie yün des Lu Fa-yen ihren Anfang, und nun fing man an, Unterscheidungen zwischen Wörtern zu machen, welche gleichlautend waren, aber verschiedenen Reimclassen angehörten (音同韻異), wie 東, 冬 und 鍾 u. dgl.[1] Da man von der Ansicht ausging, dass man es im Shih mit lauter reinen Reimen zu thun habe, so wurden die Wörter, welche sich nicht in das System fügen wollten, entweder durch andere ersetzt, oder es wurden ihnen exceptionelle Lautwerthe (叶音) supponirt und die Zeichen in die betreffenden Reimclassen eingereiht. Dieser Process, welchen Wu Yü in seinem Mao shih pu yin (毛詩補音) auf die Spitze trieb, brachte es mit sich, dass ein und dasselbe Zeichen in allen möglichen Reimclassen zu finden war, nur nicht in seiner eigenen. Kurz, es wurde das Lautsystem der T'ang und Sung Perioden mit seinem entwickelten Tonwesen und seinen feinen Unterscheidungen der Reimendungen zur Norm gemacht und die alte Sprache demselben adaptirt, und gegen diese Vergewaltigung erhebt Ku Einspruch. Er möchte in der alten Sprache nur 10 Reimgruppen unterscheiden, denen die Reime des Kuang yün ungefähr entsprächen wie folgt:

I. 東 冬 鍾 江
II. 脂 之 微 佳 皆 灰 咍
III. 魚 虞 模 侯
IV. 眞 諄 臻 文 殷 元 魂 痕 寒 桓 刪 山 先 仙
V. 蕭 宵 肴 豪 幽
VI. 歌 戈
VII. 陽 唐
VIII. 耕 淸 靑
IX. 蒸 登
X. 侵 覃 談 鹽 添 咸 銜 嚴

Die Wörter unter 支 wären zu vertheilen auf II und VI, jene unter 麻 auf VI und III, jene unter 庚 auf VII und VIII, jene

[1] Siehe Reimtafel am Ende.

unter 尤 auf u und v. Wie man in den obigen 10 Gruppen gleichartiges geschieden, so habe man in den letzten vier Gruppen verschiedenartiges zusammengeworfen. Das war das Werk der Gelehrten der Sung und Ch'i Perioden (420—501) und deren Epigonen.

Es war dies, wie gesagt, der Anfang einer neuen Aera für die Lautforschung und Chou Yü und Shên Yo waren die Begründer der neuen Schule, auf welche Ku Yen-wu keineswegs gut zu sprechen ist. Das *fan ch'ie* System ermöglichte eine genauere Fixirung der Lautwerthe und die vier Tonclassen wurden Gegenstand der Bearbeitung. Die Unterscheidung der letzteren scheint in der Periode Yung-ming (483—493) begonnen zu haben und nahm unter den Dynastien der Liang und Ch'ên (6. Jahrh.) feste Gestalt an. Vor 502 wurden in Chiangtso (Kiangnan) *ch'ü* und *ju* Wörter noch unterschiedslos gebraucht, bald nachher aber unterschieden. Nanking war zu dieser Zeit Sitz der Regierung und die Sprache von Kiangnan war denn auch für die Schriftsteller dieser Periode die massgebende. Es erfreuten sich hier aber die Oden und die poetische Prosa (辭賦) der Localdichter einer grösseren Pflege als die classische Literatur, und so trat der Unterschied zwischen dem modernen Dialect und der alten Sprache noch greller zu Tage.

Unser Autor leugnet nicht, dass auch in der alten Poesie gewisse Unterschiede in der Betonung existirt haben. Diese waren mit der Quantität (遲疾) und Tonhöhe (輕重) der Wörter im Satze von selbst gegeben. Daher finden wir auch, dass in der Regel *p'ing* mit *p'ing* (平), *tsê* mit *tsê* (仄) Wörtern reimen. Doch ist dies nicht strenge durchgeführt und wir finden auch *shang* (上) Wörter *p'ing* Betonung, *ch'ü* (去) Wörter *p'ing* oder *shang* Betonung, *ju* (入) Wörter *p'ing*, *shang* oder *ch'ü* Betonung annehmen. Das hieng von dem jeweiligen Rhythmus und der Modulation des Liedes ab (在歌者之抑揚高下而已). Die Alten nahmen es eben nicht sehr genau mit den Tönen; und wenn auch bei ihnen ein und dasselbe Wort bald in der einen, bald in der andern Betonung vorkommt, so hat man doch erst in neuerer Zeit alle diese Fälle codificirt und commentirt, bis man vor lauter Varianten den wahren

Lautwerth vergass, den Wald vor lauter Bäumen nicht sah (大道以多岐亡羊者也). Oder wie Ch'ên Ti sagt, wer glaubt, dass *p'ing* nur mit *p'ing*, *tsê* nur mit *tsê* reimen könne, der schiebt den Alten unsere eigene Pedanterie unter. Damit hat er wirklich den Nagel auf den Kopf getroffen (中肯綮).

Jeder Dialect hat seine Eigenthümlichkeiten in Bezug auf Quantität und Qualität der Sprachlaute. Die Einleitung zum Ch'ie yün sagt: In Wu und Ch'u (Süden) liebt man die hohen und hellen, in Yen und Chao (Norden) die tiefen und dumpferen Laute; in Ch'in und Lung (Nordwesten) wird der *ch'ü* Ton zum *ju*, in Liang und I (Südwesten) gleicht der *p'ing* dem *ch'ü*. Auch die Rede des Einzelnen fliesst nicht gleichmässig dahin, sondern Höhe und Tiefe, Länge und Kürze wechseln ab. Die tiefen und kurzen sind die *shang*, die *ch'ü*, die *ju*; die hohen und langen die *p'ing* Wörter; bei noch gesteigerter Dehnung wird das Wort zweisilbig.[1]

Daher sprechen die Commentatoren oft von einer kurzen (疾) und einer gedehnten (徐) Aussprache; und in der Möglichkeit, ein Wort bald kurz bald lang auszusprechen, lag der Ursprung der lautlichen Differenzirung eines Wortes. Obschon man in der Han Dynastie von den vier Tönen nichts wusste, finden sich doch schon Andeutungen einer solchen Differenzirung. Im Kungyang chuan, Chuang kung 28. haben wir ein Beispiel. Im Ch'un ch'iu, heisst es dort, ist der Angreifende Feind, der Angegriffene Freund (伐者爲客伐者爲主). Ho Hsiu's Commentar bemerkt dazu: Das erste *fa*, welches active Bedeutung hat (伐人者), wird lang gesprochen (長言); das zweite in passiver Bedeutung (見伐者) wird kurz gesprochen (短言). Beide Formen gehören dem Dialect von Ch'i an. Was der Commentar mit lang bezeichnet, entspricht dem heutigen *p'ing*, *shang* und *ch'ü*; was er mit kurz bezeichnet, dem heutigen *ju*. Daher stehen auch die Wörter der ersten drei Classen in einem engeren Zusammenhang (通貫) mit einander, als mit den Wörtern

---

[1] So wird 茨 im Erh ya durch 蒺藜 (tribulus terrestris. Giles, *Dict.* 920) erklärt, 椎 im Fang yen im Dialect von Ch'i = 終葵 gesetzt. Die Etymologien scheinen mir zweifelhaft.

der vierten Classe. Und doch finden sich in der älteren Literatur noch Beispiele genug dafür, dass auch Wörter der letzten Classe solche der anderen Classen vertreten oder von ihnen vertreten werden. Erst in der Periode der Liu ch'ao (6. Jahrh.) wurde das Versmass geregelter, das Reimwesen strenger; aber auch unter der T'ang Dynastie waren Entlehnungen noch statthaft, und wenn im Kuang yün ein Wort unter drei oder vier Tonclassen verzeichnet ist, so will das nicht besagen, dass es thatsächlich so viele Lautwerthe besass, sondern nur, dass es in der Poesie, je nach den Erfordernissen der Quantität und Höhe, so oder so angewendet werden konnte. Spätere Schriftsteller haben das übersehen und geglaubt, in den vier Tönen so diametrale Gegensätze wie Ost und West, so radicale Unterschiede wie Tag und Nacht sehen zu müssen (如東西之易向晝夜之異位而不相合也).

In der alten Volkspoesie war die Hauptsache das gesprochene Lautbild (主乎音者也); in der Kunstpoesie der Barden von Chiangtso war die Hauptsache das geschriebene Wortbild (主乎文者也). Das Schriftzeichen ist fest und unveränderlich, aber die Laute sind einem beständigen Wandel unterworfen, denn sie leben nur im Munde des Sprechenden, im Augenblicke ihrer Articulation (不過喉舌之間疾徐之項而已). Sie schmiegen sich der Melodie an, wie es dem Ohre gefällig (諧於音順於耳), bald *p'ing* bald *tsê*, je nachdem der Moment es erheischt. Es liegt in der Natur der Sache, dass ein Wort einer niedereren Classe occasionell den Ton einer höheren Classe annehmen kann, aber nicht umgekehrt. Der *p'ing* Ton ist der längste, dann kommen *shang* und *ch'ü*, und endlich *ju*, der kurz abbricht, ohne Nachklang (無餘音). Im Liede sind aber die langsam ausklingenden Wörter am besten verwendbar (凡歌者貴其有餘音), und daher werden die kurzen Auslaute mit Vorliebe in lange verwandelt. Im Shih findet sich auch eine geringe Zahl von *ju* Wörtern in Reimen, und zwar in sieben Fällen unter zehn gepaart mit Wörtern ihrer eigenen Tonclasse, in drei Fällen mit Wörtern der anderen drei Classen. Daraus ergiebt sich einerseits, dass der *ju shêng* im Sprachbewusstsein der

Alten bereits vorhanden war, und andrerseits, dass er unter Umständen in die anderen drei Tonarten übergehen konnte.

Ku greift die Anordnung der Reimwörterbücher an, welche den *p'ing* Endungen 東, 冬 etc. die *ju* Endungen 屋, 沃 etc. gegenüberstellen, als ob diese jenen entsprächen, und bezeichnet diese Anordnung als falsch. Die Entsprechung im *p'ing* Tone zu 屋 ist 烏, darum reimt es (bei verändertem Tone) mit Wörtern der Classe vii (虞, 遇),[1] aber nie mit Wörtern der Classe i (東, 董, 送); die Entsprechung zu 沃 ist 夭, darum reimt es (bei verändertem Tone) mit Wörtern der Classe xx (藥),[2] aber nie mit Wörtern der Classe ii (冬, 腫, 宋). Ebenso, wenn ein Wort im *ju shêng* in einen anderen Ton übergeht, so nimmt es nie den Lautwerth derselben Reimclasse der Yün shu an. So wird 曷 im *ch'ü shêng* zu 害 (Classe ix) und nicht etwa zu 翰 (Classe xiv), wie die Variante bei Mencius einer Stelle des Shu:

時日害喪 für 時日曷喪[3]

beweist. Ebenso lautet 沒 (xiii) im *ch'ü shêng* wie 妹 (xi), 燭 (ii) im *shang shêng* wie 主 (vii) u. s. w.

Die Fälle, in welchen ein *p'ing* in *ch'ü* übergeht (mit Bedeutungswechsel), wie 中 Mitte, 中 treffen, 行 gehen, 行 Wandel, oder wo ein *shang* in einen *ch'ü* übergeht, wie 語 sprechen, 語 mittheilen, 好 gut, 好 lieben, sind vollkommen analog den Fällen, in welchen ein *ch'ü* in einen *ju* übergeht, wie 惡 hassen, 惡 hassenswerth, 易 leicht, 易 verändern. Nun wird 惡 in Classe vii, 惡 in Classe xxii, 易 in Classe iv, 易 in Classe xxiii eingereiht; 惡 und 易 erscheinen nun nicht mehr als Nebenformen von 惡 und 易, sondern als Modificationen von 唐 und 清. Ku hat Recht, der Widerspruch, den die erwähnte Anordnung enthält, liegt auf der Hand.

Der dritte Abschnitt beginnt mit einer Besprechung der *chuan chu* (轉注) oder übertragenen Zeichen. Es gibt bekanntlich eine Eintheilung der Schriftzeichen in sechs Classen, welche uralt zu sein

---

[1] Legge, *Chinese Classics*, iv, p. 193.

[2] Ib. p. 177.

[3] Ib. ii. p. 4 und iii. p. 175.

scheint.[1] Nach Pan Ku, dem Historiker der ersten Han Dynastie, welcher im 1. Jahrh. u. Z. lebte, waren dieselben (citirt nach Ku) wie folgt:

1. *Hsiang hsing* (象形), Symbole von Objecten;
2. *Hsiang shih* (象事), Symbole von Zuständen;
3. *Hsiang i* (象意), Symbole von Ideen;
4. *Hsiang shêng* (象聲), Symbole von Lauten;
5. *Chia chie* (假借), entlehnte Zeichen, und
6. *Chuan chu* (轉注), übertragene Zeichen.

Man sieht, die Namen sind in dieser, ihrer alten Form wesentlich einfacher und weniger angethan irre zu führen, als in jener Form, in welcher sie sich in Tai Tung's (戴侗) Liu shu ku (六書故) und anderen modernen Abhandlungen finden.[2]

Yang Shên (楊愼)[3] äussert sich darüber wie folgt: Unter den sechs Classen stehen die Symbole für Objecte numerisch obenan, dann kommen die Symbole für Zustände, dann die Symbole für Ideen, dann die Symbole für Laute. Die *chia chie* sind Entlehnungen aus diesen vier Classen, die *chuan chu* Uebertragungen derselben (假借借此四者也轉注注此四者也). Die ersten vier Classen von Zeichen sind demnach die Grundformen, die letzten zwei Classen specielle Anwendungen derselben (四象以爲經假借轉注以爲緯). Die ersteren sind numerisch beschränkt, die letzteren unbeschränkt (四象之書有限假借轉注無窮). Der Unterschied zwischen den *chuan chu* und den *chia chie* wird von Lu Shên (陸深) folgendermassen charakterisirt: Die *chuan chu* sind Zeichen, welche ihren Lautwerth verändern, um auf ein anderes Wort übertragen zu werden (轉其音以注爲別字); die *chia chie* sind Zeichen, welche ohne ihren Lautwerth zu ändern für andere Bedeutungen entlehnt werden (不轉音而借爲別用). Daher werden die ersteren auch als *chuan sheng* (轉聲), die letzteren auch als *chie shêng* (借聲) bezeichnet. Chang You

[1] Gabelentz, *Chinesische Grammatik*, p. 47.

[2] Vgl. L. C. Hopkins, *The six scripts*. 1881. Prefatory note.

[3] Watters, *Essays*, p. 81.

(張有), der Verfasser des Fu ku pien (復古編),[1] paraphrasirt das Chou li[2] wie folgt: Die *chuan chu* sind Zeichen, welche ihre Aussprache verändern und im Sinne eines anderen Wortes gebraucht werden (展轉其聲注釋他字之用). Als Beispiele führt er an 少長 *shào chàng* für ‚jung und alt', deren primäre Lautwerthe *shào* und *ch'ăng*, und deren Grundbedeutungen ‚wenig' und ‚lang' sind. Man sieht, Hopkins, der die Anschauung Tai Tung's u. a. vertritt, ist unnöthig scharf in seiner Kritik Schlegel's,[3] denn er hat einige der besten und namentlich die älteren Gewährsmänner durchaus gegen sich. Dass neue Schriftzeichen gebildet wurden, indem man die alten auf den Kopf stellte oder ihnen eine Drehung von 90 Graden gab, ist von vorne herein sehr unwahrscheinlich. Die dafür angeführten Beispiele halten auch nicht Stich. Ein beliebtes Beispiel ist 考, welches durch Umdrehung von 老 entstanden sein soll. Das Li pu yün lüo bemerkt dazu: Der untere Theil von 老 ist 匕, 化 gesprochen; der untere Theil von 考 ist 丂, 巧 gesprochen. Beide Zeichen sind selbstständig entstanden und nicht etwa das eine aus dem anderen durch Umdrehung von 匕 in 丂 (各自成文非反匕爲丂也). Nach dem Shuo wên selbst ist 考 zusammengesetzt aus einer Kürzung von 老 als Sinn angebendem Radical, und dem Phoneticum 丂; gehört also offenbar unter die *hsiang shêng* und nicht unter die *chuan chu*.

Ku Yen-wu schliesst sich im Ganzen der älteren Auffassung an, nur mit der Beschränkung, dass in der alten Sprache die Lautwerthe überhaupt viel beweglicher waren und vor Allem die scharfe Unterscheidung der Töne nicht existirte, so dass ein Wort je nach dem Zusammenhang bald so, bald so lautete, ohne dass jeder Veränderung der Aussprache auch eine andere Bedeutung entsprochen hätte und umgekehrt. Auf diese Theorie haben wir oben bereits hingewiesen und wollen nicht länger dabei verweilen.

---

[1] Watters, *Essays*, p. 65.

[2] Die Stelle im Chou li heisst: 轉注謂一字數義展轉注釋而後可通.

[3] Schlegel in *Notes and Queries on China and Japan*, 1869.

Zum Schlusse werden einige interessante Thatsachen über die Transscriptionsmethoden im Alterthum mitgetheilt. Dass die Sprache schon in früher Zeit in ausgeprägte Dialecte gespalten war, lehren uns die Literaturdenkmäler, wie das Ch'un ch'iu, welches den Dialect von Ch'i wiedergibt, und das Li sao, welches in der Sprache von Ch'u geschrieben ist. Schon zu Beginn der christlichen Aera schrieb Yang Hsiung (楊 雄)[1] sein Fang yen (方 言), eine Sammlung von Provinzialismen aus allen Theilen des Reiches. Es ist darin jedoch nur auf die idiomatischen Eigenthümlichkeiten, und nicht auf die lautlichen Unterschiede Rücksicht genommen. Als die ersten, welche den Versuch machten, die Lautwerthe zu fixiren, gelten Hsü Shên (許 愼)[2] im Shuo wên (說 文) und Liu Hsi (劉 熙)[3] im Shih ming (釋 名) im 1. und 2. Jahrh. u. Z. Aber ihre Methode der Lautbezeichnung war überaus primitiv: der Lautwerth eines Zeichens wurde durch ein Homonym, die Bedeutung durch ein Synonym ausgedrückt. Das erste Werk, in welchem eine phonetische Transscription in Anwendung kam, scheint das Erh ya yin i (爾 雅 音 義) des Sun Yen (孫 炎)[4] zu Ende der Han Periode (3. Jahrh.) gewesen zu sein. Das System war damals unter dem Namen *fan yü* (反 語) bekannt. Das Zeichen *fan* war unter der T'ang Dynastie dem ‚Tabu' unterworfen und im T'ang yün ist dafür die Bezeichnung *ch'ie* (切) gebraucht. Sonst wurde wohl auch der Ausdruck *niu* 紐 ‚verbinden' in demselben Sinne wie *fan* gebraucht, oder dieses statt wie oben 翻 geschrieben. Nach der Periode Tali (766—779) kam das Wort *fan* wieder in allgemeine Verwendung und wir finden es in späteren Werken fast immer in der uns geläufigen Verbindung *fan ch'ie* (反 切). Das Li pu yün lüo definirt die beiden Zeichen wie folgt: Wenn Anlaut und Auslaut sich einander so anpassen, dass sie sich gegenseitig ergänzen, so heisst das *fan*; wenn zwei Wörter sich gegenseitig derart abschleifen, dass sie einen einzigen Laut bilden, so heisst das *ch'ie* (音 韻 展

---

[1] Watters, *Essays*, p. 30.

[2] Ib. p. 33.

[3] Ib. p. 35.

[4] Ib. p. 39.

轉相協謂之反兩字相摩以成聲韻謂之切). In Wirklichkeit bezeichnen beide dasselbe (其實一也).

Das *fan ch'ie* System besteht in der Auflösung einer Silbe in zwei Bestandtheile, Anlaut und Auslaut, welche durch zwei gesonderte Zeichen ausgedrückt werden. Es gilt gewöhnlich als eine Erfindung, oder doch als ein Product des Einflusses indischer Missionäre in China. Ku glaubt jedoch schon im hohen Alterthum (vor der Han Periode) Spuren phonetischer Synthese zu entdecken. Die Entdeckung scheint zuerst von einem gewissen Shên Kua (沈括) der Sung Dynastie gemacht worden zu sein. Die beiden lautangebenden Zeichen wurden nach ihm zu einem Zeichen vereinigt (古語已有二聲合爲一字者) und er führt als Beispiele an: 不可＝叵, 何不＝盍, 如是＝爾, 而已＝而, 之乎＝諸. Das letzte Beispiel ist im Chou li durch Parallelstellen belegt. Langsam gesprochen, heisst es, hätte es 之于 gelautet, schnell gesprochen 諸 (徐言之則爲之于疾言之則爲諸一也).

Solche Zeichen, welche die lautlichen Elemente, aus denen sie zusammengesetzt sind, graphisch zum Ausdruck bringen, wurden als *tzŭ fan* (自反, self-spelling) bezeichnet. Die Uebersetzer der buddhistischen Bücher machten bisweilen von dieser Methode Gebrauch, um einzelne Lautwerthe der Originale wiederzugeben. Sie nannten solche Zeichen *ch'ie shên* (切身), was dasselbe bedeutet, wie *tzŭ fan* (無字可當梵音者卽用二字聚作一體謂之切身). Ku fügt noch folgende Beispiele hinzu: 矢引＝矧, 女艮＝娘, 舍予＝舒, 手延＝挻, 目亡＝盲, 目少＝眇, 佩言＝僭, 欠金＝欽.

Dies führt uns zu einer Theorie der Wortschöpfung durch Contraction (慢聲爲二急聲爲一), welche Chêng Ch'iao (鄭樵),[1] ein namhafter Gelehrter des 12. Jahrh., vertrat und für welche er folgende Beispiele beibringt:

者焉＝旃	者與＝諸
之矣＝只	蒺藜＝茨

[1] WATTERS, *Essays*, p. 65.

瓠蘆 = 壺	鞠窮 = 芎
丁寧 = 鉦	僻倪 = 陴
奈何 = 那	和同 = 降
句瀆 = 穀	邾婁 = 鄒
明旌 = 銘	終葵 = 椎
大祭 = 禘	不律 = 筆
蕵蕪 = 須	予居 = 朱
窗籠 = 聰	蠾蝓 = 鼄
卒便 = 倩	令丁 = 鈴
鶻鵃 = 鳩	瘯蠡 = 痤
蔽膝 = 韠	側理 = 紙
扶淇 = 灉	狻猊 = 獅

Ich glaubte dieses aus allen Zweigen der Literatur mit grosser Gelehrsamkeit zusammengetragene Beispielmaterial vollständig aufzählen zu sollen, um den Leser in Stand zu setzen an der Hand desselben die principiell wichtige Frage für sich selbst zu beantworten. Ich muss gestehen, dass mir die meisten der oben angeführten Fälle nicht beweiskräftig erscheinen. Nur ein paar Fälle, wie etwa 諸, 旃, 耳 und 只, möchten vielleicht durch Verschmelzung der entsprechenden Wörterpaare entstanden sein. Sie sind aus Formwörtern zusammengesetzt, welche die flüchtigeren und meist unbetonten Elemente der Rede sind, und modernen Contractionen wie 俺 aus 我們, 您 aus 你們, 偺 aus 早晚 gleichzusetzen. Verschleifungen dieser Art sind jedoch sehr wenig zahlreich und durchwegs dialectisch. Eine grössere Rolle in der Sprachgeschichte kann ich dieser Art Wortgenese jedenfalls nicht beimessen.

Anzeigen.

P. Deussen, *Allgemeine Geschichte der Philosophie mit besonderer Berücksichtigung der Religionen*, I. Band, 1. Abtheilung: ‚Allgemeine Einleitung und Philosophie des Veda bis auf die Upanishads.' Leipzig 1894.

Das vorliegende Werk ist ohne Widerrede die bedeutendste Arbeit, die auf dem Gebiete der ältesten Epoche der indischen Philosophie, als sich auf dem Hintergrunde von Mythologie und Religion langsam und mühsam die philosophischen Grundbegriffe loslösten, publicirt wurde.

Zum ersten Male wird hier der Versuch gemacht in die für uns noch immer chaotisch durcheinander liegende Masse von Göttergestalten der Brāhmaṇas eine historische Ordnung zu bringen und Prajāpati, Brāhman und Ātman als Repräsentanten von drei zeitlich und genetisch aufeinander folgenden Etappen des sich mehr und mehr vergeistigenden Denkens zu fassen. Ob der Philosoph des 19. Jahrhunderts in seinem Bedürfniss nach Klarheit und logischer Entwicklung auch in Perioden, in denen dieselben nicht in adaequatem Masse vorhanden waren, manchmal nicht zu weit gegangen ist, muss weiterer Forschung überlassen bleiben; macht er doch selbst (pp. 202, 258) darauf aufmerksam, dass Brāhman gelegentlich auch vor Prajāpati stehe.

Auf eine ganze Reihe von Begriffen und Anschauungen der vedischen Epoche fällt durch die scharfsinnigen Untersuchungen des

Verfassers neues Licht. So fasst er in für mich durchaus überzeugender Weise *tapas* ursprünglich als ‚Bruthitze'[1] (p. 182), womit die kosmogonische Ansicht von dem Weltei sehr gut stimmt;[2] *gandharva* ist der Regenbogen (p. 253),[3] eine Auffassung, die, wie mir scheint, mit der Rolle, die dieses Wesen bei den Hochzeitsgebräuchen spielt, wo es der Ueberbringer des von Soma gelieferten Keimes ist (d. *Zeitschr.* vi, 175), im Einklange steht; *ucchishṭa* (das was zuletzt übrig bleibt, p. 306) und *skambha* (Stütze, p. 310) sind Aequivalente für das Kant'sche Ding an sich; auch die vom Verfasser vorgeschlagene Interpretation von Rv. ix, 112 (p. 97), sowie der von ihm postulirte Zusammenhang der Hymnen ii, 12 und x, 121 (p. 128) sind sehr beachtenswerth.

Andererseits werden allerdings sowohl die näheren Fachgenossen des Verfassers, wie die Vedisten an dem Buche mancherlei auszustellen haben. Denn erstens dürften verschiedene Abschnitte des Buches überflüssig und vom Gegenstande zu weit abliegend erscheinen, so z. B. die Bemerkungen über ‚Land und Leute' (pp. 37 ff.), die ‚Kultur der Brâhmaṇazeit' (pp. 159 ff.), besonders aber die vollständige Uebersetzung des Prasthânabheda (pp. 44 ff.), die meines Erachtens ihren Zweck ‚zur ersten Einführung' in die indische Philosophie zu dienen, kaum erfüllen dürfte. Bei den Vedisten wird die Ausserachtlassung der neuesten Forschungen Befremden erregen; so wird von Varuṇa einfach behauptet, dass er der Fixsternhimmel sei (p. 86), die hohe Bedeutung des Opfers wird betont (pp. 136, 154), ohne dass der Leser einen klaren Einblick gewinnt, wieso dieselbe entstanden sei[4] und die ‚indische Renaissance' (p. 43) erwähnt, obgleich nach dem bekannten Aufsatze Bühler's (*Sitzungsber. der Akad. der Wissenschaften,* Wien 1890, B. cxxii, pp. 67 ff.) dieser Begriff seine Daseinsberechtigung verloren hat. Auch die von Jacobi und Tilak gemachten Bestimmungen über das Alter der vedischen Hymnen sind

[1] Wir sagen ja auch: Ueber etwas brüten.

[2] Sollte *hiraṇyagarbha* ursprünglich nicht den Eidotter bezeichnet haben?

[3] Vgl. Oldenberg, *Rel. d. Veda*, p. 246.

[4] Vgl. diese *Zeitschrift*, viii, 352.

dem Verfasser unbekannt geblieben, sowie ich mir ferner erlaube ihn darauf aufmerksam zu machen, dass die von ihm ohne weiteres vorausgesetzte späte Entstehung des Atharvaveda (p. 41) nicht von allen Forschern angenommen wird (s. diese *Zeitschrift,* vi, 339). Die Verhältnisse liegen für diese Sammlung ähnlich wie für den Purushahymnus, der in seiner jetzigen Form allerdings als ‚der Abschluss der Philosophie des Rigveda' (p. 150) bezeichnet werden kann, dessen indogermanischen Fond ich jedoch in meiner Abhandlung über das Haarschneiden (p. 7)[1] bewiesen zu haben glaube.

Diese Ausstellungen beeinträchtigen jedoch den eigentlichen, philosophischen Hauptwerth des Buches in keiner Weise und die ungünstige Ansicht, die manche europäischen Gelehrten von den Brāhmaṇas hegten, — hat man sie doch mit den Aufzeichnungen Schwachsinniger verglichen, — ist jetzt wohl als endgiltig widerlegt zu betrachten. ‚Wer würde wohl über die Bedeutung, die Schönheit und den ästhetischen Werth einer Oper abzuurtheilen sich getrauen, von der ihm nichts als das Textbuch bekannt wäre?' fragt mit Recht der Verfasser (p. 173).

[1] *Analecta graeciensia* 1893. Hopkins' Bemerkungen im *Am. Journ. of Phil.*, xv, 168, machen mich daran durchaus nicht irre.

J. Kirste.

Kleine Mittheilungen.

Altpersisch ćartanaij. — Ich habe in dieser *Zeitschrift* IV, S. 310 nachzuweisen versucht, dass *ćartanaij* nicht von *kar*, sondern von *ćar* herkommt und dass die Phrase *hamaranam ćartanaj* nicht mit ‚eine Schlacht zu liefern‘ (machen), sondern mit ‚zur Schlacht zu schreiten‘ übersetzt werden muss. Diese Erklärung bezeichnet BARTHOLOMAE (*Iranische Philologie*, S. 10) als ‚falsch‘. — Da ich annehmen muss, dass BARTHOLOMAE meine Darlegung nicht ganz verstanden hat, so erlaube ich mir die Sache noch einmal kurz zu erörtern. Altpers. *ćartanaij* sollte, falls es von *kar* stammt, nach HÜBSCHMANN, welcher im Altpersischen das (vocalwerthige) *ṛ* überall herstellt, *ćṛtanaij* gelesen werden. Dies wird durch die völlige Gleichheit des Vocals im Infinitiv und im Participium perf. pass. in *-ta* gefordert Man sagt بردن, مردن völlig gleich mit برد, مرد u. s. w. Nun ist برد = altind. *bhṛta-*, مرد = altind. *mṛta-*, daher nothwendig auch بردن = vorauszusetzendem altpers. *bṛtanaij*, مردن = *mṛtanaij*, daher auch gemäss *karta-* oder nach HÜBSCHMANN *kṛta-* = altind. *kṛta-* der Infinitiv dazu *ćṛtanaij* (= wie man glaubt *kṛtanaij*). Ist dies richtig, dann darf altpers. *ćṛtanaij* nicht von indogerm. *kert-* abgeleitet werden, sondern muss auf *kṛt-* zurückgehen. Damit ist aber ein von den ‚Junggrammatikern‘ selbst aufgestelltes Gesetz durchbrochen. Abgesehen von diesem, wie ich glaube, schwerwiegenden Grunde kommt mir *ćṛtanaij* für *kṛtanaij* besonders deswegen unrichtig vor, weil bei *kar*, ausser in der reduplicirten Silbe im Arischen, absolut nirgends ein *ć* an Stelle des *k* auftritt, so dass man die so beliebte ‚Verschleppung‘ als Erklärungsgrund hier nicht anführen kann. Ich halte daher die

Erklärung von altpers. *čartanaij* aus *kartanaij* nach wie vor für eine reine Willkür, die man nur deswegen nicht aufgeben will, weil man sie als Stütze einer Theorie nicht entbehren mag.

Awestisch çrędwafštānjā. — Meine Wiederherstellung dieser Form in dieser *Zeitschrift* vi, S. 182 statt *çrędwafšhujā* bei JUSTI wird von BARTHOLOMAE (*Iranische Philologie*, S. 11) als ‚unrichtig' bezeichnet. — BARTHOLOMAE liest *çrędwafšhnjā*, das er aus *çrędwapstnjā* erklärt. Die Fälle, welche diese Erklärung stützen sollen, sind: *nafšhu-čā* ‚und bei den Enkeln' = *naptšu*, *raϑaēštārę m* ‚den Krieger' = *raϑaēšttārę m*, *astīm* ‚den Anhänger' = *asktīm*, *asnāt* ‚von nahe', wohl = altind. *āsanna-* ‚nahe', wie BARTHOLOMAE bemerkt, mit ‚Ausfall des *d*'. Dagegen muss ich Folgendes bemerken: *nafšhu* = *naptšu* erklärt sich einfach wie *masja* = *matsja-*, *raϑaēštārę m* = *raϑaēšttārę m*, wie alle jene Fälle, wo die Verdoppelung des Consonanten durch ein einfaches Zeichen ausgedrückt erscheint (*buna-*, *una-*), *asnāt* steht, wenn es wirklich = altind. *āsanna-* ist, für *asnnāt* und ist hier das *d* ebenso wenig ausgefallen wie in *buna-*, *una-*, und *astīm* ist, falls es wirklich für *asktīm* steht, statt *asχtīm* leicht zu begreifen. — Diesen Fällen gegenüber ist *çrędwafšhnjā* für *çrędwapstnjā* = *çrędwafštānjā* (für *çrędwapēstānjā* wie neupers. پستان,[1] Pahl. [illegible] beweisen) schlechterdings nicht zu rechtfertigen, so dass ich bei der von mir vorgeschlagenen Emendation bleiben und BARTHOLOMAE's Erklärung zurückweisen muss.

Awestisch χšhaϑrajā. — Dieses Wort kommt *Vendid.* ii, 19 vor, und wurde bisher von den Erklärern verschieden gedeutet. Man sah in demselben den Genitiv Sing. eines sonst nicht vorkommenden Feminins *χšhaϑrā-* (SPIEGEL, *Avesta-Comm.* i, S. 54 und JUSTI, *Zendwörterb.*, S. 93, b). SPIEGEL und JUSTI identificiren dieses *χšhaϑrā-* mit *χšhaϑra-* (Neutr.), während WESTERGAARD darin eine Nebenform von *χšhaϑri-* ‚Weib' erblickt. Diese Erklärungen sind nicht richtig. Die grammatisch richtige Erklärung von *χšhaϑrajā* hat W. BANG in dieser

[1] Ueber die Etymologie dieses Wortes s. diese *Zeitschrift* vi, S. 185.

Zeitschrift III, S. 116 ff. gegeben, indem er es als Genitiv des Duals fasste. Dagegen scheint mir seine Deutung von *χšhaϑra-* als ‚Metall‘ nicht richtig zu sein und ich bin in Betreff von *χšhaϑrajâ* = ‚der beiden Herrschaften‘ (*ahu* und *ratu*) noch immer derselben Ansicht, wie damals, als ich sie W. BANG (s. den Schluss seines Aufsatzes) mitgetheilt habe. Ich finde für meine Ansicht eine Stütze im Schâhnâmeh (ed. VULLERS I, S. 23, Vers 6):

منم گفت با فرهٔ ایـــزدی   همم شهریاری وهم موبدی

Awestisch sufrā- (sufrăm, suwraja). — Dieses Wort kommt im *Vendid.* II, 19 und 32, 91 vor und wird von SPIEGEL mit ‚Lanze‘, von JUSTI nach WESTERGAARD's Vorgang mit ‚Pflug‘ übersetzt. — Neuere Erklärer folgen Aspendijârgî und übersetzen es mit ‚Ring‘, was die Pahlawi-Form [Pahlawi] ‚mit einem Loche versehen‘ bedeuten soll. Eine Stütze für diese Erklärung liegt in Sa'dî Gulistân VIII, ۹۹ حکمت : اول کسی که .... انکشتری در دست نهاد جمشید بود.

Unorganische Vocaldehnung im Neupersischen. — Dass im Neupersischen der Vocal der letzten Silbe, und zwar am häufigsten *a*, unorganisch gedehnt wird, dies ist mir schon lange klar geworden. Ich erlaube mir dafür die nachfolgenden sicheren Fälle vorzuführen: هزار، بهار، گمان، سپاس، کدام، راز، دریا، کران، شهریار، امیدوار = altiran. *hazahra-, wăhara-, wimanah-, spasa-, katama-, razah-, drajah-, karana-, χšaϑradara-, awamatibara-.* Dieselbe Dehnung tritt auch bei den *u-* und *i-*Stämmen wie بازو (altiran. *băzu-*), زانو (altiran. *zănu-*) gegenüber خرد (altiran. *χratu-*), آشتی (altiran. *ăχšti-*) gegenüber گند (altiran. *ganti-*) ein.

Neupersisch افتادن (HORN, S. 22, Nr. 92). — Jedermann, der mit den iranischen Sprachen einigermassen vertraut ist, weiss, dass *-ftā-* in افتادن mit griech. *πτω-* zu verknüpfen ist und dass das neupers. *f* gegenüber dem griech. *π* auf iranischem Boden durch das ihm unmittelbar nachfolgende *t* hervorgerufen wurde. Umso auffallender ist es, bei HORN zu lesen: ‚Im Neupersischen findet sich bei Dichtern noch *öftäden*‘ und diese feine Beobachtung durch

Stellen aus Wīs u Rāmīn, Sa'dī und aus dem Schāhnāmeh erhärtet zu sehen. Weiss denn Horn nicht, dass man bei Dichtern auch ماندند (*mānjdand*), خوانذند (*χfānjdand*), شناختند (*šināχjtand*), انگیختند (*angēχjtand*), آراستند (*ārāsjtand*) u. s. w. findet, von denen man doch nicht sagen darf, dass sie noch bei den Dichtern vorkommen?[1] — Würde man Jemanden, der da schreibt, um zu beweisen, dass *kas* aus *ka* + *sa* hervorgegangen ist, im Awesta komme noch *kasę ϑvām* vor, für einen Kenner der iranischen Sprachen halten? — Offenbar hat Horn die feine Bemerkung über *ōf'tāden* blos darum niedergeschrieben, um seine im Zettelcataloge aufgespeicherte Gelehrsamkeit nicht unter den Scheffel zu stellen, sondern vor aller Welt leuchten zu lassen. Zufällig ist dieser Kitzel nach dem Ruhme eines in der persischen Literatur wohlbelesenen Gelehrten für Horn verhängnissvoll geworden, da er seine völlige Urtheilslosigkeit in lautgeschichtlichen Fragen enthüllt hat.

Dass Horn auch ein vorlauter, unbesonnener Kritikaster ist, dies hat er durch sein Buch hinlänglich bewiesen. Ich citire blos S. 14, Nr. 56, wo er meine richtige Erklärung (vgl. Hübschmann, *Persische Studien*, S. 10) ablehnt und sich von Nöldeke eine ganz falsche Erklärung (die indessen gar nicht neu ist, da sie bei Vullers, *Supplem. Lex.*, p. 132 sich findet) einblasen lässt.

S. 41, Nr. 178*bis* bestreitet Horn meine Verknüpfung des neupers. باور mit dem arm. վաւեր, վաւերական, während Hübschmann (a. a. O., S. 25) derselben zustimmt. S. 56, Nr. 244, Note nennt Horn meine Deutung von neupers. بهانه ‚ganz unwahrscheinlich', während sie Hübschmann (a. a. O., S. 32) als den Lautgesetzen und der inneren Sprachform völlig entsprechend billigt. Dasselbe ist von S. 114, Nr. 516 zu bemerken, wo ihn Hübschmann (a. a. O., S. 59) mit Recht auffordert, er möge zeigen, wie aus altpers. *hajam* im Pahlawi *χēm* werden kann. Und so liessen sich noch mehrere Stellen anführen, wo der mich schulmeisternde Strassburger Privatdocent sich gründ-

[1] Dasselbe was von *ōftāden* gilt, gilt auch von *-sitān* (Horn, S. 157, Nr. 710), welches dem *-istān* vorangestellt wird, da nach Horn *-sitān* alterthümlicher ist als *-stān* (Horn's *-istān* nimmt sich ebenso aus wie ein griechisches *-οςφορος*).

lich blamirt und sowohl sein Wissen als auch seine Urtheilskraft in kein besonders günstiges Licht gestellt hat.

Zum Schluss noch eine Bemerkung. — Hübschmann, *Persische Studien*, S. 1 schreibt: ‚Nachdem die neupersische Grammatik zum ersten Male durch Vullers (*Grammatica linguae Persicae.* Gissae 1870 — II. ed.) . . . sprachwissenschaftlich behandelt worden ist, hat jetzt Horn . . . den ersten Versuch gemacht . . .' u. s. w. Ich möchte doch bitten, in den *Sitzungsber. der kaiserl. Akademie der Wissenschaften*, Bd. xxxix, xlii, xliv, die vor dem Jahre 1870 erschienen sind, nachzusehen und namentlich das, was in den Bänden xxxix und xlii steht, mit Vullers, p. 25 ff. und dem, was an der entsprechenden Stelle in der ersten Auflage von Vullers sich findet, zu vergleichen.

Neupersisch پرده. — پرده ‚Vorhang' (arm., dem Pahlawi entlehnt, պարտակ) fehlt bei Horn. Ich identificire es mit latein. *porta*, das ursprünglich auch ‚Zeltvorhang' bedeutet haben muss.

Neupersisch خراشيدن — خراشيدن ‚radere, scalpere, scabere' fehlt bei Horn. Es ist ein Denominativ von خراش ‚rasura, rima, ruptura'. Ich bringe diese Worte mit altind. *krakaća-* ‚Säge' in Verbindung. Im Iranischen muss die Wurzel *χraš* = *krakš* gelautet haben.

Neupersisch درست. (Nachtrag zu dieser *Zeitschrift* v, S. 66 und vii, S. 373 ff.). — Bartholomae bezieht sich in *Iranische Philologie*, S. 21 auf meine Einwendungen gegen den ‚junggrammatischen Kanon'. — Um nun den möglichen Missverständnissen vorzubeugen, erlaube ich mir, Nachfolgendes über die betreffende Frage zu bemerken.

Dass die arische Regel in Betreff von *gh, ǵh, dh, bh* + *t* richtig ist, wie z. B. Brugmann i, S. 358 sie bietet, muss Jedermann zugeben. Aber sie ist blos im Indischen ein Kanon, d. h. ein Gesetz, das allgemeine Giltigkeit hat. Jede Etymologie, welche gegen dieses Gesetz im Indischen verstösst, ist im Vorhinein als unrichtig abzuweisen. Anders steht die Sache im Iranischen. Dort ist diese Regel kein Kanon, d. h. kein allgemeines Gesetz, so dass eine Etymologie, welche gegen dieses verstösst, im Vorhinein als falsch bezeichnet werden könnte. Hier hat die ‚analogische Umgestaltung' die Oberhand gewonnen. Nur ein verbohrter ‚Junggrammatiker', der blos über die Lautgesetze speculirt und dabei die Texte ganz aus den Augen lässt, kann sich auf die alte arische Regel berufen und sagen, die Etymologie von درست = altind. *dṛḍha-* sei deswegen unrichtig, weil *gh* + *t* awest. *žd* ergeben müsste.

Neupersisch دوشيزه. — دوشيزه = ‚Jungfrau' wird von Horn (a. a. O., S. 194, Nr. 870) zwar citirt (das Citat דושיזה Is. 23, 4, 14 ist überflüssig, ja sogar irreführend, da دوشيزه z. B. bei Sa'dī vorkommt), aber nicht erklärt. Das Wort ist mittelst des Diminutiv-Suffixes *-īzah* (Pahl. *-īčak*) von einem vorauszusetzendem Stamme *dōš* weitergebildet. Dieses iranische *dōš* ist das altindische *ǵōṣā* ‚Weib' und hängt mit Pahl. [Pahlavi], awest. *zaōsha-* und mit neup. دوست = altpers. *daustār-* wurzelhaft zusammen (vgl. Horn, S. 273, Nr. 70).

Neupersisch دهليز. — دهليز (aber arab. دهليز, Plural دهاليز in Uebereinstimmung mit armen. dem Pahlawi entlehnten [armen.]) ‚spatium inter portam et mediam partem domus, i. e. atrium, vestibulum' fehlt bei Horn. Das Wort ist mittelst des Suffixes *-īz* (Pahl. *-īč*) von einem vorauszusetzenden *dahl* abgeleitet, wie neupers. كنيز vom awest. *kanjā-* (Nom. *kainē*) = altind. *kanjā-* herkommt. Dieses vorauszusetzende *dahl* ist nichts anderes als das in der Inschrift D des Xerxes vorkommende *duwarϑi-* (Zeile 12—13: . . . *imam duwarϑim wisadahjum* ‖ *adam akunawam*). Spiegel übersetzt dieses Wort mit ‚Thorweg' (der alle Völker zeigt), ich dagegen übersetze es mit ‚Vorhalle, Versammlungshalle zur Audienz, die allen Völkern zugänglich ist, in der alle Völker sich versammeln'. Neup. دهليز verhält sich in Betreff des Anlautes zu altpers. *duwarϑi-*, wie neup. در zu altpers. *duwarā-* und neup. *hl* = altpers. *rϑ* ist ebenso wie in jenen Fällen, welche Hübschmann, *Persische Studien*, S. 207 über diese Lautentsprechung zusammengestellt hat, zu erklären.

Neupersisch ستوه. — ستوه ‚defatigatus, attonitus' fehlt bei Horn. Die Pahlawi-Form dazu lautet [Pahlavi]. Es muss also sein schliessendes *h* im Neupersischen wie in کوه = altpers. *kaufa-* erklärt werden. Ich bin daher geneigt, ستوه mit latein. *stupeo* zu verknüpfen.

Neupersisch سوهان. — سوهان, سوهن ,Feile' fehlt bei HORN. Ich führe das Wort auf ein vorauszusetzendes altpers. *saudana-* zurück, das mit dem altindischen *śōdhana-* ,Mittel zum Reinigen, Poliren' identisch ist. Die Form سوهن ist wohl die ursprüngliche, aus welcher سوهان nach Analogie der zahlreichen auf *-hān* ausgehenden Bildungen umgeformt wurde.

Neupersisch سیخول. — سیخول ,Stachelschwein' wird von HORN (a. a. O., S. 164, Nr. 744) mit سگرنه, سغرنه, سگر, سغر = awest. *sukuruna-* zusammengestellt. Diese Zusammenstellung ist nicht richtig. سیخول gehört zu سیخ (HORN, S. 168, Nr. 762), das mit dem altind. *śikhā* (BÖHTLINGK-ROTH, *Sanskrit-Wörterb.* शिखा, Bedeutung 8) zu verknüpfen ist.

Neupersisch فر (Nachtrag zu Bd. VII, S. 377). — BARTHOLOMAE (*Iranische Philologie*, S. 37) leitet فر von awest. *qarənah-* ,Majestät' ab und bemerkt: ,*χv* hat sich später dialectisch in *f* umgesetzt und es erscheint so bereits im Altpersischen neben *uw* . . . anders jetzt, aber ohne ausreichende Begründung FR. MÜLLER, *WZKM*. 7, 377.' — Diese Erklärung ist höchst sonderbar. Meine Deutung von altpers. *farnah-*, welche auf einer strengen Beachtung der Lautgesetze beruht, wird ,ohne ausreichende Begründung' bezeichnet, während die Deutung von *farnah-* = awest. *qarənah-* einfach auf eine spätere dialectische[1] Umsetzung des awest. 𐬓 in *f* hin decretirt wird. Dies kommt mir ebenso vor, wie wenn Jemand, der behauptet *a* sei = *x*, einem Anderen, der daran zweifelt und dagegen behauptet *a* sei = *a*, den Beweis für die letztere Behauptung zuschieben wollte, mit der einfachen Bemerkung, dies könne deswegen nicht richtig sein, weil *a* = *x* ist.

Neupersisch كمان. — كمان ,Bogen' kommt bei HORN nicht vor. Ich führe es auf ein vorauszusetzendes altiran. *kaman-* = *kamp-man-*

[1] Welcher Dialect war dies und woher kennt BARTHOLOMAE denselben?

zurück und verweise auf das griechische καμπύλος als Epitheton von τόξον bei Homer. Mit کمان hängt خم (Horn, S. 99, Nr. 446) zusammen. Das Verhältniss beider zu einander ist wie jenes von *kan* und *χan*. کمان ist in Betreff des Suffixes wie گران (oben S. 80) zu beurtheilen.

Neupersisch گوی, گو. — گوی ‚res rotunda, pila lusoria' fehlt bei Horn. Es ist das altind. *guḍa-* ‚Kugel, Spielball'. — Für گوی muss ein altiran. *guda-* angesetzt werden, welches zu dem altind. *guḍa-* sich ebenso verhält, wie das dem neupers. نی zu Grunde liegende iran. *nada-* zum altind. *naḍa-* (vgl. Horn a. a. O., S. 237, Nr. 1060). Das was Horn an der betreffenden Stelle über die Lautverhältnisse von altiran. *nada-* und altind. *naḍa-* bemerkt, ist nicht richtig. Griech. νάρδος, hebr. נרד sind Lehnworte aus dem Persischen, das darnach eine Form *narda-* besessen haben muss. Dieses *narda-* ist aber wahrscheinlich indogerm. *nardha-* und dürfte mit dem griech. νάρθηξ zusammenzustellen sein. Es ist also neupers. نی, armen. նետ = altiran. *nada-* = altind. *naḍa-* und ganz ebenso neupers. گوی = altiran. *guda-* = altind. *guḍa-*.

Neupersisch لاغر. — لاغر ‚macer, gracilis, subtilis, tenuis, exilis, vacuus' fehlt bei Horn. Ich knüpfe es an altind. *laghu-* in der Bedeutung von ‚leicht, klein, unbedeutend, schwach, elend' an, von dem es mittelst des Suffixes *-ra* (wie neupers. کبوتر = altind. *kapōta-*) abgeleitet ist.

Neupersisch مالیدن (Nachtrag zu oben, S. 81). — Die Entscheidung darüber, ob مالیدن auf *marz* oder auf *mard* zurückgeführt werden muss, liegt nach meiner Ansicht in پایمال ‚mit den Füssen zertreten, ruinirt', das nur auf *mard* (altiran. *pāda-marda-*) bezogen werden kann.

Neupersisch نمک. — نمک ‚Salz' fehlt bei Horn. Ich halte dasselbe für ein Diminutiv von نم ‚Thau' (Horn, S. 232, Nr. 1039), das aber nicht auf awest. *napta-*, sondern wie Hübschmann (*Persische Studien*, S. 102) richtig bemerkt, auf vorauszusetzendes *namna* = *nab-na-* zurückgeht. Man muss dabei im Auge behalten, dass die alten Iranier das Salz nicht wie wir aus Salzbergwerken gewannen, sondern als auf der Erdoberfläche zu Tage tretende Krystalle sammelten.

Neupersisch نورديدن. — نورديدن ‚drehen, winden‘, speciell ‚convolvere, complicare epistolam‘, dann auch (wie das arab. طوى ‚complicuit, in se convolvit rem‘ = طوى البلاد ‚peragravit terras‘) ‚wandern‘ (den Weg zusammenrollen) wird von Horn (a. a. O., S. 235, Nr. 1050) auf altind. *ni* + *wart* ‚zurückgehen, fortgehen, den Rücken kehren‘ zweifelnd zurückgeführt. Diese Erklärung ist falsch.[1] Das neupers. نورديدن ist auf das altind. *ni-wartajāmi* zurückzuführen. Man vergleiche Böhtlingk-Roth, *Sanskrit-Wörterbuch* vi, 749: *wartajāmi* ‚in drehende Bewegung setzen, rollen‘.

Neupersisch نهاد. — نهاد ‚fundamentum, natura, indoles‘ fehlt bei Horn. Es ist auf ein vorauszusetzendes altiran. *nidātu-* zurückzuführen und mit dem altind. *dhātu-* ‚Grundstoff, Element‘ zu verknüpfen.

Neupersisch هراسيدن. — هراسيدن ‚timere, metuere‘, هراس ‚metus, timor‘, هراسه ‚terriculum, quo hominibus metum injiciunt, avium formido‘ fehlt bei Horn. — Justi und Vullers stellen es zu der zweifelhaften Wurzel *hras*. Dies scheint mir nicht richtig zu sein. Ich denke an einen Zusammenhang mit ترسيدن (Inchoativum von altind. *tras*), so dass هراس = vorauszusetzendem altpers. *ϑrāsa-*, هراسه = *ϑrāsaka-* wären. Von هراس wurde هراسيدن als reflexives Denominativ-Verbum (wie فهميدن) abgeleitet.

Neupersisch همايون. — همايون ‚felix, fortunatus, augustus‘ leitet Horn (a. a. O., S. 211, Nr. 946) von *humā* + *gūn* ab. — Das Wort hiesse dann ursprünglich ‚von der Art oder der Farbe des Vogels Humā‘. Dies ist nicht richtig. Nach meiner Ansicht ist همايون von هماى mittelst des Suffixes *-ūn* abgeleitet und bedeutet einfach ‚mit

[1] Offenbar hat Horn die Bedeutung ‚wandern‘ als die ursprüngliche und die Bedeutung ‚drehen, winden‘ als die davon abgeleitete angenommen.

dem Zeichen des Glückes versehen', da همای hier nichts weiter als ,günstiges Augurium, Glück' bezeichnet.

Neupersisch هنگفت. — هنگفت ist ,crassus, maxime de panno et veste'. Es gehört zu کوفتن und Pahl. [illegible] (HORN, S. 288, Nr. 159) und bedeutet ursprünglich ,zusammengeschlagen' (um die Dichtigkeit zu verstärken).

Neupersisch یخ. — یخ ,Eis' ist das awest. *aēχa-* (HORN, S. 252, Nr. 1126). Dieses Wort wird zusammen mit یکی von HÜBSCHMANN (a. a. O., S. 142) benützt zur Aufstellung der Regel ,dass altpers. *ai* im Anlaut zu neupers. *ja* wird'. Ich halte dies nicht für richtig. Wenn یخ mit *aēχa-* wirklich identisch ist (und nicht für *jah* — so lautet die Pāzand-Form — steht = *ajaha-*, das ich mit unserem ,Eis' verknüpfen möchte), dann ist *aēχa-* wohl *ajaχa-* zu lesen, aus dem یخ für *ajaχ* sich leicht erklärt. Die Form یکی = altpers. *aiwa-*, awest. *aēwa-* kann so, wie HÜBSCHMANN a. a. O. es versucht, nicht erklärt werden, da aus *jawak* = *aiwa-ka* neupers. یاکی (vgl. راندن, HORN, S. 135, Nr. 606 das aus *rawāndan* nicht aus *rawānīdan*, wie HORN lehrt, entstanden ist) hätte werden müssen und die Nebenform im Pāzand *ēu-*, *ēw-* (man erwartet *jau-*, *jaw-*) dabei räthselhaft bleibt. Ich erkläre demgemäss یکی aus Pahl. [illegible], sprich *ājwak*, entweder durch Ausfall oder durch Assimilation des *w* an *j* (*ajjak*).

Zur Etymologie des Namens Zarathuštra. — Zu den über den Eigennamen *zaraϑuštra-* bereits vorhandenen Etymologien hat HORN (a. a. O., S. 146, Nr. 655) eine neue hinzugefügt, die an Tiefe und Scharfsinn alle anderen weit überragt. Ihm gilt nämlich *zaraϑ-uštra-* für ,altes Kamel' oder ,Besitzer alter Kamele'.

FRIEDRICH MÜLLER.

The Aśoka Pillar in the Terai. — At last Dr. A. FÜHRER, to whom Indian epigraphists are indebted for many valuable documents, has been able to look up the Aśoka Pillar in the Terai, the discovery of which was announced some years ago. He found it near the tank of the Nepalese village of Nigliva, about thirty-seven miles north-west of Uska Station on the North Bengal Railway. It is broken into two pieces. The lower one, which is still fixed *in situ*, bears the inscriptions. Unfortunately a portion of the letters is inaccessible for the present, as the shaft has sunk into the ground, and the local Nepalese official refused permission for a special excavation without authority from Katmandu. So Dr. FÜHRER was compelled to content himself with taking an impression of the lines visible above ground. These are four in number, and contain an entirely new Edict, possessing considerable interest. According to the impression which Dr. A. FÜHRER has kindly forwarded to me, the slightly mutilated text runs as follows:

"1. *Devānaṃ piyena Piyadasina lājina codasavasābhi[sitena]*
2. *Budhasa Koṇākamanasa thube dutiyaṃ vaḍhite*
3. . . . *sābhisitena ca atana āgāca mahīyite*
4. . . . . . . *pāpite[.]*"

TRANSLATION.

"When the god-beloved king Piyadasi had been anointed fourteen years, he increased the Stūpa of *Buddha Koṇākamana* for the second time; and when he had been anointed . . . years, he himself came and worshipped it, *(and)* he caused it to obtain . . . ."

The chief point of interest which the inscription offers is the mention of the Buddha Koṇākamana, who, of course, is the same as the Koṇāgamana of the Ceylonese Buddhists, the twenty-third mythical predecessor of the historical founder of Buddhism. The Edict proves that Prof. KERN was right when he declared (*Der Buddhismus*, vol. I., p. 411), on the strength of the evidence of the relievos at Bharahut, that the portion of the Buddhist mythology referring to the previous Buddhas was settled in the third century B. C. Perhaps it teaches even a little more. First, the statement of Aśoka that "he increased" the Stūpa "for the second time" probably means that he twice restored it, adding to its size. Hence the monument must have been older than his time, and it must have possessed considerable fame and sanctity, as is also apparent from the fact that Aśoka personally visited and worshipped it. Secondly, according to the *Buddhavaṃsa*,

xxiii. 29, Koṇāgamana reached Nirvāṇa in the Pabbatārāma, the Mountain Garden or Monastery. The discovery of this Pillar, near which, according to Dr. Führer, the ruins of the Stūpa are still traceable, in the hills of the Terai suggests the conjecture that we have to look here for the supposed place of Koṇāgamana's Nirvāṇa.

Such results are by no means without value for the student of Buddhism. As the Buddhists worshipped Śākyamuni's mythical predecessors in the beginning of the third century b. c., or even earlier, and erected Stūpas in memory of their Nirvāṇa, the time when their religion was founded must fall much earlier. Thus, the date 477 b. c. for the Nirvāṇa gains greater probability, and the attempts to reduce the distance between Buddha's death and the accession of Aśoka, against the Ceylonese tradition, become more difficult. In addition, the new inscription gives us an historical fact for the fifteenth year of Aśoka's reign, which date is not mentioned in the other Edicts; and it shows that Aśoka's rule extended in the north-east as far as the hill frontier of Nepal. Perhaps the Nepalese tradition is right when it asserts that the valley, too, belonged to the Maurya empire. The letters of the new Edict are exactly like those of the eastern Pillars of Mathia, Radhia, and Rāmpūrva. The language is the Māgadhī of the third century. The new form *āgāca* in the phrase *atana āgāca* corresponds to the Pali *āgacca*, and the two words are equivalent to Sanskrit *ātmanā āgatya*. An edition of the inscription with fascimile will appear in the *Epigraphia Indica*.

In the letter accompanying the impression, Dr. Führer states that the Nepalese Government has been applied to for permission to conduct excavations round the Pillar. Perhaps he will be able soon to make a further addition to our knowledge of Aśoka's history.

April 16, 1895. G. Bühler.

Nachträge zu dem Aufsatz ‚Ueber einen arabischen Dialect'. — Zu S. 9. Von der Ersetzung des Suffixes *ki* durch *š* wissen schon die alten Philologen, und sie belegen sie durch wenige Beispiele;

s. namentlich die Lexika *Lisān* und *Tāǵ* s. v. كشكشة. Nach Ǵauharī hatten die Asad diesen Idiotismus, nach Mubarrad's Kāmil 365 ein Theil der Tamīm, nach Laith (im *Tāǵ* und *Lisān*) und Ḥarīrī, Durra 184 die Rabī'a, d. i., da weiter keine Bezeichnung dabei steht, die grosse Stammesgruppe, der namentlich die Bekr b. Wāïl, Taghlib und 'Aneze angehören. Vielleicht handelt es sich hier aber um eine Verwechslung mit den Rabī'a b. 'Āmir, dem Stamme des Maǵnūn, dem ein Vers mit mehreren solchen *š*-Formen beigelegt wird. Leider kann dieser Vers (der zu dem Stück Agh. 2, 11 gehören wird) noch weniger Anspruch auf Echtheit machen als die andern Verse dieses fabelhaften Dichters (s. Agh. 1, 167). Also die Gelehrten wissen nicht, welcher von den genannten Stämmen so sprach, während doch grade diese Stämme leicht zu beobachten waren. Die Asad lebten z. B. damals ganz in der Nähe von Kūfa (Ḥarīrī, Durra 147, 1). Dazu galten eben sie sämmtlich als in hohem Grade فصيح, und ihre Sprachweise wurde daher von den Gelehrten vielfach studiert. Es ist also kaum wahrscheinlich, dass diese sprachliche Eigenheit bei einem von ihnen höchstens ganz vereinzelt aufgefallen wäre. Viel eher ist anzunehmen, dass wir hier die halb verlorne Kunde von Dialecten des entfernten Südens und Südostens haben. Dazu stimmt, dass es selbst über das Wesen dieser كشكشة zwei verschiedene Ansichten gab: nach Einigen bestand diese nämlich darin, dass an das *ki* noch ein *š* gehängt wurde. Das ist allerdings gewiss ebenso unrichtig wie die entsprechende Erklärung des كسكسة. Unter dieser ist wahrscheinlich die Verwandlung des *k* in einen Palatal zu verstehn, ähnlich der heutzutage im Neǵd und in der syrischen Wüste weit verbreiteten Aussprache des *k* als *ts* oder *tš*. Der Ursprung jenes *š* wird leider durch dies alles nicht klarer.

Zu S. 11. D. H. MÜLLER macht mich darauf aufmerksam, dass אשר schon im Assyrischen ‚Ort' heisst und auch als Präposition dient. S. DELITZSCH, *Assyr. Handwörterbuch* 148 f., wonach es vor Relativsätzen ‚wo' bezeichnet; ganz wie syr. ܐܬܪ. In der Bedeutung ‚Ort' findet es sich auch in den Sendschirli-Inschriften. Die Grundbedeutung ist aber doch ‚Spur'.

Zu S. 21. Ganz wie im 'Omānī verwendet schon eine Araberinn in alter Zeit die Präposition *'an* in den Worten تُقْصُرُ عَنْ تُنالهُ يداكا ‚deine Hände sind zu kurz, um an ihn zu reichen' Abū Zaid 94 paen.[1]

TH. NÖLDEKE.

Zu FR. KÜHNERT's *Aufsatz ‚Einige Bemerkungen zu Heller's: Das Nestorianische Denkmal zu Singan-fu'* (oben S. 33). — Soeben ersehe ich aus Ihrer *Zeitschrift*, dass betreffs Identification der chinesischen Benamsung

阿 *ngO-* 羅 *lo'-* 本 *p'on*

auf der Nestorianischen Inschrift von Si-ngan abweichende Meinungen herrschen, indem Herr KÜHNERT aus linguistischen Gründen darthut, dass damit unmöglich Ahron gemeint sein kann, wie HELLER, ein theologischer Autor, wollte. Da mir eine andere chinesische Inschrift vorliegt, in welcher die wirkliche Bezeichnung der Chinesen für Ahron vorkommt, so gestatten Sie wohl, dass ich Ihnen diesen positiven Beweis für die Richtigkeit der KÜHNERT'schen Ansicht mittheile.

Auf dem Täfelchen, welches im Jahre 1511 n. Chr. in der Synagoge zu Kaï-fong angebracht wurde,' befinden sich nämlich gegen den Schluss hin die Worte:

乜攝傳之阿呵聯
A- h'o'- liën

‚Moses übergab es Ahron' (gemeint ist das Religionsgesetz). Unmittelbar darauf wird dann der Name überhaupt mit Auslassung des ersten Zeichens geschrieben.

Der Name des Patriarchen Abraham findet sich auf derselben Inschrift sowohl in der ausführlichen Schreibung

阿無羅漢
A- wu- lo'- h'an

[1] Ob wirklich *tanālahū* mit Naṣb zu lesen, ist mir nicht sicher. Die Ueberlieferung, welche das hat, setzt mit Unrecht voraus, dass *'an* eine lautliche Umformung von *an* sei.

als auch in der abgekürzten

阿羅

A- lo

Der Umstand, dass die Juden in China akademische Grade erreicht haben, und daher die fragliche Inschrift auch manche classische Wendung aus dem Schiking und Schuking enthält, berechtigen wohl zu der Annahme, dass wir hier gutes Chinesisch vor uns haben. Den Text verdanken wir zwei Chinesen, die im Jahre 1850 auf Kosten der ‚London Society for promoting Christianity among the Jews' eine Expedition von Shanghai aus nach Kaï-fong machten.[1]

Berlin, 1. Juni 1895. WILLI COHN-ANTENORID.

[1] Vgl. *Account of an overland journey from Peking to Shanghai*, by Rev. W. A. P. MARTIN D. D. (*J. A. S. Ch. B.* New Series, Vol. III). A narrative of a mission of inquiry to the Jewish synagogue at K'ai fung fu. Shanghai 1851, with Hebrew facsimile (vgl. *China Repos.* xx, p. 436). — Siehe überhaupt: MOELLENDORFF, *Manual of Chinese Bibliography.* Shanghai, 1876.

Ueber einen Psalmencommentar aus der ersten Hälfte des VI. Jahrhunderts p. Chr.

Von

Dr. Ludwig Lazarus.

(Schluss.)

3. Jüdische Traditionen.

Das Bibelverständniss der alten Kirchenväter hat sich bekanntlich in völliger Abhängigkeit von der jüdischen Exegese gebildet. Ein glänzendes Beispiel hiefür liefert Aphraates, dessen Homilien in auffallendster Weise zeigen, ‚wie vollkommen noch im 4. Jahrhundert die syrische Kirche im Verständnisse des alten Testaments an die jüdische Tradition gebunden war'.[1] In der römischen Kirche nimmt Hieronymus, der bekanntlich grosse hebräische Kenntnisse besass, dieselbe Stellung ein; ebenso verrathen auch griechische Kirchenväter der ersten Jahrhunderte jüdische Einflüsse. Allein je mehr die aggadische Deutung des Schriftwortes von der christologischen, ‚geistlichen' Auslegung in den Hintergrund gedrängt wurde, desto mehr schwand der Einfluss, den die Aggada auf die Auslegungsweise der patres übte. Daher enthält auch unser Commentar, der vorzüglich eine mystisch-symbolische Deutung des Schrifttextes beabsichtigt, nur wenige, speciell dem jüdischen Gedankenkreise entlehnte Ueberlieferungen, die aber immerhin beweisen, dass selbst im 6. Jahr-

[1] Wellhausen in seiner Ausgabe von Bleeks *Einleitung in das A. T.*, IV. Auflage, 1878, S. 601.

hundert die Kirchenliteratur von jüdischen Einflüssen noch nicht ganz frei war. In unserem Werke begegnen wir nun folgenden jüdischen Traditionen:

1. Ende der 104. Homilie (ܡܟܐܒܝܐ) deutet unser Autor die Worte: יִתַּמּוּ חַטָּאִים מִן הָאָרֶץ וּרְשָׁעִים עוֹד אֵינָם in demselben Sinne, in welchem sie bereits im Talmud (Berachoth 10ᵃ) verstanden werden. Dort rechtfertigt Beruria die Worte des Sängers: Dieser verfluche nicht die ‚Sünder', sondern wünsche bloss, dass die ‚Sünden' von der Erde verschwinden mögen: מִי כְּתִיב חוֹטְאִים חַטָּאִים כְּתִיב. Es heisse ja nicht ḥoṭ'im (Sünder), sondern ḥaṭāim (Sünden, also plur. von חֵטְא). Ebenso unser Autor:

ܗܘ ܕܝܢ ܕܐܡܪ ܕܢܣܬܦܘܢ ܚ̈ܛܝܐ ܡܢ ܐܪܥܐ. ܠܘ ܐܠܝܨ
ܘܠܘܛܬܐ ܗܘܐ ܐܡܪ. ܡܛܠ ܕܐܦܠܐ ܗܘ ܕܐܡܪ ܕܠܐ
ܢܫܬܟܚܘܢ ܟܪ̈ܝܗܐ ܒܡܕܝܢܬܐ. ܠܒܢ̈ܝܢܫܐ ܛܪܕ ܡܢ ܓܘܗ ܐܠܐ
ܠܟܘܪ̈ܗܢܐ ܐܡܪ ܕܢܦܣܩܘܢ. ܐܦ ܢܒܝܐ ܗܘ ܕܐܡܪ ܗܠܝܢ ܡܠܦܐ.
ܕܬܘܒ ܠܐ ܡܬܥܒܕܐ ܚܛܝܬܐ... ܦܣܩܐ ܠܗ ܓܝܪ ܒܝܫܬܐ
ܡܢ ܟܠ... ܘܥ̈ܘܠܐ ܠܐ ܢܫܬܚܪܘܢ ܒܗ ܡܛܠ ܕܦܣܩܐ ܘܥܒܪܐ
ܚܛܝܬܐ. ܘܥܡܗ ܐܦ ܗܢܘܢ ܕܡܬܩܪܝܢ ܒܫܡܗ. ܟܕ ܠܐ ܓܝܪ
ܐܝܬܝܗ ܚܛܝܬܐ: ܘܠܐ ܗܘ ܕܡܬܟܢܐ ܒܫܡܗ ܡܫܬܟܚ.

‚Derjenige aber, welcher sagte: Die Sünder werden von der Erde verschwinden, sprach damit keinen Fluch aus, denn auch der, welcher sagt: ‚Nicht werden sich Kranke in der Stadt finden', treibt nicht die Menschen aus derselben heraus, sondern meint bloss, dass die Krankheiten aufhören werden. Indem der Profet dies sagt, lehrt auch er: Dass ferner die Sünde nicht mehr begangen werden wird . . . . . denn es schwindet das Böse von Jedem . . . . . und Frevler werden darin nicht übrig bleiben, weil die Sünde aufhören und schwinden wird und mit ihr auch diejenigen, die nach ihr benannt werden; denn sobald es keine Sünde gibt, ist auch der nicht vorhanden, welcher nach ihr benannt wird.'

Ebenso heisst es im Talmud an obiger Stelle: כיון דליבא חטאים רשעים עוד אינם ‚Sobald keine Sünden vorhanden sind, gibt es auch keine Sünder mehr'.

2. In Psalm 105 bezieht die Aggada (Jalkut Schimōni zur Stelle) die Verse 13 und 14 auf die Aegypter und Pharao, ferner auf Sarah und Abimelech u. s. w., da heisst es: ויתהלכו מגוי אל גוי מִדַּבֵּר באברהם לא הניח לאיש לעשקם אלו המצריים. ויוכח עליהם מלכים זה פרעה ואבימלך וכו׳.

Ganz in demselben Sinne äussert sich unser Verfasser:

ܐܟܣ ܡ̈ܠܟܐ ܥܠ ܐܦ̈ܝܗܘܢ. ܗܢܘ ܥܡ ܓܝܪ ܡܦܣܪܢܐ ܕܐܒܗ̈ܬܐ
ܡܛܠܬܗܘܢ. ܟܣܗ ܗܘܐ ܠܗ ܓܝܪ ܠܐܒܝܡܠܟ ܡܛܠ ܣܪܐ
ܐܢܬܬܗ ܕܐܒܪܗܡ. ܘܠܐ ܫܒܩ ܗܘܐ ܠܗ ܠܡܩܪܒ ܠܗ̇. ܐܠܐ
ܟܕ ܕܐܢ ܠܗ ܗܘܐ ܕܗܐ ܡܐܬ ܐܢܬ ܥܠ ܐܦܝ̈ ܐܢܬܬܐ ܕܕܒܪܬ
ܠܗ̇. ܐܦ ܠܦܪܥܘܢ ܬܘܒ: ܒܐܝܕܝ ܛܘܒܢܐ ܡܘܫܐ ܐܟܣܗ
ܗܘܐ ܡܛܠ ܒܢ̈ܝ ܐܝܣܪܝܠ.

Er (Gott) züchtigte den Abimelech Sarah's, des Weibes Abrahams, wegen und liess ihn nicht ihr (Sarah) nahe kommen, sondern entschied über ihn mit den Worten: ‚Siehe, du stirbst wegen des Weibes, das du genommen, auch den Pharao züchtigte er später durch den seligen Moses wegen der Kinder Israel.'

3. Zu den Worten וַיּוֹצִיאֵם בְּכֶסֶף וְזָהָב (Psalm 105, V. 37) bemerkt unser Commentar:

... ܒܢ̈ܝ ܕܙܕܝܩܐ ܡܥܬܪ ܗܘܐ ܘܡܪܒܐ. ܟܕ ܡܦܪܥ ܠܗܘܢ
ܡܛܠ ܐܓܪܐ ܕܦܘܠܚܢܐ ܕܦܠܚܘ ܒܡܨܪܝܢ. ܥܘܬܪܐ ܕܡܨܪ̈ܝܐ.
ܐܦܩ ܐܢܘܢ ܓܝܪ ܒܣܐܡܐ ܘܒܕܗܒܐ. ܟܕ ܓܝܪ ܒܚܕܐ ܦܪܥ
ܐܢܘܢ. ܐܓܪܐ ܕܦܘܠܚܢܗܘܢ. ܘܠܘܬ ܡܫܥܒܕܢܘܬܗܘܢ ܕܦܪܥܗ ...

‚Die Söhne der Frommen machte er reich und gross, indem er ihnen als Lohn für den Dienst, den sie in Aegypten verrichtet, den Reichthum der Aegypter spendete; er führte sie nämlich mit Silber und Gold heraus, denn auf einmal zahlte er ihnen den Lohn für ihre Arbeit . . . .'

Nach der jüdischen Tradition (Synhedrin 91ᵃ) wurde das von den Juden den Aegyptern abgenommene Silber und Gold als Lohn für die schwere vierhundertjährige Dienstverrichtung (שְׂכַר עֲבוֹדָה, ܐܓܪܐ ܕܦܘܠܚܢܐ) angesehen.

4. Der Auszug aus Aegypten gilt in der Aggada als Vorbild der Erlösung der Menschheit in der Zukunft, der Auferstehung alles Fleisches zu ewigem Leben; auf פֶּסַח מִצְרַיִם folgt פֶּסַח לֶעָתִיד, namentlich der synagogale Dichter (Paitan) hat diesen Gedanken poetisch verherrlicht. Er scheint auch unserem Autor nicht fremd gewesen zu sein, denn er sagt an eben bezeichneter Stelle: ... ܘܡܟܝܠ ܗܪܐ܆ ܘܡܛܠܐ ܐܪ̈ܙܐ ܗܘܬ ܕܩܝܡܬܗܘܢ [ܕܡܦܩܢܐ ܡܢ ܡܨܪܝܢ] ...

„. . . und weil der Auszug des Volkes aus Aegypten das Symbol (Mysterium) der Auferstehung darstellt . . .'

5. Zu Psalm 106, V. 28 und 29 bemerkt unser Verfasser:

... ܘܐܟܠܘ ܕܒܚܐ ܕܡܝ̈ܬܐ ܘܐܪܓܙܘܗܝ ܒܥܒ̈ܕܝܗܘܢ. ܘܒܣܘܥܪ̈ܢܝܗܘܢ ܐܬܒܨܪܘܗܝ ܘܡܟܣ ܠܟܠܗܘܢ ܒܬܪ̈ܬܝܗܘܢ ܚܛܝܬܐ ܡܢ ܥܠܝܐ. ܟܕ ܒܬܪ̈ܬܝܗܝܢ ܐܣܟܠܘ ܥܡܐ. ܒܗܝ ܕܪܒܐ ܡܢ ܚܒܪܬܗ. ܚܘܒܠ ܘܬܪܝܨܐ. ܟܕ ܓܝܪ ܢ̈ܦܩܢ ܢܫ̈ܐ ܡܕܝܢܝܬܐ ܐܝܟ ܕܐܡܠܟ ܒܠܥܡ: ܘܐܨܛܒܬܝ ܒܟܠ ܐܣܟܡ̈ܝܢ ܠܡܬܪܓܪܓܘ ܠܥܡܐ ܠܘܬ ܚܛܝܬܐ ...

„. . . Obgleich das Volk in beiden Fällen sündigte, wird es doch wegen der grösseren von diesen beiden Sünden getadelt und zurechtgewiesen. Denn als die midjanitischen Frauen auf Bileams Rath herauskamen, sich auf alle Art schmückten, um das Volk zur Sünde zu verleiten . . .'

Ebenso berichtet auch der Midrasch (Bammidbar Rabba, Schluss, sect. 20):

וַתִּקְרֶאןָ לָעָם לְזִבְחֵי אלהיהן. שֶׁהָלְכוּ בַּעֲצָתוֹ שֶׁל בִּלְעָם. וְנַעֲרָה יוֹצְאָה מְקוּשֶּׁטֶת וּמְבוּסֶּמֶת וּמְסַתָּה אוֹתוֹ וְאוֹמֶרֶת לוֹ וכו׳ . . .

‚Und sie riefen das Volk zu den Opfern ihrer Götter', sie wandelten nämlich im Rathe Bileams, ein Mädchen kam geschmückt und parfümirt heraus, verführte die Leute, indem sie sprach: . . .

6. In der Ueberschrift zur 107. Homilie stellt unser Commentator den Tod, Satan und die Sünde nebeneinander: ܥܠ ܦܘܪܩܢܐ ܕܥܒܕ ܐܠܗܐ ܠܓܢܣܐ ܐܢܫܝܐ ܡܢ ܡܘܬܐ ܘܣܛܢܐ ܘܚܛܝܬܐ ‚Ueber die Befreiung, die Gott dem Menschengeschlechte brachte, von Tod, Teufel und Sünde'. Diese Gleichstellung erinnert an den bekannten talmudischen[1] Ausspruch, dass der Satan, der Todesengel und der Trieb zum Bösen (zur Sünde) ein- und dasselbe seien; es seien drei Bezeichnungen für dasselbe Ding.

7. Der 116. Psalm (LXX, 114; Syrer 115) wird von der jüdischen Exegese auf die Gefahr bezogen, in der David schwebte, als er dem Saul in die Hände fiel. So bemerkt der Jalkut zu 1. B. Sam. 24, 3: כיון שראה דוד עצמו מצומצם ביד שאול ואנשיו התחיל אומר ‚Als David sich von Saul und dessen Gefolge so bedrängt und bedroht sah, sprach er diese Psalmworte'. Diese jüdische Tradition nun, die auch in der entsprechenden Ueberschrift der Peschitô[2] Eingang gefunden hat, wurde auch von unserem Verfasser aufgenommen und des Weiteren ausgeführt, worauf er schliesslich sagt:

ܒܗܘ ܥܕܢܐ ܕܩܐܡ ܕܘܝܕ ܒܐܘܠܨܢܐ ܗܢܐ ܕܡܘܬܐ. ܘܐܡܪ ܬܫܒܘܚܬܐ ܗܕܐ ܕܡܐܐ ܘܚܡܫܥܣܪ ܒܡܙܡܘܪܐ . . .

‚Um jene Zeit, als David in dieser Todesgefahr schwebte, dichtete er diesen 115. Psalm.'

8. Mit den Worten unseres Autors in derselben Homilie: ܡܥܪܩ ܓܝܪ ܪܘܚܐ ܩܘܕܫܐ ܡܢ ܢܦܫܐ ܕܐܣܝܪܐ ܒܦܚ̈ܐ ܕܪܡܘܬܐ. ‚Denn der heilige Geist verlässt die Seele, die verstrickt ist in die Schlingen des Hochmuthes', ist der talmudische Ausspruch zusammenzustellen, der lautet (Sota 5ᵃ): כל אדם שיש בו גסות הרוח אמר הקב"ה אין אני והוא יכולין לדור בעולם ‚Von einem Hochmüthigen sagt Gott: Ich und ein solcher können zusammen nicht auf der Welt existiren'.

---

[1] Baba Bathra 16ᵃ: אמר ר"ל הוא שטן הוא יצר הרע הוא מלאך המות

[2] ܥܠ ܒܝܫܐ ܫܐܘܠ ܐܬܐ ܟܕ ܡܫܒܚܢܘܬܐ ܘܐܬܬܟܝܠ ܬܘܕܝܬܐ ܕܡܫܒܚܬܐ ܗܘ ܕܗܘܐ ܡܛܠ ܗܘܐ ܕܗܘܐ ܦܘܪܩܢܗܘܢ.

4. Exegetische Bemerkungen.

Seine Vorliebe für die sogenannte ‚geistliche‘ Auslegung rechtfertigt gewöhnlich der Verfasser mit einem Hinweise auf den Psalmisten selbst: ‚Wenn der Psalm im Hinblick auf ein wirkliches Ereigniss gedichtet worden wäre, dann dürfte er nicht als eine Weissagung angesehen werden, sondern nur als eine geschichtliche Aufzeichnung (ܡܟܬܒܢܘܬܐ).‘ So z. B. lesen wir in Hom. zu Psalm 98; Aehnliches finden wir auch in der 114. Homilie.[1] Bei vielen Psalmen nimmt unser Autor auf das geschichtliche Ereigniss, das in den Ueberschriften der Peschîto bezeichnet wird, Bezug.

Wie in der Psalmenüberschrift bezieht er z. B. den 109. Psalm auf jene Zeit, da Absalom sich empörte und König werden wollte, den 122. Psalm (nach Syrer 121) auf jenen Erlass des Cyrus (536 a. Chr.), der den in Babylon verbannten Juden die Heimkehr nach Jerusalem gestattete; im Allgemeinen jedoch zieht er die allegorisirende der historisirenden Auslegung bei weitem vor. Ja er benützt sogar mitunter geschichtliche Ereignisse oder sonstige, angebliche Thatsachen, um mit Hilfe derselben die Richtigkeit seiner ‚geistlichen‘, mystischen Auslegung zu beweisen. Ein Beispiel mag dies näher zeigen.

Unter dem im 125. (Syrer 124.) Psalm, V. 1 genannten Zionsberg, der ‚nimmer wankt, sondern ewig bleibt‘, kann — so betont unser Autor[2] — nicht das irdische Jerusalem (ܨܗܝܘܢ ܕܐܪܥܢܝܬܐ)

[1] ܒܪܡ ܚܢܢ ܠܘܬ ܬܐܘܪܝܐ ܕܡܙ̈ܡܘܪܐ ܪ̈ܘܚܢܝܐ ܕܡܬܦܪܫܝܢ ܕܢܦܫܝܗܘܢ. ܡܛܠ ܕܐܝܟ ܠܫܡܘܥܬܐ ܐܟܪܙܝܢ ܒܠܚܘܕ ܕܐܬܘܬܗܘܢ. ܘܠܐ ܡܟܬܒܢܘܬܐ ܒܠܚܘܕ ܕܣܘܥܪܢܘܬܐ. (Aufang der 114. mimrô.)

[2] Diese Stelle lautet: ܒܗܢܐ ܓܝܪ ܕܐܡܪ ܕܠܐ ܢܙܘܥܘܢ. ܘܡܗܢ ܕܐܡܪ ܠܥܠܡ ܢܩܘܡܘܢ. ܕܠܘ ܥܠ ܗܘܐ ܨܗܝܘܢ ܐܬܐܡܪ. ܐܘܕܥ. ܡܛܠ ܕܐܝܠܝܢ ܕܢܦܩܘ ܡܢ ܨܗܝܘܢ ܗܘ ܕܥܠܡܐ ܕܗܘܐ: ܒܬܪ ܕܫܠܡܘܬܗ ܡܢ ܬ̈ܚܡܣܐ ܐܘ̈ܪܚܬܐ ܦ̈ܠܓܘܬܐ ܐܝܟ ܘܐܬܕܘܕܘ

verstanden werden, denn dieses sei oft genug bedroht und erschüttert worden, u. zw. durch die Angriffe äusserer Feinde: Zuerst kam der Aegypterkönig Schischak, in Manasche's Tagen erschien der Assyrerkönig, unter Jojakim führte Nebukadnezar die Gefangenen fort, unter Zedekia wurden die Verbannten vom Feldherrn Nebusaradan fortgeschleppt, Zion war 70 Jahre verödet und verlassen; nach der Rückkehr aus Babylon war das Land 46 Jahre hindurch von den Räuberscharen der umliegenden Völker bedroht, die den Bau des Tempels verhindern wollten; dann begannen die Kämpfe mit den Griechen und Römern, bis Titus, der Sohn Vespasians, Zion völlig

ܡܢ ܓܝ̈ܣܐ. ܘܐܬܚܙܝܐ ܕܝܢ ܡܕܝܢܬܐ. ܗܘ ܕܫܠܛ ܥܠܝܗ̇ ܫܝܫܩ ܡܠܟܐ
ܕܡܨܪܝܢ· ܘܫܒܝܗ̇. ܡܢ ܒܬܪ ܕܡܢܫܐ ܥܠܝܗܘܢ ܘܐܫܬܥܒܕ
ܠܡܫܥܒܕ. ܒܬܪ ܗܢܐ ܕܝܢ· ܒܬܪ ܐܬܘܪܝܐ ܡܠܟ ܝܗܘܝܩܝܡ
ܟܠܗ̇ ܐܪܥܐ ܕܝܗܘܕܐ. ܘܒܬܪ ܒܝܘܡܘ̈ܗܝ. ܘܢܒܘܟܕܢܨܪ ܡܠܟܐ ܕܒܒܠ ܫܒܝܐ
ܫܒܗ̇ ܟܠܗ̇ ܐܪܥܐ ܕܐܬܘܪ. ܘܒܬܪ ܗܢܐ ܒܝܘܡܝ ܨܕܩܝܐ. ܫܒܗ̇
ܠܢܒܘܙܪܕܢ. ܘܗܘܬ ܫܒܥܝܢ ܫܢܝܢ ܕܚܘܪܒܐ. ܫܒܗ̇ ܗܘܐ
ܠܡܒܢܝܗ̇ ܐܘ ܕܐܪܥܐ ܕܠܡܒܢܝܗ̇ ܟܠܗ̇ ܕܒܝܬ. ܘܒܬܪ ܗܢܐ ܫܢܝܐ
ܗܘܐ ܢܦܩܬ ܐܬܐܬܐ ܕܒܝ ܠܐ ܗܘܐ ܒܢܝܢܗ̇ ܗܘ ܫܢܝܐ ܫܬܝܢ
ܫܢܝܢ. ܘܡܢ ܒܬܪ ܕܫܠܡ ܒܢܝܢܐ ܡܢ ܒܒܠ. ܐܬܩܛܠܘ ܘܫܒܬ
ܫܢܝܢ ܐܬܬܐܪܡܘ ܡܢ ܓܢܣܐ ܕܥܡ̈ܡܐ ܕܚܕܪܝܢ ܗܘܘ ܠܗ̇.
ܗܠܝܢ ܕܒܥܠܝ ܦܠܫܬܝܢ ܗܘܘ ܒܠܚܘܕ ܘܡܟ̈ܠܝܢ ܗܘܘ
ܠܐܝܠܝܢ ܕܒܢܝܢ ܗܘܘ ܗܝܟܠܐ ܒܫܢ̈ܝܐ ܘܒܥܒܕܐ. ܘܡܢ ܒܬܪ
ܗܠܝܢ. ܩܪ̈ܒܐ ܐܚܪ̈ܢܐ ܕܝܘܢܝܐ ܗܘܘ ܠܗ̇ ܕܝܘ̈ܢܝܐ ܘܕܪ̈ܗܘܡܝܐ.
ܘܗܠܝܢ ܕܣܥܪܘ ܠܗ̇. ܒܬܪ ܛܝܛܘܣ ܡܢ ܛܝܛܘܣ ܒܪ ܐܣܦܣܝܢܘܣ.
ܕܚܪܒܗ̇ ܠܨܗܝܘܢ ܘܫܒܗ̇ ܒܟܠܗ̇ . . . ܗܠܝܢ ܗܟܝܠ ܕܐܡܝܪܢ:
ܥܠ ܕܐܘܪܫܠܡ: ܕܠܐ ܥܠ ܛܘܪܐ ܕܨܗܝܘܢ ܗܢܐ ܕܒܬܪ ܐܬܚܙܝܐ ܐܡܪ
ܕܗܘ ܒܡܕܝܢܬܐ ܕܡܬܝܕܥܐ ܗܘܬ. ܐܠܐ ܥܠ ܗܝ ܛܘܪܐ ܕܨܗܝܘܢ
ܥܠܝܬܐ. ܕܥܠܝܗ̇ ܥܠܝܗܘܢ ܒܢܝܢܗ ܕܐܠܗܐ ܡܝܬܐ.

zerstörte und dessen Einwohner gefangennahm. David könne daher, so schliesst unser Commentator, diesen Psalm nur mit Hinblick auf ‚jenen himmlischen Zionsberg‘ gedichtet haben. Es ist klar, dass eine solche Auslegungsweise, die der Phantasie den freiesten Spielraum gewährt, zu den absonderlichsten Deutungen des Schrifttextes führen muss, besonders wenn man so willkürlich an der Schrift herumdeutet, wie es unser Autor thut, der den einfachen Wortsinn des Verses zumeist in das enge Prokrustesbett der Mystik und Symbolik presst. So wird von dem Verse: ‚Jerusalem hat Berge rings um sich‘ (Psalm 125) behauptet, derselbe könne sich nicht auf das irdische Jerusalem beziehen, weil sich — mit Ausnahme des Oelberges im Osten — in unmittelbarer Nähe der Stadt kein hoher Berg erhebe (!), es könne daher nur von den Bergen die Rede sein, welche das himmlische Jerusalem umgeben, dies seien die ‚Reihen und Versammlungen der Obern und die Heerführer der himmlischen Mächte‘: [ܬܐܓܡܐ ܘܟܢܘܫܐ ܕܥ̈ܠܝܐ ܘܪ̈ܫܢ ܡܕܒܪ̈ܢܘܬܐ ܫܡܝ̈ܢܝܬܐ] und nun zählt der Verfasser diese intelligiblen Berge auf, die Seraphim, die Cherubim, die Propheten, die Lehrer [ܡ̈ܠܦܢܐ] u. s. w. Oft deutet unser Autor in einen Vers etwas hinein, was nicht nur dem geraden und schlichten Wortsinn zuwiderläuft, sondern auch den inneren Zusammenhang der einzelnen Theile aufhebt. In dem Verse (Psalm 89): ‚Ich werde legen an das Meer seine Hand und an die Ströme seine Rechte‘ soll unter ‚Meer‘ die Welt zu verstehen sein, u. zw. mit der höchst sonderbaren Begründung ‚wegen der Bitterkeit der Sünde, welche mit den Wassern der Welt vermischt war‘; an dieser Stelle wird auch mehrmals betont, dass dieser Psalm (89) sich nicht auf David bezöge, allein die später folgenden Worte: ‚Wenn seine Söhne mein Gesetz verlassen u. s. w.‘, nöthigen schliesslich doch unseren Verfasser zu dem Geständnisse, dass hier eine mystische Auslegung nicht am Platze sei, vielmehr diese Worte als etwas Thatsächliches (ܣܘܥܪܐܝܬ) aufgefasst werden müssen; indem er also diese Worte auf die Söhne Davids bezieht, führt er sich selbst ad absurdum. Die Schwäche dieser mystisch-parabolischen Deutung, deren Unhaltbarkeit schon aus obigen Beispielen einleuchtet, ver-

wickelt unsern Autor oft in Widersprüche. Bald gilt ihm die Sonne als das Symbol der Reinheit und Sündenlosigkeit, bald soll sie hingegen die Versuchung, den Teufel vorstellen, wie der Mond. Unter den Bergen (vgl. oben), die der Psalmist oft erwähnt, sind bald die feindlichen, dämonischen Mächte, bald die himmlischen Heerscharen, die Cherubim und Seraphim zu verstehen[1] und so begegnen wir öfter Zeichen eines sich nicht immer consequent bleibenden Geistes. Höchst sonderbar klingt die Ansicht des Autors in der 87. Homilie, die Propheten hätten aus Furcht[2] vor dem Zelotismus (ܛܢܢܐ) des Volkes es nicht auszusprechen gewagt, dass das Volk Israel verworfen, die Heidenvölker hingegen auserwählt seien; hätten sie sich in diesem Sinne geäussert, so wären sie gesteinigt worden. Wer die Wahrheitsliebe und Unerschrockenheit der hebräischen Propheten kennt, der wird diesen Vorwurf ganz unbegründet finden. Auf die berechtigte Einwendung, dass der Psalmist das hätte heraussagen sollen, was eine mystische Auslegung in seine Worte hineininterpretirt, hat unser Verfasser nur die wohlfeile Antwort, der Psalmendichter habe wegen des schwachen Fassungsvermögens seiner Zuhörer den geheimen Sinn seiner Worte nicht offenbaren wollen. So wird z. B. der 124. Psalm auf den Kampf bezogen, den die Dämonen mit der Seele führen, und mit Rücksicht darauf heisst es daselbst: ܕܠܐ ܕܝܢ ܟܪܙܗ ܠܩܪܒܐ ܘܓܠܝܗ ܠܬܟܬܘܫܐ ܕܫ̈ܐܕܐ ܕܥܡ ܢܦܫܐ ܡܛܠ ܡܚܝܠܘܬܐ ܕܫ̈ܡܘܥܐ ܕܗܘܘ ܗܝܕܝܢ ,Dass er aber den Krieg nicht verkündigte und den Kampf nicht offenbarte, den die Dämonen mit der Seele führen, das geschah wegen der Schwäche der Zuhörer der damaligen Zeit'. Anknüpfend an Vers 7 desselben Psalmes (,Wie ein Vogel entrann unsere Seele aus der Falle der

---

[1] Dies erinnert wieder an Severus, welcher bei Corderius III., p. 931 sagt: Ἔθος γὰρ ὄρη τὴν θείαν γραφὴν καὶ τὰς ἀγγελικὰς καὶ τὰς ἐναντίας δυνάμεις ἀποκαλεῖν.

[2] Eine ähnliche Ansicht über Paulus finden wir am Ende der 110. Homilie: ... ܡܛܠܗܕܐ ܕܝܢ ܦܘܠܘܣ ܐܠܗܝܐ ܡܢ ܒܪܝܫܐ. ܘܠܐ ܫܒܩ ܠܗܘܢ ܬܘܬܒ̈ܐ ܕܐܬܐ ܘܐܬܟܪܟܘ ܠܡܫܝܚܐ ܡܫܠܡܢܘܬܐ. ܬܘܬܒܐܝܬ ܥܠ ܕܟܢ ܒ̈ܢܝ ܝܗܘܕܝܐ ܗܘܐ.

Steller') bemerkt unser Autor, dieses hübsche, poetische Bild weiter fortspinnend: Der Prophet[1] vergleicht die Seele mit dem Vogel; denn wie der Vogel zwei Flügel hat, mit denen er sich, wenn sie beide gesund sind, in die Lüfte hinaufschwingt, um dem Vogelsteller zu entgehen u. s. w., ebenso bedarf auch die Seele zweier Schwingen, der Praxis (ܦܘܠܚܢܐ) und der Erkenntniss (ܝܕܥܬܐ), vermittelst welcher sie sich zu Gott emporhebt; gleichwie aber der Vogel, wenn einer seiner Flügel beschädigt ist, eine Beute des Jägers wird, ebenso kann auch die Seele ihre Bestimmung nicht erlangen, wenn eine ihrer Geistesschwingen verletzt ist, weil dann auch die andere, welche gesund ist, nichts vermag; denn[2] wenn die Seele durch die Erkenntniss (Gottes) erleuchtet und vervollkommnet, jedoch im Dienste nicht geübt ist, so wird auch die Schwinge der Erkenntniss gelähmt und muss von ihrem Fluge zu Gott empor abstehen; wenn sie hinwieder im Dienste ausgezeichnet ist, so kann sie sich trotzdem ohne die Erkenntniss des Glaubens zu Gott nicht emporschwingen. Unter dem ‚frommen Dienste' (ܦܘܠܚܢܐ ܕܟܐܢܘܬܐ) versteht unser

—

1 ܡܕܡܐ ܠܗ ܢܒܝܐ ܠܢܦܫܐ ܒܕܡܘܬܐ ܕܦܪܚܬܐ. ܡܛܠ
ܗܘ ܕܬܪܬܝܢ ܟܢܦܐ ܐܝܬ ܠܦܪܚܬܐ. ܗܢܝܢ ܕܡܐ ܕܚܠܝܡܢ܆ ܠܥܠ
ܕܠܥܠܐܝܬ ܦܪܚܐ ܒܐܐܪ ܒܗ ܒܡܫܬܘܙܒܢܘܬܐ ܡܢ ܨܝܕܐ. ܐܟܘܬܗ ܗܟܢ
ܡܢ ܬܪܬܝܢ ܟܢܦܝܗ ܠܘܬ ܐܠܗܐ܆ ܕܠܡܠܐܟܘܬܐ ܠܡܪܘܡܐ ܘܠܠܝܐ ܗܘܢܐ. ܘܗܕܡܐ
ܐܝܟ ܢܦܫܐ ܕܢܣܒܐ ܒܗ ܒܠܒܗ ܗܘ ܐܣܝܪܐ ܒܡܠܬܐ ܗܘ.
ܡܠܦܢܘܬܐ ܗܟܢܐ ܕܬܪܬܝܢ ܟܢܦܐ: ܒܬܘܣܦܬܐ ܠܗ ܠܦܪܚܬܐ ܢܦܫܐ
ܕܬܗܘܐ ܒܬܪܬܝܢ ܦܘܠܚܢܐ ܪܘܚܢܝܐ ܘܝܕܝܥܘܬܐ. ܗܠܝܢ
ܐܝܟ ܬܪ ܬܪܬܝܢ ܟܢܦܝܗ ܕܢܦܫܐ. ܦܘܠܚܢܐ ܘܝܕܥܬܐ.

2 ܡܛܠ ܕܐܢ ܬܗܘܐ ܢܗܝܪܐ ܘܓܡܝܪܐ ܢܦܫܐ ܒܝܕܥܬܐ:
ܒܦܘܠܚܢܐ ܕܝܢ ܠܐ ܬܗܘܐ ܡܬܕܪܫܐ: ܡܬܚܪܒܐ ܘܦܫܟܐ ܡܢ
ܦܪܚܐ ܕܠܘܬ ܐܠܗܐ. ܐܦ ܗܘ ܓܝܪ ܟܢܦܐ ܐܚܪܢܐ ܕܝܕܥܬܐ. ܘܐܢ
ܬܗܘܐ ܒܦܘܠܚܢܐ ܕܟܐܢܘܬܐ ܬܗܘܐ ܢܨܝܚܐ: ܡܢ ܓܘܢܐ ܐܚܪܢܐ
ܐܝܟ ܡܫܒܪܐ ܘܡܫܝܢܘܬܐ ܘܡܚܠ ܒܟܠܗܝܢ܆ ܠܐ ܡܨܝܐ ܠܚܘܕܗ
ܠܡܪܘܡܐ ܥܠܝܗ ܒܝܕܥܬܐ ܕܗܝܡܢܘܬܐ.

Autor das Fasten, Wachen, Enthaltsamkeit[1] und sonstige fromme Uebungen. Mit Bezug auf Vers 6 des 84. Psalm, wo der Dichter von den ‚Pfaden im Herzen' spricht, zählt unser Verfasser diese Pfade oder Aufstiege zu den höchsten Höhen (ܡܣ̈ܩܬܐ ܠܪ̈ܘܡܐ ܥ̈ܠܝܐ) mit folgenden Worten auf: ‚Die göttlichen Wege aber sind folgende: Der erste Weg[2] ist der Glaube, der zweite die Hoffnung, der diesen folgende die Liebe, dann Barmherzigkeit, Wohlwollen, Güte, Langmüthigkeit, Freudigkeit, Frieden, Keuschheit, Reinheit, Heiligkeit, Jungfräulichkeit, Armut, Niedrigkeit, Lauterkeit, Belehrung, Ausdauer; im Gegensatz dazu versteht er unter den Thieren des Feldes, die den Weinstock beweiden (Psalm 80, V. 14), die hässlichen Leidenschaften;[3] ‚Diese nennt der Prophet ‚Thiere': Siehst du die Essgier? Diese ist ein unreines Thier; Siehst du die Leckerhaftigkeit? Auch diese ist ein Thier, welches nicht erröthet; und nach diesen die Missgunst, die Scheelsucht, der Zorn, der Stolz, die Prahlsucht, die

---

[1] Ueberhaupt spielt die Askese im Commentar eine gewisse Rolle; der Vers: ‚Die hohen Berge dienen Gemsen, Felsen sind Zuflucht den Kaninchen' (Psalm 104, v. 18) wird auf die Anachoreten, Nazarener und Bergbewohner (Mönche) gedeutet: ܛܘܪ̈ܐ ܪ̈ܡܐ ܕܝܢ ܗܠܝܢ ܕܐܢܟܘܪ̈ܝܛܐ ܕܡܫܝ̈ܚܝܐ ܢܙܝܪ̈ܐ. ܕܡܬܕܡܝܢ ܠܝܥ̈ܠܐ ܘܠܘܬܪ̈ܘܬܐ ܕܥܕ̈ܪܐ ܘܡܥ̈ܠܝܐ ܘܦܘܪ̈ܫܐ ܕܡܢ ܥ̈ܘܡܪܐ. Bekanntlich verbrachte Severus Antiochenus seine letzten Jahre in strenger Askese.

[2] ܫܒܝ̈ܠܐ ܩܕܡܝܐ ܗܝܡܢܘܬܐ. ܬܪܝܢܐ ܣܒܪܐ. ܗܘ ܕܒܬܪ ܗܠܝܢ ܚܘܒܐ. ܡܪܚܡܢܘܬܐ. ܒܣܝܡܘܬܐ ܛܝܒܘܬܐ. ܢܓܝܪܘܬ ܪܘܚܐ. ܚܕܘܬܐ. ܫܠܡܐ. ܢܟܦܘܬܐ. ܕܟܝܘܬܐ. ܩܕܝܫܘܬܐ ܒܬܘܠܘܬܐ. ܡܣܟܢܘܬܐ. ܡܟܝܟܘܬܐ. ܬܡܝܡܘܬܐ. ܬܠܡܝܕܘܬܐ. ܡܣܝܒܪܢܘܬܐ. ܗܠܝܢ ܐܝܟ ܥܩ̈ܒܐ ܐܠܗܝܐ.

[3] ܠܚ̈ܫܐ ܕܣܢ̈ܝܐ ܩܪܐ ܢܒܝܐ ܚܝ̈ܘܬܐ. ܚܙܝܬ ܪܥܒܬܢܘܬܐ. ܕܛܢܦܘܬܐ. ܗܕܐ ܗܝ ܚܝܘܬܐ ܠܐ ܕܟܝܬܐ. ܚܙܝܬ ܠܚܡܝܡܘܬܐ. ܐܦ ܗܕܐ ܚܝܘܬܐ ܗܝ ܕܠܐ ܒܗܬܐ. ܘܒܬܪ ܗܠܝܢ ܚܣܡܘܬܐ. ܛܢܢܘܬܐ. ܪܘܓܙܬܢܘܬܐ ܫܒܗܪܢܘܬܐ ܪܒܪܒܢܘܬܐ ܚܬܝܪܘܬܐ. ܪܘܪܒܘܬܐ. ܗܠܠܘܬܐ. ܙܢܝܘܬܐ. ܡܠܘܫܘܬܐ. ܪܘܚܬ ܚܘܫܒܐ. ܙܢܝܘܬ ܪܢܝܐ. ܗܠܝܢ ܫܘ̈ܚܬܐ ܐܝܟ ܚܝ̈ܘܬܐ.

Bosheit, die Ueberhebung, die Unzucht, der Ehebruch, die Zauberei, die Feindseligkeit, die Geldgier und die Grausamkeit'. So lauten die Worte unseres Autors, der in der Homilie zum 83. Psalme vier Leidenschaften[1] aufzählt, die er als die Quellen der Unzucht bezeichnet; diese vier Grundübel der Menschheit sind: Essgier, Trunksucht, Schläfrigkeit, leichtsinniger Umgang mit Weibern; den Sinn dieser Worte werden wir wohl verstehen, wenn wir uns der oben erwähnten, vom Verfasser so warm empfohlenen Mittel zur Führung eines streng asketischen Lebens (Fasten, Nachtwachen, Enthaltsamkeit) erinnern; hier sei nur noch der idealistischen Zuversicht gedacht, mit der unser Verfasser betheuert, dass der Mensch diese vier Begierden bezwingen könne ‚gleichwie auch Gideon die vier Könige Midjans besiegte', und dass er durch die Bändigung dieser Leidenschaften auch alle übrigen besiegt und tödtet.

Adam erscheint in unserem Werke als ‚Gefangener' (ܐܣܝܪܐ), ‚alter Mensch' (ܒܪ ܐܢܫܐ ܩܕܡܝܐ), ‚Elender' (ܡܣܟܢܐ), die Sünde heisst ‚das Kleid Adams', wird aber auch als eine ‚Erschütterung' (ܙܘܥܬܐ, Psalm 120) und eine ‚Krankheit' (ܟܘܪܗܢܘܬܐ, Psalm 118) bezeichnet. Die Dämonen sind die ‚Söhne der Finsterniss und der Linken', die ‚fälschlich so genannten (= ψευδώνυμος) Gewalten' (ܡܪ̈ܘܬܐ ܕܓܠ ܫܡܐ), die ‚Kinder der Nacht, welche die Herrschaft über uns gewonnen haben, dem Menschen zuerst auflauerten und ihn die Sünde lehrten'; der Teufel wird oft kurzweg der ‚Starke' (ܚܣܝܢܐ) oder der ‚Mächtige' (ܚܝܠܬܢܐ) genannt, oft heisst er auch ‚Menschenmörder', Unterdrücker (ܛܠܘܡܐ), Verleumder, Einflüsterer (ܡܪܢܝܢܐ), Verwirrer (ܛܪܘܦܐ), frevelhafter Gefangennehmer, Räuber (ܓܝܘܣܐ), an einer Stelle wird er auch mit dem Levjathan[2] identificirt. Die Spitze seiner Polemik richtet unser Autor

[1] ... ܕܥܡܗ ܗܠܝܢ ܢܬܟܬܫ ܥܠ ܐܘܪܚܐ ܦ̈ܫܝܛܐ ܗܠܝܢ:
ܗܟܘܬ ܕܬܟܬܫܬܐ ܐܝܬܝܗ ܥܠ ܦܘܪܫܢܐ. ܐܝܟ ܕܝܢ ܡܬܘܡܐ.
ܠܡܘܫܐ ܕܐܬܟܬܫܬܐ. ܐܟܘܬ ܕܝܢ ܡܫܬܝܬܐ. ܘܐܟܘܬ ܫܢܬܐ.
ܘܐܟܘܬ ܐܠܬܩܦܘܬܐ ܘܚܝܠܗ ܕܥܡ ܢܫ̈ܐ.

[2] ܠܠܘܝܬܢ ܕܝܢ ܠܐܟܠܩܪܨܐ ܕܒܫܝܢܘܬܐ (Mitte der 104. Homilie).

gegen die Juden, Heiden[1] und Häretiker;[2] aufs schärfste bekämpft er die letzteren, die Söhne Esau's, wie er sie nennt, auch wirft er ihnen Hochmuth (ܪܡܘܬܐ) vor und versichert, dass ihr Weg ins Verderben führe. Im Gegensatze zu den Manichäern[3] betont er, dass der menschliche Leib als Gebilde Gottes nicht von einem bösen Wesen geschaffen sein könne; auch gegenüber den Arianern,[4] die ‚ihn für ein geschaffenes Wesen hielten', und den Nestorianern, die ‚ihn einen einfachen Menschen nannten', vertheidigt er seinen dogmatischen Standpunkt. In der Homilie zum 110. Psalme billigt er die Ansicht, dass David selbst, vom heiligen Geiste inspirirt, alle Psalmen verfasst habe.[5] Wenn er sich auch in diesem Punkte an die alten Ausleger[6] anschliesst, so strebt er doch in seinen Deutungen des Schrifttextes zumeist nach Selbständigkeit, indem er oft die Ansichten der ‚Erklärer' (ܡܦܫܩܢܐ) oder derjenigen, die ‚sich mit Exegese beschäftigen', entweder ganz verwirft oder nur mit Einschränkungen gutheisst. Ueberhaupt weht in diesem Commentar ein selbstbewusster Geist, der durch Kühnheit des Gedankenfluges und treffende Bilder oft imponirt. Die Ausdrucksweise ist zwar im Allge-

---

[1] ܚܢ̈ܦܐ.

[2] ܐܪ̈ܣܝܣ.

[3] ܘܠܐ ܗܝ ܡܢ ܒܝܫܐ ܐܬܒܪܝ ܐܝܟ ܡܫܠܡܢܘܬܐ ܕܡܢ̈ܝܟܝܐ (107. Homilie).

[4] ܦܠܠܐ ܗܘ ܠܗ ܕܢܐܡܪ ܐܬܥܒܕܘܬܐ ܕܐܪ̈ܝܢܐ ܘܕܢܣܛܘܪ̈ܝܢܐ:
ܘܠܘܬ ܕܐܡܪܝ ܕܥܠ ܐܝܬܘܗܝ ܘܗܘܐ ܠܗ ܒܪܝܬܐ. ܘܠܐ ܕܐܡܪܝܢ
ܕܥܠ ܦܫܝܛܘܬܐ ܘܦܫܩ ܠܗ ܒܪܢܫܐ ܦܫܝܛܐ. (110. Homilie).

[5] ܒܗܠܝܢ ܕܐܡܪ ܒܡܐܡܪܐ ܕܟܠ ܡܙܡܘܪ̈ܐ ܗܢܘܢ ܐܡܝܪܝܢ
ܥܠ ܕܘܝܕ ܕܡܫܠܡܝܢ ܒܡܙܡܘܪܐ ܒܪܘܚܐ ܕܩܘܕܫܐ ܐܡܝܪ ܐܢܘܢ
[فيقول السيد عن هذا المزمور قد شهد لداود وثبت أن جميع مزاميره هي مقوله بروح القدس].

[6] Vgl. Chrysostomus (Migne, Patrol. Graeca 69, p. 709): Εἰσὶ δὲ πάντες οἱ ψαλμοί, ὡς τοῖς ἀκριβοῦσι δοκεῖ, καὶ τῇ ἀληθείᾳ τοῦ Δαβίδ. Ebenso Augustin, auch der Talmud (Pesachim 117a) lehrt dies: תניא הוה ר"מ אומר כל תושבחות האמורות בספר תהלים כולן דוד אמרן.

meinen schlicht und einfach, erhebt sich jedoch zuweilen zu dichterischem Schwung und rhetorischem Pathos, was umso begreiflicher erscheint, als diese Homilien entweder an bestimmten Tagen vor einem grösseren Zuhörerkreise gesprochen oder wenigstens, als für den mündlichen Vortrag bestimmt, abgefasst wurden.

Hören wir, mit welch beredten Worten unser Verfasser den Sündenfall schildert: ‚ . . . Du liessest den Menschen bis zur Zermalmung zurücksinken (Psalm 90, Vers 3); von wann an liess er den Menschen zurücksinken? Und wo war er, bevor er zurücksank? In der Höhe war er und fiel in die Tiefe, im Himmel war er, und weil er dort sündigte, stürzte ihn Gott auf die Erde hinab, von der er genommen worden, im Paradiese — voll Seligkeit — weilte er, da er aber vom Ungehorsam versucht wurde, liess ihn Gott einen Ackersmann auf Dornen und Disteln werden, welche die Erde infolge der Gesetzesübertretung hervorbrachte. Die erhabenen Kleider der Unsterblichkeit und Unverweslichkeit zog ihm die Gnade an, als er aber sündigte, kehrte er zur Strafe dafür zu seiner Natur zurück und Gott brachte ihn bis zur Erniedrigung des Todes und der Verwesung. Vom himmlischen Lichte gerieth er in die Finsterniss der Sünde und des Scheol, vom Reichthum in Armuth, von Erhabenheit in Geringfügigkeit, vom Leben in Gemeinschaft der Engel in die Erniedrigung bei den Thieren, von den Freuden in den höheren Regionen und von der Nähe der Unterredungen mit den heiligen Heerscharen Gottes kam er mit den bösen Geistern in Berührung.‘ — In der 117. Homilie wird die Erhabenheit Gottes mit folgendem Ausrufe besungen: ‚Mit dem Propheten müssen wir ausrufen: Wie gross sind Deine Werke, o Herr, gar tief Deine Gedanken! Von den Sterblichen können sie nicht begriffen und von den Lebenden nicht erreicht werden, den Himmlischen sind sie unbekannt und den Irdischen verborgen, mit dem Munde können sie nicht ausgesprochen, mit dem Sinne nicht umgrenzt und mit dem Herzen nicht umfasst werden; keines unter den Gebilden kommt Dir gleich und keiner unter den Bildnern reicht an Dich hinan.‘ — Anknüpfend an den Vers: ‚Diesen Tag hat Gott bewirkt, lasst uns jubeln und uns freuen darob,‘ schildert unser Autor mit prächtigen Farben die Auferstehung der Todten und das letzte Weltgericht: ‚Ein Tag ist an Stelle eines andern gekommen, ein Tag der Auferstehung statt des Falles, der Gerechtigkeit statt der Sünde, der Rückkehr ins Eden statt des Auszuges aus dem Paradiese, der weissen und sonnigen Kleider statt der dunklen Gewänder aus Stoff, den uns die Sünde gewoben, ein Tag der Herrlichkeit und der Schönheit statt der Blätter der Blösse, den einen Tag bewirkte die Schlange, indem sie den Menschen aus dem glückseligen Leben vertrieb, der Tag aber, den Gott bewirkt, brachte den Sterblichen ins verheissene Leben zurück; dies ist der Tag der Freude, welcher heraufzog, um das ‚Alter Adams‘ zu beseitigen, dies ist der Tag, welchen Gott bewirkt, damit an ihm der Tod vernichtet werde und nicht fürderhin die Welt beherrsche, dies ist der Tag, den Gott bewirkt, damit an ihm unsere Schuldverschreibung (ܐܓܪܬܐ ܕܚܘܒܬܢ) zerrissen und wir in das Buch des Lebens eingeschrieben werden, dies ist der Tag, den Gott bewirkt, dass die Verurtheilung (ܐܦܘܦܐܣܝܣ) Adams, das dornige Erdreich zu bebauen, aufhöre . . . .‘

Gerne bedient sich unser Autor mitunter der biblischen Sprache (Musivstil), liebt feine Anspielungen auf biblische Personen, Ereignisse und Aussprüche: so lesen wir z. B. in der 103. Homilie, anspielend auf eine Stelle im ‚Buche der Weisheit‘,[1] vom Tode, der durch des Teufels Neid in die Welt gekommen.[2] — Neben vagen Vermuthungen und recht naiven Anschauungen enthält unser Werk gar manche treffliche Lehren und beherzigenswerthe Mahnungen: ‚Solange[3] wir in diesem Leben weilen, gelangen wir nicht zum Ziele der vollkommenen Erkenntniss.‘ ‚Solange[4] wir leben, ist Jedem von

[1] 2, 24: φθόνῳ δὲ διαβόλου θάνατος εἰσῆλθεν εἰς τὸν κόσμον.

[2] ܘܗܕܐ ܠܐ ܕܢܓܕ ܕܡܣܩܒܠܢܘܬܗ ܕܐܟܠܩܪܨܐ ܐܬܬܠܝܛ ܒܚܣܡܐ
ܡܢ ܫܪܝܐ ܡܘܬܐ ܕܒܪܢܫܘܬܐ.

[3] ܟܠ ܡܐ ܕܒܗܠܝܢ ܚܝ̈ܐ ܐܝܬܝܢ܆ ܠܫܘܡܠܝܗ ܕܝܕܥܬܐ
ܓܡܝܪܬܐ ܠܐ ܡܬܡܛܝܢܢ.

[4] ܟܠ ܡܐ ܕܒܥܠܡܐ ܗܢܐ ܐܝܬܝܢ܆ ܠܟܠ ܐܢܫ ܕܪܫܝܥ ܒܠܘܚܘܗܝ
ܦܪܝܫܐ. ܟܠܗ ܦܬܝܚ ܬܪܥܐ ܕܬܝܒܘܬܐ.

uns das Heil nahe, weil das Thor der Busse geöffnet ist‘ (d. h. also, es ist niemals zu spät, sich zu bessern). — ‚Wie[1] sehr sich auch der Mensch durch seinen Wandel auszeichnen mag, so erfüllt er damit doch nur eine Pflicht und noch keineswegs etwas, das einer Belohnung würdig wäre.‘ ‚Der[2] Ruhm der Gerechten besteht darin, dass sie auch in ihrer Bedrängniss Gott nicht vergessen.‘ ‚Wenn[3] sich der Mensch der Sünde nicht freiwillig hingibt, so gewinnt diese keine Macht über ihn.‘ ‚So[4] sehr auch die Menschen dem Willen der Dämonen ergeben sind, so empfinden letztere doch keine Liebe für jene, sondern sie sind im Gegentheile die ewigen Feinde der Menschen.‘

5. Ueber vorkommende Personen.

Unter den alttestamentlichen Gestalten werden die Propheten besonders häufig erwähnt; sie werden ‚weise Gestalter‘ (ܨܝܪ̈ܐ ܚܟܝ̈ܡܐ) genannt und mit den Strömen verglichen; David heisst der ‚weise Gestalter und geschickte Arbeiter‘ (ܨܝܪܐ ܚܟܝܡܐ ܘܐܘܡܢܐ ܡܗܝܪܐ), Hiob ‚dieser starke und unbezwingbare Thurm‘ (ܗܘ ܡܓܕܠܐ ܚܣܝܢܐ ܘܠܐ ܡܬܟܒܫܢܐ). Unser Verfasser citirt auch die Geschichte der keuschen Susanna,[5] durch deren Anblick

---

1 ܡܟܐ ܓܝܪ ܐܢ ܢܬܬܪ ܕܘܒܪܐ ܢܨܝܚܬܐ ܐܝܟ ܕܒܥܠ ܚܘܒܐ
ܘܠܐ ܠܦܘܪܥܢܘܬܐ ܥܒܕ.

2 ܗܘ ܓܝܪ ܫܘܒܗܪܐ ܕܙܕܝ̈ܩܐ ܕܠܐ ܡܢ ܟܠܗ ܐܘܠܨܢܝܬܐ
ܢܛܥܘܢ ܠܐܠܗܐ.

3 ܐܢ ܐܢܫ ܡܢ ܨܒܝܢܗ ܠܐ ܡܫܥܒܕ ܢܦܫܗ ܠܚܛܝܬܐ.
ܗܝ ܚܛܝܬܐ ܠܐ ܡܫܬܠܛܐ ܥܠܘܗܝ.

4 ܡܟܐ ܓܝܪ ܐܢ ܪܗܛܝܢ ܒܢܝ̈ܢܫܐ ܒܬܪ ܨܒܝܢܐ ܕܫ̈ܐܕܐ.
ܐܠܐ ܗܢܘܢ ܠܐ ܪܚܡܝܢ ܠܗܘܢ ܒܥܠܕܒܒܘܬܐ.

5 ܐܝܟܢܐ ܕܐܦ ܫܘܫܢ ܕܒܒܠ ܕܐܬܪܚܘ ܡܢ ܠܩܘܒܠܗ̇
ܫܦܝܪܘܬܗ̇ ܕܫܘܫܢ. ܡܬܬܕܟܝܢ ܗܘܘ ܡܢ ܕܐܠܗܐ ܐܣܒܪܐ.
ܗܘ ܕܬܘܠܡܬܗ ܒܬܪ ܠܚܕܐ ܦܢܝܐ ܒܡܟܣܘܬܗ: ܡܛܠ
ܫܦܝܪܐ ܙܗܝܪܐ ܕܢܟܦܘܬܗ.

die Aeltesten des Volkes sich versündigt hatten und dafür auch vom ‚geliebten Daniel' bestraft wurden. Petrus und Johannes werden ‚principes apostolorum' (ܪ̈ܫܝ ܕܫ̈ܠܝܚܐ) genannt, Paulos heisst der ‚weise Gartenhüter auf Kreta' (ܦܪܕܝܣܢܐ ܡܚܟܡܐ ܕܩܪܛܝ), der ‚weise Schiffer' (ܡܠܚܐ ܡܚܟܡܐ), der ‚kundige Steuermann' (ܩܘܒܪܢܝܛܐ ܡܗܝܪܐ), das ‚auserwählte Gefäss' (ܡܐܢܐ ܓܒܝܐ).[1] — An mehreren Stellen spricht der Verfasser von den Wohnsitzen der Apostel und weist ihnen folgende Länder als Wirkungskreise zu: Dem Matthäus Palästina und Kreta, Marcus Aegypten und Rom, Lukas Alexandrien, Johannes bar Zebedäus Ephesus, Paulus Korinth, Athen und Rom, Thomas Aethiopien, Indien und Saba (ܫܒܐ), Bartholomäus Persien, Medien, Arsunitis, Armenien, Catara,[2] Chusistan,[3] Garmacien und Nehardea, Addaeus Edessa, Jacobus Jerusalem, Simon Zelotes (ܫܡܥܘܢ ܛܢܢܐ) Dalmatien, Andreas[4] Skythien, Simeon Rom. In der 107. Homilie wird auch von den 12 Schülern, 70 Aposteln und 500 Brüdern erzählt,[5] die zur Bekehrung der Heiden ausgesandt wurden. Der in der 83. Homilie enthaltenen Ketzerliste entnehmen wir folgende Namen: Arius, Paulos von Samosata, Artemon, Photinus, Sabellius, der Lybier, Valentinus, Bardesanes, Mani, Marcion, Nestorios, Eutyches; es sind dies die bekanntesten Vertreter der verschiedenen christlich-gnostischen Häresien, sowie der nestorianischen und eutychianischen ‚Irrlehren'. — Es sei noch auf eine Stelle in der 118. Homilie aufmerksam gemacht, wo die wahren

[1] Vas electionis, vgl. die Stelle: . . . . . ‚Petrum illum respicite, principem Apostolorum, cuius sedem ornatis, et Paulum, qui est vas electionis'. (Concilia IV., Labbe, p. 1461/2).

[2] Catara am persischen Meerbusen (B. O. III. 2, p. 604).

[3] Huzita = ܗܘܙܝܐ (B. O. II. 308).

[4] Die älteste der kirchlichen Sagen weist ihm Skythien als Wirkungskreis zu (Euseb. *Hist. eccl.* III., 1); nach Greg. Nazianz. hat er in Kappadocien, Galatien, Bithynien bis in die skythischen Einöden hinein gewirkt (orat. adv. Arian.).

[5] ܬܪ̈ܬܥܣܪ ܬܠܡܝ̈ܕܐ ܘܫ̈ܒܥܝܢ ܫ̈ܠܝܚܐ ܘܚܡܫ ܡܐܐ ܐܚ̈ܐ ܗܠܝܢ ܗܘܘ ܡܬܟܪ̈ܙܢܐ ܐܝܟ ܕܐܡܪ ܫܠܝܚܐ . . . ܥܒܪ ܐܝܟ ܠܚܕ ܠܚܕ ܡܠܟ̈ܘܬܐ . . .

Propheten den falschen, die rechtgläubigen Väter den Häretikern gegenübergestellt werden. Diese Stelle lautet:

... ܗܟܘܬ ܕܠܘܬ ܐܒܗ̈ܬܐ ܕܩܕܡܝܢ ܕܡܬܬܟ̈ܬܫܝܢ ܡܢ ܢܒܝ̈ܐ
ܡܫܝ̈ܚܐ. ܡܢ ܕܓܠܝܢ ܠܡܚܙܝܘ ܢܒܝ̈ܐ ܕܟܕܒܘܬܐ. ܘܗܟܢ
ܡܢ ܢܒܝܐ ܫܪܝܪܐ ܢܒܝܐ ܕܓܠܐ: ܐܝܟ ܨܕܩܝܐ ܠܘܩܒܠ ܡܝܟܐ.
ܘܚܢܢܝܐ ܢܒܝܐ ܕܓܠܐ ܠܘܩܒܠ ܐܪܡܝܐ. ܘܫܡܥܘܢ ܠܘܩܒܠ
ܦܛܪܘܣ. ܘܒܪ ܨܘܡܐ ܠܘܩܒܠ ܦܘܠܘܣ. ܘܐܪܝܘܣ ܠܘܩܒܠ
ܐܠܟܣܢܕܪܘܣ. ܘܩܡ ܗܘܐ ܣܐܒܠܝܘܣ ܠܘܩܒܠ ܒܣܝܠܝܘܣ:
ܘܢܣܛܘܪܝܘܣ ܠܘܩܒܠ ܩܘܪܝܠܠܘܣ. ܘܥܕܡܐ ܕܐܘܪܝܓܢܐ ܐܪܝܘܣ.
ܘܗܟܢܐ ܐܝܬܝܗ ܐܝܬܝܗ ܒܟܠܙܒܢ ܠܥܠܡ ܥܠܡܝܢ.

Von den Propheten nennt also unser Autor Micha und Jeremia, denen die falschen Propheten Zedekia (1. Kön. 22, 24), resp. Chananja (Jerem. 28, 1) gegenübertraten; ebenso erhoben sich auch in der Kirche die Ketzer gegen die Rechtgläubigen: Simon (Magus) gegen Petrus, Barsuma gegen Paulus, Arius gegen Alexander, Sabellius gegen Basilius, Nestorius gegen Cyrillus. Das Vorkommen Cyrills von Alexandrien weist uns wieder auf unsere, oben näher begründete Hypothese hin. Während die älteren Monophysiten (Eutyches, Dioscorus u. s. w.) von Cyrills Lehre sich weit entfernt hatten, so dass zwischen beiden eine unüberbrückbare Kluft bestand, trat mit Severus ein plötzlicher Umschwung ein. Nicht zufrieden damit, Cyrills Lehre anzunehmen, suchte er diese auch mit seinem Monophysitismus zu vereinigen. Die Gegner waren über diese schwankende Stellung des Severus umsomehr erbittert, als ein solcher ‚durch cyrillische Gedanken corrigirter Monophysitismus' (vgl. LOOFS, *Leontius von Byzanz*, p. 53) ihre orthodoxe Lehre sehr gefährden konnte. Sie fanden eine Menge Widersprüche in der πολυποίκιλος σοφία (Eusthatius, bei MIGNE, Bd. 86, 1, col. 917 D) des Severus, den sie ὁ δίγλωσσος ἔρις (Eusthatius Monachus, bei MAI, *Script. vet. nov. coll.* VII. p. 291), ἡ δικέφαλος ἀλώπηξ (ibid.) u. s. w. nannten. Dies hinderte Severus nicht, mit allem Nachdrucke für seine widerspruchsvolle

Lehre einzutreten und bei seiner Vertheidigung des monophysitischen Standpunktes Cyrill stets im Munde zu führen. So behauptet er an einer Stelle, dass die patres die Bezeichnung ‚δύο φύσεις‘ ganz vorwurfsfrei gebrauchten, als aber zur Zeit des Cyrill die ‚Pest neuer Wörter des Nestorios‘ (νόσος τῶν Νεστορίου καινοφωνῶν) die Kirche verwüstete, wurde jene Bezeichnung von den meisten verworfen. (Gieseler, *Comm.* i., p. 10). — Ferner sagt er: ‚Μὴ δύνασθαι τὰς τῶν πατέρων φωνὰς τῶν ἀδιαβλήτως τῇ λέξει χρησαμένων προφέρεσθαι, κἂν αὐτοῦ Κυρίλλου εἶεν αἱ φωναί.‘ Auch Eusthatius Monachus (Mai vii., p. 291 ff.) versichert, Severus habe κατὰ τὸν μακάριον Κύριλλον von einem ‚τέλειον ἐν θεότητι καὶ τέλειον ἐν ἀνθρωπότητι‘ gesprochen. — Halten wir diese Momente zusammen, dann wird es uns keineswegs auffallend erscheinen, dass in unserem Commentare, dem Werke eines echten Monophysiten, unter den in unseres Autors Sinne rechtgläubigen patres Cyrill genannt wird: Es war jedenfalls ein Severianer, höchstwahrscheinlich Severus Antiochenus selbst, der diese Worte niederschrieb.

6. Sprachliches.

Bereits oben (S. 91 ff.) haben wir den Nachweis zu führen versucht, dass unserem Verfasser bei der Ausarbeitung dieses Commentars ein griechisches Original vorgelegen haben dürfte; wir wollen hier noch nachtragen, was, von der sprachlichen Seite aus betrachtet, für die Entscheidung dieser Frage in die Wagschale fällt. Die Gepflogenheit unseres Autors, bei der Citirung eines Bibelverses sich nicht nach dem recipirten Peschitâ-Texte, sondern nach der Lesart der lxx zu richten, bildet wohl vor Allem einen neuen Beweis für die Richtigkeit unserer Hypothese. So citirt er z. B. den Vers aus Deut. 6, 5 (‚du sollst lieben den Ewigen, deinen Gott, von ganzem Herzen . . . und aus ganzer Kraft‘) folgendermassen: ܪܚܡ ܠܡܪܝܐ ܐܠܗܟ ܡܢ ܟܠܗ ܠܒܟ. ܘܡܢ ܟܠܗ ܢܦܫܟ ܘܡܢ ܟܠܗ ܚܝܠܟ Ganz sicher hat ihm beim Niederschreiben dieser Worte der griechische Text vorgelegen, denn mit den Worten ܘܡܢ ܟܠܗ ܚܝܠܟ übersetzt er eigentlich das griechische Original der lxx (. . . καὶ ἐξ

14*

ὅλης τῆς δυνάμεώς σου), während er sich um den Peschitâ-Text, der ihm, falls es ein original-syrisches Werk wäre, doch am nächsten läge, gar nicht kümmert; die Peschitâ zur Stelle liest nämlich nicht ܘܩܕܡ ܟܠܗ ܦܠܛܝ sondern ܘܩܕܡ ܟܠܗ ܡܠܝܢܝ. — Sehr gerne gebraucht unser Autor eine Redewendung, die sonst im Syrischen nicht vorkommen dürfte. Diese so beliebte Phrase ‚ܐܬܠܒܟܘ ܒܩܕܡܘܬܐ‘ ‚sie (z. B. die Heiden) wurden ergriffen‘ wird stereotyp in Verbindung mit einigen Substantiven gebraucht, die aber alle fast dieselbe Bedeutung (Unglauben, Ungehorsam) haben. Wir lesen so mehrfach: ܐܬܠܒܟܘ ܒܩܕܡܘܬܐ ܕܛܥܝܘܬܐ, ܕܩܫܝܘܬ ܠܒܐ, ܕܦܠܓܘܬܐ, ܕܠܐ ܡܬܦܢܝܢܘܬܐ, ܕܠܐ ܡܫܬܡܥܢܘܬܐ, ܕܠܐ ܗܝܡܢܘܬܐ. Dieses ܩܕܡܘܬܐ wird an anderer Stelle durch ܩܕܡ (*kaddem*, das entsprechende Verbum) ausgedrückt; wir lesen darum (z. B. Mitte der 106. Homilie): ܩܕܡܘ ܐܬܠܒܟܘ ܒܛܥܝܘܬܐ. — Ohne Zweifel liegt uns in dieser Verbindung eine Uebersetzung aus dem Griechischen vor: ܩܕܡܘܬܐ = πρό, ܐܬܠܒܟܢ ܒܩܕܡܘܬܐ dürfte dem griechischen Worte προλαμβάνεσθαι[1] ‚ergriffen, erfasst werden‘ entsprechen. Folgende, in unserem Commentar enthaltene Wörter können als directe Uebersetzungen aus dem Griechischen aufgefasst werden:

ܒܡܨܥܬ ܕܗܠܝܢ = ἐν τῷ μεταξύ

ܢܒܥܐ ܡܠܬܐ = ἐρεύγεται ῥῆμα

ܒܡܢܘܬܐ = κατὰ μέρος

ܗܘ ܕܩܒܠ ܡܢ ܗܘܢ = ὁ διάδοχος

ܠܐ ܟܠ ܟܠܗ = οὐδαμῶς (keineswegs)

ܠܐ ܡܫܬܚܠܦܢܘܬܐ = ἡ ἐν ταὐτότητι διαμονή (die Unabbringbarkeit)

ܕܠܐ ܡܬܗܦܟܢܘܬܐ = ἀμεταστρέπτως (ohne sich daran zu kehren)

ܥܝܪ ܪܥܝܢܐ = νηφάλιος

[1] Oder etwa καταφωρᾶσθαι (ertappt, überführt werden). Dieses Wort gebraucht Severus Antiochenus im Commentar zum 100. Psalme: Πρωΐαι δὲ ἂν νοηθεῖεν . . . . . αἱ τοῦ ἡλίου τῆς δικαιοσύνης ἀνατολαὶ . . . . . καθ' ἃς οἱ ἁμαρτωλότατοι τῶν αἱρέσεων στιγματίᾳ καταφωρῶνται (Corderius II., p. 1024).

ܚܘܪܐ ܕܙܠܩܘܗܝ ܕܫܡܫܐ = τῆς ἡλιακῆς ἀκτῖνος ἡ ἀκμή

ܩܠܐ ܕܡܘܣܝܩܘܬܗܘܢ = ἡ φωνὴ μουσικῶν αὐτῶν

ܢܒܥܬ ܐܡܝܢܘܬܐ = ἀέναος ,immerfliessend'

ܕܓܠ ܫܡܐ = ψευδώνυμος.

Von grammatischen Eigenthümlichkeiten mag hervorgehoben werden, dass die 3. fem. plur. Peal mit dem Suff. der 3. fem. sing. der Verba tertiae Jod anders als sonst behandelt wird, wir lesen z. B. regelmässig ܪ̈ܟܝܢܗ̇ statt des üblichen ܪ̈ܟܝܗ̇. Die Form des Suff. der 3. sing. m. des Imperf. ܗ̣ wird häufiger gebraucht als die andere, verlängerte Form auf ܝܘܗܝ, wir lesen daher gewöhnlich: (vgl. NÖLDEKE, *Gram.* §. 188) ܢܣܒܗ, ܢܣܒܢܗ, ܢܫܒܩܗ, ܬܫܒܩܗ. Von der 3. m. pl. mit dem Suff. der 3. m. sing. der Verba tertiae Jod findet sich regelmässig die alte, längere Schreibweise: (vgl. NÖLDEKE, *Gram.* §. 40 F. ܕܐܬܐܘܗܝ, ܘܐܬ̈ܐܘܗܝ, ܒܐܬܐܘܗܝ). Auf alter Schreibweise beruhen Formen wie: ܕܐܬܟܠܡ, ܐܬܟܢܝ, ܐܬܦܫܛ, ܘܐܬܟܠ, die sich mehrfach in unserem MS. finden (vgl. NÖLDEKE, *Gram.* §. 40 E). Zu seltenen Bildungen gehören Wörter wie: (B. O. II. 220) ܣܘܡܪ̈ܐ statt der gew. Form ܣܘܡܪ̈ܝܐ, ܣܐܡ̈ܝܬܐ (silbern) statt ܣܐܡ̈ܢܝܬܐ ܡܘܦܣܝܐ statt des üblichen ܡܘܦܣܐ. Sehr häufig wendet unser Autor den stat. constr. vor Präpositionen an, doch sind es regelmässig nur die Präpositionen ܚܠܦ, ܡܢ, ܒ, ܠ, die so gebraucht werden. Ein Beispiel eines stat. constr. vor Adverbien — eine zur Uebersetzung griechischer, zusammengesetzter Wörter gebrauchte Verbindung (NÖLDEKE, §. 207) — ist das bereits oben angeführte ܢܒܥܬ ܐܡܝܢܘܬܐ ,immerfliessend' (ἀέναος). — Ein stat. constr. vor Dolath ist z. B. in der Verbindung ܡܢ ܥܠܬ ܕܡܫܝܚܐ (Mitte der 108. Hom.), vgl. AGRELL., *suppl.* 149.

7. Verzeichniss der vorkommenden griechischen Wörter.

ἡ ἔχιδνα = ܐܟܕ̇ܢܐ

ἐξέδρα = ܐܟܣܕܪܐ

ἐξορία = ܐܟܣܘܪܝܐ

ἀέρας = plur. ܐܐ̈ܪܐܣ

εὐαγγελιστής = ܐܘܢܓܠܣܛܐ

οὐσία = ܐܘܣܝܐ

ληστής =	ܠܣܛܝܐ	ξένος =	ܐܟܣܢܝܐ
μοχλός =	ܡܘܟܠܐ	ἀνάγκη =	ܐܢܢܩܝ
παράκλητος =	ܦܐܪܩܠܝܛܐ	στοιχεῖον =	ܐܣܛܘܟܣܐ
παιδαγωγός =	ܦܕܓܘܓܐ	σχῆμα =	ܐܣܟܝܡܐ
πόρος =	ܦܘܪܣܐ	στολή =	ܐܣܛܠܐ
στρατιώτης =	ܣܛܪܛܝܘܛܐ	Σκυθία =	ܐܣܩܘܬܐ
συνήγορος =	ܣܢܝܓܪܐ	ἐπίσκοπος =	ܐܦܝܣܩܘܦܐ
πύργος =	ܦܘܪܓܣܐ	ἀπόφασις =	ܐܦܘܦܐܣܝܣ
φιλοσοφία =	ܦܝܠܠܘܣܘܦܘܬܐ	ἄρα =	ܐܪܐ
παῤῥησία =	ܦܪܗܣܝܐ	ἀρετή =	ܐܪܛܐ
προστάγμα =	ܦܪܘܣܛܛܓܡܐ	ἀρχαί =	ܐܪ̈ܟܐܣ
παραστάς =	ܦܪܘܣܬܕܐ	ἄρχων =	ܐܪܟܘܢܐ
πρόσωπον =	ܦܪܨܘܦܐ	βῆμα =	ܒܝܡܐ
κάδος =	ܩܕܣܐ	γωνία =	ܓܘܢܝܐ
κυβερνήτης =	ܩܘܒܪܢܝܛܐ	διαθήκη =	ܕܐܬܝܩܝ
κύκνος =	ܩܘܩܢܘ	Δαλματία =	ܕܠܡܛܝܐ
κατηγορία =	ܩܛܝܓܪܘܬܐ	ἡγεμών =	ܗܓܡܘܢܐ
κίνδυνος =	ܩܝܢܕܘܢܘܣ	ἰδιῶται =	ܗܕܝ̈ܘܛܐ
κιθαρῳδός =	ܩܝܬܪܘܕܐ	τήγανον =	ܛܘܓܢܐ
κλείς =	ܩܠܝܕܐ	τύπος =	ܛܘܦܣܐ
κέλλα =	ܩܠܝܬܐ	τάξις =	ܛܟܣܐ
χαράκωμα =	ܩܠܘܡܐ	τύραννος =	ܛܪܘܢܐ
κανών =	ܩܢܘܢܐ	εἰκών =	ܩܘܡܐ
τάγμα =	ܬܐܓܡܐ	χειμών =	ܟܝܡܘܢܐ
θεωρία =	ܬܐܘܪܝܐ	λιμήν =	ܠܡܐܢܐ
θρόνος =	ܬܪܘܢܘܣ	λαμπάς =	ܠܡܦܐܕܐ

Lateinische Wörter:

statio =	ܐܣܛܛܝܘܢܐ	legio =	ܠܓܝܘܢ

8. Das Todesjahr des Severus Antiochenus.

Nach Euagrius wurde Severus Antiochenus im September 567 aer. Ant. (= 519 n. Chr.) oder im 1. Jahre Justins (518) abgesetzt; diesen Widerspruch beseitigt der verewigte Gutschmid (*Kleine Schriften*, herausgegeben von Rühl, Bd. 2, S. 458) durch die Voraussetzung, Euagrius habe, ungenau, die antiochenischen Jahre den mit September beginnenden Indictionsjahren gleichgesetzt. Gutschmid weist dort (S. 468) auch nach, Severus müsse entweder am 9. Februar 542 oder 8. Februar 543 gestorben sein; von diesen beiden Daten müssen wir uns für das letztere als das allein richtige entscheiden, denn dass Severus am 8. Februar, der auf einen Sabbat fiel, starb, darin stimmen sämmtliche (besonders syrische) Quellen überein; allein nur im Jahre 543 fiel der 8. Februar auf einen Sabbat, während dies für das Jahr 542 am 9. Februar der Fall war. Barhebraeus hat also vollkommen Recht, wenn er 543 als Severus' Todesjahr angibt (vgl. oben S. 97); in diesem Jahre starb also Severus, u. zw. am 8. Februar, an einem Sabbat. — Bereits in unserem ersten Aufsatz (oben S. 97, Note 2) haben wir auf die falsche Chronologie zweier Berliner MSS., auf welche die Angabe, Severus sei 538 oder 539 gestorben, zurückzuführen ist, hingewiesen und den Text aus der einen Handschrift mitgetheilt; wir holen hier noch den Wortlaut aus dem zweiten MS. nach: (vgl. Sachau, Nr. 165 jacob. Sammelband, S. 4[b]).

ܕܦܘܫܩܐ ܕܡܪܝ ܣܘܝܪܐ ܦܛܪܝܪܟܐ ܕܐܢܛܝܘܟܝܐ ܐܦܝܣܩܘܦܐ
ܐܬܢܝܚ ܗܘܐ ܒܓܠܝܘܬܗ ܒܡܕܝܢܬܐ ܕܠܘܬܗ ܩܘܣܛܢܛܝܢܘܦܘܠܝܣ (ܗܢܘ
ܐܪܙ ܐܠܘܦܘܡ) ܐܢܬܘܦܬܐ ܕܠܘܬܗ ܒܗ ܚܠܝܡ ܒܗ ܬܪܘܢܐ ܕܗܘܐ ܒܗ ܣܘܡ
ܘܠܐ ܕܒܬܘܠܘܬܐ ܦܠܝܓܘܬܐ ܗܘܐ ܠܗܘܢ ܐܢܫܐ ܕܡܢ ܕܒܥܕܬܗ
ܒܫܢܬܐ ܐܠܦܬܐ ܕܗܘܢܐ ܕܚܕܬܐ ܒܫܒܐ ܒܠ ܠܗ ܠܗ ܐܪܒܥܐ
ܬܐܩܒܠ ܢܦܫܗ ܠܒܝܬ ܘܡܠܟܘܬܗ ܕܡܠܟܘܬܗ ܠܘܬ ܐܝܟ ܕܟܬܝܒ
ܐܝܟܢܐ ܕܒܗ ܒܡܫܡܗ ܠܗܘܢ ܐܝܟ ܡܫܠܡܢܐ ܕܐܪܥܐ ܐܘܣܛܘܣܛܝܐ.

ܠܒܪܢܫܐ ܕܗܠܝܢ ܫܒܝܠܐ ܘܡܩܪܒܬ ܪܝܫܐ ܕܒܪܝܬܐ ܘܡܪܝܫ
ܡܫܝܚܐ ܚܕ ܗܘܐ ܠܒܪ ܘܗܠܝܢ ܘܐܬܬܪܝܡ ܡܢ ܗܠܝܢ ܫܘܠܡܐ
ܫܘܟܠܠܐ ܘܗܘܬ ܡܡܢܝܢܐ ܒܗ ܡܢ ܟܠ ܦܘܪܢܣܐ ܘܪܘܚܢܝܐ
ܕܦܬܓܡܐ ܕܡܬܬܪܓܡܢܐ ܕܐܦܢܓܪܝܐ ܗܘܬ ܡܢ ܡܬܓܡܢܐ
ܕܠܗ ܕܒܬܪܝܢ ܐܬܪ̈ ܗܘ ܥܠ ܬܫܡܫܬܐ ܕܐܢܬܬܗ
ܥܠ ܡܫܒܚܢܐ ܘܡܬܪܒܝܢܐ ܥܠ ܬܫܡܫܬܗ ܕܟܪܝܢ ܘܐܬܪܬܗ
ܡܢ ܒܬܪܝܢ ܥܠ ܬܪܝܢ ܐܦ ܕܬܪܓܡܢܐ ܕܠܗ ܚܠܦ ܕܢ
ܘܐܬܦܪܫ ܒܐܠܦܢܐ ܥܠ ܕܗܘܐ ܒܐܪܦܐ ܥܠܝܢ ܐܦ
ܒܗܘ ܫܒܬܐ ܚܝ̈ ܚܕ ܥܠ ܬܫܡܫܬܐ ܘܦܬܓܡܐ ܒܬܫܒܚܬ
ܗܘ ܡܘܗܒܬܐ ܕܠܝ ܚܝܘܬܐ ܕܝܢ ܐܪܥܐ ܕܝܢ ܚܝܠܗ ܒܗ
ܕܫܘܒܚܗ ܒܒܪ ܐܠܗܘܬܐ ܐܡܝܢ ܐܡܝܢ ܐܡܝܢ.

Zur Illustration der Sprache wie der Darstellung des Verfassers, beziehungsweise des Uebersetzers, gebe ich eine Textprobe, u. zw. die Homilien 83, 95 und 115.

83. Homilie.

ܒܐܓܪܬܐ ܕܡܬܟ̈ܬܒܢ ܘܬܠ̈ܬܐ ܒܟܠ ܒܐܓܪܬܐ ܕܡܬܟ̈ܬܒܢ
ܘܬܠ̈ܬܐ. ܘܟܠ ܡܪܝܐ ܕܗܘܐ ܠܟܬ̈ܒܐ ܒܗ ܕܘܝܕ܂ ܘܟܠ
ܡܪܝܐ ܕܐܝܬ ܠܬܠܝܬܝܐ ܕܠܡܘܟܠܐ ܒܗ ܦ̈ܪܫܐ ܒܟܠܝܗ -
ܒܗ ܒܟܠܝܗ ܠܐܠܗܐ ܦܪܐ ܗܘܐ ܠܡܟܬܒܐ ܕܘܝܕ. ܢܐܬܐ
ܠܒܢ̈ܝܢܗ: ܬܘܒ ܐܦ ܗܫܐ ܒܢܝܘܗ: ܠܬܫܒܘܚܬܐ ܐܪܐ ܕܪܘܪܐ[1]
ܒܢ̈ܝܗ ܠܗ. ܠܐ ܓܝܪ ܗܘ ܒܒܪܐ ܒܠܫܢܐ ܕܐܬܬܒܪ ܗܫܐ
ܠܒܫܡ ܒܠܗܘܢ ܠܡܪܐ. ܐܠܐ ܒܠܫܢܝܢ ܚ̈ܕܬܐ ܒܘ̈ܠܝܐ
ܕܦܘܪܝܢ ܗܘܘ ܠܐܪܥܐ ܘܫܡܝܐ. ܗܫܐ ܗܘܘ ܒܢܝܢܐ ܕܫܘܒܚܬܐ
ܢܫܒ̈ܚܐ: ܘܐܬܦܢܝܘ ܠܒܢܬ ܒܠܫܢܐ ܕܐܠܗܘܢ ܡܪܐ ܒܗ

[1] Dieses überflüssige Wort fehlt auch in L.

ܐܪܝܣܛܛܠܝܣ. ܘܫܪܟܐ ܠܫܒܥܐ ܗܘ̈ ܦܫܝܛܐ ܡܦܩܢܐ. ܐܦܘܕܝܩܛܝܩܐ
ܘܕܝܠܩܛܝܩܐ. ܘܣܘܦܝܣܛܝܩܐ ܘܪܝܛܘܪܝܩܐ. ܘܦܘܐܝܛܝܩܐ ܡܫܬܡܠܝܢܐ:
ܘܡܠ̈ܠܬܐ [1]ܘܩܠܝܠ ܡܢ. [2]ܘܐܦ ܠܐܣܛܘܟܣܐ ܕܟܬܒܝܢ ܫܡܗܐ.
ܡܠܘ ܠܟܬܒܘܗܝ ܐܢܘܢ: ܕܥܠܝܢ ܐܝܟ ܫܡܝܢ ܗܘܘ ܠܗ ܠܟܬܒܐ ܗܢܘ
ܡܫܝܚܐ: ܠܗ ܡܠܟܘܬܐ ܡܛܠ ܕܗܝ ܐܪܥܐ ܕܝܠܗ ܕܡܢ ܥܠܡܗܘܢ.
ܐܠܐ ܐܦ ܟܠ ܕܠܐ [3]ܢܦܩܝܢ ܗܘܐ ܐܣܟܡܝܗܘܢ ܠܫܘܟܠܠܐ ܘܠܡܫܡܠܝܘܬܐ
ܡܫܪܪܘܬܐ. ܗܢܐ ܕܝܢ ܠܦܘܫܩܐ ܕܦܣܘܩܐ ܕܡܠܝܢ ܫܐܠ ܗܘܐ
ܕܢܚܘܡ ܗܘ ܡܢܗܘܢ. ܠܘܬ ܐܢܫܐ ܕܐܠܗܘܬܐ ܐܬܦܠܓ ܘܐܡܪ.
ܐܠܗܘܬܐ ܕܟܠܗ ܕܐܒܐ ܠܝ. ܠܐ ܡܬܦܠܓܐ ܘܠܐ ܡܬܦܠܓܐ ܐܠܗܘܬܐ.
ܡܛܠ ܕܗܘܐ ܒܬܠܡܝܕܘܗܝ ܕܡܬܪܓܫܝܢ. ܘܡܫܠܝܐ ܐܝܟܢܐ ܕܢܐܪ
ܟܠ ܟܪܝܗ. ܕܡܬܒܐܫܝܢ ܡܢܗ ܕܐܒܐ. ܘܐܬܡܠܟܘ [4]ܟܠ
ܡܫܝܚܢ ܘܐܡܪܘ. ܗܘ ܠܗܘܢ ܐܢܘܢ ܕܡܢ ܟܪܝܗܐ. ܘܠܐ ܢܬܦܪܩ ܡܢܗ
ܥܡܗܘܢ ܕܐܬܡܬܠ. ܠܗܢܐ ܠܟ ܡܪܝܐ: ܠܘܬ ܕܐܒܐ ܠܝ ܡܫܝܚܐ
ܕܢܦܩ ܠܬܫܒܘܚܬܐ. ܡܛܠ ܕܠܗ ܟܠܝܢ ܡܠܟܘܬܐ ܦܪ̈ܨܘܦܐ
ܡܢ ܕܩܕܡ. ܐܠܐ ܘܟܠܝܢ ܫܒܝܚܝ ܐܦܝ̈ܗܘܢ ܠܬܫܒܘܚܬܗ.
ܘܬܠܐ [5]ܪܝܫܗܘܢ ܠܬܫܒܘܚܬܐ ܠܟܠܗܝܢ. ܗܘ ܥܒܝܕܝܢ ܦܬܓܡܗܘܢ.
ܘܦܠܚܝܢ ܟܠ ܢܦܫܗܘܢ. ܐܠܐ ܠܡܫܚ ܡܠܝܢ. ܐܝܟ ܦܘܡ
ܡܫܝܚܐ ܘܐܬܦܬܚܘ ܟܬܒܗܘܢ. ܡܛܠ ܗܝ ܕܐܡܪܐ ܐܡܪ: ܕܟܠ
ܩܘܫܬܐ ܐܬܦܬܚܘ. ܕܟܠܗ ܡܠܬܐ. ܕܟܠ ܡܪܝܐ ܡܬܦܪܢܣܢܐ
ܕܐܝܟܢ ܡܠܟܝܢ ܫܘܠܛܢܐ ܕܡܫܝܚܐ ܒܗ ܩܘܫܬܐ. ܘܟܕ
ܒܬܘܬܗ ܕܐܠܗܘܬܐ: ܡܬܚܫܒ ܪܘܚܐ. ܐܝܟܢܐ ܕܢܦܫܢ ܡܠܟܝܢ ܗܘܘ
ܒܡܠܟܐ ܠܡܬܒܥ ܘܠܫܘܬܦܘ ܠܩܢܘܢܐ. ܗܘܢܐ ܐܦ ܡܠܘܬܐ
ܕܟܬܒܐ ܕܬܘܪܓܡܐ. ܡܪܝܡ [6]ܐܝܟܐ ܘܡܬܒܩܝܢ ܟܠ
ܩܘܫܬܐ: ܠܫܘܒܚܗ ܐܝܟ ܕܡܢ ܢܛܘܪܘܬܐ ܡܫܝܚܝܬܐ. ܘܦܘܠܚܢ ܗܘ

---

[1] ܘܦܝ̈ܪܫܐ ܩܠܝܠ... in L. [2] ܘܗܘ ܐܦ in L. [3] ܢܦܩܝܢ in L.
[4] Dazwischen in L. ܐܣܟܡܐ [5] ܪܝܫܗܘܢ in L. [6] ܐܝܟܐ fehlt in L.

14**

ܒܕܘܟܐ. ܘܟܕ ܗܘ ܒܬܠܬܐ ܦܬܓܡܝܢ ܘܟܬܝܒܝܢ ܕܗܘܦܟܐ ܥܠ
ܐܝܣܪܐܝܠ ܕܐܠܗܐ. ܘܟܕ ܕܝܢ [1]ܟܢܘܫܘܬܐ ܟܕܒܘ ܘܐܣܝܒܘ
ܐܬܠܝܛܐ[2] ܥܠ ܫܠܝܚܐ. ܟܕ ܕܝܢ ܢܗܘܪܐ ܘܬܠܬܐ ܣܦܪܐ ܟܕܒܘ
ܘܫܕܪܘ ܐܪܥܐ ܥܡ ܐܢܫܘܗܝ ܘܥܡ ܟܠ [3]ܠܒܘܫܗ. ܘܩܡܘ.
ܘܦܘܠܘܣ ܡܫܝܚܝܐ ܘܐܦܝܣܩܘܦܘܣ ܘܩܫܝܫܘܬܗ
[4]ܘܟܢܫܘܗܝ ܠܒܝܬܐ. [5]ܘܡܫܡܫܢܘܗܝ ܘܟܗܢܝ. ܘܡܫܬܐܠ
ܘܡܕܪܫܢܝ ܘܡܠܦܢܘܬܗ ܘܟܐܦܘܬܐ: ܗܠܝܢ ܟܠܗܘܢ
ܫܪܝܪܐ ܡܢܗܪܐ ܕܒܬܬܠܡܝܕܝܢ [6]ܟܠܗܘܢ ܗܢ ܠܗܘܢ
ܕܠܡܫܠܡܐ. ܘܗܠܝܢ [7]ܦܩܕܝܢ ܠܡܫܠ ܒܬܘܬܗ ܕܐܠܗܐ ܘܠܡܫܠ
ܒܒܝܬܗ ܡܕܝܢܬܐ. ܘܫܠܝܢ ܐܪܥܐ ܘܐܬܟܢܫܘ. ܕܗܘ ܢܦܩ ܐܢܘܢ
ܡܢ ܒܒܝܬܐ. ܘܠܐ ܢܛܪܘ ܗܘܘ ܥܒܕܗ ܕܐܝܣܪܐܝܠ. ܘܟܠܗ
ܘܠܘ ܥܠ ܒܒܝܬܐ ܡܕܝܢܬܐ ܕܡܫܝܚܝܐ ܟܠܗܘܢ ܝܗܒܝܢ. ܐܠܐ
ܠܗ ܠܬܠܡܝܕܐ ܒܝܪܐ. ܒܬܫܒܘܚܬܐ ܡܢ ܪܘܚܗ. ܘܡܬܒܪܟܝܢ
ܐܝܟܢܐ ܡܢ ܕܐܪܥܐ ܐܡܪ ܢܦܫܐ. ܟܠܗ ܕܐܬܬܢܝܚܘ ܒܠܒܗܘܢ
ܐܝܟܢܐ ܘܟܠܡܐ ܐܝܟܢܐ ܡܕܝܢܬܐ. ܕܫܡܥܢܐ ܕܐܪܥܐ ܘܡܕܝܢܬܐ.
ܗܠܝܢ ܓܝܪ ܡܢ ܡܕܝܢ ܐܝܟܐ ܗܘܘ ܕܐܝܣܪܐܝܠ. ܒܝܘܡܐ ܓܝܪ
ܕܐܬܬܘܗܝ ܐܪܥܐ. ܟܠ ܒܪܒܢܐ ܐܬܟܢܫܘ ܘܐܬܒܢܝܘ ܒܥܠ ܝܘܡܐ.
ܕܐܝܟ ܗܟܢܐ ܗܘܘ ܐܦ ܐܪܝܘܣ. [8]ܘܡܕܝܢܬܐ ܓܝܪ ܡܢ ܒܪܝܐ
ܕܪܘܡܐ ܒܢܝ ܦܘܠܘ ܗܘܘ ܪܘܫܝܢܘܢ ܒܒܕܘܟܐ. ܐܠܐ ܐܝܟܢܐ
ܕܫܡܥܘ ܐܢܫܝܢ ܗܘܐ ܠܡܢܝܢܘܬܐ ܘܐܦܩܘ ܠܗ ܒܡܠܝܘܬܐ:
ܗܟܢܐ ܐܦ ܐܪܝܘܣ: ܫܒܩܘ ܠܡܫܒܘܬܐ ܕܡܫܝܚܐ ܒܟܠܗ ܕܗ
ܕܠܫܘܥ ܒܪܘܚܐ: ܘܐܬܬܠܝܘ [9]ܐܝܣܩܘܒܘܠܝܘܣ ܕܪܘܡܝܐ ܒܬܘܪܐ:

¹ ܟܢܘܫܬܗܘܢ in L. ² ܐܬܠܝܛܐ (also mit Sejâme) in L.
³ ܠܒܘܫܗ in L. ⁴ ܘܟܢܫܘܗܝ ܠܒܝܬܗܘܢ in L. ⁵ Soll heissen ܘܡܫܡܫܢܘܗܝ
(so auch richtig in L.). ⁶ Fehlt in L. ⁷ ܕܦܩܕܝܢ in L. ⁸ ܗܪܝܘܣ
in L. ⁹ ܘܐܬܬܠܝܘ ܠܐܣܩܘܒܘܠܝܘܣ in L.

ܘܡܛܠܗܕܐ ܐܦ[1] ܙܕܩܝܢ ܗܘܘ ܟܠ ܚܣܝܘ ܠܟܠ ܢܒܝܘ܀ ܗܘ
ܐܫܬܡܗܘܢ ܗܘܘ. ܐܝܟ ܕܟܠ ܠܡܗܝܡܢܐ ܘܙܕܝܩܐ܀ ܗܟܢܐ ܐܦ
ܐܬܩܪܝܘ[2] ܡܢܗܘܢ ܠܡܫܝܚܐ ܥܠܝܗ ܕܒܝܬܐ: ܘܙܕܩܝܢ ܠܗܘܢ
ܕܝܢ ܢܬܬܘܬܐ ܐܠܗܝܘܬܐ: ܘܗܠܝܢ ܕܡܠܟܝܢ ܐܡܪܝܢ܀ ܐܬܐ ܢܦܩ
ܐܢܬܘܢ ܕܝܢ ܒܢܝܐ. ܕܐܝܟ ܗܘܠܐ[3] ܡܠܘ ܐܪܥܐ܀ ܐܬܟܢܝܢ
ܘܬܬܪܝܢ ܥܠܝܢ ܒܬܘܬܒܝܢܐ[4] ܕܦܠܠܐ ܘܡܫܬܐ ܘܒܐܟܣܘܣܛܪܝܘܢ܀[5]
ܠܡܫܠ ܐܠܗܐ ܕܐܠܗܐ. ܗܘ ܢܪܩܝܢ[6] ܗܘܘ ܠܫܡܥܘܢ
ܠܬܪܝܢ ܥܕܬܐ. ܘܗܠܝܢ ܗܘܘ ܡܕܡ ܟܐܝܟܐ ܠܡܦܪܩܢܘ:
ܘܥܠܘ ܪܐܪܐ ܕܝܢ ܥܠܬ ܬܠܬܝܢ ܕܡܠܟܘܬܗ ܕܐܬܘܕܝܣܣܘܣ܀[7]
ܘܒܕܟܐ ܠܥܠܬܐ ܗܕܐ: ܕܐܬܬܗ ܥܠܬ ܬܫܒܘܚܬܐ ܘܫܟܝܢ
ܘܬܠܬ: ܗܘ ܐܦ ܗܘܢ ܐܡܪܝܢ: ܐܬܐ ܢܦܩ ܐܢܬܘܢ ܕܝܢ ܒܢܝܐ.
ܟܬܒ ܕܝܢ ܟܠ ܒܢܝܐ܀ ܒܬܘܬܐ ܥܕܬܐ ܕܟܢܫܐ ܐܠܗܐ
ܘܐܡܪ. ܘܒܗܐܒ ܘܕܝܢܐ. ܬܫܒܘܚܬܐ ܕܒܢܝܢ ܘܒܢܝܢܐ
ܘܕܠܝܬܗܒܝܢ ܬܘܩܐ ܡܢܐ. ܐܦ ܐܬܬܪܐ ܐܫܬܡܥ ܒܒܢܝܗܘܢ:
ܘܗܘܘ ܒܥܕܪܐ ܠܒܢܝ ܢܫܐ. ܗܠܝܢ ܕܝܢ ܐܝܟ ܕܫܠܝܛܝܢ
ܒܦܪܨܘܦܗܘܢ܀ ܐܠܐ ܗܘ ܕܡܠܟܐ ܕܝܢܐ ܡܢܝܢ ܗܘܘ ܠܫܡܥܘܢ
ܠܐܣܛܪܐܬ. ܕܗܘܘ ܒܬܫܒܘܚܬܐ ܒܫܬܝܐ ܥܠܝܐ܀ ܘܥܕܡܐ
ܘܥܠܝܢܐ ܕܪܓܐ. ܕܡܢܗܘܢ ܠܡܫܠ ܒܫܡܗ ܕܐܠܗܐ.
ܘܡܛܠܗܕܐ ܠܡܫܠܡܘܬܗܘܢ ܒܢܝ ܢܫܐ. ܗܘ ܕܝܢ ܪܘܚܐ ܕܦܩܕ
ܥܠܡܐ ܕܠܗܘܢ ܐܢܬܘܢ ܘܢܦܩ ܐܢܬܘܢ ܗܘ ܐܡܪ. ܢܟܣ ܠܗܘܢ
ܐܝܟ ܕܠܟܘܢ ܘܐܝܟ ܕܠܡܫܝܚܐ ܘܐܝܟ ܕܠܒܢܝ ܫܡܝܐ ܕܫܒܩܘܢ.
ܠܗܠܝܢ ܕܐܪܐ ܡܫܬܠܛܢܐ ܙܕܩܘ ܐܢܬܘܢ ܒܡܕܝܢܬܐ ܕܗܘܘ
ܒܕܝܢܐ. ܠܡܫܝܚܐ ܟܢ܀ ܙܕܩܐ ܗܘܬ ܫܠܝܛܘܬܐ ܕܥܘܐܪܐ

---

[1] ܐܝܟ ܕܙܕܩܝܢ ܗܘܘ ... in L. [2] ܐܬܩܪܝܘ in L. [3] Dazwischen steht noch in L. ܙܒܢ. [4] ܒܬܘܬܒܝܢܐ (also ohne Sejâme) in L. [5] ܘܒܐܟܣܘܣܛܪܝܘܢ in L. [6] ܢܪܩܝܢ in L. [7] ܕܐܬܘܕܣܝܣܘܣ in L.

ܠܚܝܘܬܐ. ܗܢܘ ܕܬܫܒܘܚܬ ܕܡܠܟܐ ܢܨܝܚܬܐ ܗܘܬ. ܐܠܗܝܐ ܕܐܦ
ܒܬܘܬܐ. ܡܛܠܠܗ ܕܡܫܝܚܐ ܢܨܝܚܬܐ. ܘܡܛܠ ܕܡܘܗܒܬܐ ܕܐܪܐ
ܢܦܫܬ ܕܡܘܪܐ ܘܦܪܘܫ ܥܠ ܡܫܡܫܢܐ ܪܘܚܢܝܐ ܕܠܥܠܡܝܢ.
ܠܡܪܟܒܬܗ ܕܟܪܘܒܐ ܥܒܕ ܢܘܪܐ ܕܐܠܗܘܬܐ ܕܢܦܩ ܒܥܒܗ
ܠܣܪܦܐ. ܠܡܫܡܫܢܐ ܕܝܢ ܐܫܬܠܡ ܩܕܝܫܘ ܚܝܠܐ. ܘܠܡܬܪܬܐ
ܕܡܫܝܚ· ܗܢܘ ܩܕܝܫܝ ܒܢܝ̈ܢܫܐ ܢܘܗܪܐ ܕܐܝܣܪܝܠ. ܘܠܘ
ܡܢܗܝܢ ܕܢܘܢܐ ܐܬܩܫܬ ܒܒܢܝܢܘܗܝ· ܐܠܐ ܒܢܘܗܪܐ
ܕܠܚܫܝ̈ܪܐ ܘܡܩܕ̈ܫܐ ܕܡܫܝܚܬܐ. ܟܗܢܘܬܐ ܕܡܬܒܬܐ ܒܢܘܗܪܐ
ܟܬܝܒܬܐ ܗܘܬ ܘܡܬܬܟܒܬܐ. ܕܗܘܝܘ ܗܢܝܢ ܐܬܪ̈ܝܢ ܟ̈ܟܒܐ.
ܡܠܟܐ ܕܡܫܝܚܐ ܩܠܝܠܐ. ܘܡܐܪܟܐ ܕܚܝ̈ܠܘܬܐ ܕܒܕܝ̈ܢܐ.
ܐܬܒܪܝܘ ܘܐܬܒܪܘ ܐܝܟ ܕܐܬܒܪܝ ܠܚܝܐ. ܕܐܬܒܪܝܘ ܡܒܠܒܠܐ ܘܗܘܘ
ܘܠܐ ܡܐܪܟܐ. ܗܘܐ ܓܝܪ ܡܬܬܟܬܒܬܐ ܡܐܪܟܐ ܕܬܠܝܬܝܬܐ.
ܕܡܬܩܪܝܐ ܐܦ ܐܪܟܐ ܕܒܠܟܐ. ܡܣܪܪܐ ܓܝܪ ܕܢܦܠܟܐ ܘܠܫܠܝܐ
ܥܪܩܝܢ ܒܡܬܪܢܗ ܕܡܬܒܬܐ. ܘܡܛܠܠܗܘܢ ܡܢ ܡܢܘ ܐܬܪܐ
ܕܡܬܦܠܣܝܢ ܡܢ ܩܛܠܐ. ܢܦܠܝܢ ܒܡܫܡܗ ܡܪܝܐ ܘܡܘܒܠܐ.
ܘܬܘܒ ܚܙܐܦ ܒܠܠܗܘܢ ܠܚܝܐ ܘܐܟܪܙ. ܢܘܒ ܐܝܠܝܢ ܘܐܘܒܕ
ܐܝܠܝܢ· ܐܝܟ ܕܠܚܘܪܒ ܘܐܝܟ ܐܒ ܘܐܝܟ ܐܒܐ ܠܛܒܬܒ.
ܗܠܝܢ ܓܝܪ ܐܪܘܟܐ ܦܠܚܐ ܗܘܘ ܕܡܫܝܚ. ܕܗܘܘ ܐܘܠܐ
ܕܐܬܡܝܪܘܬ ܟܬܝܒܬܐ ܕܡܫܝܚ· ܢܦܠܘ ܗܘܘ ܐܦ ܗܢܘܢ ܒܡܪܩܐ.
ܕܗܢܘ ܗܠܝܢ ܢܠܦܠܝܢ· ܥܠ ܐܪܘܟܐ ܫܟܐ ܗܠܝܢ ܕܗܘܘ
ܒܬܘܠܬܪܝܐ ܕܢܘܬܐ ܥܠ ܦܓܪܐ. ܫܟܐ ܕܝܢ ܡܘܒܠܐ.
ܠܒܗܘܬܐ ܕܟܐܠܐܬܐ. ܐܘܪܐ ܕܝܢ ܕܡܘܬܐ. ܘܐܘܪܐ ܫܡܝܬܐ.
ܘܐܘܪܐ ܕܠܝܠܘܬܐ ܘܒܚܫܟܐ ܕܒܟ ܠܫܐ. ܠܗܠܝܢ ܐܪܘܟܐ
ܘܡܚܡ ܐܠܗ ܠܒܪܘܟܐ· ܐܝܟ ܕܐܦ ܒܒܢܘܗܝ ܘܒܗ ܠܬ̈ܠܡܝܕܐ
ܕܡܫܝܚ· ܐܟܪܙ ܕܡܠܟܐ ܕܡܫܪܪܐ ܠܢܘܗܪܐ ܕܬܘܪܐ ܠܢܫܐ.
ܗܘܐ ܓܝܪ ܒܗܘܢ ܒܢܐ ܗܘܐ ܗܘ ܒܢܝܪܐ ܕܡܬܦܫܝܢ ܒܗ

ܕܒܪܐ ܡܫܡܫܢܘܬܐ ܕܟܗܢܝܢ. ܘܠܗܘܢ ܠܗܠܝܢ ܢ̈ܫܐ ܗܘ ܪܫܐ ܐܢܫ.
ܐܦ ܠܐܘܪ̈ܚܐ ܬܘܒ ܡܬܪܗܘܢ ܕܢܫܦܠ ܘܦܪܥ ܘܠܗܘܢ ܠܗ
ܛ̈ܠܠܝܗܘܢ ܕܐܟܪܙܘ. ܢܐܘܬ ܠܝ ܡܪܝܡܘܬܗ ܕܐܠܗܐ. ܗܠܝܢ
ܓܝܪ ܥܠ ܐܘܪܫܠܡ ܕܡܬܚܠܦܝܢ ܗܘܘ ܡܠܟܐ. ܒܠܗܘ ܕܗܘ
ܕܒܒܠ ܗܘܐ ܕܗܘܐ: ܐܠܐ ܡܫܠܘܚܐ ܕܡܬܥܒܕܢܐ: ܥܠ ܢܦܫܐ
ܗܘ ܕܐܬܬܩܢܗ ܐܘܪܫܠܡ ܕܟܠܗܐ ܪܒܐ. ܕܡܬܦܪܢܣܝܢ ܡܠܟܐ.
ܘܡܠܠ ܐܦ ܚܢܢ ܠܕܐܘܪܬ ܡܪܝܡܘܬܗ ܕܐܠܗܐ. ܘܒܠܚܘܕ ܐܦ
ܕܡܬܡܪܚܬ ܢܦܫܐ ܘܠܐܪܥ ܠܗܘܢ ܘܐܡܪ. ܐܠܗܐ ܚܙܘ ܐܢܘܢ
ܐܝܟ ܓܠܝܬܐ ܘܐܝܟ ܓܠܐ ܡܘܬ ܢܦܫܐ. ܓܠܝܬܐ ܐܬܬܠܘܬܗ ܗܘ
ܕܦܪܥ ܡܘܒܐ ܕܚܛܗ̈ܝܗܐ ܡܢܝܢܐ ܠܕܐܝܟܐ. ܕܗܘ ܗܘܐ ܡܢܐ
ܕܥܒܕܝܢ ܐܚܝܗܘܢ ܕܗܘܢܐ. ܫܠܡܐ ܠܗ ܪܘܚܐ. ܘܠܐ ܫܠܡܐ ܠܗ
ܠܡܫܡܢ. ܐܠܐ ܘܡܢܐ ܕܫܠܡܐ ܦܘܪܩܢܐ ܡܢܗ ܫܠܡܐ. ܐܝ
ܕܡܬܡܠܟ ܡܢܗ ܕܠܗܘܢ ܠܗ. ܗܘ ܓܝܪ ܡܢܗ ܘܠܗ. ܠܐ ܡܫܡܫܐ
ܠܡܫܡܫ ܘܠܡܫܡܠܐ. ܕܐܝܟ ܗܡܠܐ ܓܝܪ ܐܬܬܗ ܡܠܟܬܐ. ܕܐܝ
ܡܢܐ ܕܡܬܦܩܦܩ ܗܘ ܕܠܡܫܡܠܐ ܘܡܬܠܠ ܕܬܗܘܐ. ܐܠܐ
ܡܠܠܬܐ ܗܝ ܘܠܐ ܒܡܢܐ ܗܝ ܘܠܐ ܢܦܠܐ. ܘܡܢ ܗܝ
ܡܬܡܫܬܐ ܕܡܠܟܬܐ ܡܢܗܘܢ ܓܙܠܬܐ ܡܠܠܬܐ ܦܠܓܐ
ܘܡܬܡܪܬܐ ܥܠ ܬܪܝܢܘܬܐ. ܕܐܬܬܚܕܐ ܒܚܘܗ ܠܡܠܟܐ ܡܬܘܢܝܬܐ
ܓ̈ܙܠܬܐ ܕܡܬܡܪܡ ܘܦܠܓ ܡܠܬ ܡܫܪ̈ܝܗ ܕܡܬܚܠܦܐ. ܐܝܟܢܐ
ܐܘܡܬܢܐ ܕܚܢ̈ܢܝܐ. ܘܐܢܫܝܢܐ ܕܗܘ ܥܠ ܐܢܫܐ ܕܢܦܠ ܡܢ̈ܘܢ
ܢܦܫ. ܗܡܠܐ ܥܠ ܐܢܫܐ ܕܡܬܡܪܬܐ ܓ̈ܙܠܬܐ ܕܡܬܚܒܘܬ
ܕܡ ܪ̈ܘܚܐ ܡܫܡܪܬܐ ܕܠܡܫܡܠܐ. ܒܢܘܗ ܐܝܬ ܐܝܟܢܐ ܕܡܬܚܢܐ
ܡܠܟܬܐ. ܐܠܐ ܓܙܠܬܐ ܕܠܐ ܡܫܒܚܐ ܐܬܬܗ. ܐܢܫܐ ܕܫܒܚܐ
ܪܘܚܐ ܗܘ ܕܐܬܝܪ ܕܐܝܬ. ܕܪܘܚܐ ܐܝܬܪ ܕܡܫܝܚܐ ܢܦܫܐ. ܢܦܫܐ
ܐܦ ܡܠܫܢܐ. ܕܠܐ ܢܦܫܐ ܐܝܬܪܐ ܠܓ̈ܙܠܬܐ ܗܘܐ ܒܡܫܠܡܬܐ.
ܓ̈ܙܠܬܐ ܐܝܟܢܐ ܕܠܡܫܡܠܐ. ܕܡܬܡܫܢ ܠܗܬܗ ܘܬܡܫܪܐ

ܡܦܩ̈ܘܕܝܬܗ. ܐܦ ܓܠܝܐ ܬܘܒ ܡܛܠ ܗܕܐ ܕܢܣܒ ܡܕܡ ܪܘܚܐ.
ܕܟܠ ܕܒܝܢ ܓܙܪܐ ܕܡܫܠܛܐ ܢܛܪ. ܘܒܠܗܘܬܐ ܡܠܐܟܐ ܗܘ ܐܦ
ܗܘ ܡܕܡ ܪܘܚܐ. ܕܡܬܪ̈ܓܫܢܗܘܢ ܗܠܝܢ ܢܘܪܐ ܡܠܝܠܬܐ ܒܬܦܩܘܕܬܐ.
ܒܗ ܕܢܦܩܘܢ ܠܡܦܠܛܗ ܢܣܒܐ ܕܪܘܚܐ ܐܠܗܝܬܐ ܘܬܘܒ ܢܗܘܘܢ
ܘܡܬܠܒܫܝܢ ܠܗܘܢ ܠܒܫܐ ܕܩܘܫܬܐ ܘܐܡܪ. ܘܐܝܟ ܠܡ ܢܘܪܐ
ܕܡܬܦܩܕܐ ܒܒܐ: ܘܐܝܟ ܫܠܝܡܘܬܐ ܕܩܪ̈ܒܘܐ ܠܦܪܐ:
ܗܘܠܐ ܕܪܘܦ ܐܢܘܢ ܡ̈ܫܠܠܝܢ. ܢܘܪܐ ܕܡܬܦܩܕܐ ܡܒܒܐ. ܠܗ
ܠܗܘܢ ܦܪܐ ܪܘܚܐ. ܐܠܐ ܗܢܘܢ ܐܝܟ ܒܒܐ ܡܩܡ ܐܢܘܢ.
ܠܦܪ̈ܝܐ ܕܝܢ ܐ̈ܢܫܝܐ ܒܦܘ̈ܩܕܢܐ ܕܒܠܗܘܢ. ܢܘܪܐ ܕܡܬܦܩܕܢܘܬܐ
ܒܓܪܗܘܢ ܠܗܘܢ. ܐܝܟܢܐ ܕܡܬܓܙܪܐ ܢܘܪܐ ܠܒܒܐ ܕܦܘ̈ܪܐ
ܠܐ ܦܐܪ̈ܐ: ܘܡܫܠܡܘܬܐ ܐܦܠܐ ܢܦܘܬܐ ܕܟܠ ܠܦܪܐ ܒܗ
ܕܡܬܦܩܕܐ. ܗܟܢܐ ܗܠܝܢ ܡ̈ܠܘܫܒܚܐ ܕܩ̈ܝܡܝܢ. ܕܚܘܫܒܐ
ܘܡܬܓܙܪܐ ܢܘܪܐ ܕܪܘܓܝܐ ܘܡܬܠܒܫܘܬܐ ܘܠܗ ܡܢܘܪܐ ܕܒܝܢ
ܐܪ̈ܚܬܐ. ܬܚܘܬܐ ܠܡ ܗܕܐ. ܐܠܐ ܦ̈ܠܠܒܠܝܢ ܠܡ ܪܘܦ ܐܢܘܢ.
ܘܡܦܪ̈ܫܝܢ ܠܗ ܐܢܘܢ. ܡܬܪܐ ܕܝܢ ܐܝܬ ܗܘ ܘܡܢܒܥܐ ܘܡܫܒܥܐ.
ܘܗܠܝܢ ܕ̈ܟܝ ܕܦܘܚ ܡܢܒܥܐ. ܕܟܐ ܕܡܬܚܫܒܐ ܘܠܐ ܢܣܒܐ
ܡܐܠܦܐ. ܡܢܗܕܢܘܬܐ ܕ̈ܡܕܡܕܡܐ ܕܡܬܠܐ: ܕܘܒܪܐ ܒܕܡ ܡܫܠܡܝܢ
ܕܝ ܡܬܪܐ ܕܦܘܚ ܡܢܒܥܐ. ܘܕܝ ܩܠܠܐ ܕܢܘܪܐ ܟܠܬܝܢ.
ܘܡܕܒܪܢܘܬ ܕܢܘܪܐ ܢܦܩܬ ܕܝ ܐܬܘܬܐ ܕܡܫܬܠܝܢ: ܟܣܝܣܝܢ
ܒ̈ܢܝܐ ܘܦܫܝܢ ܠܗܘܢ ܡܐܪ. ܡܕ ܕܡܕܡܪܐ ܠܗܘܢ ܪܘܚܐ
ܕܡܬܝܕܥܐ ܡܢܘܪܐ. ܘܦܪܫܝܢ ܠܟܠ ܕܝ ܒ̈ܢܝܐ ܕܒܢܝܐ. ܘܡܬܝܠܢ
ܗܠܝܢ. ܡܢܘܗܘܢ ܪܘܚܐ ܕܡܫܒܚܝܢ ܚܠ ܐܠܗܐ ܐܠܗ ܦܝܪ ܕܝ
ܗܘܝܢ. ܐܦ ܗܠܝܢ ܬܘܒ ܕܟܠܗ ܢܚܬܐ. ܕܟܐ ܕܡܬܚܫܒܐ ܪܘܚܐ
ܕܬܘܒܝܢ. ܡܕ ܐܦ ܗܠܝܢ ܕܝ ܚܠܩܐ ܕܡܕܒܪܢܘܬܐ ܡܬܝܕܥܢܘܬܐ
ܡܫܠܝܢ ܡܢܘܪܐ ܡܕ ܕܡܬܬܒܝܢ ܕܝ ܢܘܪܐ ܘܕܝ ܪܘܚܐ. ܘܠܐ
ܪܒܐ ܦܓܪܝܢ ܡܐܠܝܢ ܕܡܬܒܬܠܝܢ ܒܡ̈ܠܝܠܗܘܢ. ܡܬܪܐ

ܡܛܠ ܕܐܠܗܐ: ܡܛܠ ܐܢܘܢ܇ ܕܢܣܒܘܢ ܠܝ ܠܡܦܪܥܘ ܡܛܠ
ܒܫܠܡܘܬܐ ܕܬܫܡܫܬܐ. ܡܢ ܕܠܘ ܒܠܒܗ ܫܦܝܪ ܠܡܫܡܠܘ
ܡܫܡܠܝܐ ܒܠܒܗܘܢ ܕܟܠ ܕܝܠܗ. ܡܛܠ ܕܒܗ ܕܡܫܬܪܐ ܕܠܘܬܢܝܐ
ܕܝܠܗ ܕܐܠܗܐ. ܐܝܬ ܗܘ ܡܛܠ ܕܠܡܫܒܚܘܬܐ ܕܥܒܪܐ ܡܬܩܢܝܢ.
ܘܗܟܢܐ ܫܪܘܝܐ ܕܢܘܪܐ ܕܫܒܩ ܠܗ ܡܐܟܠܐ ܘܠܠܝܐ ܕܪܘܚܐ
ܕܠܐ ܫܦܝܪܐ. ܢܦܩ ܡܢ ܩܕܡ ܒܢܝܫܐ ܕܢܒܝܐ ܠܡܫܠ ܚܫܘܟ
ܚܫܟܐ. ܗܠܝܢ ܕܟܕ ܢܦܩܝܢ ܠܡܫܠ ܒܡܕܒܪܢܘܬܐ ܕܪܘܚܢܝܢ
ܕܐܬܕܪܫܘ ܒܠ ܢܦܫܐ. ܡܢܝܬܗ ܕܡܠܟܐ ܙܕܩܐ. ܐܦܢܐ ܠܐ
ܡܬܦܫܩܢܘܬܐ ܢܦܩܝܢ ܠܡܫܠܡܘܬܗܘܢ ܡܢ ܩܕܡ ܬܪܥܘܬܗܘܢ.
ܘܡܢܐܝܬ ܗܠܝܢ ܡܬܦܫܩܢܘܬܐ ܕܟܠܗ ܐܦܢܐ ܗܘܢ ܡܬܒܪܐ
ܐܝܟ ܕܐܡܪܢ ܪܘܚܐ. ܡܛܠ ܐܦܢܐ ܗܘܢ ܡܬܒܪܐ ܕܢܦܩܘܢ ܠܥܠܡ
ܥܠܡܐ. ܘܗܘ ܡܫܠܡ ܥܒܕܝܢ ܘܡܫܬܝܢ ܒܬܠܡܝܕܘܗܝ ܕܫܪܪܐ.
ܠܐ ܓܒܪܐ ܠܗܘܢ ܪܘܚܐ ܡܬܢܒܪܢܝܬ. ܐܠܐ ܙܒܢܐ ܘܐܢܫ ܘܡܫܦܫܐ
ܕܠܐ ܢܦܘܩܘܢ ܡܢ ܥܒܕܘܗܝ. ܐܠܐ. ܕܢܗܘܐ ܢܥܒܕܘܢ ܦܘܪܫܢܐ.
ܘܢܗܘܐ ܢܥܒܕܘܢ ܡܫܠܡܘܢ ܪܚܡܐ ܡܢܗ ܕܐܠܗܘܬܗܘܢ ܩܠܘܣܐ.
ܘܐܬܪܚܡܘ ܢܗܘܘܢ ܙܕܩܐ ܡܬܚܫܚܘܬܐ. ܘܢܗܘܘܢ ܠܥܠܡ
ܥܠܡܐ. ܡܛܠ ܕܟܠ ܕܦܩܕܐ ܠܥܠܡ ܕܢܦܩܐ ܒܡܫܡܠܝܘܬܐ ܗܢܐ.
ܐܝܟ ܕܦܩܕܐ ܒܠܐ ܒܡܬܦܫܩܢܘܬܐ. ܬܘܒ ܚܙܘ ܢܗܐ
ܘܗܘ ܪܘܚܐ ܦܩܕ ܒܠܒܗܘܢ ܕܢܩܘܡ ܥܠܝܗܘܢ ܘܐܡܪ. ܢܗܘܬܗܘܢ
ܘܢܦܩܘܢ ܠܥܠܡ ܥܠܡܝܢ. ܘܢܫܒܚܘܢ ܘܢܐܡܪܘܢ. ܗܠܝܢ
ܕܡܬܦܫܩܢ ܘܡܬܬܢܝܚܝܢ ܠܥܠܡ ܥܠܡܝܢ. ܠܘ ܒܠ ܗܢܐ ܗܘܐ
ܐܡܪܐ ܕܗܘܘܐ ܠܗܘܢ. ܐܠܐ ܒܠ ܬܫܡܫܬܐ ܕܠܥܠܡ ܘܒܠ
ܢܗܪܐ ܕܠܐ ܕܚܙܐ ܗܘܐ ܒܬܫܡܫܬܐ: ܡܢ ܓܒܪ ܕܐܬܦܪܫ
ܘܐܬܦܪܫ ܐܝܟ ܐܬܪܐ ܘܫܠܝܐ ܕܫܦܝܪܘܬܗ ܕܡܢܝܢ. ܠܬܠܬܝܢ
ܢܦܩܝܢ ܡܢܐ ܕܐܠܗܐ ܒܬܫܡܫܬܐ ܢܗܝܪܐ. ܘܡܬܦܫܩܝܢ ܘܫܡܫܝܢ
ܬܠܬܝܢ. ܒܠܒܗܘܢ ܡܬܟܪܟܝܢ ܕܡܫܬܡܠܝܢ ܬܘܒܬ ܩܪܝܒܐ ܗܠܝܢ.

ܕܩܒܠ ܦܓܪ̈ܝܗܘܢ. ܘܡܬܦܫܩܝܢ ܘܐܦܣܝܢ ܘܠܐ ܓܝܪ ܐܦ ܦܓܣܝܢ
ܒܗܘ̈ܪܐ ܕܡܫܬܘܐ. ܐܠܐ ܘܐܦ ܦܓܝܢ ܠܡܫܡܗ ܕܒܪܝܐ. ܟܕ
ܗܘܐ. ܘܠܐ ܒܕܘܟ ܕܡܬܚܫܒܝܢ ܒܚܝܠܐ. ܟܠܗܘܢ ܓܝܪ ܐܝܠܝܢ
ܕܠܐ ܡܕܡܐ ܠܒܪ̈ܝܐ ܢܠܦܝܢ ܠܗ. ܐܠܐ ܘܠܐ ܡܠܠ ܒܡܬܗܘ̈ܝ
ܡܬܬ̈ܠܝܢܐ ܕܐܬܗܘ̈ܝ ܢܩܫܝܢ ܡܬܪܒܝܐ ܟܕ ܡܛܪ ܕܡܬܬܚܣܢ.
ܘܢܦܩܘܢ ܠܗ ܕܫܡܥܝܢ ܗܘܘ ܒܪܝܐ ܐܦ ܒܡܠܬܗ ܐܡܪܬܐ. ܗܘܝܢ
ܓܝܪ ܗܘܘ: ܠܐ ܒܡܬܦܢܝܢ ܗܘܝܢ ܒܡܘܪܬܐ ܕܟܠ ܥܒܕܐ. ܘܠܐ
ܒܡܫܬܡܥܝܢ ܗܘܝܢ ܐܠܗܐ ܐܡܪܐ. ܐܠܐ ܚܝܐ ܒܡܘܪܬܐ ܠܡܫܬܪܝܘܬ
ܐܡܝܢܐ. ܘܗܘܐ ܢܛܘܪܬܐ ܡܫܝܐܝܬ ܠܒܢܝܐ ܥܠܡܝܢܐ ܕܒܟܠ ܟܠ.
ܘܫܐ ܥܒܕܐ ܕܒܪ̈ܝܐ ܒܡܬܬܪܝܢ ܘܒܛܘܪܗ ܘܒܡܫܡܥܬܢ ܘܡܫܬܒܚܐ
ܠܥܠܡ ܘܠܥܠܡ ܥܠܡܝܢ ܐܡܝܢ ܥܠܡ —

95. Homilie.

ܒܐܡܕܪܐ ܕܬܫܡ̈ܫܝܢ ܘܫ̈ܡܫܐ. ܥܠ ܡܕܒܪܢܘܬܐ ܕܬܫܡ̈ܫܝܢ
ܘܫ̈ܡܫܐ. ܘܥܠܘܗܝ ܕܐܠܝܐ ܟܕ ܥܠ ܐܚܐܒ̈ܗܘܢ ܐܠܗܐ. ܘܕܐܝܬܘܗܝ
ܐܬܚܒܫ ܥܠ. ܘܠܘܩܒܠ ܡܟܪܟܪܢܘܬܗ ܕܒܒܠܐ ܕܐܝܣܪܐܝܠ
— ܕܩ̈ܘܡܐ ܕܦܘܠܚܢܐ ܡܟܬ ܐܢܘܢ ܐܠܗܐ ܠܠܩ̈ܝܐ ܒܒܢܝܐ ܕܐܝܣܪܐܝܠ.
ܘܒܟܒ ܐܢܘܢ ܒܡ ܕܩ̈ܘܡܐ ܐܦ ܩ̈ܠܐ ܕܦܘܪܢܐ ܬܚܘܡܬܐ ܩ̈ܐܕܘ
ܒܒܠܐ. ܘܒܝܠܐ ܕܡܠܟܝܢ ܢܛܝܪ ܗܘܐ ܒܒܠܐ ܒܛܪ ܐܠܗܐ
ܕܓܠܐ ܥܒܕܐ: ܘܡܬܚܡܒܠܐ ܗܘܐ ܡܢ ܬܫܒܘܚܬܐ ܕܐܠܗܐ
ܘܐܙܠ ܗܘܐ ܒܬܪ ܦܬܓܡܐ. ܡܫܡܫ ܐܠܗܐ ܪܘܚܐ. ܒܠܚܘܕܝܐ.
ܕܢܗܘܘܢ ܦܬܝܚܢ ܠܗ ܒܐܕܢܘܗܝ ܩ̈ܠܐ ܕܡܬܡܠܠܝܢ ܠܗ ܡܢ ܓܘ ܐܠܗܐ.
ܘܡܠܐ ܕܫܡܥܬ ܗܘܐ ܡܢ ܦܘܡܐ ܕܐܠܗܐ. ܡܫܡܥܝܢ ܗܘܘ
ܐܕܢܘܗܝ ܕܠܫܡܥܐ. ܘܡܠܐ ܕܦܩܕ ܗܘܐ ܡܢ ܦܘܠܚܢܐ
ܕܡܫܡܫܢܐ. ܡܠܒܫܝܢ ܗܘܘ ܠܗ ܕܢܦܠܚܘ. ܘܡܠܐ ܕܠܐ ܢܛܪ ܗܘܐ
ܥܒܕܬܐ ܐܝܟ ܕܐܬܦܩܕ: ܡܬܒܪܝܢ ܗܘܘ ܠܗ ܕܢܛܪ. ܗܘ ܗܟܢܐ

ܗܘܐ ܕܝܢ ܕܟܘܢ ܕܟܠܐ ܕܗܘ ܡܕܒܪܢܐ ܐܕܝܢ ܗܘܐ ܫܘܬܦܝܢ
ܗܘܘ. ܠܐ ܓܝܪ ܡܫܡܫܝܢ ܗܘܐ ܒܒܝܬܐ ܗܿܘ ܡܫܟܢܐ ܘܠܐ:
ܕܐܡܪ ܠܗ[1] ܢܒܝܐ ܕܢܦܩ ܕܩܫܝܐ ܟܠܐ. ܕܡܫܡܫܢܘܬܐ ܢܪܐ ܗܘܐ
ܠܗ ܕܒܝܬܐ. ܕܐܠܗܐ ܡܢ ܥܠܝܐ ܐܝܟ ܕܡܢ ܚܠܦ ܥܠܡܐ ܢܬܒܣܪ
ܠܗܘܢ ܕܠܡܫܡܫܢܘܬܐ. ܕܟܠܗܘܢ ܐܦ ܠܡܫܡܫܢܘܬܐ ܕܗܘܬ ܗܘ ܒܝܘܡܘܗܝ
ܠܒܝܬܐ ܕܦܠܚܝܢ ܡܢ ܬܫܒܘܚܬܐ ܕܐܠܗܐ: ܘܐܫܬܕܪ ܥܠ ܐܠܗܐ
ܕܒܢ̈ܝܢܐ ܕܒܝܘܡ ܐܢܘܢ: ܘܪܒܐ ܥܠ ܢܒܝܐ ܘܥܠ ܐܪܒܥܐ ܕܠܗ
ܡܢ ܐܠܗܐ ܐܬܒܚܪܘ. ܫܪܝ ܕܢܥܒܕ ܒܗ ܦܪܐ ܠܗܘܢ ܠܟܠ
ܒܒܝܬܐ. ܕܐܦ ܗܠܝܢ ܒܒܝܬܗ ܢܥܒܕܘܢ. ܘܡܢܗܪ ܗܘܐ ܘܐܡܪ.
ܗܿܘ ܢܥܒܕ ܠܡܪܝܐ. ܠܒܝܬܐ ܗܘܐ ܡܢܬܐ ܡܠܟܐ. ܥܠ ܕܪܒܐ ܗܘܐ
ܕܠܐ ܚܠܝܢ ܫܒ̈ܚܐ ܕܐܠܗܐ. ܘܕܠܐ ܢܬܢܨܚܘܢ ܠܡܫܒܚܬܐ. ܠܐ
ܐܡܪ ܗܿܘ ܢܥܒܕܘܢ ܠܡܪܝܐ. ܐܠܐ ܠܡܐܢܘܬ ܐܡܪܗ ܠܡܪܬ ܡܠܟܐ.
ܕܐܬܝܢܘܢ ܠܟ ܒܒܝܬ. ܗܿܘ ܢܥܒܕ ܠܡܪܝܐ. ܘܡܫܠܡܢܐ ܗܘ
ܡܫܒܚܢܐ ܡܫܡܫܢܐ ܗܘܐ ܢܥܒܕܗ ܡܢ ܕܫ̈ܡܫܐ. ܗܘܐ ܗܘܐ ܓܝܪ
ܕܫ̈ܡܫܐ ܘܡܫܡܠܝܢܐ ܠܦܘܩܕܢܐ ܢܒܝܘܬܐ ܬܪ̈ܝܢܐ: ܕܗܘܐ ܡܫܒܚܢܐ
ܢܬܥܒܕ ܒܗܘܢ. ܡܛܠ ܕܗܘܐ ܕܟܠܟ ܢܨܝܚܬܐ ܘܫܦܝܪ ܕܠܡܫܡܫܘܬܐ.
ܗܘ ܡܦܩܕ ܘܡܛܪܐ ܢܘܠܦܢܗ. ܕܗܘܐ ܕܝܢ ܗܿܘ ܕܡܫܡܠܝܢ
ܐܘܪܚܬܗ ܡܫܡܠܝܬܘܢ ܗܘܐ ܘܡܫܘܕܥܐ ܢܛܪ ܢܚܫܒ ܗܘܐ.
ܘܡܠܘܗܝ ܕܫܡܫܐ ܘܐܡܪ ܘܡܢܕܪ ܠܐܠܗܘܢ ܦܪܘܫܐ. ܕܫܒܚܐ
ܕܗܠܝܢ ܕܝܢ ܐܠܗܐ ܕܡܫܒ̈ܚܢܐ ܠܗ ܦܪ̈ܘܫܐ ܐܢܘܢ. ܐܠܗܗ
ܕܝܢ ܕܒܝܬܐ ܐܠܗܐ ܗܘ ܦܪܘܫܐ: ܡܛܠ ܕܡܫ̈ܒܚܝܢܐ ܘܡܬܬ̈ܬܐ
ܦܘܡܗ ܠܒܝܬܐ. ܕܡܫܠܡܐ ܗܘ ܕܥܬܝܕ ܢܬܥܠܡ ܘܡܥܒܕ ܠܗ.
ܐܝܟ ܐܠܝܢ ܕܢܫܡܠܝ ܠܒܝܬܐ ܕܒܢܘܪܘܗܝ. ܡܫܘܕܥܐ
ܕܒܗ ܠܐܩܡܘܢ ܘܡܫܠܡܐ ܢܦܘܩ ܐܩܘܡܘܗܝ ܒܬܘܕܝܬܐ.

[1] Am Rande hinzugefügt.

ܘܡܫܪܪܘܬܐ ܠܢܦ̈ܫܬܐ. ܡܛܠ ܕܐܠܗܐ ܗܘ ܪܒܐ ܡܪܒܝܐ. ܘܡܕܒܪܢܐ
ܕܝܢ ܟܠ ܡܠܘܗܝ ܐܠܗܐ. ܗܠܝܢ ܦ̈ܠܓܐ ܕܟܦܝܢ ܗܘܐ
ܠܚܒܪܐ ܕܫܩܠܢ ܗܘܐ ܠܗ ܡܢ ܡܢܒܪ. ܕܗܟܢ ܕܠܝܬ ܐܝܟ ܐܠܗܐ
ܕܐܝܣܪܐܝܠ. ܘܠܐ ܚܙܐ ܐܠܗܐ ܕܫܡܫܐ ܒܛܥܝܘܬܐ ܘܒܛܘܥܝܝ.
ܘܠܐ ܒܬܫܒܘܚܬܗ ܐܬܚܫܒ ܐܝܟ ܦܬܟܪܐ ܡܪ̈ܝܐ. ܘܠܐ ܕܠܐ
ܚ̈ܫܝܐ ܕܬܫܒܘܚܬܐ ܘܡܫܬܒܚܘܬܗ ܐܠܗܐ. ܐܝܟ ܗܠܝܢ ܡܩܪ̈ܒܐ
ܘܦܓ̈ܠܐ ܥܒܕܐ. ܗܠܝܢ ܘܠܐ ܡܒܥ ܐܝܟ ܗܢܝܢ. ܐܠܗܝܢ ܗܝ ܕܠܝܢ.
ܘܡܥܒܕܐ ܘܡ̈ܫܡܫܢܐ ܐܠܗܐ ܗܘ ܪܒܐ. ܕܫܐܠܘܗܝ ܐܠܗ̈ܝ
ܬ̈ܫܡܫܬܗ ܕܐܪܥܐ ܘܫܡܝܐ ܕܗܘܪܐ. ܕܠܝܬ ܗܘ ܡܢ ܒܪܝܐ ܘܡܢܗ
ܚܒܪܗ. ܘܡܫܥܒܕܬܐ ܐܢܘܫܘܬܗ ܒܚܝܠ ܗܘ ܠܐ ܕܗܠܝܢ ܚܟ̈ܝܡܐ
ܕܠܗ: ܐܦ ܗܘ ܡܢ ܡܠܘܗܝ ܐܠܗܐ. ܘܠܗܠܝܢ ܕܡܬܚܫܒܝܢ
ܐܠܗܐ: ܕܗܘܬܐ ܒܥ̈ܢܢܐ ܠܐ ܐܫܬܡܥܬ ܠܗܘܢ. ܘܠܐ ܦܢܝܐ
ܡܠܝܢ ܥܘܠܝܒܐ. ܡܛܠ ܕܕܐܠܗܐ ܐܢܬܘܢ ܘܗܘܐ ܒܚܝܘܗܝ ܘܠܐ
ܬܘܒ ܡܐܪܒܐ ܐܝܬ ܠܗܘܢ ܕܗܘܬܐ. ܡܛܠ ܕܫܐܝܢ ܐܠܗܐ
ܐܬܬܒܟܬ. ܘܠܐ ܒܡܘܕܐ ܕܐܪܐܐ ܢܬܩܪܘܢ ܡܛܠ ܕܫܐܝܢ
ܐܠܗܐ ܡܒܛܠ. ܗܠܝܢ ܠܐ ܐܬܦܪܘ ܘܐܬܒܥܒܕܘ ܕܠܐ ܐܠܗܐ
ܐܢܘܢ. ܡܛܠ ܕܠܐ ܦܪܘܩܐ ܗܘܘ ܠܡܦܪܩܗܘܢ. ܡܢ ܕܝܢ ܟܕ
ܢܬܚܫܒ ܕܡܢ ܡܢܝܢ ܘܡܢ ܥܡܒܕܢܐ ܕܫܡܝܐ ܦܬܚ ܠܝ
ܐܠܗܐ. ܬܘܒ ܢܬܪܘܢ ܘܢܣܓܕܘܢ ܠܗ ܘܢܬܪܥܘܢ ܠܒܪܝܐ ܕܟܠܢ.
ܡܛܠ ܕܗܘܘ ܐܠܗܝ. ܘܡܢ ܒܗܘܢ ܕܠܗ ܘܥ̈ܠܐ ܕܒܪܝܬܗ.
ܫܠܝܘܗܝ ܗܘ ܟܕ ܗܘ ܬܘܪܬܐ ܕܟܬܒܐ ܠܢܫܐ. ܘܗܘܢ ܕܬܘ
ܠܢܦܫܗܘܢ. ܘܗܘܢ ܕܬܘ ܢܬܪܘܢ ܘܢܣܓܕܘܢ ܠܗ ܘܢܬܪܘܢ. ܡܛܠ ܕܠܐ
ܢܬܒܥ ܒܒܪܐ ܒܠܚܘܕ ܘܠܐܘܒܪ. ܕܡܛܠ ܡܢܐ ܐܒܝܕ ܠܝ[1] ܕܠܒܒ
ܗܘ ܡܒܥ ܕܟܬܒܝܢ. ܘܕܫܢܐ ܕܫܠܡܘܢ ܗܠܝܢ ܡܒܪܒܢܐ

[1] ܠܝ am Rande hinzugefügt.

ܐܬܘܬܗ: ܘܡܬܚܫܒܢܐ ܘܡܬܕܒܪܢܐ: ܘܫܦܝܪܐ ܘܡܬܚܫܚܢܐ.
ܟܠܠ ܕܝܢ ܡܫܡܠܝܘܬܐ. ܘܡܣܦܩܐ ܬܘܒ ܕܒܪܝܬܐ ܒܚܝܘܗܝ
ܐܬܘܬܗ: ܐܝܟ ܕܐܦ ܠܛܘܪܐ ܘܠܒܨܝܪܐ ܘܠܐܪܝܟܐ ܗܘ ܚܕ:
ܘܗܘܘ ܐܠܗܘܢ ܘܡܚܕܐ ܥܠ ܕܠܗ ܘܡܢܐ ܕܡܪܕܝܘܬܗ:
ܘܢܩܘܦܬܐ ܗܝ ܠܝ ܗܕܐ ܕܢܣܒܘܢ ܘܠܐ ܢܬܕܟܪܐ ܠܐܒܗ̈ܝܢ.
ܗ̈ܠܝܢ ܕܝܢ ܫܟܠ ܢܦܩ ܠܗܘܢ ܬܘܕܝܬܐ ܘܫܠܡܐ ܕܟܕܒ ܡܢ
ܦܪܘܩ ܠܗܘܢ. ܗܠܝܢ ܠܗܠܝܢ ܠܐ ܥܒܕܘ. ܐܠܐ ܐܦܠܐ ܟܠܠ ܠܟ
ܕܐܝܬܘܗܝ ܒܢܝܐ ܐܝܬܘܗܝ ܕܡܪܕܝܘܬܗ: ܢܩܡ ܐܦ ܟܡܠܗ
ܬܫܡܫܬܗܘܢ. ܠܐ ܬܦܫܘܢ ܠܬܫܡܫܬܗܘܢ ܠܟܪܣܛܝܢܘܬܗ ܐܝܟ
ܡܢܟܪܝܘܬܐ ܘܐܝܟ ܢܘܟܪܝܐ ܕܫܘܚܠܦܐ ܕܡܫܬܡܠܝܐ. ܕܫܘܚܠܦ
ܐܟܣܢܝܘܬܗܘܢ: ܘܗܟܢܐ ܝܗܒ ܚܟܡܬܐ ܐܘ̈ܪܚܬܐ ܩܕܝܫܐ. ܗܠܝܢ ܠܟ ܡܢ
ܥܒܕܘ ܠܗܘܢ ܕܐܠܗܐ ܡܢ ܟܕ ܢܘܪܐ ܡܠܝܐ:[1] ܡܢ ܡܟܠܠ
ܒܒܗܘܢ ܡܢ ܐܪܥ ܠܛܘܪܐ ܕܡܬܦܪܫܝܢ ܗܘܐ ܡܛܘܪܐ ܘܡܢܝ
ܡܪܥܝܐ ܘܡܬܪܢܝܐ. ܐܝܟ ܗܘ̄ ܕܠܐ ܐܬܡܟܠܠ ܒܒܗܘܢ: ܠܒܗ
ܚܟܡܬܐ ܘܪܘܚܢܝܘܬܐ ܕܝܠܗ. ܐܠܐ ܐܦ ܐܝܬܘܗܝ ܡܫܝܚܐ. ܠܐ ܗܘ
ܡܢ ܗܘ ܡܪܚܡܢܐ ܬܦܩܘܗܝ ܠܬܫܡܫܬܗܘܢ. ܟܠܠ ܕܐܦ ܡܫܝܚܐ ܠܐ
ܥܠܝܐ ܡܢ ܗܝ ܕܢܥܒܕܘܢ ܥܠܗ. ܘܐܢܝ ܐܦ ܐܝܬܘܗܝ ܐܝܟ
ܐܟܣܢܝܘܢ ܗܘܝܢ ܐܝܬܘܗܝ ܡܫܬܡܫܢܐ. ܕܬܫܡܫܬܐ ܐܠܗܝܐ
ܘܠܐ ܦܪܥ ܠܬܘܕܝܬܐ ܫܘܕܥܐ ܗܘ̇ ܕܐܫܬܘܕܝ ܠܐܟܣܢܝܘܬܐ ܘܢܝܚ
ܕܠܡܐ ܬܥܒܕܝܢ ܠܗ ܩܒܠܘ. ܐܝܟ ܕܩܒܠܬ ܠܗ ܒܐܟܣܢܝܘܬܐ.
ܕܐܝܬ ܠܗ ܠܟ ܡܪܐ ܗܘ̇. ܘܐܡܪܬ ܕܚܒܪܐ ܗܘ ܕܡܪܐ
ܠܗܘܢ. ܘܗܠܝܢ ܠܐ ܢܚܒ ܐܫܬܘܕܝ ܐܝܟ ܕܚܕܝܬ ܡܛܘܠ
ܕܠܐ ܢܚܠܘܢ ܠܢܦܫܗ. ܠܗܠܝܢ ܩܢܬ ܩܠܐ ܦܩܕ ܐܢܫ ܦܠܘܣ
ܗܘ ܐܝܟܐ ܘܐܠܗܝܐ. ܡܢ ܦܩܕ ܠܗܘܢ ܒܟܪܝܐ ܘܢܦܫ ܕܗܘܐ

[1] ܡܠܝܐ am Rande hinzugefügt.

ܕܐܡܝܪ ܠܬܫܒܘܚܬܐ ܕܗܘ ܕܠܐ ܢܬܠܘܢ ܠܢܫܡܬܗ. ܡܛܠ ܡܠܟܐ ܗܘ
ܕܠܐ ܒܪܘܚܐ ܢܦܫܗ ܗܘܬ[1] ܠܚܕܘܬܐ: ܘܥܠܘ[2] ܬܘܒ ܫܡܘܗܝ ܕܥܠܘ
ܗܘ ܢܥܒܕ ܡܪܘܗܝ[3] ܘܢܬܪܘܬ ܐܪܥܐ ܕܩܠܝܠܝܢܐ. ܕܢܦܠܘ ܠܗܘܢ
ܡܢ ܕܘܕ ܠܢܫܡܬܐ ܐܠܗܝܬܐ. ܐܡܪ ܓܝܪ ܠܬܫܒܘܚܬܐ ܕܥܠܘܗܝ.
ܕܐܠܘ ܓܝܪ ܢܥܒܕ ܗܘ ܠܗܝ ܐܝܟ ܗܘܐ ܐܢܘܢ. ܠܐ ܐܡܪܬ ܗܘܐ
ܡܢ ܡܬܬܠܡ ܥܠ ܢܦܫܐ ܐܪܥܐ. ܡܢܗ ܡܛܠ ܕܢܥܒܕ ܠܐ
ܐܢܫ ܐܢܘܢ. ܦܩܕ ܗܘ ܠܡܫܬܥܝܘ ܠܡܢܗ ܕܐܠܗܐ. ܘܬܘܒ
ܐܡܪ ܕܐܝܠܝܢ ܠܗ ܕܥܠ ܠܢܫܡܬܗ. ܐܬܬܚܝܕ ܐܦ ܗܘ ܡܢ
ܟܦܪܬܗ. ܐܝܟ ܕܐܠܗܐ ܡܢ ܕܠܗ. ܐܠܗܐ ܓܝܪ ܡܢ ܩܕܡ
ܕܢܦܠ ܢܦܫܐ ܕܢܫܡܬܐ ܘܐܬܥܬܕܘ ܘܐܬܝܬܝܪܘ ܬܘܩܢܐ
ܕܢܫܡܬܐ ܘܕܐܪܥܐ: ܘܟܠ ܢܦܫܐ ܕܢܫܡܬܐ ܘܐܬܬܚܝܕ ܡܢ
ܟܦܪܐ: ܘܬܘܒ ܠܐ ܐܡܪ ܐܢܘܢ ܡܬܩܪܐ ܐܡܪܢܐ. ܘܢܦܠ
ܠܗ ܡܢ ܗܘܢ ܕܢܦܫܐ. ܘܐܝܟ ܦܢܝܬ ܡܪܘܬܐ ܗܝ ܕܟܪܘܒܝܢ ܩܢܘܢܐ
ܘܡܬܪܥܝܬܐ. ܐܝܟ ܕܐܪܥܐ ܐܝܟܢ ܕܩܕܡܐ. ܘܗܘܐ ܡܢܗ ܕܡܢ
ܫܪܪܐ ܐܡܝܢ ܠܗܘܢ. ܕܗܢܘܢ ܡܢܗܘܢ ܘܠܐ ܢܦܫܗܘܢ. ܘܕܪܥܐ ܗܘܐ
ܕܢܦܫ ܡܝܬܐ ܠܗܝܢ ܠܗܘܢ ܘܡܢܗܪܐ ܠܗܘܢ. ܡܢܗܘܢ ܗܘ
ܐܬܬܚܝܕ ܠܗ ܡܢ ܗܪ ܕܢܦܫܐ ܡܢ ܢܦܫܐ ܕܢܫܡܬܐ. ܡܢܗ
ܕܢܦܠ ܠܗ ܡܢ ܟܦܪܐ: ܘܗܡܝܢܐ ܐܦ ܡܢܝܢܐ ܡܢ ܕܢܦܠ
ܠܗܪ ܢܫܡܬܐ. ܬܘܒ ܠܐ ܡܬܗܡܝܡ ܥܠ ܟܦܪܝܢܘܗܝ.
ܡܫܬܠܡܝܢ ܠܗܘܢ ܫܘܠܡܐ ܙܗܝܪܐ ܘܡܫܬܝܢܐ ܕܡܬܝܪܬܘܬܐ.
ܡܛܠ ܕܢܦܫܗ ܗܘ ܕܢܫܐ ܕܢܦܠܘܢ ܡܪܘܪܐ ܡܫܬܥܒܕܘܬܐ
ܕܐܢܫܐ ܠܡܬܥܒܕܢܘܬܐ. ܕܗܘܐ ܠܐ ܐܢܫ ܢܦܫܬܐ ܟܦܪܝܢܘܗܝ ܘܪܘܪܐ
ܠܫܘܠܡܐ ܕܡܫܬܡܠܝܢܐ. ܐܝܟܢ ܐܦ ܕܗܘ ܡܢ ܟܬܒ ܠܗܘܢ

[1] ܗܘܬ am Rande hinzugefügt. [2] Zuerst stand ܘܥܠܐ, dann corrigirt in ܘܥܠܘ. [3] ܡܪܘܗܝ am Rande hinzugefügt.

ܐܦ̈ܠܐ ܗܠܝܢ: ܢܦܩܘ ܒܟܠܗ ܒܐܪܥܐ ܗܘ ܕܒܡܘܬܪ̈ܐ ܗܘܬ
ܢܒܝܘܬܐ: ܘܬܘܒ ܐܡܪ ܐܝܟ ܕܒܚܝܠܬ ܡܫܝܚܐ ܡܬܬܪܝܢ ܕܠܐ ܢܒܠܘܢ
ܠܢܒܝܘܬܗ. ܚܠܦ ܗܢܐ ܗܘ ܕܟܕܘܒ ܕܗܘ ܢܒܝܘܬܐ. ܠܐ ܒܪܘܚܐ ܐܬܢܒܝܬ
ܘܗܟܢܐ ܕܐܬܢܒܝܬ: ܚܠܦ ܠܗ ܪܗܛܐ ܕܬܫܘܒܚܬܐ. ܘܡܬܬܢܝܚܝܢ
ܐܦ ܬܒܠܐ ܕܬܠܡܝܕܘܬܐ. ܕܐܦ ܡܠܝ ܢܦܠܐ ܕܢܒܝܘܬܐ ܕܠܒܫ
ܠܗ ܠܢܒܝܘܬܐ ܗܢܐ ܡܬܬܒܥܬܐ ܒܡܘܪܐ ܕܟܠ ܒܢܬܒܐ. ܒܝܕ ܢܥܘܠ
ܡܫܝܚܐ ܡܪܢ ܕܠܗ ܐܝܟ ܡ̄ܫ ܘܐܝܟ ܪܘܚܐ ܘܠܐܒܘܗܝ ܘܠܪܘܚܗ
ܐܝܟ ܘܦܫܝܚܐ ܠܗܠܢ ܘܠܗܠܢ ܒܠܚܘܕ ܐܝܟ ܕܚܠܐ

115. Homilie.

ܡܙܡܘܪܐ ܕܬܫ̈ܥܐ ܘܫܬܬ ܒܡܦܪ: ܚܠ ܕܒܡܘܪܐ ܕܬܫ̈ܥܐ
ܘܡܫܬܒܚܢܘܬܐ. ܕܟܬܒܐ ܗܘ ܚܠ ܐܠܗܐ ܕܫܡܥܬ ܕܗܘܐ ܡܢ
ܫܐܘܠ ܘܕܠܐ ܥܒܕ ܐܠܗܐ ܠܐܠܗܐ ܕܫܡܝܐ ܚܠܡܘܢ —
ܕܡܫܡܪܢܘܬܐ ܕܗܘܐ ܠܦܘܪܫܢܐ ܕܐܠܗܐ ܕܫܡܥܝܢ ܚܠܡܘܢ
ܡܢ ܡܠܐܟܐ. ܗܘ ܓܝܪܐ ܠܗܘܢ ܩܠܝܠܐ ܕܩܠܝܠܐ ܘܢܦܝܠܐ
ܕܐܬܘܬܐ ܐܢܫܐ ܕܐܦ ܠܡܘܠܐ ܕܗܘܐ ܡܫܡܥܗ ܕܫܐܘܠ ܗܘܐ
ܠܗ ܡܢܦܝܠܐ. ܡܢ ܗܢܐ ܐܝܟܢܐ ܕܫܡܥܬ ܡܢ ܫܐܘܠ ܕܝ
ܡܬܪܕܦ. ܐܝܟܢܐ ܐܡܪ ܢܦܫܗ ܘܕܚܠܝܢ ܒܠܒܗ ܕܝ ܗܘܐ
ܢܦܫ ܫܐܘܠ ܒܬܪ ܕܗܘܐ ܠܡܕܝܢܬܗ ܚܠ ܐܦܝ ܛܘܪܐ ܕܕܘܝܕ
ܕܗܘܐ ܒܬܪܗ. ܕܐܫܬܡܥ ܒܕܡܘܬܐ ܡܐܘܪܐ. ܘܚܠ ܫܐܘܠ
ܠܡܕܝܢܬܐ ܘܕܝܢ ܬܡܢ. ܘܕܗܘܐ ܘܓܒܪܘܗܝ ܒܥܩܘܠܐ ܕܡܕܝܢܬܐ
ܢܦܩܝܢ. ܘܡܢܐ ܗܘܐ ܗܘܠ ܐܠܗܐ ܗܘܐ ܕܗܘܐ ܗܘܫܝܢ: ܐܝܟܢܐ
ܕܠܝܬ ܡܢ ܡܫܬܡܥܢ ܢܦܫܗ. ܘܗܘ ܕܫܡܥܬ ܗܘܐ ܕܗܘܐ ܕܡܫܡܠ
ܬܘܒ ܠܗ ܠܡܬܦܫܘ ܡܢ ܫܐܘܠ. ܕܝ ܡܫܡܥ ܘܡܫܬ ܠܒܪ
ܡܢܗ ܚܠ ܬܪܥܐ. ܡܫܬܘܬܐ ܕܫܡܥܘ ܗܘܐ ܠܐܠܗܐ ܕܬܦܢܝܐ.
ܘܡܢ ܕܐܘܬܐ ܡܫܡܠܐ ܠܡܬܦܠ ܠܗ ܕܠܡܠܐ. ܐܬܐ ܘܡܫܘ ܚܠ

ܐܬܟܠ ܘܦܫܛ ܠܘܩܒܠ ܕܦܪܘܫܘܬܗ. ܘܠܦܬ ܡܢ ܒܟܢܫܬܐ ܗܘܬ
ܡܢ ܙܘܦܛܐ. ܘܐܡܪܐ ܠܬܠܡܝܕܐ ܗܘ ܕܡܫܡܫ ܠܗ: ܕܐܙܠ ܒܥܐ
ܦܠܛ ܗܘܐ ܠܗ. ܒܗܝܢܐ ܕܐܠܐ ܗܘܐ ܕܝܢ ܒܐܘܠܨܢܐ ܗܘܐ
ܕܡܫܘܬܐ ܘܟܬܪ ܬܫܒܘܚܬܐ ܗܘܐ ܕܒܟܐܐ ܘܡܬܟܫܦܢܘܬܐ.
ܘܕܟܪܐ ܥܠܘܗܝ ܕܫܡܥ. ܠܗܘ ܕܫܘܪܪܐ ܡܢ ܐܘܠܨܢܐ ܕܟܢܘܫܬܐ
ܐܬܬܦܝܣ. ܘܢܦܩܬ ܠܗ ܕܢܥܒܕ ܒܟܪܐ ܡܠܟܐ ܕܨܒܘܬܗ: ܘܐܘܠܨܢܐ
ܐܕܝܢܗ ܠܗܘܢ ܒܡܘܕܥܐ ܕܐܦܪܘܣܗܝ. ܒܟܠ ܕܡܬܪܘܢ ܡ̈ܫܠܠܐ
ܕܒܢܘܬܐ ܘܐܠܗ̈ܝܐ ܕܢܦܩ ܡܚܠܝܢ. ܫܡܥ ܠܗ ܘܠܒܢܘܬܐ ܠܘܬ
ܗܘܐ ܕܟܢܝ. ܗܘܪ ܕܫܡܥ ܡܫܬܐ ܢܦܩܐ ܐܘܠܨܢܐ ܒܗ ܗܘ
ܕܠܦܡ ܒܬܪ ܠܡܫܠܠܘ. ܐܘܠܨܢܐ ܕܡܘܬܐ ܐܫܬܡܥܬ ܘܡܫܬܒܗܪ
ܕܒܪܐ ܡܢܬܐ. ܒܫܘܠܠܢܐ ܐܡܪ ܒܠܫܢܐ ܕܗܘ ܗܘ ܐܫܬܡܥ
ܐܘܠܨܢܐ ܕܘܟܝܐ ܘܠܐ ܐܘܠܨܢܐ ܐܫܬܡܥܗ. ܗܕܝܢ ܒܬܪ ܡܢ
ܐܘܠܨܢܐ ܐܫܬܡܥ ܗܘܐ. ܘܠܐ ܗܘܐ ܗܘ ܐܫܬܡܥܗ ܠܐܘܠܨܢܐ.
ܕܡܢܐ ܒܬܪ ܕܗܘܐ ܚܕܐ ܕܐܠܦ. ܕܟܕ ܠܐ ܡܫܪܘܠ ܐܘ̈ܠܨܢܐ
ܕܒܢܘܬܐ: ܘܡܫܠܠ ܒܟܪܐ ܒܠܫܢܗ. ܗܕܝܢ ܐܬܚܫܒܬ ܠܗ ܐܢܐ
ܡܢ ܢܦܫܝ ܕܘܟܐ ܘܐܘܠܨܢܐ. ܕܒܟܠܗܘܢ ܕܡܫܡܫܢܘܬܐ
ܐܬܦܪܘܒ ܡܫܠܡܢܘܬܐ ܠܐܠܗܐ. ܗܘ ܕܝܢ ܕܗܘ ܒܫܒܫ
ܐܘܠܨܢܐ ܕܘܟܐ ܠܢܦܫܗ. ܗܘ ܗܘ ܕܡܫܡܫܢܐ ܘܐܘܠܨܢܐ
ܒܬܦܬܦ ܢܦܫ ܡܠܘܟܗ ܡܢ ܐܠܗܐ ܒܫܒܫܝܐ ܕܗܘܝܘܬܐ.
ܦܫܝܐ ܗܝ ܕܝܢ ܕܗܘ ܐܝܟ ܡܢ ܢܦܫܗ ܢܥܡܝܢ ܠܡܫܬܪܘܬܐ
ܡܫܡܫܢܐ ܘܐܘܠܨܢܐ: ܢܛܪ ܡܢ ܗܝ ܕܐܙܠܦ ܡܢ ܐܣܝܪܐ.
ܕܐܝܟ ܗܠܝܢ ܗܘܐ ܕܝܢ ܠܡܫܡܠܝܐ ܕܘܝܐ: ܘܡܫܠܠܗܢܐ ܐܡܪ
ܗܘܐ. ܐܘ ܡܪܝܐ ܦܪܘܩ ܠܢܦܫܝ. ܐܦ ܗܕܐ ܡܫܡܫܢܐ: ܕܡܢ
ܐܘܠܨܢܐ ܕܫܡܥ ܒܠܘܗܝ ܡܢ ܩܠܝܬܐ ܕܠܡܫܡܫܢܐ ܦܫܟ ܗܘܐ.
ܘܬܘܬܘܢܝܐ ܙܥܐ ܡܘܕܐ ܗܘܐ ܒܒܗܝ ܡܢ ܗܠܝܢ ܡܫܠܡܢܐ
ܕܢܦܫܐ. ܒܟܘܠ ܐܝܠܝܢ ܕܝܢ ܕܒܢܝܢ ܡܪܟܐ ܒܠ ܢܦܫܐ

ܕܗܘܝܐ ܒܐܘܠܨܢܐ ܕܫ̈ܒܝܠܐ. ܘܡܫܠܡܢܘܬܐ ܐܡܪ: ܐܦ ܡܪܝܐ
ܦܪܘܩܗ̇ ܠܢܦܫܢ ܕܟܡܐ ܗܘܐ ܢܐܠܨ ܕܠܘ ܒܠܚܘܕ ܐܘܠܨܢܐ ܡܢ
ܫܐܘܠ ܡܛܠ ܚܠܘܗܝ: ܐܠܐ ܡܢ ܩܘܡܝ ܕܡܚܡܠܝܢ ܗܘܘ
ܣܘܥܕܐ ܠܢܦܫܗ. ܫܐܘܠ ܓܝܪ ܠܗ ܢܦܫܗ ܡܢܐ ܗܘܐ ܘܠܐ
ܓܝܪ ܐܝܟ ܡܢܐ ܗܘܐ ܢܦܫܗ ܡܥܡܪ ܐܢܫ ܠܗ̇. ܡܢܐ ܕܝܢ ܡܢ
ܣܦܪܝܢ ܐܡܪ: ܡܢܗܪܢ ܐܝܬ ܡܪܝܐ ܘܙܕܩ. ܐܠܗܐ ܐܝܬ
ܡܢܗܪܢܐ. ܢܗܪ ܠܥܝܢ̈ܐ ܡܪܝܐ. ܕܐܝܬܘܗ̄ܝ ܗܘܐ ܥܝܢܐ
ܘܐܝܟܢܐ ܕܠܗܘܝܐ ܩܘܡܝ ܕܐܬܬܘܟܠ ܥܠܘܗܝ ܚܘܪܒ ܗܘܐ
ܡܢ ܗܘܐ. ܡܛܠ ܕܩܘܡܗ ܐܬܟܐ ܒܥܡܠ ܚܠܡܬܐ ܗܘܐ. ܘܠܐ
ܒܬܠ ܗܘܐ ܒܪ ܬܠܬܝܢ ܫܢܝܢ. ܘܡܛܠ ܕܡܢ ܒܗ ܐܝܬܘܗ̄ܝ ܥܝܢܐ
ܐܝܟ ܠܡܦܘܬܐ. ܗܘܐ ܕܝܢ ܦܬܟܐ ܗܘܐ ܕܢܬܦܘܪܥ ܡܢ ܡܣܒܪܐ:
ܚܝܠܘܬܐ ܘܡܣܟܢܘܬܐ ܥܡܪ ܗܘܐ ܒܟܠ ܡܫܘܚܬܗ. ܘܟܕ ܡܝܬܝ
ܠܦܘܪܫܢܐ ܕܐܒܝܒ ܘܫܪܐ ܠܗܘܬܗ ܥܠܝ ܕܐܬܡܣܟܢ ܐܡܪ.
ܡܣܟܢܐ ܘܦܘܪܫܐ. ܒܗܕܐ ܠܡ ܕܐܬܡܣܟܢܘ ܠܐ ܐܬܦܪܫܘ.
ܢܦܫܐ[1] ܕܦܘܪܫܢܐ ܕܡܣܟܢܘܬܐ ܗܘܬ ܠܗ. ܘܒܠܚܘܕ ܐܠܗܐ ܐܡܪ ܐܢܐ:
ܐܬܦܢܝ ܢܦܫܝ ܠܢܝܚܟܝ ܡܛܠ ܕܡܪܝܐ ܦܪܥܟܝ. ܡܛܠ ܕܦܨܝܬ[2]
ܢܦܫܝ ܡܢ ܡܘܬܐ: ܘܪ̈ܓܠܝ ܡܢ ܥܘܪ̈ܩܠܬܐ ܕܐܫܬܦܪ ܡܩܕܡܝܟ
ܡܪܝܐ ܒܐܪܥܐ ܕܚ̈ܝܐ. ܒܗܠܝܢ ܐܘܕܥ ܠܒܢܝܐ: ܕܡܢ ܒܬܪ ܕܡܒܐ
ܘܐܬܦܢܝ ܘܐܬܢܝܚ ܒܐܝܩܪܐ. ܐܡܪ ܠܘܬ ܢܦܫܗ ܕܬܬܦܢܐ
ܠܢܝܚܗ̇. ܡܛܠ ܕܦܪܥܗ̇ ܡܪܝܐ ܐܝܟ ܐܝܟܢܐ. ܘܗܠܝܢ ܕܒ̈ܝܠܗ ܦܐܝܐ
ܘܦܨܝܗ̇ ܡܢ ܡܘܬܐ. ܠܘ ܡܢ ܗܢܐ ܕܦܪܥ ܠܗ̇ ܡܢ ܦܓܪܐ
ܕܐܬܬܘܪ ܫܪܝܐ ܐܠܐ ܡܢ ܗܘ ܕܐܝܬܘܗܝ ܒܡܫܝܚܘܬܐ ܕܡܢ ܡ̈ܢܐ
ܡܘܬܐ ܕܢܦܫܢܝܬܐ ܘܪܘܚܢܝܘܬܐ ܕܡܢ ܐܠܗܐ. ܘܪ̈ܓܠܘܗܝ ܡܢ
ܥܘܪ̈ܩܠܬܐ ܡܛܠ ܐܫܬܡܛܘ ܡܢ ܡܫܘܚܬ ܠܫܝܛܘܬܐ. ܐܠܐ

[1] Am Rande steht ܪܫܝܥܘܬܐ ; ܣܬ. [2] Am Rande steht ܕܦܨܝ ; ܣܬ.

ܘܟܠܡܕܡ ܡܬܒܥܝܐ ܕܢܦܫܬ ܐܘܪܚܐ. ܘܡܫܠܡܝܢ ܠܗ ܡܛܠ ܗ̈ܢܐ ܕܬܠܝܢ
ܦܠܐ ܗܘܐ. ܐܘܕܥ ܒܗܘܢ ܕܡܬܒܥܝܢ ܗܘܐ ܕܠܐܘܪܚܐ ܕܗ̈ܢܐ ܢܦܫ̈ܐ
ܠܐܠܗܐ. ܐܘܪܚܐ ܕܝܢ ܕܗ̈ܢܐ ܠܗܐ ܡܢ ܥܡܠܐ ܠܗܬ: ܐܠܐ ܗܘ
ܗܘ ܕܠܒܫ ܕܬܘܬܒܐ ܢܬܝܬܐ ܠܪ̈ܢܫܐ. ܡܛܠ ܕܒܫܘܠܡܗܘܢ ܕܟܠ
ܐܘܪܚܐ ܕܟܬܒ̈ܬܐ. ܢܝܫܐ ܕܝܢ ܗܫܟܐ ܡܟܝܠ ܥܒܪܐ ܠܡܫܠܡܘܬܐ ܕܗܘܢ
ܠܡܐܡܪ. ܫܪܟܢܬ ܠܝ ܡܟܠܠܬ ܘܡܫܬܟܚܬ ܠܗ. ܗܢܐ ܕܝܢ
ܦܬܓܡܐ ܫܠܝܡܐ ܒܒܪܐ ܪܒܐ ܕܡܬܚܘܪܐ ܐܝܬܘ̄. ܟܝܢܬܐ
ܠܗ ܕܝܢ ܠܫܘܕܥܬܐ ܠܗܬ ܫܘܪܢܬܐ ܐܦ ܠܡܫܠܡܘ ܫܠܡܘ.
ܒܗ ܡܟܦܪ ܠܗ. ܕܒܝ ܗܘ ܕܡܫܝܚܝܢ ܐܢܫ ܐܝܬܐ ܠܗܬ
ܕܢܬܪ̈ܬܐ ܡܦܝܓܐܬܐ. ܒܗ ܠܗܘܦܡ ܒܗܘ ܕܡܫܝܚܝܢ ܡܬܟܠܠܐ
ܠܗܬ ܗܘ ܕܡܟܠܠ. ܢܟܠܠ ܕܝܢ ܠܐ ܗܘܐ ܡܟܠܠܐ ܕܒܢܘܬܐ. ܐܠܐ
ܡܠܬܐ ܕܡܫܝܚܘܬܐ. ܡܟܠܠܐ ܓܝܪ ܕܒܢܘܬܐ ܕܡܟܠܠ ܗܘ:
ܘܗܘ ܕܠܐ ܡܫܝܚܝܢ. ܡܛܠ ܕܠܗ ܟܠ ܕܡܟܠܠ ܡܫܝܚܝܢܐ ܗܘ.
ܟܠ ܕܝܢ ܕܡܠܐܟܝܬ ܘܕܠܐ ܫܘܪܐ ܡܫܝܚܝܢ. ܗܢܐ ܐܦ ܡܠܠܟܐ
ܐܝܬܘܗܝ. ܡܫܝܚܘܬܐ ܕܝܢ ܠܦܘܬ ܡܥܒܕܢܘܬܐ ܕܒܪ̈ܬܐ ܦܫ
ܢܦܫܐ. ܗܟܢܐ ܒܦܘܓܐ ܡܬܟܠܠܐ. ܡܛܠܗܢܐ ܒܦܘܫܗ
ܦܘܠܘܣ ܗܘ ܪܒܐ. ܕܒܗ ܪܘܚܐ ܒܦܠܓܘ ܡܫܡܫܬܐ. ܒܗ ܐܬܐ
ܠܗܬ ܒܗܘܡܬܐ ܕܐܬܚܫܒ ܠܡܦܪܫܐ ܡܛܠ ܡܫܝܚܘܬܗܘܢ:
ܒܗ ܠܗܬ ܕܡܫܬܐ ܦܠܛ ܗܘܐ ܐܡܪ. ܚܕ ܚܕ ܡܢܗܝܢ ܕܝܢ ܡܗܕܡܐ
ܡܢ ܗܕܡ̈ܐ. ܐܠܐ ܐܝܬ ܗܘ ܒܗܡܫܬܐ ܡܥܒܕܢܘܬܐ. ܐܝܟ
ܠܡܫܘܬܐ ܕܐܬܡܫܡܫܬ ܠܝ. ܐܝܬ ܕܠܡܫܘܬܐ ܐܝܟ ܡܥܒܕܢܘܬܐ
ܕܡܫܝܚܘܬܗ. ܡܟܝܢ ܥܦܫܪ ܐܬܐܡܪܬ ܠܗܘ ܕܠܐ ܪܫܡ ܢܬܪܬܐ
ܕܗܘܪ ܒܥܒܕܘܬܐ ܕܡܗܝܡܢܝܢ ܡܬܥܪܐ. ܗܘ ܡܬܟܠܠܐ ܠܡܟܠܠܘܬܐ
ܕܐܪ̈ܐܐ ܡܥܪܐ. ܡܛܠ ܕܠܐ ܡܫܟܚ ܐܠܗܐ ܒܠ ܐܪ̈ܐܐ ܡܟܠܠܐ
ܕܠܗ. ܠܠܡܫܐ ܐܪܙܐ ܕܠܐ ܡܫܝܚܝܢܐ ܫܘܡܗܘܢ. ܗܢܐ ܓܝܪ
ܦܘܠܘܣ ܗܘ ܡܫܝܚܝܢܐ ܐܡܪ ܗܘܐ. ܡܫܝܚܝܢܝܢ ܡܛܠܗܢܐ

ܐܦ ܡܫܬܠܛܝܢ. ܥܦܪ ܡܕܝܢ ܐܡܪ ܢܒܝܐ. ܕܫܒܝܢ ܘܫܬܠܠ.
ܕܒܗܕܐ ܢܘܟܠ ܕܡܕܘܕܐ ܕܫܒܝܢ. ܘܠܐ ܠܬܫܡܫܘܬܐ ܕܢܡܘܣܘܬܐ
ܐܫܬܘܕܝ. ܘܒܗܕܐ ܦܩܕ ܢܡܘܣܬܐ ܐܝܟ ܕܫܡܫܘܬܐ ܕܡܫܝܚܘܬܗ.
ܐܘܟܝܬ ܕܐܦ ܡܢ ܕܠܗ ܡܫܡܫܢܘܬܐ. ܫܒܩܬ ܠܟ ܘܫܬܠܠܬ
ܘܐܫܬܘܕܝܬ ܒܪܬ ܠܒ. ܘܒܗܕܐ ܫܬܠܦ. ܕܡܫܡܫܢܘܬܐ ܒܪܬ ܢܘܟܪܝܐ
ܗܢ ܕܗܘܐ ܕܗܘ ܫܒܝܢ ܡܫܬܠܠ. ܕܐܝܟ ܡܫܒܝܢ ܒܢܟܪܝܐ ܘܡܫܬܠܠ
ܦܘ ܠܐ ܡܢܟܦ ܡܫܡܫܢܘܬܐ. ܐܦ ܗܟܢܐ ܡܫܬܦܪ ܠܗ
ܠܫܡܫܘܬܐ. ܘܡܦܩܕ ܠܗ ܠܡܠܟܘܬܐ ܕܢܡܘܣܘܬܐ. ܘܒܠܒܗ ܐܡܪ
ܢܒܝܐ. ܕܠܐ ܫܦܪ ܡܫܡ ܡܢ ܥܘܦܪܐ ܕܠܝܬ ܠܢܒܝܐ. ܘܗܘ ܡܟܠ
ܫܒܝܢܘܬܗ ܢܣܩ ܡܠܟܘܬܐ ܘܢܡܘܣܘܬܐ. ܐܘܟܝܬ ܗܘ ܒܠ
ܗܠܝܢ ܡܫܡܫܢܘܬܐ ܕܢܟܣܐ. ܗܢ ܕܗܘ ܡܬܟܪܝܐ ܒܪܘܟܬܐ
ܘܡܫܡܫܢܘܬܐ ܕܐܬܠܝܐ. ܠܐ ܦܫܦܫ ܗܘ ܡܫܪܬܐ ܘܬܪܒܘܬܐ.
ܘܡܬܒܪܟܐ ܡܢ ܠܗܘܬܗ ܠܡܫܘܬܐ ܕܗܘܐ. ܡܫܟܢܐ ܓܝܪ ܕܗܘܐ
ܡܫܟܢܐ ܡܢ ܠܢܟܣܐ ܕܐܢܫܐ ܠܡܫܟܢܐ ܕܪܒܘܬܐ. ܒܬܪ ܕܝܢ
ܕܫܒܩܝܢ ܢܒܝܐ ܘܫܬܠ: ܡܠܟܐ ܛܘܒ ܐܡܪ. ܐܢܐ ܠܟ ܐܡܪܬ
ܒܪܚܡܬܘܬܐ ܕܟܠ ܒܢܝܫ ܕܝܠ. ܡܠܟܘ ܗܘܝܐ ܕܐܡܪ. ܐܝܟ ܓܝܪ
ܟܠ ܒܢܝܫ ܕܝܠ. ܡܕܝܢ ܘܠܐ ܗܘ ܢܒܝܐ ܡܫܪܐ ܗܘܐ ܡܢ
ܕܝܠܘܬܐ. ܘܠܗ ܗܘ ܒܠܫܘܕ: ܐܢܐ ܐܦ ܒܠܫܘܢ ܐܠܝܢ
ܕܐܬܩܛܪܘ ܫܪܪܐ: ܠܐ ܡܫܪܝܢ ܡܢ ܕܝܠܘܬܐ. ܡܠܟܐ ܕܝܢ
ܐܬܩܛܠ ܕܝܠܘܬܐ. ܠܛܠܝܘܬܐ ܦܪܐ ܕܝܠܘܬܐ. ܘܒܗܕܐ ܕܟܠ
ܒܢܝܫ ܕܝܠ. ܠܗܬ ܕܡܫܪ ܘܡܟܒܪ ܡܢ ܕܝܠܘܬܐ. ܐܦ ܘܫܠܡܬ
ܛܘܒ ܡܫܡܟܐ ܗܕܐ ܐܡܪ ܕܟܠ ܕܠܗܬ ܐܢܫ ܕܗܘܒ ܒܠ ܐܘܪܚܐ
ܕܢܚܒ ܕܝܠܗ ܘܠܐ ܠܛܠܐ. ܘܒܗܕܐ ܐܠܦ. ܕܠܗܬ ܕܡܫܟܠ
ܘܝܗܒܪ ܘܢܣܒ ܡܢ ܫܘܦܬܐ ܕܛܠܝܘܬܐ. ܘܡܠܟܝܫ ܕܝܠ.
ܡܛܠ ܕܐܦ ܢܗܘܐ ܕܡܢ ܗܢ ܕܢܫܡܟܘܢ ܐܢܫ ܛܠܝܬܐ ܐܬܛܠܠ:
ܐܠܐ ܦܡܟܐ ܕܩܠܝܢ ܚܙܘ ܫܩܥܘܪܐ ܥܠܡ ܠܛܠܝܘܬܐ. ܐܘ

ܡܟܠܘܗ̇. ܐܦ ܡܣܟܢܐ. ܘܒܠܚܘܕܗܐ ܠܟܬܒܝ̈ܟ ܕܝܠܟ. ܘܐܬܬܪܐܬ
ܒܟܐ ܕܒܗܘ ܫܘܦܪܐ ܫܪܝܪܐ ܕܐܠܗܐ ܢܗܪ. ܘܗܘ̇ ܗܘܐ ܕܐܡܪ
ܒܪܚܡܠܘܬܐ ܐܡܪ: ܗܠܘ ܕܝܢ ܒܪܚܡܠܐ ܕܐܟܠ ܘܠܐ ܒܣܒܪ.
ܟܠܠ ܕܝܢ ܕܚܠܬܐ ܠܒܗܘܬܐ ܕܓܠܘܬܐ ܗܘܬ ܠܒܪܢܫܐ. ܒܗܕܐ
ܠܚܝܐ ܠܗܘ ܕܡܫܠܠܗ ܒܒܒܪ ܚܝܠܘܗܝ ܕܠܐ ܢܚܐ ܚܝܐ ܕܓܠܘܬܐ
ܒܫܠܝܬܐ. ܘܟܠܠ ܕܪܥܐ ܕܢܫܘܢ: ܒܚܘܡܐ ܥܠ ܒܗ̈ܦܟܝܗܘܢ.
ܘܦܪܩ ܠܗܘܢ. ܘܒܟܠܐ ܗܝ ܒܦܘܪܢܘܬܗ. ܒܟܠܐ ܠܟ ܐܦܪܘܒ
ܠܒܪܢܐ ܕܥܠܡܘܢ ܦܘܪܟܢܘܗܝ ܟܠܗ. ܒܟܠܐ ܕܝܢ ܐܬܬܚܗܘܢ
ܦܘܪܟܢܐ ܕܠܗ ܕܒܪܢܫܐ ܥܠ ܢܦܫܐ. ܒܗܘܐ ܠܟ ܕܦܘܪܘܠܐ
ܐܦܟܠ: ܘܡܫܟܚܗ ܕܒܪܢܫܐ ܐܦܪܐ. ܒܟܠܐ ܕܝܢ ܐܬܬܘ̄ ܒܗܘܐ
ܕܦܘܪܘܠܐ. ܗܘ ܫܘܠܛܢܐ ܕܥܦܪܐ ܫܘܠܛܢܗ ܕܒܪܢܫܘܬܐ. ܗܘ
ܕܐܡܪ ܗܘܐ ܦܪܘܫ ܠܐ̈ܠܗܘܬܗ ܒܟܠܝܘܬܐ. ܕܗܢܐ ܒܗܘܐ
ܕܟܠ ܗܘ. ܡܡܠܠ ܐܝܟܘܬ ܒܟܠܗ ܟܠܗܘܢ. ܘܗܘ ܕܠܗܐ ܒܗܘܐ
ܒܦܟܠ ܥܒܕ ܦܪܐ ܒܥܒܕܗ ܕܒܪܢܫܐ: ܗܘ ܕܒܕܝܢܗ ܟܠܠ
ܦܘܪܘܠܐ. ܘܒܟܐ ܕܦܟܠ ܒܗܘܐ ܗܢܐ ܦܪܕ ܢܘܪܐ ܕܡܘܟܠܟܢܘܬܐ
ܠܒܪܢܫܐ ܐܝܟ ܕܐܡܪ ܠܚܝܐ. ܢܘܪ ܠܒܪܢܫܐ ܐܦܪܘܒ ܡܘܬ ܥܠܗ
ܒܒܟܐ. ܢܘܪܐ ܠܬܪܠܘܬܐ ܦܪܐ. ܕܒܗ ܠܟ ܢܚܐ ܒܒܟܗ ܕܒܪܢܫܐ
ܐܚܪܢ ܗܕܐ. ܬܘܒ ܕܝܢ ܥܠ ܕܢܦܫܐ ܒܝܫܬܐ ܘܐܡܪ. ܢܫܪ
ܗܘ ܒܚܝܠܘܗܝ ܕܒܪܢܫܐ ܒܗܘܬܐ ܕܢܦܫܗ. ܒܟܠܬܐ ܗܕܐ ܗܘܐ ܕܒܗܘܐ
ܕܠܬܪܝܢ ܠܢܦܫ ܢܚܐ. ܐܝܬ ܕܐܡܪܝܢ ܕܟܠܠ ܕܠܐ ܢܚܘ. ܐܝܟ ܗܘ
ܕܒܗܕ ܠܗܘܬܗܘܢ ܒܝܘܡ ܕܠܐ ܢܒܥܘܢ. ܢܦܫ ܠܗ ܒܗܘܬܗܘܢ.
ܐܝܟ ܗܘ ܕܒܟܢܝܫ ܠܒܢܝ ܢܫ̈ܐ ܒܗ ܠܐ ܐܣܬܒܠܘ. ܐܡܪܝܢ ܕܝܢ
ܐܚܪ̈ܢܐ. ܕܐܝܟ ܒܝܘܡ ܪܟܐ ܕܠܒ ܥܒܕ ܢܦܫ ܒܠܒܗܘܢ ܒܗܘܬܐ
ܕܢܦܫܐ ܘܥܒܠ ܠܗ: ܟܠܠ ܕܒܚܕܪ ܠܗܘܢ ܒܢ ܫܘܡܐ. ܘܕܒܟܐ
ܒܟܠܬܐ ܕܗܕܐ ܐܬܬܘܗ ܕܢܦܪܐ ܒܒܗܘܬܗܘܢ. ܒܗܘܢܐ ܕܦܚܕܒܗ
ܐܠ̈ܦܣܗܘܢ ܠܠܒܐܠܐ ܕܦܘܪܘܠܐ. ܗܘ ܕܒܗ ܢܚܐ ܡܚܐ ܒܗ

ܟܠܗ ܡܠܘܫܗܘܢ ܡܢܐ ܕܓܒܠܠ ܐܝܟ ܕܐܡܪܢ. ܐܘ̄ ܡܕܝܢܐ ܐܠܐ
ܒܒܝܬ ܒܒܝܬ ܐܢܫܐ ܘܫܠܝܛ ܕܐܡܬܐܡܪ. ܕܐܝܟ ܗܘܠܝܐ ܠܓܙ
ܩܕܡ ܬܫܥܝܬܗܘܢ ܠܘܬ ܡܕܝ̈ܢܬܐ. ܡܢܐ ܕܢܦܩܘ ܡܢ ܦܠܓܘܬܐ.
ܘܐܝܟ ܗܘ ܕܐܡܪ ܡܒܥܘܬܐ ܘܦܩܕܐ ܠܗܘ ܕܢܬܒ ܡܪܘܒܐ.
ܕܢܥܒܕ ܠܗ ܐܢܫܐ: ܘܢܣܘܡܘܢ ܡܢ ܡܕܒܪ̈ܝܬܐ ܕܓܙܝܪ̈ܬܐ. ܗܟܢ
ܩܥܠ ܬܫܥܝܬܐ ܡ̈ܠܝܗܘܢ ܘܡ̈ܠܝܢ ܐܝܟ ܡܠܠܬܐ ܗܘܝܐ: ܗ̇ܢܘ
ܗܢ ܐܠܝܢ ܕܗܘ̈ܝ ܡܫܪ̈ܝܐ ܩ̈ܠܝܬ ܒܝܬܐ ܠܐܠܗܐ. ܘܗܘ ܕܐܝܟ
ܕܡܢ ܣܘܦ ܐܣܩܝ̈ܪܐ ܚ̈ܙܡ ܘܢܦܩ ܡܢ ܒܠܒܠܐ ܗܘܐ. ܐܟܙܢ
ܠܘܬ ܡܕܝܢܬܐ ܚܪܝܬ ܡܠܐ ܐܡܘܪ̈ܝ. ܘܦܠܛܬ ܡܢ ܡܠܐ ܚܝܪܐ
ܕܢܒܒܒܐ. ܘܡܢ ܣܘܦ ܡܒܘܫܠܐ ܕܒܬ̈ܘܠܬܐ ܐܦܘܬܝܠ
ܘܡܪ̈ܢܬܐ ܡܢ ܒܒܥܘܬܐ ܕܫܠܝܛܬܐ. ܠܝ ܐܡܪܘ ܕܩܫܝܐ ܕܫܥ̄
ܘܡܕܡܝܢ ܐܦܪܝܩ ܡܘܪ̈ܝܐ ܕܗܘܕܝܬܐ. ܘܒܫܒܝܗ ܕܡܕܝܢܬܐ
ܐܦܪܐ. ܘܢܘ̈ܪܐ ܠܡܕܝܢܐ ܐܦܪܘܟ ܡܕܡ ܦܠܗ ܒܒܝܬ. ܘܒܒܝ̈ܪܐ
ܕܫܠܝܛܗ ܕܡܕܝܢܬܐ. ܘܒܝܘܒ ܐܘܪܫܠܡ. ܗܠܝܢ ܐܝܠܝܢ ܩ̈ܠܐ
ܕܙ̈ܢܝܐ. ܡܢܐ ܕܦܪܝܢ ܡܫܟܢܗ ܕܡܕܝܢܬܐ. ܒܒܝܠܐ ܕܒܬܘܬܐ
ܒܗܘܢܐ. ܘܡܐܠܝܢ ܠܗܪ̈ܐ ܚܠܝܨܬܐ ܕܗܘ ܣܘܦ ܐܢܫܐ ܕܐܝܬ ܠܟܠ
ܡܢ ܥܡܡܐ ܕܠܐ ܒܒܢܐ ܩܐܡܐ: ܘܠܐ ܗܘܐ ܡܢ ܗ̇ܠܝܢ
ܒ̈ܢܝܬܐ. ܘܦܫܝܩ ܒܝܗ ܗܘ ܐܘܪܫܠܡ ܡܐܪ̈ܬܐ ܕܡܫܡܫܢܐ.
ܘܐܝܟ ܒܢ̈ܝ ܡܟܘܠܬܐ ܕܦܣܝܩܐ.

Nachtrag.

Wir haben bereits oben im zweiten Capitel (p. 92 ff.) die Nachricht über einige slavische und orientalische Völker, die im 6. Jahrhundert noch Heiden waren, näher besprochen; da jedoch dieser Bericht unseres Autors von geschichtlichem Interesse sein dürfte, so sei hier noch nachträglich die ganze Stelle in wörtlicher Uebersetzung mitgetheilt; sie lautet: ‚Es gibt nämlich Völker, die das Evangelium Emmanuels bis jetzt noch nicht empfangen haben, besonders die Sabiren, welche im östlichen und nördlichen Winkel der Welt wohnen und andere, welche Anten heissen; denn auch diese wollten die schlechten Sitten, die sie durch eine schlimme Ueberlieferung von ihren Vätern übernommen hatten, bis zur Stunde nicht aufgeben; andere, welche Blemmyer genannt werden, dann andere, welche Psyllen heissen, welche in Beschwörungen der Schlangen, Vipern und Skorpione geübt sind, sowie noch andere Völker, die jenseits des Landes der Inder und Aethiopier leben, ferner andere, die an den Enden der Erde und auf den Inseln der Meere wohnen, deren Namen aufzuzählen mir zu weitläufig ist; alle diese Völker haben es bis heute noch nicht auf sich genommen, dass sie dem Herrn die Ehre geben.' Schliesslich geben wir noch die Uebersetzung des oben (p. 203) mitgetheilten, das Leben des Severus Antiochenus behandelnden Stückes: ,Der heil. Mar Severus, Patriarch von Antiochien, war seiner Abstammung nach ein Pisidier, seine Vaterstadt hiess Sozopolis, seine Vorfahren gehörten zu jenen Grossen in derselben; schon vor der Zeit waren viele Profetien über ihn ausgegangen, dergestalt, dass einer Namens Mena (Μηνᾶς) weissagte, dieser (Severus) werde sich wie eine Wolke über die ganze Welt erheben und mit den Ergüssen seiner Lehren Jedermann tränken; ein anderer Berühmter wieder sah ihn im Traume, wie er eine Kelle hielt, den mit Schlamm und üblem Geruch erfüllten Quell säubernd, an der Spitze der Priester würde er ausgezeichnet sein. Dies und noch mehr als dies gieng in Erfüllung und verwirklichte sich, als er den Thron und Rang des Patriarchats in der antiochenischen Kirche erhielt. Seine Ordination fand am 8. November 820 statt, nach sechs Jahren wurde er von seinem Sitze vertrieben, er verschied aber und wurde begraben zu Alexandrien, nachdem er 23 Jahre in der Verbannung gelebt hatte, und zwar am Sabbat, am 8. Schebât 849. Der Name Severus wird gedeutet: ,der das schmutzige Heidenthum verdrängte, die Wahrheit liebte', sein Gebet, sammt dem seiner Genossen sei mit uns immerdar, Amen.'

Bemerkungen zu H. Oldenbergs Religion des Veda.

Von

L. v. Schroeder.

(Schluss.)

Von dem, was Oldenberg über Agni sagt, muss ich vor Allem einen wichtigen Punkt beanstanden. Die oft erwähnte Geburt des Agni aus den Wassern will Oldenberg nicht oder doch nur ganz nebenbei auf den Blitz bezogen wissen. Er meint, die in der mythologischen Forschung lange Zeit herrschende Vorliebe für das Gewitter habe dazu geführt, ‚dass man in dieser Form des Agni ausschliesslich oder doch vorzugsweise den Blitz zu sehen pflegt; für das vedische Zeitalter gewiss mit Unrecht‘. Die Feuernatur des Blitzes und die Blitzverwandtschaft des Feuers werde von den vedischen Dichtern allerdings bisweilen berührt, das sei aber ‚nur sozusagen eine gelegentliche Randverzierung‘ (p. 111). Agni werde mit dem Blitz verglichen, also von ihm unterschieden. Die unstete Natur des Blitzes sei seiner Entwicklung zu einer Gottheit nicht günstig. So müsse man den in den Wassern wohnenden, aus den Wassern geboren werdenden Agni wo anders suchen (p. 112). Um ihn zu finden, geht Oldenberg von der häufigen Verbindung ‚Wasser und Pflanzen‘ aus und kommt darauf heraus, dass Agni darum in den Wassern wohnend gedacht werde, weil die Wasser gewissermassen die Pflanzen sind, resp. diese erst zu dem machen, was sie sind. Die Pflanzen sind ja ‚die erstgeborene Essenz der Wasser‘, ‚Wasser ist ihr Wesen‘. Es heisst: ‚Der Sprössling der Wasser ist in die fruchttragenden Pflanzen eingegangen;‘ ‚in den Wassern, Agni, ist dein Sitz, in den Kräutern steigst du empor‘ etc. Im Wasser überhaupt werde Agni wohnend gedacht, — auch im Wasser der Wolke, ‚aber nicht sofern diese blitzt, sondern sofern sie die Erde befruchtet‘ (p. 116). Das Phänomen des Blitzes habe diesen Gedanken über den Zusammenhang von Wasser und Feuer allenfalls ein verstärktes Gewicht gegeben, in erster Linie aber hätten die vedischen Dichter das irdische Wasser im Auge etc. (p. 114, 116).

Ich glaube, dass Oldenberg hier die Hauptsache zur Nebensache, die Nebensache aber zur Hauptsache gemacht hat. Gewiss haben die vedischen Denker bei ihren Agni-Speculationen auch die von ihm entwickelte Beziehung von Wasser und Pflanzen im Auge gehabt; aber dass hier der Ausgangspunkt für den im Wasser wohnenden, aus dem Wasser entspringenden, im Wasser leuchtenden Agni liegt, halte ich für eine sehr unwahrscheinliche Annahme. Aus irdischem Wasser springt niemals Feuer hervor, in irdischem Wasser sehen wir es niemals leuchten, dies Phänomen beobachtet der Mensch nur bei dem aus dem Wolkenwasser hervorspringenden, in den Wolken aufflammenden Blitze. Wenn von Agni als dem in den Wassern entflammten oder entflammenden geredet wird (Rv 10, 45, 1; Av 13, 1, 50), kann nur an den Blitz gedacht werden. Ebenso wenn es heisst: ‚Von der (Wolken-)Insel *(dhanu)*, von der Halde herab kommt Agni her‘ (Rv 1, 144, 5); oder ‚von der (Wolken-)Insel kommst du herab auf abschüssiger Bahn‘ (Rv 10, 4, 3). Wenn die vedischen Dichter von der dreifachen Geburt des Agni erzählen: am Himmel, aus dem Holz und aus den Wassern, so kann bei den letzteren in erster Linie nur an die Wolkenwasser gedacht sein, weil 1) nur solche Wassergeburt des Agni wirklich beobachtet wird, und 2) falls die irdischen Wasser speciell, resp. die Wasser im Allgemeinen gemeint wären, sofern sie in den Pflanzen aufsteigen und sie wachsen machen, die Geburt aus dem Holze und die aus den Wassern ganz zusammenfiele, eine und dieselbe wäre; sie werden ja nun aber unterschieden und deutlich neben einander gestellt, also ist gewiss an das Phänomen des Blitzes gedacht; man braucht nicht besonderer Freund von Gewittertheorien in der Mythologie zu sein, um das zu sehen und zu behaupten. Oldenbergs Einwände dagegen sind nicht stichhaltig. Dass Agni, d. h. das vergöttlichte irdische Feuer, von dem Blitz unterschieden wird, ist ganz unzweifelhaft; er wird auch von der Sonne sehr deutlich unterschieden, ja die letztere ist eine ganz selbständige grosse Gottheit; und doch ist, wie Oldenberg ganz richtig annimmt, der himmlische Agni die Sonne; und ebenso — setzen wir hinzu — ist der aus den Wassern geborene Agni der Blitz. Wie die Feuernatur der Sonne, so erkannte man auch — und wahrscheinlich noch früher, wahrscheinlich schon in der Urzeit — die Feuernatur des Blitzes. Der letztere mit seiner unsteten Natur hatte es gar nicht nöthig, sich zu einer Gottheit zu entwickeln. Man sah ihn aus der Wolke fahren, leuchten, flammen, zünden — man erkannte: auch da ist das Feuer, der Feuergott. Dies ist eine ganz nahe liegende primitive Erkenntniss. Viel später erst werden solche Speculationen Platz gegriffen haben, wie Oldenberg sie an den Anfang der Entwicklung stellt.

Ich glaube auch nicht, dass Oldenberg den Agni Apâṃ napât richtig erklärt hat als eine Contamination eines ursprünglichen Wasserdämons mit dem Feuergott (p. 118), obwohl er seine Deutung als ‚wohl nicht zweifelhaft‘ hinstellt (p. 120); bin vielmehr der Meinung, dass dieser Wasserdämon von Anfang an nichts Anderes war als der in den Wassern wohnend gedachte Feuergott. Das ‚Wasserkind, das ohne Brennholz in den Wassern leuchtet‘, ist eben Agni und zwar zunächst in seiner Eigenschaft als Blitz. Innerhalb der vedischen Literatur hat man keinerlei Ursache, den Apâṃ napât als etwas ursprünglich von Agni Verschiedenes anzusehen, nur der Avesta kann darauf führen, wo wir einen im Namen genau entsprechenden Wasserdämon neben dem göttlich verehrten Feuer antreffen. Ich glaube aber, dass wir im Avesta hier eine vergleichsweise jüngere Stufe der Entwicklung vor uns haben. Der Apâṃ napât der indo-iranischen Zeit war, wie ich meine, nichts Anderes als der in den Wassern wohnend gedachte, aus ihnen entspringende Feuergott, der sich im Blitz offenbarte, der aber auch wieder in das Wasser hinein zu fahren schien, wenn man ein brennendes Holzscheit zischend im Wasser verlöschen sah. Durch die zarathustrische Reformation wurde diese mythische Gestalt in den Hintergrund gedrängt, in ihrem ursprünglichen Wesen verdunkelt und ihr alter Zusammenhang, ihre Wesensgemeinschaft mit dem Feuer vergessen. Mir erscheint diese Auffassung des Sachverhaltes weit wahrscheinlicher als die von Oldenberg vertretene.

Die Annahme, dass die Beziehung des Feuergottes zum Wasser bereits in den Mythen der indo-iranischen Zeit eine Rolle spielte, scheint mir um so unbedenklicher, als es sich meiner Ansicht nach zeigen lässt, dass dies sogar schon in der Urzeit der Fall war. In meinem Aufsatz ‚Apollon-Agni'[1] glaube ich den Nachweis geliefert zu haben, dass Apollon ein alter Feuergott und mit Agni ursprünglich identisch war. Diesen Nachweis hat Oldenberg unberücksichtigt gelassen und stellt p. 102 die weit jüngere Gestalt der griechisch-römischen Hestia-Vesta dem Agni als Entsprechung gegenüber, bei welchem Vergleich natürlich nicht viel herauskommen kann. Wenn aber Oldenberg glaubt, mit der abfälligen Bemerkung über meine Etymologie des Namens Apollon (p. 33, Anm.) den oben erwähnten Nachweis einfach bei Seite schieben zu können, so irrt er, denn — wie ich schon am Schluss jenes Aufsatzes sagte — derselbe ist nicht auf jene Etymologie gebaut und nicht von derselben abhängig, beruht vielmehr auf der bis ins Detail hinein vorgenommenen vergleichenden Analyse der beiden Göttergestalten.[2] Um aber auf den Punkt zu kommen, der uns eben beschäftigt, — der Ursprung des Agni aus dem Wolkenfels, der Wolkeninsel im Luftmeere findet seine Entsprechung in der merkwürdigen Geschichte von der Geburt des Apollon auf dem Fels, der Felseninsel Delos, die nach der Sage auf dem Meere umherschwimmt, — nur dass der Vorgang vom Himmel auf die Erde versetzt, aus dem himmlischen Fels, der Wolkeninsel, die kleine Felseninsel Delos, aus dem Luftmeer das irdische Meer

---

[1] *Ztschr. f. vgl. Sprachf.* N. F. ix, p. 193 ff.

[2] In manchen Einzelheiten erfordert dieser Aufsatz heute, nach Verlauf von bald 10 Jahren, naturgemäss Berichtigungen, in allen wesentlichen Punkten halte ich denselben auch heute noch aufrecht.

geworden ist, wie eine entsprechende Entwicklung gerade in griechischen Mythen auch sonst schon nachgewiesen ist.[1] Und wie Agni nach dem Mythus, von den Göttern verfolgt, in Thiergestalt in das Wasser fährt und zu geeigneter Zeit wieder daraus heraus kommt, — so sehen wir Apollon in Delphingestalt in das Wasser fahren und als strahlende Feuererscheinung dasselbe verlassen.[2] Aber auch der germanische Mythus tritt hier als wichtiger Zeuge hinzu, was ich damals, als ich meinen Apollon-Agni schrieb, noch nicht bemerkt hatte. Von Loki, dem alten skandinavischen Feuergotte, wird erzählt, dass er von den Göttern verfolgt sich als Lachs in das Wasser flüchtet. Dieser interessante Mythus, auf den ich hier leider nicht näher eingehen kann, berührt sich mit dem Agni-Mythus näher darin, dass ja auch Agni vor den Göttern sich flüchtend, um sich zu verbergen, in das Wasser fährt und sich dort versteckt; mit dem Apollon-Mythus aber wiederum darin, dass er solches in Fischgestalt thut, als Lachs, wie Apollon als Delphin in das Meer fährt. — Ja auch an den Ursprung des alten Feuergottes aus der Insel des Luftmeeres scheint sich ein Anklang im skandinavischen Mythus erhalten zu haben: seine Mutter, von der wir sonst nicht viel wissen, trägt den merkwürdigen Namen ‚Laufey', d. h. Laubinsel, — also auch er ist aus einer Insel geboren!

Ich glaube, dass damit zwei wichtige und interessante Mythen für den urindogermanischen Feuergott nachgewiesen sind, — Mythen, wie sie durchaus dem primitiven Denken jener Zeit angemessen sind, — der eine Mythus hervorgerufen durch die Erscheinung des Blitzes, den auch der gänzlich uncultivirte Mensch schon als Feuer erkennt, das aus dem Wolkenwasser entspringt; der andere, angeregt durch die überraschende Beobachtung, dass das Feuer im Wasser verlöscht, verschwindet, scheinbar hineinfährt, resp. sich darin versteckt.

Seinem Wesen nach hat also der Agni Apâm napât schon in der indogermanischen Urzeit existirt, lebte in der indo-iranischen

[1] So von Th. Bergk, Die Geburt der Athene, *Kleine philolog. Schriften*, Bd. II, p. 633 ff. 649. 658 u. ö. Vgl. das Nähere in meinem *Apollon-Agni*, p. 211 ff.

[2] Cf. *Apollon-Agni*, p. 216 ff.

Periode — schon mit obigem Namen geprägt — fort und hat sich bei den Indern noch ziemlich urwüchsig erhalten, nicht aber aus irgendwelchen Contaminationen entwickelt.

Auch Indra, der alte Gewittergott oder Gewitterriese (cf. Thôrr), kommt in Oldenbergs Darstellung nach meiner Meinung nicht zu seinem vollen Rechte. Zwar darin stimme ich ganz mit Oldenberg überein, dass die Gestalt dieses Gottes noch aus der indogermanischen Urzeit herstammt (cf. p. 34. 35),[1] dagegen durchaus nicht in der Annahme, dass der ursprüngliche Charakter dieses Gottes als eines Gewittergottes in der vedischen Zeit völlig verdunkelt, den vedischen Dichtern so gut wie gar nicht mehr bewusst war. Was Oldenberg zu dieser Ansicht bringt, ist der Umstand, dass die vedischen Dichter bei der Schilderung von Indras hauptsächlichster Grossthat immer von dem Berg oder Felsen reden, den der Gott mit dem Vajra gespalten, aus dem er die Ströme befreit habe. Von Gewitter und Regengüssen, meint Oldenberg, ist nicht die Rede: ‚Ein Gott kämpft mit einem schlangengestalteten Dämon und öffnet das Innere der Berge: die Wasser der Flüsse strömen daraus hervor dem Meere zu: das ist es, was die vedischen Dichter sagen. Man darf diese einfache Vorstellung nicht durch die Erklärung verwirren, mit den Bergen hätten die Dichter Wolken und mit den Flüssen Regenströme gemeint. Das haben sie nicht; für sie waren die Berge Berge und die Flüsse Flüsse. Hätten sie von Wolken und Regen sprechen wollen, könnte nicht an den zahllosen Stellen die Metapher von den Bergen und Flüssen gleichbleibend wiederkehren, ohne dass irgendwo die Sache beim rechten Namen genannt wäre‘ (p. 140). ‚Für die vedischen Dichter handelt es sich bei Indras Sieg nicht um das Gewitter, sondern darum, dass aus der Tiefe des Felsens der mächtige Gott die verschlossenen Quellen hat hervorbrechen lassen, welche als Flüsse den menschlichen Fluren Segen bringen‘ (p. 141). Dass Indra ursprünglich Gewittergott, seine Waffe ursprünglich der Donnerkeil

[1] Woraufhin übrigens Oldenberg vermuthet, dass in der Urzeit der Gewittergott den alten Himmelsgott (Dyâus) an Macht und Bedeutung überragt habe (p. 34), ist mir nicht deutlich. Eine Begründung dieser Ansicht gibt er nicht.

war, bestreitet Oldenberg nicht, aber er meint: ‚Für den Rigveda kann höchstens von vereinzelten Resten und Spuren der alten Anschauung die Rede sein, zum Theil gewiss nur scheinbaren Spuren‘ (p. 142). ‚Das Nachdenken der späteren Zeit hat übrigens keine Schwierigkeit gefunden, den atmosphärischen Charakter von Indras Drachenkampf wieder aufzudecken; für die Vedenerklärer, wie für die Dichter (Anm. auch die buddhistischen) ist jetzt Indra der gewitternde und regenspendende Gott. Das ändert aber nichts daran, dass er für die Sänger des Rigveda der Zerspalter irdischer Berge, der Befreier irdischer Flüsse gewesen ist‘ (p. 142. 143).

Also vor der vedischen Zeit war Indra unzweifelhaft als der Gewittergott gefeiert, ebenso war er den nachvedischen Dichtern und Gelehrten in diesem seinem Wesen vollkommen klar und deutlich, — nur die vedischen Dichter, die beständig die Grossthat des Gottes besingen, wussten nichts davon, ahnten höchstens noch ganz dunkel, dass dieser Gott zum Gewitter in Beziehung stand! Eine wenig wahrscheinliche Annahme. Wir haben durchaus keinen Grund zu der Behauptung, dass das wahre Wesen von Indras Drachenkampf erst in späterer Zeit durch ‚Nachdenken‘ wieder aufgedeckt worden wäre, wie Oldenberg meint. Wäre das überhaupt ein Problem gewesen, so hätte es wohl auch abweichende Meinungen gegeben und wäre dann wohl vor Allem auch die Ansicht, welche nach Oldenberg unter den vedischen Dichtern die so gut wie ausschliesslich herrschende war, von irgendwelchen Gelehrten vertreten worden.

Nun aber war es der nachvedischen Zeit allgemein klar, unzweifelhaft und unbestritten, dass Indra der Gewittergott sei, und wenn nicht ganz zwingende Gründe das Gegentheil direct beweisen, hat man zunächst vorauszusetzen, dass dies auch vorher allgemein bekannt und deutlich war. Solche Gründe aber fehlen. Oldenberg führt selbst eine Anzahl vedischer Stellen an, in denen Indra als Besitzer oder Spender des Regens bezeichnet wird, wo von seinem Donnern *(abhishṭana)* gesprochen und gesagt wird, dass er den Donner *(tanyatu)* in Vṛitras Kinnbacken geschleudert habe. Im Hinblick auf die Klarheit, die über Indras Charakter späterhin herrscht, hat man

16*

kein Recht, hier von ‚zufälligen Ausschmückungen' oder ‚rein momentanen Einfällen der einzelnen Dichter' zu reden. Dass Indras Waffe der Donnerkeil war, ist den Indern zu allen Zeiten klar gewesen und die gegentheilige Behauptung Oldenbergs (p. 140, Anm.) ist unbewiesen und unbeweisbar.[1] Er selbst übersetzt denn auch Vajra ganz richtig durch Donnerkeil (p. 141). Es zeigt sich auch in diesem Falle, dass Pischel und Geldner Recht haben, wenn sie darauf dringen, die vedische Culturwelt nicht isolirt, sondern stets im Zusammenhang mit der späteren Zeit zu betrachten.[2] Wenn aber die vedischen Dichter in der grossen Mehrzahl der Fälle nur vom Fels oder Berge reden, aus dem Indra die Ströme befreit habe, so ist erstlich zu bemerken, dass das meistgebrauchte Wort *sindhu* keineswegs durchaus nur als Bezeichnung irdischer Flüsse erwiesen ist, und ferner zu fragen, warum die vedischen Dichter, die im Wiederholen gross sind, ein zutreffendes, liebgewordenes und ganz eingebürgertes Bild nicht unzählige Mal wiederholen sollen? Jedermann wusste, um was es sich handelte, auch ohne dass die Dichter den Regen direct als solchen bezeichneten oder die Natur des Vajra durch Beigaben erläuterten, die ihn ausdrücklich als Donnerkeil kennzeichneten. Darin eben unterscheidet sich Indra von Parjanya, dass der Letztere stets direct als der Gewitterer und Regner geschildert wird, während der Vorgang beim Ersteren fast durchweg im Bilde vom Drachenkampf und der Strömebefreiung erscheint.

[1] Dass man sich diese Waffe als eine Art Schleuderkeule von Erz vorstellte, spricht natürlich durchaus nicht gegen unsere Ansicht; oder ist Thors Waffe darum nicht der Donnerkeil, weil man sie sich als Hammer denkt?

[2] Ich kann es mir in diesem Zusammenhange nicht versagen, eine treffende Aeusserung von Dr. M. Winternitz am Schluss seines interessanten Artikels Nejamesha, Naigamesha, Nemeso (im *Journ. Roy. As. Soc.* January 1895, p. 149—155) anzuführen: ‚It is perhaps not the least important lesson to be derived from the coincidence pointed out by Dr. Bühler, that we learn how impossible it is to separate Vedic or Brahmanic mythology from the mythological conceptions surviving in Jaina — and I may add, Buddhist — literature.' — Wenn ich übrigens die erwähnte Tendenz Pischels und Geldners für richtig anerkenne, so bin ich doch weit davon entfernt, die Polemik der genannten Gelehrten gegenüber den hochverehrten Verfassern des Pet. Wörterbuchs zu billigen.

Wie klar die Naturbedeutung dieses Bildes war, sieht man aber auch daraus, dass Indra als ein auf demselben Gebiete rivalisirender Gott den Parjanya ganz in den Hintergrund drängt und zuletzt verschwinden lässt. Dass das Bild kein Bild sei, lässt sich zwar behaupten, aber nicht beweisen. Natürlich lässt es sich auch nicht streng beweisen, dass es ein Bild sei, allein da Indra sonst in Indien immer als ein Gewittergott gegolten hat, dürfte das doch höchst wahrscheinlich sein, zumal er dies auch nach Oldenbergs eigener Annahme seit Urzeiten war. Dass an einigen Stellen Indra in der That als Befreier irdischer Flüsse (z. B. der Vipâç und Çutudrî) auftritt, ist nicht zu bezweifeln. Es ist da eben der himmlische Vorgang auf die Erde versetzt worden (wie oben etwas Aehnliches bei Apollon erwähnt wurde). Dass er aber nicht dauernd und ausschliesslich auf irdischem Gebiete haften blieb, verhinderte gerade der Umstand, dass Indras Wesen sich niemals gleich demjenigen anderer Götter verdunkelte. In welcher Region der vedische Indra sich für gewöhnlich bewegt, geht mit grosser Klarheit aus der engen Verbindung desselben mit den Maruts, den Sturmdämonen, hervor, die ja zur Genüge bekannt ist. Sie, die mit Blitzen versehen, Blitze in der Hand tragend (vidyunmat, vidyuddhasta), heulend und pfeifend dahinfahren, sind seine Begleiter, Genossen, Freunde, werden seine Schaar genannt, er ist der marutvân, marudgaṇa etc. — schon das dürfte genügen.[1] Keinesfalls hat Oldenberg ein Recht dazu, denen, welche jene ofterwähnten Berge und Ströme in die Wolkenregion, das Gebiet des Gewittergottes, versetzen, Verwirrung des Thatbestandes vorzuwerfen. Es war dies durchaus die nächstliegende, natürliche Auffassung, die dann auch meines Wissens vor Oldenberg die allgemein herrschende gewesen ist und durch die neue Oldenberg'sche Ansicht schwerlich verdrängt werden wird.

Schwierig zu beurtheilen ist das Wesen des Rudra, welchen die vedischen Dichter den Vater der Maruts nennen. Man hat diesen Gott früher in der Regel einfach als einen Sturmgott erklärt und aus dieser Eigenschaft die verschiedenen Züge seines Wesens abzuleiten

[1] Oldenberg erwähnt dessen nicht.

gesucht, so gut es eben ging. Oldenberg tritt dieser Ansicht entgegen: ‚Für das Bewusstsein der vedischen Dichter jedenfalls kann er diese Bedeutung nicht gehabt haben' (p. 216). Das dürfte in der Hauptsache wohl zuzugeben sein. Die Schilderungen der vedischen Dichter lassen uns den Sturmgott nicht deutlich erkennen. Wer diesen Gott einfach als eine Personification der Naturerscheinung des Sturmes erklären will, geht gewiss in der Irre. Seltsame Züge seines Wesens deuten nach ganz anderen Richtungen hin. Dennoch glaube ich, dass auch die Beziehung zu Wind und Sturm ein uralter wichtiger Zug im Wesen des Rudra ist. Heisst doch nicht nur er der Vater der Maruts, werden doch auch sie, die Sturmdämonen, ‚die Rudras' genannt, so dass er als ihnen wesensgleich, gewissermassen nur als das Haupt, der Oberste, der Führer dieser Schaar erscheint, als der Haupt-Rudra, der Rudra κατ' ἐξοχήν jene Schaar geringerer Rudras überragend, welch letztere in ihrer Wind- und Sturmnatur wiederum nicht zweifelhaft sind. Aber damit ist man noch weit entfernt, das Wesen dieses Gottes erfasst zu haben.

Der Rigveda enthält nur wenige Hymnen an Rudra. Mit Recht zieht Oldenberg die gesammte vedische Literatur heran, um ein möglichst vollständiges Bild von dem Gotte zu entwerfen. Er ist eine wilde, furchtbare, schreckenerregende Erscheinung; man scheut und fürchtet sich vor ihm wie vor der Welt der Todten, mit der er im Cult sich vielfach sehr merkwürdig berührt. Man sucht ihn abzufinden mit Gaben, ihn fern zu halten, dass er nicht schade. Sein Geschoss ist gefahrbringend, gefürchtet. Die Berge sind sein hauptsächlicher Aufenthalt, er ist Bergbewohner, Bergwandler, Bergesherr. Ihn umgeben, ihn begleiten seine Heerschaaren, deren Wesen vielfach dunkel, etwas Gespenstisches, Grauenerregendes an sich hat. Gelegentlich scheinen sich dieselben mit den Schlangen zu berühren. Der Gott sendet Krankheit, aber er heilt sie auch, ja er gilt als der beste der Aerzte. Sehr ausgeprägt ist seine Herrschaft über das Vieh, dem gnädig zu sein er oft angefleht wird; aber auch mit Bäumen und Wäldern steht er in Beziehung. Sehr merkwürdig ist, wie er sich oft zu vervielfältigen scheint, in tausenden von Gestalten in allen Reichen der Natur erscheint und verehrt wird. — Wo liegt bei solcher Mannigfaltigkeit der Ausgangs- und Kernpunkt der ganzen mythologischen Conception? Den Sturm weist Oldenberg zurück, er will eher an die Berge und Wälder denken, er erinnert an die Verwandtschaft der Rudra-Vorstellung mit der Vorstellung schadender Seelen, die sich hier vielleicht ‚zu Dimensionen gesteigert hat, welche der Grösse der himmlischen Götter gleichkommen'. Die Seelenvorstellung wäre leicht mit dem Berg- und Waldgott zu vermitteln. Einen Verwandten der von Mannhardt meisterhaft behandelten Faune, Silvane, Waldmänner, wilden Leute, Fanggen u. dgl. will Oldenberg in Rudra erkennen; er erinnert an den Mars Silvanus. Ein eigentlich abschliessendes Urtheil über die ganze Erscheinung wagt er nicht zu fällen; das beweisen die Worte: ‚Elemente verschiedener Herkunft mögen in diesem Kreise von Vorstellungen zusammengerathen sein, welche auseinander zu lösen verwegen wäre.'

Diese Bemerkungen enthalten vieles Richtige, wenn ich auch nicht allem beipflichten kann. Ich hebe den Hinweis auf Mars Silvanus hervor, der, wie auch ich glaube, in der römischen Welt Rudras nächster Verwandter ist. Für nicht wahrscheinlich halte ich die Vermuthung, dass in Rudras Gestalt Elemente verschiedener Herkunft zusammengerathen sein möchten. Trotz der eigenthümlich mannigfaltigen, scheinbar disparaten Züge im Charakter dieses Gottes, glaube ich, dass sich der Ausgangs- und Kernpunkt seines Wesens mit ziemlicher Bestimmtheit nachweisen lässt. Meine diesbezügliche Ansicht, die ich mir vor bald 10 Jahren gebildet und die mir im Laufe der Zeit immer mehr zur Gewissheit geworden, kann ich hier freilich nicht in vollem Umfang entwickeln; dennoch erscheint es mir geboten, wenigstens die Grundzüge derselben anzudeuten.

Zunächst ist es nothwendig, die Gestalt des Rudra, der auch in der vedischen Zeit schon Çiva und Çaṃkara genannt wird, durch Heranziehung dessen, was wir über den nachvedischen Gott Çiva wissen, zu ergänzen. Denn Çiva und Rudra sind eine Person,[1] —

[1] Die Yajurveden zeigen das sehr deutlich

Çiva ist Rudra in der Auffassung einer späteren Zeit, zugleich ergänzt und bereichert durch manche volksmässige Elemente, welche von den Verfassern der vedischen Bücher wohl absichtlich fern gehalten oder doch in den Hintergrund gedrängt wurden. Diese Ergänzung ist ebenso nothwendig, wie die der homerischen Götter durch Alles, was wir späterhin über deren Cult und die sie betreffenden volksmässigen Vorstellungen und Bräuche erfahren. Auf das Volksmässige ist dabei das Gewicht zu legen; theologische Theorien wie z. B. die von der Rolle, welche Çiva in der Trimûrti spielt, haben einen viel bedingteren Werth, obwohl sie natürlich nicht unberücksichtigt bleiben dürfen.

Auch Çiva ist der Bergbewohner, der Herr der Berge, wild, gefährlich, Furcht und Schrecken erregend im höchsten Grade, namentlich aber ist wichtig, dass bei ihm die Beziehung zum Todtenreich mit grosser Klarheit hervortritt, die wir auch beim vedischen Rudra in bedeutsamen Zügen erkennen können. Çiva, der grausig gedachte und gebildete Gott, ist der Herr der Gespenster (der Bhûtas), er trägt auf den Bildwerken ein Halsband von Schädeln. Damit im Zusammenhang steht sein Blutdurst, die blutigen Opfer, die er — und noch mehr sein weibliches Gegenbild, seine Frau — erhält. Er wird ein Esser von Fleisch, Blut und Mark genannt und erscheint auf den Bildwerken im Begriff ein Thier zu tödten, oder ein Menschenopfer darbringend, mit einem abgeschnittenen Menschenkopf in der Hand u. dgl. m. Hierher gehört wohl auch seine Beziehung zu den Schlangen, die als Seelenthiere eine Rolle spielen, — eine Beziehung, die namentlich auf den Bildwerken sehr deutlich hervortritt, den nur schwach vorhandenen betreffenden Zug des vedischen Rudra willkommen ergänzend. Alles dies bringt die späteren Theologen dazu, Çiva geradezu zum Gotte der Zerstörung, der Vernichtung alles Lebens zu stempeln; sieht man aber etwas näher zu, so erkennt man bald, dass seine Beziehung zu Fruchtbarkeit und Zeugung ebenso stark hervortritt. Er zeugt und schafft in unerschöpflicher Lebensfülle. In den Grotten von Elephanta hat Çiva einen Schädel und ein kleines neugeborenes Kind als Attribute, um seine

Doppelbeziehung zu Tod und Zeugung anzudeuten. Beim orgiastischen Çivafest im Monat Câitra suchen die indischen Frauen dadurch fruchtbar zu werden, dass sie von den orgiastischen Heiligen Früchte u. dgl. zu erlangen suchen. Besonders deutlich zeigt sich die Beziehung Çivas zu Fruchtbarkeit und Zeugung im phallischen Dienst. Der Phallus, indisch Linga, ist das Symbol von Çivas zeugender Kraft, und dieser Linga-Cultus des Çiva ist noch heute über weite Theile von Indien verbreitet.[1] Vielleicht deutet auch der Stier des Çiva die Zeugungskraft an.[2] Zur Fruchtbarkeit in Beziehung steht endlich wohl auch ohne Zweifel der stark hervortretende Orgiasmus im Dienste des Çiva. Er selbst ist Gott des rasenden Wahnsinns, der mit blutigem Elephantenfell bekleidet den wilden Tanz Tâṇḍava aufführt, hat also eine orgiastische Seite in seinem Wesen. Auch die Bildwerke führen ihn uns in dieser Eigenschaft vor. Er erscheint auf dem Stier im orgiastischen Zuge; wir sehen ihn mit Tigerfell, Schlangen, Schädelkranz, berauschende Getränke trinkend und mit gerötheten Augen auf seinem Stier, like a mad man, wie Ward sich ausdrückt. Es werden in Indien orgiastische Çivafeste mit wüster, ausgelassener Lustigkeit, schrecklich lärmender Musik, Tanz und allerlei blutigen Grausamkeiten gefeiert, welch letztere als dem Gotte wohlgefällig gelten und wahrscheinlich Ersatz für alte Opferungen sind. Blutiges Zerreissen und Zerfleischen scheint diesem Gotte ebenso

[1] Die oft angenommene Zurückführung des indischen Phallus-Dienstes auf Culte der Ureinwohner entbehrt der Begründung und ist, wie die Vergleichung namentlich des Dionysos- und Hermes-Dienstes lehrt, durchaus nicht wahrscheinlich. Mehr als wahrscheinlich dagegen ist, dass die Dichter der Rigveda-Lieder von einem solchen Cult nichts wissen wollten (vgl. ihren Abscheu gegen die Çiçnádevâḥ, welches Wort nicht durch ‚Schwanzgötter' zu übersetzen ist, sondern, wie schon der Accent lehrt, der das Wort als Bahuvrîhi kennzeichnet, durch ‚den Schwanz zum Gott hebend', d. h. Phallusdiener. Irre ich nicht, so hat Garbe dies zuerst bemerkt). Der phallische Cult lebte vermuthlich in denselben Kreisen des Volkes fort, durch deren Einfluss Rudra-Çiva in der Folge zu einer Bedeutung heranwuchs, die alle anderen Götter in Schatten stellte.

[2] Çiva erscheint gelegentlich sogar selbst mit einem Stierkopf, merkwürdig an den Stier-Dionysos erinnernd, der geradezu ταῦρε angerufen und aufgefordert wird zu kommen τῷ βοέῳ ποδὶ θύων.

zu gefallen wie dem Dionysos und seinen Mänaden. Aber auch das Feuer spielt eine Rolle. Anzünden grosser Feuer, Schreiten durchs Feuer, Halten von brennenden Lampen auf dem Kopfe während der ganzen Nacht wird bei diesen Feiern beobachtet. Dieser Zug erinnert an die brennenden Fackeln der Mänaden und der verschiedenen orgiastischen Vegetationsbräuche in deutschen und romanischen Landen (Perchtenlaufen, ‚jour des brandons' etc.); und es kann kaum einem Zweifel unterliegen, dass diese orgiastischen Feste der Inder den gleichen Zweck haben wie die entsprechenden Feiern bei den Griechen, Deutschen und Romanen, nämlich die Fruchtbarkeit in der Natur, resp. auch im Menschenleben zu befördern.

Damit nähern wir uns der Erklärung der in Rede stehenden Göttergestalt.

Wir finden bei einer ganzen Reihe indogermanischer Völker einen hervorragend wichtigen Typus von Göttern, welche als Oberste und Führer der Schaar abgeschiedener Seelen zeitweilig ruhend, resp. in Ruhe über die Todten herrschend gedacht sind, zu gewissen Zeiten des Jahres aber an der Spitze jener Schaar in wildem Zug durch die Luft über das Land hinjagen. Ihre Gestalt ist von allen wilden Schrecken des Todtenreiches umgeben, gleichzeitig aber waltet die Vorstellung, dass der Zug des Seelenheeres, der wilden Jagd, wie sie in deutschen Landen heisst, Gedeihen und Fruchtbarkeit schafft in der Vegetation, wie auch im Viehstand und unter den Menschen. Weil aber das Seelenheer in Wind und Sturm dahinfährt, die Vorstellung von Seele und Wind überhaupt im primitiven Denken sich nahe berührt, sind diese Götter entweder alte Wind- und Sturmgötter (resp. -Dämonen), oder haben sich solchen angeähnlicht.

Auf germanischem Gebiet tritt uns als hervorragendste Gestalt dieses Typus Odin-Wodan-Wuotan entgegen.

Man darf bei Beurtheilung dieses Gottes nicht von dem Odin der altnordischen Poësie ausgehen und seine Gestalt als die maassgebende betrachten. Es ist bekannt, dass der altnordische Odin eine eigenartige Entwicklung durchgemacht, dass er, zu einer höheren Bedeutung emporgewachsen, den alten Himmelsgott verdrängt hat und an seine Stelle getreten ist. Dadurch sind eine Reihe von Eigenschaften auf ihn übergegangen, die ihm nicht ursprünglich angehören. Die ältesten und ursprünglichsten Züge im Wesen dieses Gottes treten am deutlichsten durch die Vergleichung der entsprechenden, weniger hoch entwickelten Parallelgestalten der anderen germanischen Stämme hervor. Bei solcher Vergleichung erkennt man klar, dass Odin-Wodan-Wuotan ein alter Wind- und Sturmdämon und zugleich Führer der Schaar abgeschiedener Seelen ist. Als Winddämon weist ihn schon sein Name aus, der etymologisch mit dem indischen Vâta zusammenhängt, und in der eben angeführten Doppeleigenschaft ist die Vorstellung von ihm seit uralter Zeit bei allen germanischen Stämmen lebendig. Von brausenden, heulenden Schaaren gefolgt jagt er laut tosend durch die Luft. Das ist der Wotn, der in Oesterreich mit Frau Holke zusammen durch die Luft jagt, auf weissem Ross, in weiten Mantel gehüllt, den breitkrämpigen Hut auf dem Kopfe, ganz ähnlich wie in nordischen Quellen Odin erscheint. Das ist das Wutes- oder Mutes-Heer in Schwaben, das mit wunderbarer Musik, von heftigem Sturm begleitet, durch die Luft fährt; das ist das ‚wüthende Heer' oder Wuetes in Baiern, das Wudesheer in der Eifel, das Wütenheer im Voigtlande, in weiten Gebieten als ‚die wilde Jagd' wohlbekannt. Der Führer trägt mancherlei Namen: Schimmelreiter, Breithut, wilder Jäger, Woejäger, Helljäger, Hackelberend, oder noch deutlicher Wode, Waud, Wor (z. B. in Mecklenburg und Schleswig-Holstein). Auch in Schweden ist ‚Odens Jagt' bekannt; ‚Oden far vörbi' oder ‚Oden jager' sagt man, wenn es stürmt u. dgl. Namentlich in den Zwölfnächten jagt dieser wilde Jäger, doch auch zu anderer Zeit. Die Vorstellung ist so bekannt, dass ich von weiteren Ausführungen absehen kann; sie ist über die ganze germanische Welt verbreitet, ihr Zusammenhang mit dem Gott Wodan-Odin steht ausser Zweifel; sie bildet den Ausgangs- und Kernpunkt im Wesen dieses Gottes.

Als Windgott offenbart sich übrigens Odin noch in manchen anderen Zügen. Darum erscheint er in der nordischen Sage als der unermüdliche Wanderer (viator indefessus, wie ihn Saxo nennt);

darum ist er es, der den Schiffen den günstigen Wind (Wunschwind) verleiht; wenn er aber zürnt, braust er im Sturm daher als der Schrecken der Menschen. Auch die musische Kunst bei Odin erklärt sich wohl aus dieser Eigenschaft: die Winde sind ja Sänger, Spielleute etc. Als Windgott steht Odin auch zu den Bergen in Beziehung, denn in den Bergen haust der Wind, nach volksthümlicher Anschauung. Odin wird von Sigurd der ‚Mann vom Berge‘ genannt, zeigt sich auf dem Berge stehend, haust mit seiner Schaar, seinem Heer im Berge. Dieser Zug gehört aber mit gleichem Recht Odin als dem Seelenführer, und sehen wir daran wieder, wie in diesem Gotte Windgott und Seelenführer untrennbar sind. Die Berge, aus denen der Wind kommt, scheinen schon früh mit Vorliebe als Sitz des Seelenheeres und seines Führers, des Windgottes, angesehen worden zu sein. Noch heute fürchtet man sich in Norwegen vor dem ‚Volk der Berge‘, d. i. eben dem Heere der abgeschiedenen Seelen; noch heute glaubt man in verschiedenen Gegenden Deutschlands, dass die wilde Jagd oder das wüthende Heer zu gewissen Zeiten aus dem Berge hervor braust; oder es ist ein bergentrückter Kaiser, ein Held mit seinen Schaaren, die im Berge hausen, aus dem Berge daher gezogen kommen. Auf dieser alten Anschauung beruht im Grunde auch die nordische Vorstellung von Walhall, der Todtenhalle, wo Odin mit seinen Schaaren haust.[1] Odins Reich ist das Todtenreich, darum heisst er Valfadir und Valgautr (Todtenvater und Todtengott). Til Odins fara, zu Odin fahren, heisst ‚sterben‘. Wie die Vorstellung von Walhall, der Todtenhalle, wo Odin herrscht, in der Wikingerzeit sich zum Kriegerparadiese entwickelt hat, können wir hier übergehen. Als Todtengott, der die gefallenen Krieger herbergt, wird Odin auch zum Gotte der Schlachten. Als Todtengott empfängt er blutige Opfer, ja Menschenopfer. Der Mercurius, dem nach Tac. Germ. 9 Menschenopfer gebracht werden, ist eben dieser

[1] Man erkennt das z. B. an der Erzählung der Ynglingasaga, wo König Svegdir den Odin besucht. Da haust der Gott in einem Gehöft, at Steini genannt, weil es ein grosser Stein, ein Fels war. Der König tritt ein und wird nimmer gesehen.

Gott. Für den Norden ist die Sache bekannt genug. Die dem Odin Geweihten sind dem Tode geweiht, sie müssen sterben. Das gilt namentlich für besiegte Feinde, aber auch sonst. Als z. B. (in der Gautreksaga) bei einem Seesturm das Loos darüber geworfen wird, wer durch sein Blut den zürnenden Gott versöhnen soll, und als das Loos König Wikar trifft, da durchbohrt ihn Starkaðr mit Odins Rohrstengel und ruft: ‚So geb' ich dich Odin!' Harald Hildetand ist durch Odins Gnade unverwundbar und pflegt diesem die Seelen der Erschlagenen zu weihen, bis in seinem Alter Odin selbst als sein Wagenlenker ihn niederreisst und mit der Keule erschlägt. König Oen wird alt, indem er jeden zehnten Winter dem Odin einen seiner Söhne schlachtet. Grimhild weiht ihm ihr ungeborenes Kind. Bisweilen weihen sich die Helden selbst dem Odin mit einer bestimmten Frist. Hadding erhängt sich selbst, Odin zu Ehren u. dgl. m. Den furchtbaren Todtengott erkennen wir auch an der blutigen Beute des wilden Jägers, von der manche grausige Sage berichtet. Verwegene Menschen, die in das Halloh der wilden Jagd mit eingestimmt, erhalten gelegentlich einen Antheil der Beute zugeworfen: eine Pferdelende, ein Ochsenviertel, eine Hirsch- oder Rehkeule, ja eine Menschenlende, das Viertel eines Mooswoibchens u. dgl. m. Als Todtengott heisst Odin auch Draugadrottinn, d. h. Herr der Gespenster u. s. w.

Furchtbar, grausig, schreckenerregend ist die Erscheinung der wilden Jagd und ihres Führers, aber ebenso gross auch ist der Segen, den sie bringen, denn nach altem Glauben steht das Seelenheer in nächster Beziehung zur Fruchtbarkeit, es schafft Gedeihen in Feld und Flur. Darum zieht nach deutschen Volkssagen das wüthende Heer durch die Scheunen. Darum erscheint die Richtung, welche der Rodensteiner, einer der örtlichen Stellvertreter Wodans, bei seinem Zuge genommen hat, auf dem Boden der Flur wie ein Weg, und wo es durch die Frucht ging, sieht man deutlich einen Strich mitten durch das Korn laufen, an dem es höher steht und besser gedeiht als anderswo. Das Volk im Aargau freut sich, wenn das Guetis-Heer (d. h. Wodes-Heer) schön singt, denn dann gibt es ein fruchtbares

Jahr; ähnlich in Schwaben und in anderen Gegenden. Dem entsprechend erscheint Wodan-Odin, der Führer des segenbringenden Heeres, als Schutzherr der Fruchtbarkeit, des vegetativen Gedeihens und erhält gelegentlich dahin gehörige Opfergaben. In Niederdeutschland ist die Beziehung dieses Gottes zur Ernte, zur Vegetation noch heute sehr deutlich und lebendig. Man lässt bei der Ernte einen Büschel Getreide stehen, dem Woden für sein Pferd! Diese letzte Garbe wird hie und da umtanzt und das sich anschliessende Gelage heisst Wodelbier. Im Schaumburgischen wird dem Wold (= Wod) bei der Ernte in bestimmter Form geopfert; unterbleibt dies, so gibt es das nächste Jahr Misswachs. Nach Einigen wird auch Feuer dazu angezündet. Bei Beilngries in Baiern bleibt ein Aehrenbüschel stehen für den Waudlgaul und daneben Bier, Milch und Brot für die Waudlhunde; wer das nicht thut, dessen Felder verderben. Aehnliches in anderen Gegenden, sowie auch in Skandinavien. Die Nordländer baten auch den Odin im Mittwinteropfer um guten Jahresertrag und um Gedeihen der Saat. Mittwinter, die Zwölften, das ist ja die Hauptzeit, wo Wodan-Odin mit seinem Heer durch die Luft zieht. In dieser Zeit hauptsächlich findet denn auch der Mummenschanz statt, der den Wodan-Odin und sein gespenstisches Gefolge darstellt und in so deutlicher Beziehung zum Gedeihen der Vegetation steht, dass er geradezu als ‚Feldcult‘ oder ‚Vegetationsbrauch‘ in Anspruch genommen worden ist. Der ‚Schimmelreiter‘ mit seinen theils wunderlichen, theils greulichen Begleitern, den Feien, Erbsenbär, Klapperbock u. dgl. sind allbekannt.

So ist denn Wodan-Odin ganz deutlich als der in Wind und Sturm dahinfahrende Anführer der Seelenschaar, der zugleich zur Fruchtbarkeit der Vegetation in nächster Beziehung steht.

Sehen wir uns nun bei den andern indogermanischen Völkern nach verwandten Vorstellungen um, vor Allem nach der Vorstellung des zu gewissen Zeiten umherschwärmenden Zuges der abgeschiedenen Seelen. Erst die neuere Forschung hat uns auf griechischem Boden solch einen Seelenzug und damit auch eine Parallele zu der germanischen wilden Jagd in dem Zuge, dem sogenannten Thiasos des

Dionysos erkennen lassen. Es lag nahe, in dem Führer dieses Zuges, Dionysos, einen Verwandten des Wodan-Odin zu vermuthen, so wenig auch diese beiden Götter nach den früheren Anschauungen von ihrem Wesen zusammen zu gehören schienen. Diese Vermuthung hat sich mir bei wiederholter gründlicher Untersuchung immer mehr als richtig bestätigt.

Zum Gott des Weines ist Dionysos-Bakchos erst im Laufe der Zeit allmählich geworden; er ist es bei Homer noch nicht und ist es auch späterhin keineswegs ausschliesslich; vielmehr sind die Kenner darin einig, dass sein Wesen viel mehr umfasst, viel tiefer liegt. Dionysos ist ein Gott der vegetativen Fruchtbarkeit in weitestem Sinne, das steht fest. Zum Weingott wurde er dann nicht nur, weil die Rebe gewissermassen als edelste Blüthe der Pflanzenwelt, als sein Geschenk κατ' ἐξοχήν erscheint, sondern wohl auch darum, weil der Gott selbst (wie übrigens auch Odin) in hervorragender Weise als Trinker erscheint, weil er mit seinem Gefolge im Zustande wilder, enthusiastischer Aufgeregtheit, wie trunken von Wein, umherschwärmt. Man hat dies Umherschwärmen und Weintrinken des Gottes später aus seiner Eigenschaft als Weingott abgeleitet; die Sache verhält sich aber gerade umgekehrt. Weil er umherschwärmte und sammt seinem Gefolge am Wein sich berauschte und dabei zugleich Fruchtbarkeit und Gedeihen der Vegetation bewirkte, darum brachte man ihn gerade mit demjenigen Gewächs in nähere Beziehung, dessen edles Erzeugniss bei dem Gotte selbst und seiner Umgebung eine so wichtige Rolle spielte.

Um jedoch tiefer in das Wesen des Dionysos einzudringen, müssen wir ihn als Führer seiner Schaar, des mit ihm umherschwärmenden Thiasos kennen lernen, nicht minder den eigenartigen orgiastischen Cult des Gottes beachten, der augenscheinlich ein irdisches Abbild jener umherschwärmenden göttlichen oder halbgöttlichen Schaar darstellt. Man hat diesen Orgiasmus früher nur flach und unzulänglich zu erklären gewusst, als Darstellung der Folgen und Freuden des Weingenusses. Die richtige Erklärung ist von Mannhardt vorbereitet und von Voigt zuerst ausgesprochen in seinem

Artikel ‚Dionysos' in Roschers *Mytholog. Lexicon*. Es handelt sich dabei um einen sogen. ‚Vegetationszauber', eine ekstatische Feier, welche den Zweck hat, die Vegetation zu wecken, ihr Fruchtbarkeit und Gedeihen zu schaffen. Mannhardt hat im ersten Bande seiner ‚Antiken Wald- und Feldculte' unter der Ueberschrift ‚Fackellaufen über die Kornfelder, Kornaufwecken, Perchtenspringen, Faschingsumläufe' eine Reihe höchst interessanter Bräuche aus Süddeutschland, Deutschtirol, Wälschtirol und Frankreich mitgetheilt, in denen wir merkwürdige Parallelen zum dionysischen Orgiasmus erkennen. In aufgeregtem Zuge, oft irgendwie vermummt, mit Fackeln in den Händen, auf verschiedene Art Lärm machend, springt, tanzt und läuft man tobend über die Fluren. Der Zweck ist deutlich genug ausgesprochen durch Bezeichnungen wie Saatleuchten, Samenzünden, Kornaufwecken, Grasausläuten, und die wiederholte Versicherung, dass diese Umzüge nöthig seien, damit die Ernte gut gerathe. Der in Norddeutschland und Skandinavien übliche Umlauf Vermummter zur Weihnachtszeit, Neujahr oder Fastnacht mit Schimmelreiter, Julbock, Klapperbock, Erbsenbär u. s. w. ist zweifellos damit verwandt. Ebenso gewiss aber entsprechen die orgiastischen Dionysosfeiern. Thyrsosstäbe und Fackeln schwingend, mit fliegenden Haaren, Schlangen in den Händen haltend, unter dem Getön gellender Flöten und dumpf schallender Handpauken jubelten, tobten, tanzten und schwärmten die bakchischen Schaaren in den Wäldern und Bergen. Verschiedene Thiere wurden erst gehegt und gepflegt, dann zerrissen, ihr Fleisch roh und blutig verzehrt. Ein wichtiges Requisit war die bakchische Schwinge, das λίκνον, und ausgesprochener Zweck des grossen Nachtfestes der Thyiaden von Delphi war, ‚das Kind in der Schwingenwiege zu wecken' (ἐγείρειν τὸν Λικνίτην), d. h. den Dämon der Kornschwinge, den Korndämon zu wecken. Die Uebereinstimmung ist klar. Es erhebt sich nun aber für uns die Frage: wie kam man auf die Idee, dass derartige schwärmende Umzüge solch eine Wirkung auf die Vegetation zu üben vermöchten?

Die Antwort ergibt sich aus dem Charakter dieser Umzüge, die augenscheinlich nichts anderes sind als eine Darstellung des schwärmenden Umzuges der Geisterschaar. Rapp hat in seinem Aufsatz ‚Die Mänade im griech. Cultus, in Kunst und Poesie' (*Rh. Mus.* 27, 1 ff.) den Nachweis geliefert, dass der historisch überlieferte orgiastische Dionysoscult nichts ist als ein Abbild des in Sage und Mythus überlieferten orgiastischen Schwärmens der Geisterschaar, die das Gefolge des Gottes Dionysos bildet. Ebenso ist der germanische Schimmelreiter mit seinem Gefolge nichts anderes als Darstellung des Wodan-Odin mit dem seinigen; desgleichen die vermummten Gestalten beim Perchtenlaufen nur ein Abbild der wirklichen Perchten, der im Gefolge der Göttin Percht (Perahta)[1] in den Zwölften umherschwärmenden Geister. Und weil man nun glaubte, dass das Geisterheer Fruchtbarkeit und Gedeihen der Vegetation bewirke, darum dachte man dieselbe Wirkung durch lebendige Darstellung und Vorführung desselben, durch das Schwärmen der menschlichen Abbilder durch Feld und Flur erzielen zu können. Darin eben liegt das Wesen dieses ‚Vegetationszaubers'.

Das schwärmende Heer des Wodan-Odin, wie auch das der Frau Perchta, Frau Holle etc. ist, wie wir wissen, das Seelenheer. Das drängt zu dem Schluss, dass wohl auch die griechische Entsprechung, der Thiasos des Dionysos, ebenso zu fassen sei. Und dieser Schluss erweist sich als ein durchaus richtiger.

Der Grund für die antike Sitte, die Grabdenkmäler mit Darstellung bakchischer Scenen zu schmücken, liegt tiefer, als der grosse Dichter der venetianischen Epigramme ahnte und ahnen konnte; er liegt in dem Umstande, dass eben diese Schaar des Dionysos, — Mänaden, Bakchen, Nymphen, Satyrn, Silene u. s. w. — nichts anderes ist als die Schaar der abgeschiedenen Seelen, in welche der Neuverstorbene aufgenommen gedacht wird, mit welcher er nun

[1] An Stelle des Wodan-Odin fungiren in manchen Gegenden weibliche Gottheiten als Führerinnen des Seelenzuges, ausser der Percht auch Frau Gaude, Frau Holle, Frau Herke. Die Parallelgestalt dieser Göttinnen bei den Griechen ist Artemis, ursprünglich auch nur eine Führerin des schwärmenden Heeres weiblicher Seelen (nicht Mondgöttin), wie ich in meinen Vorlesungen über vergleichende Mythologie schon seit längerer Zeit dargelegt habe. Es mangelt der Raum, dies hier näher auszuführen.

selbst dahin zieht. Eine lateinische Grabinschrift in der Ebene von Philippi spricht es ausdrücklich aus, dass der Verstorbene sich ‚zu den Satyrn gesellt'. Feiner deuten dies die Bildwerke der Gräber an, wie namentlich Furtwängler in der Einleitung zu den Terracotten der Sammlung Sabouroff, Bd. ii, p. 16. 17 sehr schön ausführt. Die Grabmonumente zeigen nach ihm ‚Gestalten von der Art, wie man hofft, dass sie im jenseitigen Zustande der Seele begegnen und sie beglücken werden'. Offenbar aus demselben Grunde tanzten Satyristenchöre der Bahre voran. Auf manchen Grabmonumenten sitzt der Todte da, den Besuch des Dionysos empfangend, erscheint in seine Gemeinschaft aufgenommen. Ausdrücke des dionysischen Schwärmens werden im Zusammenhang mit Todtenvorstellungen gebraucht. Dionysische Prädicate finden sich mit Unterweltswesen verbunden (cf. Dilthey, *Rh. Mus.*, 1870, p. 327. 352). Die bildende Kunst zeigt Bakchen und Mänaden in doppelter Erscheinung: bald schwärmend, orgiastisch erregt, mit im Winde flatterndem Mantel, bald ruhig, träumerisch, ernst, stumm, ja schwermüthig und düster. Wir erkennen darin die Doppelheit der bald wehmüthig oder düster ernst ruhenden, bald umherschwärmenden Seele (cf. Rapp, a. a. O., p. 565. 566. Dilthey, a. a. O., p. 92). Das gottbegeisterte Rasen priesterlicher Frauen am Dionysosfeste ist mimetische Darstellung des schwärmenden Todtenzuges. Dasselbe gilt von dem mannigfachen Mummenschanz bei den Dionysien, deren σάτυροι, τράγοι etc. den nordischen Julböcken, Klapperböcken etc. unmittelbar entsprechen. Dionysos aber, der Führer dieses ganzen Zuges, zeigt sich damit als Seelenführer, als Todtengott, ebenso wie Wodan-Odin. Er ist der griechische wilde Jäger, ja er trägt sogar diesen Namen, denn schon die Alten erklärten ganz richtig seinen Beinamen Ζαγρεύς durch ὁ μεγάλως ἀγρεύων![1] An der Spitze seines Thiasos stürmt und jagt der

[1] Man beachte noch merkwürdige Züge der Uebereinstimmung. ‚Der Bromios (Dionysos) führt seinen Thiasos εἰς ὄρος, εἰς ὄρος! vom Webstuhl und vom Weberschiffchen weg führt er die rasende Frauenschaar.' (Eurip. Bakchen). Die Frauen müssen die Arbeit am Webstuhl ruhen lassen, wenn der dionysische Zug schwärmt, und die drei Töchter des Minyas, die zu Hause bei ihren Webstühlen sitzen bleiben,

Gott umher auf den Gebirgen und in den Waldthälern. Was sie jagen, erinnert ganz an die blutige Beute unserer wilden Jagd. Die Mänaden verfolgen, zerreissen, zerstückeln Thiere und Menschen, wir sehen sie mit Stücken zerrissener Hirschkälber in den Händen, oft wird ihr Rohfressen und Bluttrinken erwähnt, und Dionysos selbst heisst ὠμάδιος, ὠμηστής der Rohfresser, ἀνθρωπορραίστης der Menschenzerreisser, θηραγρευτής der Thierjäger. Die Dionysosfeste in Argos und Böotien heissen Jagdfeste (Agrionen oder Agrionien), weil es Feste des wilden Jägers und seiner Schaar sind etc. Der wilde Jäger Dionysos aber ist der Seelenführer und Todtengott, unter dem Hadesnamen Ἰσοδαίτης in Delphi verehrt, seine Feste sind mit Seelencult verbunden etc. Dieser sein Charakter ist so unzweifelhaft klar, dass ich mir eine weitere Ausführung ersparen kann. Ebenso klar aber ist Dionysos auch als Vegetationsgott, als Gott der Fruchtbarkeit, worauf auch das phallische Wesen seiner Begleiter deutet. Beide Eigenschaften sind in ihm so untrennbar verbunden wie bei Wodan-Odin. Schwieriger ist die Frage, ob auch Dionysos wie Wodan-Odin als alter Windgott sich erkennen lässt. Ich halte das mindestens für wahrscheinlich. Sein Rasen und Stürmen in den Bergen und Waldthälern deutet darauf hin; ebenso das Epitheton μελάναιγις, der mit der schwarzen Aegis Bewehrte; ist doch die Aegis nichts anderes als die dunkle Wetterwolke. Auch des Dionysos Charakter als musischer Gott erklärt sich gut aus der Windnatur. Sein Gefolge singt und spielt, er selbst heisst μελπόμενος, ist ein Sänger wie Odin, und

werden furchtbar dafür gestraft. Das erinnert sehr merkwürdig an das Verbot des Webens und Spinnens in den Zwölften, zu der Zeit, wenn die wilde Jagd umherzieht, wie solches in germanischen Landen wohlbekannt ist. — Wenn es in demselben Chor der Bakchen bei Euripides heisst: ‚Wer auf dem Weg, wer im Hause ist, soll zur Seite treten und andächtig schweigen!' so erinnert das wiederum daran, wie der germanische wilde Jäger ruft: ‚Aus dem Weg! aus dem Weg!' Man muss der wilden Jagd ausweichen, vor ihr sich bergen. — Dionysos und seine Bakchen schlagen mit ihren Thyrsosstäben Quellen von Wein und Wasser, von Milch und Honig aus dem Felsen oder dem harten Erdboden (cf. PRELLER, *Gr. Myth.*, 3. Aufl. I, 583). Kaiser Karl, der im Gudensberg haust und mit seinem Heere daraus hervorstürmt — eine locale Fassung des wilden Jägers — schlägt dem dürstenden Heer einen Brunnen im Wald! (cf. GRIMM, *D. Myth.* 4. Aufl. I, 127).

wir kennen ja die Winde als Sänger und Spieler. Auch das Weintrinken des Gottes lässt sich so erklären, sind doch die Wind- und Sturmdämonen der Indogermanen Trinker.[1] Ebenso weist auch das Gefolge des Gottes in die Windwolkenregion. Satyrn, Silene, Kentauren sind abgeschiedene Seelen, aber zugleich Winddämonen (das Letztere hat E. H. Meyer gezeigt); die Mänaden sind rasende Nymphen und als solche alte Wolkenwasserfrauen, die alten Genossinnen der Winde. Wie eng überhaupt die Vorstellung von Seele und Wind zusammenhängt, kann ich hier nicht näher ausführen; es ist bekannt genug.

Eine interessante, den Dionysos vielfach ergänzende Parallelgestalt ist Hermes, sicher ein alter Windgott (wie Roscher gezeigt hat), dabei Seelenführer und Fruchtbarkeitsgott. Sein Wesen und sein Verhältniss zu Dionysos kann ich hier wegen Raummangels leider nicht mehr erörtern.

Einen Verwandten des Wodan-Odin und des Dionysos haben wir nun, wie mich dünkt, in dem indischen Rudra-Çiva zu erkennen. Von diesem Gesichtspunkt aus erhellen sich alle Seiten seines sonst vielfach dunklen Wesens.

So erklärt sich die Beziehung des Rudra zu den Maruts, den Wind- und Sturmdämonen, deren Oberster und Anführer er ohne Zweifel ist, an deren Spitze er sicherlich einst durch die Lüfte brauste, ehe ihn Indra aus dieser Stellung verdrängte. Die Maruts aber sind ja auch nicht einfach Personificationen von Wind und Sturm (wie man nach dem Rigveda leicht glauben könnte), es steckt mehr und Tieferes in ihrem Wesen. Mit genialem Blick hat schon A. Kuhn in ihnen Verwandte der germanischen Maren (Mahren, Mahrten)[2] erkannt und ihren Namen von $\sqrt{}$ *mar* ‚sterben‘ abgeleitet.

---

[1] Ursprünglich natürlich nicht Weintrinker, sondern Methtrinker.

[2] Dass übrigens auch die germanischen Maren sich in der Sphäre der Maruts, der Gewitter- und Sturmsphäre bewegen, ersieht man daraus, dass der Blitz ihr Geschoss ist, denn der Belemnit wird schwedisch Marsten, deutsch Marezitze genannt (cf. E. H. Meyer, *Germ. Mythologie*, p. 119). Heisst es also von den indischen Maruts, dass sie mit Blitzen bewaffnet sind, Blitze in der Hand tragen, so gilt nach Obigem von den germanischen Maren das Gleiche. Auch darf vielleicht die Be-

Darnach wären sie ursprünglich im Winde dahinfahrende Geister und Seelen Verstorbener. In ihrem specifischen Charakter als gerüstete Krieger mit blitzenden Speeren etc. entsprechen sie am nächsten den animae militum interfectorum, von denen die deutsche Sage hie und da erzählt, dass sie in Bergen schlummern, um zu gewissen Zeiten im Sturmwind über das Land dahin zu jagen, eine der zahlreichen Formen, welche die uralte Vorstellung von der wilden Jagd, dem wüthenden Heer angenommen hat. Die Tendenz der Rigveda-Dichter auf Zurückdrängung des unheimlichen Gebietes der Seelen und Gespenster, ihre Vorliebe für Naturschilderungen, ihre Neigung das Göttliche in den Naturerscheinungen zu suchen, hat das ursprüngliche Wesen der Maruts verdunkelt, resp. die Naturseite an ihnen, Wind und Sturm, ganz in den Vordergrund treten lassen, wozu auch die nähere Verbindung, in die sie mit Indra traten, das Ihrige beigetragen haben mag. Wenn sie selbst Rudras genannt werden, so ist das ein deutlicher Hinweis auf ihr ursprüngliches Wesen, denn Rudras Beziehung zum Seelenreich ist zweifellos. Sehr bedeutsam ist es auch, dass die Maruts im Vordergrunde stehen bei den die drei altindischen Jahreszeiten einleitenden Opfern, die, wie Oldenberg richtig erkannt hat, alte volksthümliche Sitte bergen. Mit dem dritten dieser Feste ist ein grosses Todtenopfer, eine Art Allerseelenfest, sowie ein Opfer an Rudra Tryambaka verbunden (cf. Old. p. 441. 442). Die Verbindung Rudras, der Maruts und der Todten spricht deutlich genug.[1] Bemerkenswerth ist auch bei einem dieser Feste ein auf Fruchtbarkeit der Heerden zielender Ritus (Old., p. 442). Rudras Beziehung zum Seelenreich, zum Gespensterheer offenbart sich deutlich im Cultus wie im Mythus und die diesbezüglichen Bemerkungen Oldenbergs sind durchaus zutreffend. Es muss als vielsagende Ergänzung aber auch der spätere Gott Çiva hinzugefügt werden, der ja nichts ist als Rudra in der Auffassung einer

---

zeichnung des Donnerbesens als Marentakken, Marenquasten, Marennest in diesem Zusammenhang angeführt werden (cf. E. H. Meyer, a. a. O., p. 121).

[1] Vgl. die Verehrung des Dionysos, Hermes und der Todten beim Anthesterienfeste.

späteren Zeit, der Herr der Bhûtas oder Gespenster, wie Odin Draugadrottinn heisst. Es erklärt sich aus diesem Kernpunkt im Wesen des Rudra-Çiva das Wilde, Gefährliche, Grausige, Schreckenerregende des Gottes, die Scheu, die man vor ihm hegt, die geheimnissvolle Aengstlichkeit, mit der man ihm gegenüber tritt. Wenn man immer wieder betet: des Rudra Waffe möge uns, resp. das Vieh verschonen! wenn Çiva sowie sein weibliches Gegenbild an Mord und Zerfleischung von Vieh und Menschen sich erfreuen, so braucht jetzt nur auf die verwandten Züge des germanischen wie des griechischen wilden Jägers und seines Gefolges verwiesen zu werden (denen man auch die germanische wie die griechische wilde Jägerin zugesellen kann, Perchta, Artemis etc.). Wir dürfen Rudra, mutatis mutandis, den indischen wilden Jäger nennen; ja, auch Oldenberg spricht von ihm als dem ‚wilden Jäger' (p. 223), obwohl ihm der oben entwickelte Zusammenhang fern zu liegen scheint. Wenn Rudra als gefahrbringende und gefürchtete Waffe den Bogen trägt, Odin dagegen den Speer oder den Rohrstab (reyrsproti), welche dem Thyrsos und θυρσόλογχος des Dionysos entsprechen, so ist dazu zu bemerken, dass doch auch Odin mit Bogen und Pfeil bewaffnet erscheint. Nicht nur trägt der aus Woden entstellte engl. Hooden, später Robin Hood, Pfeil und Bogen, sondern man kennt und fürchtet auch in Schweden Odens pilar,[1] die sich ganz den gefürchteten Pfeilen des Rudra vergleichen, und es ist gerade auf diese Vorstellung ein Gewicht zu legen, weil sie eine volksmässige, aller Wahrscheinlichkeit nach uralte ist.

Wenn Rudra-Çiva der Bergesherr, der Bergbewohner, Bergwandler ist, so kennen wir bereits den verwandten Zug bei Wodan-Odin, wissen, wie auch Dionysos und sein Thiasos in den Bergen stürmt. Die Beziehung Rudra-Çivas zu den Schlangen, die beim dionysischen Thiasos gleich stark hervortritt, bei Odin wenigstens nicht ganz mangelt,[2] erklärt sich auch aus der Beziehung zum Seelenreich, denn die Schlange ist vorzugsweise das Seelenthier, dessen Gestalt

[1] Vgl. E. H. Meyer, *German. Mythologie*, p. 231. 252 nach H. Cavallius.

[2] Odin selbst nimmt Schlangengestalt an.

die abgeschiedenen Seelen gern annehmen. Auch die spukhafte Vielgestaltigkeit des Rudra, sowie die damit zusammenhängende Vielnamigkeit des Çiva erklärt sich aus der Proteusnatur der Seelen und findet ihre Entsprechung sowohl bei Odin wie bei Dionysos. Odin erscheint auf seinen Fahrten in den verschiedensten Gestalten, unter den verschiedensten Namen;[1] Dionysos wird in einem Hymnus tausendgestaltig genannt, heisst πολυειδής, πολύμορφος, erscheint als Stier, Löwe, Panther, Jungfrau, etc., hat, wie Preller hervorhebt, mehr Namen, resp. Beinamen als irgend ein anderer Gott.

Aber auch das stark ausgeprägt Gütige, Heilvolle, Segenspendende an Rudra-Çivas Wesen dürfte jetzt hinlänglich aufgeklärt sein.[2] Er ist Zeugungs- und Fruchtbarkeitsgott, dahin zielen seine orgiastischen Feiern, die mit den entsprechenden germanischen und griechischen zusammen gehören, darauf deutet der weitverbreitete, tiefwurzelnde Phallusdienst in seinem Cultus. Kurzum, Rudra-Çiva ist Seelengott, Sturmgott und Fruchtbarkeitsgott zugleich, wie Odin und Dionysos, und wenn Megasthenes ihn mit letzterem Gotte vergleicht, so verräth er damit tiefere Einsicht, als oberflächliche Beurtheiler späterer Zeiten ahnten.

Wie auch der römische Mars hierher gehört, kann ich nur mit ein paar flüchtigen Strichen andeuten. Er ist bekanntlich ursprünglich ein Gott der Fruchtbarkeit, alles zeugerischen Wesens im Pflanzen- wie im Thierreich, wie auch bei den Menschen. Als

[1] Er selbst sagt im Grimnismál: ‚Eines Namens genügte mir nie, seit ich unter den Völkern fuhr.'

[2] Wenn Rudra als Arzt, ja als bester der Aerzte gepriesen wird, so ist daran zu erinnern, dass auch Wodan-Odin in dieser Eigenschaft auftritt (cf. E. H. Meyer, a. a. O., p. 252). So heilt er im Merseburger Zauberspruch die Verrenkung des Balderfohlens durch Besprechung, ‚sô he wola conda'. Gerade so wie Rudras Pfeile gefürchtet sind, er aber doch wieder als bester der Aerzte Heilung bringt, werden auch Odens pilar gefürchtet, aber auch er tritt als Arzt auf und bringt Heilung durch Besprechung, wohl die älteste ärztliche Kunst. Auch Dionysos erscheint als Arzt (Ἰατρός, Ὑγιάτης, cf. Preller, *Griech. Myth.*, p. 585, Anm., Voigt in Roschers *Mythol. Lex.*, Bd. I, p. 1065) und ich glaube, man darf nach dem Obigen vermuthen, dass diese seine Eigenschaft tiefer begründet sein dürfte als auf der heilsamen Wirkung des Weines.

Fruchtbarkeitsgott verehren ihn die arvalischen Brüder mit alterthümlichem Cult. Aber er steht auch zum Todtenreich in Beziehung. Gerade die arvalischen Brüder rufen Mars und die Laren zusammen an. Aus dem Todtengott hat sich bei ihm, wie bei Odin, erst der blutige Kriegsgott entwickelt. Auch das Orgiastische scheint ihm und seinem Cult nicht ganz zu fehlen. Dahin zähle ich die Tänze der Salier und die Wendung im Liede der arvalischen Brüder: ‚Satt vom Rasen kehre heim in deinen Tempel!' Das Rasen und Stürmen, später von der Kriegsfurie verstanden, beruht im Grunde wohl darauf, dass auch Mars alter Sturmgott und Seelenführer zugleich ist. Die etymologische Zusammenstellung seines Namens mit dem der indischen Marutas erscheint demnach als sachlich durchaus wohlbegründet.

Ich behalte es mir vor, diese hervorragend wichtige Gruppe mythologischer Gebilde — speciell Rudra-Çiva — in einer besonderen Arbeit eingehend zu behandeln. Für jetzt kam es mir nur darauf an zu zeigen, wie in dieser Beleuchtung das complicirte und vielfach so dunkle Wesen des Rudra-Çiva sich durchaus befriedigend aufhellt. Möchte es mir gelungen sein, die Gegner der vergleichenden Mythologie davon zu überzeugen, dass auch auf diesem Gebiete die Vergleichung im Stande ist manches Dunkle der Einzelerscheinungen aufzuklären, was sonst unerklärt bleiben würde. So gewiss es richtig ist, den Veda stets im Zusammenhang mit der späteren Culturwelt der Inder zu betrachten, so gewiss auch ist nicht nur für die Sprache, sondern für das gesammte im Veda sich offenbarende Geistesleben des indischen Volkes die vergleichende Heranziehung der verwandten Völker fruchtbar und darum berechtigt, ja gefordert.

Die gedrängtere Ausführung Oldenbergs über ‚Andere Gottheiten', p. 224 ff., kann ich kaum noch mit ein paar Bemerkungen streifen. Die Gleichung Pûshan-Hermes ist nur flüchtig und ganz unzureichend (p. 233, Anm.) begründet. Um so auffallender erscheint es, dass Oldenberg (p. 35) diesen ‚Gott der Wege und Wanderer' mit unter denjenigen Gottheiten aufführt, welche sich ‚mit hinreichender Sicherheit in das indogermanische Alterthum zurückverfolgen' lassen. — Warum OLDENBERG, p. 235, die Ṛibhus ,überaus dunkel' nennt, ist mir nicht klar. Sie sind in ihrem Wesen verhältnissmässig recht deutlich, kunstfertige Elben, wie sie auch die andern indogermanischen Völker kennen (cf. OLDENBERGS eigene Anm. 5, p. 235). Damit ist natürlich nicht gesagt, dass wir alle Mythen von ihnen mit Sicherheit deuten können. — Bei Besprechung der Katastrophe im Urvaçî-Mythus (p. 253) hätte das ursprünglich Theriomorphische der Göttin, worauf die beiden jungen Widder, ihre Kinder, weisen, bemerkt werden sollen (vgl. meine Arbeit ,Griech. Götter und Heroen', I, p. 54). — Wenn das fallende Meteor als Verkörperung eines Rakshas angesehen wird (p. 267), so finden sich dafür auch bei anderen Völkern Analogieen, z. B. bei den Esten (cf. *Verhandlungen der Gel. estn. Ges.* Bd. VII, Heft 2, p. 48).

Doch ich muss abbrechen, da diese Bemerkungen über den ihnen ursprünglich zugewiesenen Raum bereits bedeutend hinaus gewachsen sind.

Die Form des OLDENBERG'schen Buches ist glänzend. Störend finde ich die nicht seltenen, bisweilen recht langen Parenthesen.

Die Memoiren eines Prinzen von Persien.[1]

Von

Dr. Alexander von Kegl.

Die cultur- und sittengeschichtliche Bedeutung der morgenländischen Memoirenliteratur kann man nicht hoch genug anschlagen. Sie bietet ja das unverfälschte Bild des orientalischen Lebens dar. Der Europäer, er sei ein gelehrter Orientalist oder ein schlichter Reisender, ist selten im Stande das bunte Treiben desselben wahrheitsgetreu ohne Uebertreibung und Verschönerung zu schildern. Es ist daher jammerschade, dass dieser so interessante Zweig der schönen Literatur bei den Orientalen so wenige Vertreter zählt. Dazu kommt noch der beeinträchtigende Umstand, dass es unter ihnen spätere Machwerke und Fälschungen gibt. Zu diesen gehören, nach der Meinung Žukowskij's, wahrscheinlich die von Horn edirten und verdeutschten Denkwürdigkeiten des Schāh Tahmasp I von Persien.[2]

'Eẓud-ed-Daulet's Buch über die Familienverhältnisse seines Vaters, des Schāh Fetḥ'alī, ist ohne Zweifel eines der interessantesten Werke dieser Gattung. Man findet in ihm die lebenstreue Beschreibung eines echt orientalischen Hofes. Der Verfasser ist kein guter Stylist im morgenländischen Sinne des Wortes. Die von allen Orientalen angestrebte Sprachkünstelei kann man ihm nicht nachrühmen. Er schreibt ein schlichtes leicht verständliches Persisch;

[1] كتاب مستطاب تاريخ عضدى در شرح حالات زوجات وبنين وبنات خاقان خلد آشيان از تاليفات سركار شاهزاده آزاده عضد الدوله Lithographie (Bombay, 1304 = 1887).

[2] *Записки восточ. отд.* (Petersburg 1891) IV, S. 382.

seine Sprache ist die des gewöhnlichen Lebens. Gleich einem modernen Journalisten berichtet er kurz und bündig über die Denkwürdigkeiten seiner Familie. Der persische Minister der Presse I'timâd es-Selṭenet hatte ihn dazu veranlasst, die Geschichte der Gemahlinnen und der Kinder seines königlichen Vaters zu schreiben. Die Glaubwürdigkeit, die einem zeitgenössischen Autor zukommt, kann der memoirenschreibende Prinz für sein Werk nicht ganz beanspruchen. Er war ja nur ein zehnjähriger Knabe gewesen als sein Vater starb.[1] — Hierbei muss bemerkt werden, dass die Perserknaben früher als die abendländischen zur Reife gelangen und ein zehnjähriger Knabe ist in Persien kein naives Kind mehr.

Die Frauen des gottseligen Xâķâns — so beginnt seine Erzählung 'Eẓud-ed-Daulet — waren verschiedenen Ranges oder wie er sich ausdrückt, bildeten mehrere Classen (im Original steht *numreh* = Nummer). Zur ersten Classe gehörten die Mitglieder des Kadscharenstammes, die Prinzessinnen von Geblüt, und die Angehörigen der vornehmsten Familien des Landes. Ihre Anzahl mag vierzig oder mehr betragen haben.[2] Die Damen dieser Kategorie haben besondere Vorrechte gehabt. Seit Aγa Moḥammed's Zeiten gewährte ihnen der Schâh einen separaten privaten Selâm, d. i. Audienz, wozu die andern Bewohnerinnen des königlichen Harems keinen Zutritt hatten. Die Stunde dieses Selâms wurde in der Regel von einer Jesaulin (*jesaul* weiblichen Geschlechts) verkündet, die auf dem Corridore des Enderûns den türkischen Ruf (türkisch war damals die Sprache des Hofes) *χanumlar geliñiz* ‚kommet ihr Damen' ertönen liess. Im Audienzsaale angekommen, wurden die Sultaninnen so rangirt, dass die Mitglieder des Stammes der herrschenden Kadscharen in die erste Reihe kamen. Die übrigen Hofdamen hatte man nach dem

---

[1] اگرچه هنگام افول اختر سلطنت پدر تاجدار خود بیش از ده سال نداشتم لکن هرچه در آنزمان در نظر یا در مدّت عمر خود از بزرگان قوم ذکورًا واناثًا شنیده بودم درین مختصر تحریر نموده ارسال خدمت عالی وزیر انطباعات داشتم Târiχ i 'eẓudi, S. 3.

[2] عدد آنها قریب چهل بلکه زیاده بود Târiχ i 'eẓudi, S. 4.

respectiven Grade der Vornehmheit ihrer Familien in der zweiten Reihe aufgestellt. Jede der anwesenden Frauen hatte bei dieser Gelegenheit das Recht, ihre etwaigen Wünsche dem Herrscher persönlich vorzutragen. Natürlich machten viele davon Gebrauch. Der Rangstreit um die höhere Stelle bei der Audienz war neben der Eifersucht die Hauptquelle der Uneinigkeit unter den Frauen gewesen.

Die vornehmste Frau der Gattinnen ersten Ranges war Asija Xânum, die Mutter des Näib es-Selṭenet. Ihre hervorragende Stellung war so fest begründet gewesen, dass ihr Niemand den ersten Rang streitig machen konnte. Für sie hatte der von andern Weibern des Schähs so eifrig gefochtene Kampf um das یوخاری باش (türkisch wörtlich ‚das obere Haupt', nämlich Stelle) gar keinen Sinn. Als die stolzeste Frau des ganzen Enderüns galt die aus der entthronten Zenddynastie stammende edle Dame Badrîn. Sie war die Tochter des Šeiχ 'Alîχân Zend. Als eine Nicht-Kadscharin musste sie mit dem Platze in der zweiten Reihe vorlieb nehmen. Ihr angeborener Stolz und ihre Hoffart liessen ihr keine Ruhe. Sie wollte in der ersten Reihe glänzen. Der erfolglose Rangstreit und andere Unannehmlichkeiten hatten die adelsstolze Frau so sehr erbittert, dass sie ohne Erlaubniss des Xâķâns (Fetḥ'ali's) den Harem verlassend, zu ihrem Vater zurückkehrte *(bî iǵâzet ez ḥâremχâneh i χâkân biχâneh i peder reft)*. In ihrer freiwilligen Verbannung war ihre Anmassung die alte geblieben. Als ihr Vater 'Alî Xân starb, forderte sie dreist ein Diadem vom Schâh, um damit die Todtenbahre ihres Vaters zu schmücken. Nach der abschlägigen Antwort wollte sie die Leiche ihres Vaters ohne Diadem nicht aus dem Hause tragen lassen. So hartnäckig war ihr Widerstand gewesen, dass der Monarch, der sie nicht beleidigen wollte, am Ende genöthigt wurde, ihre Bitte zu gewähren.

Sehr charakteristisch für die — man möchte sagen ritterliche — Denkart Fetḥ'ali's ist, dass er einige seiner Frauen ersten Ranges mit Ehrenbeweisen überhäufte, trotzdem, dass er als Gatte ihnen ganz kalt gegenüber stand. Solch eine verehrte, aber nicht geliebte Frau war Aγa Baǵî gewesen. Der Schâh hatte eine so grosse Abneigung gegen sie an den Tag gelegt, dass sie ihr Leben lang ihre

Jungfräulichkeit bewahren konnte. Sie wurde bei Gelegenheit der ersten Nacht von ihrem Manne unberührt verlassen. ‚Sie ist mir wie eine Schlange vorgekommen', pflegte er zu seiner Rechtfertigung zu sagen. 'Ezud-ed-Daulet theilt hier einen primitiven türkischen Vers mit, den die verschmähte Braut gedichtet und dem Schâh zugeschickt haben soll: ‚Nachts ist mein Freund zu mir gekommen. Nachts ist er bei mir geblieben. Nachts hat er mich verlassen. Ich wusste's nicht, wie mein Leben (d. i. der Schâh) zu mir gekommen, wie bei mir geblieben, wie von mir gegangen.'[1]

Das Schicksal der Frauen der höchsten Kategorie war wenig beneidenswerth: sie waren ja die am mindesten geliebten Bewohnerinnen des königlichen Palastes. Nur zwei Damen aus ihrer Reihe hatten das Glück gehabt, die Liebe des Grossherrn zu gewinnen. — Die eine war die Mutter des Prinzen Ḳâsim, die in unbedingter Hingabe zu ihrem Manne aufschauend, mit allen ihr zu Gebote stehenden Mitteln um dessen Gunst buhlte. Wohl kennend die Eingenommenheit ihres Gemahls für das schöne Geschlecht, hatte sie ihrem Manne schöne Sklavinnen geschenkt. Die meisten der in dieser Weise verschenkten Mädchen haben dem philogynen Herrscher Prinzen geboren. *(Ekṯer i ânhâ mâder i šâhzâdeh wâḳ'i šudend.)*

Die andere geliebte grosse Dame war Nûš Âferin. Sie wurde vom Schâh so heiss geliebt, dass, als der König verstimmt und traurig aus dem unglücklichen russischen Feldzuge kommend, den Heimweg einschlug, er in einem an Suleimân Mirzâ gerichteten Briefe diesen aufforderte, ihn in Xamsa zu erwarten und auch ‚jene zuckersüss lächelnde Schöne, die den Mund voll Trunk hat (Anspielung auf den Namen der Favoritin Nûš = Trunk, Schluck) — sie besitzt nicht nur mein Herz, sondern das Herz des Volkes einer Welt,[2] mit zu bringen'. Die wahre Königin des Harems aber war nach der

---

[1] یارم کیجه گلدی کیجه قالدی کیجه گیتدی هیچ بیلمدم عمرم نیجه گلدی نیجه قالدی نیجه گیتدی Târiχ i 'eẓudi, S. 7.

[2] ان شکر خنده که پر نوش دهانی دارد
نه دلِ من که دل خلق جهانـــی دارد Târiχ i 'eẓudî, S. 7.

Meinung der Zeitgenossen die persische Pompadour Taûs-χânum (d. i. Herrin Pfau). Der Schâh hatte sie mit Schätzen aller Art so überhäuft, dass keine Frau des Palastes mit ihr wetteifern konnte. Maḥmûd Mîrzâ, der in seinem Teḏkereh unter den Schriftstellerinnen ihr ein ganzes Capitel gewidmet hat, kann nicht pompöse Worte und überschwängliche hochtrabende Phrasen genug finden, um die Bedeutung der grossen Favoritin im rechten Lichte darstellen zu können. ‚Tâǵ ed-Daulet (Beiname Taûs-χânum's, deutsch = Krone des Reiches) ist diejenige Frau, deren Rangesstimme die Ohren der Sterne Venus und Jupiter betäubt hat. Die Herrlichkeit ihrer Stellung hat die Sonne hinter den Schleier der Scham gesetzt. Ihr Glücksstern gibt dem himmlischen Monde Licht. Das Gestirn ihres Glückes verleiht der Sonne des Himmels ihre Strahlen.'[1]

Sie war aus Isfahân gebürtig. Zur Schönheit des Körpers gesellten sich bei ihr eine nicht gewöhnliche Bildung und dichterisches Talent.[2] Der Schâh gab ihr den wohlklingenden Beinamen Tâǵ ed-Daulet (‚Krone des Reiches'). In der Hauptstadt Teherân besass sie einen mit aller Pracht ausgestatteten Palast, welcher nach Maḥmûd eine halbe Million Tomân gekostet haben soll. Welch grosse Summen diese persische Pompadour verschwendet haben mag, kann man daraus folgern, dass für die Gewürze ihrer Küche allein nicht weniger als 12000 Tomân jährlich ausgegeben wurden *(mâhî hezâr tûmân bism sebzî maṭbaχ i Tâǵ ed-Daulet ez defter berât ṣâdir mîšud).*

Eine der grössten Schönheiten und Zierden des wohlbevölkerten Enderûns Fetḥ'ali's war das jüdische Mädchen Marjam Xânum. Sie war zuvor die Gattin des Schâh Schehîd, d. i. Moḥammed Aγa's, gewesen. Als dieser starb, wollte der Bruder Fetḥ'ali's, Husein Mîrzâ, die schöne Jüdin heiraten. Der Schâh aber behielt sie für sich. Man sagt, diese sei die erste Ursache der Feindschaft zwischen den

[1] تاج الدوله آن زن است که اوازِ مرتبه اش گوش زهرهٔ ومشتریرا کر نموده وطنطنهٔ جاهش هوررا در پردهٔ خجلت نشانده ستارهٔ طالعش ماهِ آسمانرا نور بخشا وکوکب بختش بمهر سپهر ضیاداده Xairât Ḥisân (Teherân 1305), S. 141.

[2] VÁMBÉRY ‚Aus dem Geistesleben persischer Frauen', *ZDMG.* 45, S. 412.

beiden Brüdern gewesen, welche bekanntlich das Blenden Husein's zur Folge hatte.

Unter den Frauen zweiter Classe war eine wichtige Persönlichkeit Sunbul Xânum. Ihre Gerechtigkeitsliebe, eine seltene Tugend im Reiche der Sonne, gewann für sie die Zuneigung Aller. — So weit ging ihr Eifer, dass sie einmal eine gegen ihren eigenen Sohn, der als Statthalter fungirte, geschriebene Bittschrift dem Schâh mit der Bemerkung überreichte: ‚Ich will nicht zugeben, dass Jemand Unrecht leide und sich über den König, das Asyl der Welt, beklage. Wenn mein Sohn derjenige ist, der sich der Tyrannei schuldig gemacht hat, so soll er abgesetzt werden' *(nemîχâhem kesî mazlûm wâķi' šewed w' ez šâh 'âlem penâh šiķâjet nemâjed)*. Die Herrin Sunbul hatte die Aufsicht über die königliche Tafel. Sie sass gewöhnlich an der Seite des Schâh und es war ihre Obliegenheit, die Speisen unter die anwesenden Prinzen zu vertheilen. Mit einem gewaltigen Schaumlöffel in der Hand, passte sie auf. Wenn einer der Prinzen sich erdreistet hatte, nach einer andern Seite die Hand auszustrecken und die zugetheilte Portion eines andern an sich zu nehmen, erhob sie ihre drohende Stimme und war auch berechtigt, nöthigenfalls mit dem Schaumlöffel auf's Haupt der ungehorsamen Prinzen zu schlagen *(nihîb midâd mukerrer bâkefgîr ber seršân zedeh bûd)*.

Die Finanzen des königlichen Haushaltes wurden von einer Schatzmeisterin besorgt, die den Beinamen Xâzin ed-Daulet ‚Schatzmeister des Reiches' hatte. Sie war zugleich das Oberhaupt des Harems. Ursprünglich war sie ein Dienstmädchen der Königin-Mutter gewesen. Nach dem Tode dieser, der nach der Gewohnheit der orientalischen Höfe die Oberherrschaft des Harems zukam, wollte Feth'ali eine Stellvertreterin der verstorbenen Sultannin aus der Reihe der Frauen ersten Ranges wählen. Die edlen Damen wollten aber aus gegenseitiger Rivalität davon nichts wissen und baten den Schâh, lieber eine der Sklavinnen der verewigten Monarchin damit zu beauftragen. Einer solchen Sklavin — sagten sie — würden sie gern in Allem gehorchen. So bekam dieses mit vieler Verantwortlichkeit verbundene Amt das Sklavenmädchen Gulbeden (‚Rosenleib'). Alles was man beim Hofe an Lohn, Geschenken und Kleidern erhielt, wurde von ihr vermittelt. Sie hatte ein eigenes Siegel. Die Inschrift dieses Siegels war ‚Accreditirt in den Provinzen Irâns — Quittung des Kleiderbewahrers des Herren der Welt' *(mu'teber der memâlik Irân — ḳabẓ i sendûkdâr i šâh-i ǵehân)*. Der Credit dieses Siegels war so gross, dass, wenn sie es wollte, namhafte Summen (im Original *kurûr* = eine halbe Million) ihr ohne Weiteres von Seite der Kaufleute und Bankiers zur Verfügung gestellt wurden. Als Aufseherin des Harems hatte sie grosse Macht. Ohne ihre vorherige Erlaubniss konnte keine Frau in's Haremhaus kommen oder es verlassen. Das Zeichen der Erlaubniss zum Eintritt war ein Rubinring. Dieser Ring befand sich immer bei der Schatzmeisterin. Wollte eine fremde Dame den Harem besuchen, so musste sie sich zuvor mit der Schatzmeisterin verständigen. Diese übergab dann den als Eintrittsbillet dienenden Ring einem ihrer Eunuchen, dessen Pflicht es war, die Besucher in's Enderûn zu führen. — Ein ganz analoges Verfahren wurde bei der Bewilligung des Ausganges beobachtet, mit dem Unterschiede, dass das Ausgangsbillet ein Smaragdring war. — Χâzin ed-Daulet hat das vollste Vertrauen des Herrschers besessen. Nach 'Ezud-ed-Daulet konnte sie, wenn sie wollte, nach Belieben das ganze Schatzhaus verschenken *(eger temâm χizâneh baχšîdî muχtâr bûd)*.

Als eine echt orientalische Einrichtung kann man die wachhabenden Frauen bezeichnen *(zenân i kišik)*. Diese waren in drei Abtheilungen eingetheilt. Jede Abtheilung bestand aus sechs Frauen. Die Obliegenheiten der wachhabenden Damen waren die folgenden: Wenn der Schâh sich zur Ruhe begeben wollte, kamen die sechs wachenden Frauen in's Schlafzimmer. Zwei Damen nahmen Platz rechts und links zur Seite des königlichen Bettes. Sie mussten darauf achten, ob der Schâh sich umwenden wollte, wo dann eine der Damen verpflichtet war, den König, um Rücken und Schulter die Arme schlingend, sachte in die gewünschte Lage zu bringen.[1] Zwei

[1] Târîχ i 'oẓudi شبی شش نفر مرسوم بود که در سر خدمت کشیک بنوبت می آمدند دو نفر برای خوابیدن در رختخواب که هر وقت بهر پهلوی که راحت میفرمودند انکه در پشت سر بود پشت وشانه شاهانه‌را در بغل میگرفت

andere Frauen hielten sich am untern Ende des Bettes auf und kitzelten wechselweise die Sohlen des Königs. Die fünfte Frau musste, eine zweite Scheherezade, interessante Märchen und wunderbare Geschichten erzählen. Die sechste war nur dann in Anspruch genommen, wenn der Schâh eine Botin nach aussen zu senden hatte.

Eine bevorzugte Stellung unter dem Dienstpersonal des Hofes hatten die Dienerinnen der königlichen Kaffeetafel (im Original *ḳahveh χâneh* ‚Kaffeehaus‘). Sie waren mit der Aufsicht über die Requisiten des Thee- und Kaffeeservices, wie Porcellantassen, reich geschmückte Wasserpfeifen, Tabak, Zucker, Eingemachtes u. dgl. betraut. Ihre Habsucht kannte keine Grenzen. Jedes Mittel war ihnen gut, wenn sie damit Geld erpressen konnten. Einem Gaste verweigerten sie keck den Kaffee und Ghaliân unter dem Vorwande, dass er unwürdig sei, den königlichen Kaffee zu trinken und die Wasserpfeife zu rauchen. Der erschrockene Gast, wohl kennend den Einfluss des Kahvechâne, zahlte ihnen gutes Trinkgeld, um sie zu versöhnen. — Die königlichen Prinzen, besonders die als Statthalter in den Provinzen angestellten, waren die Haupteinnahmsquelle der Dienerinnen der Kaffeetafel. Ein solcher Würdenträger gab ihnen zuweilen ein Trinkgeld von 100 Goldmünzen *(ešrefî)*. Die jährliche Einnahme derselben hat nach der Meinung 'Eẓud-ed-Daulet's 15000 Tomâns oder mehr betragen *(der sâlî pânzdeh hezâr tûmân bel muteǵâvuz bânhâ mîresîd)*. Eine gute Quelle des Erwerbs für sie waren die verschiedenen Sendungen. Einige dieser Sendungen waren nach unseren Begriffen lächerlicher Natur. — Es geschah zum Beispiel, dass man im königlichen Hemde einen Floh gefangen hatte. Der Fürst sagte dann einer Dienerin der Kaffeetafel: ‚Bring' dieses Thierchen zu diesem oder jenem Prinzen und du wirst dafür so und so viel Geld bekommen.‘ Sie übergab das Thier der bezeichneten hohen Persönlichkeit und erhielt dafür die vom Könige vorherbestimmte Summe. Der Floh wurde dann von der mit der Sendung beehrten Persönlichkeit mit eigener Hand umgebracht, zur Strafe dafür, dass

ودیگری می نشست ومنتظر بود که هر وقت بپهلوی دیگر غلطیدند او بخوابد
S. 24.

er sich erdreistet hatte, den geheiligten Körper des Monarchen zu belästigen.[1]

Die Musikanten und die Tänzerinnen des Palastes gehörten eigentlich nicht zur Bevölkerung desselben. Sie hatten in der Stadt ihre Privatwohnungen. Wie allgemein bekannt, sind die Tänzerinnen und Sängerinnen im Reiche der Sonne wenig geachtet. Man rechnet sie zu den Prostituirten. Ehrbare Damen hüten sich wohl, mit ihnen in Berührung zu treten. Die Sängerinnen und die weiblichen Musikanten Fetḫ'alî's waren in zwei Truppen getheilt. Jeder Truppe stand eine Kapellmeisterin vor. Die eine derselben war Mînâ, eine Armenierin, die andere, die Meisterin *(ustâd)* Zuhreh, war jüdischer Abkunft. Beide Musikbanden hassten, dem lateinischen Sprichworte ‚Figulus figulum odit' entsprechend, einander herzlich, so dass unter den Frauen des Harems ihr Hass sprichwörtlich wurde und wenn zwei Frauen einander feindlich gegenüberstanden, man sagte, sie hassen einander gleich den Musikbanden Mînâ's und Zuhreh's.[2] Der frauenliebende König hatte einige aus ihrer Reihe mit seiner Liebe beschenkt. Die so zum Range königlicher Frauen erhobenen Tänzerinnen hörten auf Künstlerinnen zu sein und wurden als den anderen Gattinnen ebenbürtig betrachtet.

'Eẓud-ed-Daulet hat viele biographische Notizen über die Söhne und Töchter Fetḫ'ali's in seinem Buche gesammelt. 'Abdullah Mîrzâ Dârâ, ein Sohn des Χâḳâns (Feth'alî's), war berühmt wegen seiner grossen Gelehrsamkeit. Besonders die Sterndeuterei cultivirte der wissenschaftlich gebildete Prinz. Fetḫ'alî liebte ihn sehr und unterhielt sich mit ihm, ohne dabei den zwischen Vater und Sohn be-

[1] دیگر کیک یا امثال آن بود که اگر از پیرآهنِ خاقان مرحوم هرگاه گرفته میشد میفرمودند فلان للیر قهوه خانه ببرد بفلان شاهزاده بدهد وفلان مبلغ‌را بگیرد وآن‌را شاهزادگان میکشتند که چرا بر بدنِ مبارک اذیّت وارد آورده است Târîχ i 'eẓudî, S. 75.

[2] در میان حرمخانه ضرب المثل بودند اگر خصومتی در میان‌دونفر میدیدند میگفتند مثل دستهٔ استاد مینا واستاد زهره منازعه مینمایند Târîχ i 'eẓudî, S. 27.

stehenden Rang und Altersunterschied zu beachten. Jedesmal, wenn sein erlauchter Vater sich über etwas zu betrüben Veranlassung hatte, liess er ihn zu sich rufen. Dann las der Prinz ihm im Geheimen sein Ḳanûnbuch vor.[1] — Dieses Werk hat viel zur Erheiterung des königlichen Gemüthes beigetragen. 'Eẓud-ed-Daulet hat einige Axiome aus dem Ḳanûn des Prinzen Dârâ in seinem Memoirenwerke reproducirt. Im Ḳanûn wurden die Fragen des Glücks und Unglücks ausführlich erörtert. Die mitgetheilten Proben kommen mir sehr kindisch vor. Im Mebḥet-i-muṣibet (,Untersuchung des Unglückes') zum Beispiel wird gesagt: ,Die Nacht kommt — Verlangen bleibt aus — Unglück.' ,Die Herrin kommt, aber ihre Magd stellt sich nicht ein — Unglück' *(χânum biâjed û χâdimeh eš neâjed muṣibet).* — ,Der Schenkwirth kommt, aber der Wein bleibt aus — Unglück.' So bewandert war er in der Wissenschaft der Sterne, dass es ihm gelang, seinen Tod vorherzusagen. — Dârâ hat, wie fast alle gebildeten Perser, auch Gedichte verfasst. 'Eẓud-ed-Daulet hat die folgende Grabinschrift, welche der Prinz für seinen eigenen Grabstein geschrieben haben soll, in seinem Werke aufbewahrt: ,Wenn du nach unserem Tode über unsere Erde wandelst | Setze schonend, sachte deinen Fuss auf unser leidendes Herz.'[2] In einem andern Verse singt er das obligate Lob seines königlichen Vaters, den er in seinen Versen Pir-i-felek ,Der Alte des Himmels' nennt. ,O, du Alter des Himmels, du hast jeden mit der Würde eines Greises ausgestattet. Von dir sind alle mit Reichthum und Alter gesättigt worden. Den schwachen Ameisen hast du Muth eingeflösst. Alle hast du gegen den Löwenherzigen ermuthigt.'[3]

---

[1] هر وقت دلتنگی برای پدر بزرگوارش حاصل میشد میفرمود دارا بیاید ورفع خیالاتِ مرا بنماید کتاب قانونِ خودرا بدون آنکه کسی حاضر باشد محرمانه برای خاقان مرحوم میخواند Târîχ i 'eẓudî, S. 71.

[2] بعد از هلاکِ ما گذری گر بخاک ما   آهسته نه قدم بدل دردناک ما
Târîχ i 'eẓudî, S. 71.

[3] ای پیر فلک تو پیر کردی همه‌را   از دولت وعمر سیر کردی همه‌را
دادی دل چنگال بموران ضعیف   بر شیر دلان دلیر کردی همه‌را
Târîχ i 'eẓudî, S. 71.

Unter den zahlreichen Töchtern des Schâh war eine der geehrtesten Ẓijâ-es-Selṭenet. Sie war eine sehr gebildete Dame, die schön schreiben konnte. Fetḥ'alî hatte die geheimste Correspondenz ihr anvertraut. Sie wurde von allen ihren Brüdern und Schwestern geliebt und hochgeehrt. In einem seiner Verse besingt sie der Kronprinz folgendermassen: ‚O Ẓijâ-es-Selṭenet, meine Seele sei für dich geopfert. Hundert Kragen hab' ich deiner Abwesenheit wegen zerrissen.'[1] Ihr Vater, Fetḥ'alî, sagt: ‚Licht meines Auges Ẓijâ-es-Selṭenet. Eine Nacht ohne dich kommt uns wie ein Jahr vor.'[2] Ẓijâ-es-Selṭenet hatte eine bedeutende Anlage zur Poesie.[3] Sie konnte auch improvisiren. Einmal, als die reizende Begum (eine der Frauen Fetḥ'alî's) ohne Schleier erschien und den mit Wein gefüllten Becher dem Schâh überreichte, gefiel sie so sehr ihrem Gebieter, dass er aus dem Stegreife die Verszeile dichtete: ‚Das Glas in der Hand des entschleierten Mundschenken,' und Ẓijâ-es-Selṭenet aufforderte, eine zweite Zeile dazu zu erfinden. Diese sagte improvisirend: ‚Es ist der Stern Kanopus in der Hand der Sonne.'[4]

Mit Wohlthätigkeit gepaarte Religiosität waren die Hauptzüge des Charakters einer andern Königstochter, der Herrin Zobeideh. Sie war eine Pilgerin (Ḥâǵijeh), die ausser der Pilgerfahrt nach Mekka und Medina zehnmal die heilige Stadt Meschhed und zwanzigmal Irak besucht hatte.

Fetḥ'alî hielt es nicht unter seiner Würde, das fröhliche Spiel seiner kleinen Knaben mitzumachen. Ich erinnere mich noch ganz wohl des Vorfalls — so erzählt 'Eẓud-ed-Daulet — dass, als ich mit meinem Bruder Kâmrân Mîrzâ im grossen Zimmer des Haremhauses war, seine Majestät, der Xâḳân, zu sagen geruhte, dass wir alle drei Würfel spielen sollten. Während des Spieles geht der Vorhang der Thüre auf und der

[1] ای ضیا السلطنه روحی فـداك   صد گریبان کردم از هجرِ تو چاك

[2] نور چشمِ من ضیا السلطنـــة   یکشبه هجرِ تو بر ما یك سنه

Târîχ i 'eẓudî, S. 17.

[3] VÁMBÉRY ‚Aus dem Geistesleben persischer Frauen', *ZDMG.* 45, S. 414.

[4] قدح در کفِ ساقی بی حجاب   سهیلی است بر پنجهٔ آفتاب

Târîχ i 'eẓudî, S. 18.

Kronprinz 'Abbâs kommt in's Gemach. Er wollte sich über wichtige politische Gegenstände mit seinem Vater berathschlagen. Der Schâh, ohne dass eine Veränderung in seinem Benehmen sich zeigte, sagte ihm: ,'Abbâs, du solltest mit einem deiner Brüder spielen, mit dem andern spiele ich.' Nach einer Weile sagte Feth'ali sich zu seinem Lieblingssohne 'Abbâs wendend: ,Du weisst es nicht, was für eine Lust es für mich ist, wenn, während wir mit unseren acht-, neunjährigen Knaben spielen, solch ein Sohn wie du bist, welcher nur wenigen Vätern vom Herrn der Welt gegeben wurde, in's Zimmer kommt. Dein glückbringendes Gesicht schauen zu können, öffnet die Pforte der Glückseligkeit.'[1]

Seine Söhne und Töchter behandelte der Schâh wie es die oben mitgetheilte Anekdote beweist, mit väterlicher Zärtlichkeit, eingedenk des Verses des Mewlewî: ,Wenn du mit einem Kinde zu thun hast, dann musst du dich der Sprache des Kindes bedienen.'[2]

Der Schâh war aber nicht immer so gnädig. Wenn aufgebracht, kannte sein Zorn keine Grenzen. Als Vollblut-Tyrann war er selten im Stande, sich zu mässigen. Nach 'Ezud-ed-Daulet geschah es einmal, dass der Prinz Gejûmert mit dem Serâidâr baschi sich zankte. Darüber erzürnte der Schâh so sehr, dass, nachdem der Prinz eine tüchtige Bastonade erhalten, er, mit der Strafe nicht zufrieden, ihm mit höchst eigener Hand die Augen ausstechen wollte. Er zog schon seinen reich gezierten Dolch, als sein Lieblingssohn, der oben erwähnte Dârâ, die Geistesgegenwart hatte, dem Schâh zuzurufen: ,O du kluger König, o du Alter des Himmels, willst du den tollen

---

[1] بمرحوم ولیعهد فرمودند هیچ میدانی چه قدر لذّت دارد که من با پسرهای هشت نه ساله مشغول بازی باشیم ومثل تو پسری که خداوندِ عالم بکمتر پدری داده است از در دراید روی میمونِ تو دیدن درِ دولت بگشاید Târîχ i 'ezudî, S. 70.

[2] چونکه با کودک سروکارت فتاد پس زبان کودکی باید گشاد
Falsch citirt statt des Verses Ausgabe von Bulâk 1268, vi, S. 99:
چون که با کودک سروکارم فتاد هم زبانِ کودکان باید گشاد

Schäh Nädir nachahmen?"[1] Durch diese Mahnworte wurde Feth'ali besänftigt und verzichtete auf sein grausames Vorhaben. Es war aber um das Glück des unglücklichen Gejûmert geschehen. So lange sein Vater lebte, war er unglücklich *(der zemân i peder buzurgvâr i χod bed baχt bûd).*

Mit gewisser Vorliebe erzählt 'Ez̧ud-ed-Daulet die merkwürdigen Heiratsgeschichten der übergrossen Familie Feth'ali's. Die Hochzeiten der königlichen Prinzessinnen wurden mit der grösstmöglichen Pracht gefeiert. Als Husein Xân Tebrîzî die Hand der nur vierjährigen Prinzessin Šîrîn Ǵehân Xânum für seinen damals siebenjährigen Sohn Mehdî ḳulî-χân erhalten hatte, betrug die Morgengabe der vornehmen Braut, ausser den als Eigenthum cedirten Gütern in Schirwan, 30000 Tomâns. — Nach aller Wahrscheinlichkeit, setzt 'Ez̧ud-ed-Daulet hinzu, fehlt den meisten unter den Söhnen und Töchtern dieses so reich ausgestatteten Brautpaares heutzutage das tägliche Brod.[2]

Für die Charakteristik Feth'ali's kann man viel aus 'Ez̧ud-ed-Daulet's Buche lernen, trotzdem, dass er ihn mit allen erdenklichen Vorzügen und Tugenden auszustatten bemüht ist.

---

[1] از شدّت تغیر خنجر مرّصعرا از کمر کشیده خواستند بدستِ مبارك چشمها ابو* الملوكرا از حدقه بیرون بیاورند که دارا حضورًا فریاد کشید که ای شاه عاقل ای پیرِ فلك میخواهی تقلید نادر شاه دیوانه‌را بکنی خاقان مرحوم فورًا از عقیدهٔ خود منصرف شده خنجررا در نیام گذاردند Târîχ i 'ez̧udî, S. 100.

[2] اولاد همین مهدیقلیخان که دختر زادگانِ خاقان مرحوم هستند دور نیست اکنون غالبِ آنها برای معاش یومیهِ خود محتاج باشند Târîχ i 'ez̧udî, S. 54.

---

* Beiname Gejûmert Mîrzâ's.

Zur vergleichenden Grammatik der altaischen Sprachen.[1]

Von

W. Bang.

In TECHMER's *Zeitschr.*, II, p. 89 sagt POTT bei Besprechung des Uralaltaischen Sprachstammes: ‚Im allgemeinen, so scheint mir, bedürfte der Nachweis der besonderen Verwandtschaftsverhältnisse noch mehrfach strengerer und durchgeführterer Untersuchung und einer tieferen Begründung.'

Er hat damit einem nur allzu verbreiteten und allzu berechtigten Gefühle Ausdruck verliehen, berechtigt in Hinsicht auf das Uralaltaische im Allgemeinen, berechtigter noch für das Altaische im Besonderen. Sieht man nämlich — um von den Untersuchungen der Uralisten ganz zu schweigen — von RADLOFF's glänzenden vergleichenden Arbeiten auf west-altaischem Gebiete ab, so bleiben für die ost-altaischen Zweige meist nur einzelsprachliche Grammatiken, deren Verfasser noch obendrein vielleicht so sonderbare Ansichten haben, dass sie ‚bei einer so einfachen Sprache, wie z. B. der mandschuischen, nicht viel Neues, persönlich Erforschtes' bringen zu können glauben (MOELLENDORFF, *T'oung Pao,* v, p. 364).

Nach und neben FR. MÜLLER's und H. WINKLER's einschlägigen Arbeiten ist daher GRUNZEL's *Entwurf einer vergleichenden Grammatik der altaischen Sprachen* um so dankbarer zu begrüssen. Angeregt durch diesen Entwurf möchte ich hier einige grammatische

[1] Vergl. Dr. JOS. GRUNZEL, *Entwurf einer vergleichenden Grammatik der altaischen Sprachen, nebst einem vergl. Wörterbuch*, Leipzig, 1895.

Bildungen des Altaischen besprechen, deren Discussion einer genaueren Fixirung der einzelnen Gruppen zugute kommen dürfte; dass die Vergleichung auch den einzelsprachlichen Grammatiken von Nutzen sein wird, dürfte von vornherein einleuchten.

I. Zum Genitiv-Affix.

Die Frage nach den Verwandtschaftsverhältnissen des altaischen Genitiv-Affixes ist in mancher Hinsicht eine sehr schwierige. Böhtlingk[1] constatiert für das Jakutische vollständigen Mangel eines Affixes und hält es daher nicht für unmöglich, dass sich der Genitiv im Türkisch-Tatarischen erst nach der Spaltung entwickelt hätte. ‚In einem solchen Falle', fährt er fort ‚wäre also an keine Verwandtschaft der Genitivendung im Türkisch-Tatarischen, Mongolischen und Finnischen zu denken.' Grunzel vergleicht dagegen die bestehenden Affixe des altaischen Genitivs und kommt zu dem Resultat, dass *-ni* und *-nin* die ursprünglichen Formen sind, und dass sich die Abweichungen von jenen Formen aus phonetischen Gesetzen ergeben.[2] Aehnlich sagt Winkler,[3] dass *n* allgemein die Grundlage des uralaltaischen Genitivs bildet.

Ich stelle auf S. 269 die altaischen Genitiv-Affixe zur besseren Uebersicht tabellarisch nach dem Auslaut des Nomens geordnet zusammen und schliesse daran einige nöthige Bemerkungen.

Im Mandschu, welches überhaupt consonantischem Auslaut abhold ist, kommen m. W. nur *ṅ*, *k*, *r*, *b* und *s* am Ende eines Wortes vor; abgesehen natürlich von ausl. *n*. Die Laute *k*, *r*, *b*, *s* sind ausserdem fast auf die onomatopoetischen Bildungen beschrankt, in denen auch *ṅ* gern verwandt wird. In den von v. d. Gabelentz veröffentlichten Texten ist *ṅ* in echt altaischen Wörtern höchst selten, doch kommt es dialectisch vor in *nadaṅ* = *nadan* (Castrén, *Tung. Spr.*, p. 136). In den allermeisten Fällen entspricht es dagegen einem chi-

[1] Böhtlingk, *Sprache der Jakuten*, pp. 259—260.

[2] Grunzel, *l. c.*, p. 50.

[3] Winkler, *Das Uralalt. und seine Gruppen*, pp. 17, 86.

	Consonantischer Auslaut.		Vocalischer Auslaut.	
	1. Auslaut nicht *n*	2. Auslaut *n*		
Mandschu.	*ni*	*i*	*i*	
	Thema: *esheṅ*	Thema: *daban*	Thema: *amba*	
	Gen.: *esheṅ-ni*	Gen.: *daban-i*	Gen.: *amba-i*	
	Thema: *guṅ*		Thema: *ergi*	
	Gen.: *guṅ-ni*		Gen.: *ergi-i*	
Tungusisch.	*ṅi*	*ṅi*	*ṅi*	
	Thema: *aral*	Thema: *oron*	Thema: *bira*	
	Gen.: *aral-ṅi*	Gen.: *oro-ṅi*	Gen.: *bira-ṅi*	
	Thema: *kadum*	Kondógir:	Thema: *akā*	
	Gen.: *kadum-ṅi*	Thema: *oron*	Gen.: *akā-ṅi*	
	Thema: *gāk*	Gen.: *oron-nil*		
	Gen.: *gāg-ṅi*			
Burjätisch.	*i*	*i*	1. Auslaut kurz: *in*	2. Auslaut lang: *gi, gin*
	Thema: *gal*	Thema: *ailšin*	Thema: *lama*	Thema: *minā*
	Gen.: *gal-i (gaḷ-i)*	Gen.: *ailšin-i*	Gen.: *lama-in*	Gen.: *minā-gi*
	Thema: *aṅ*	*ailšiṇ-i*	Thema: *kete*	Thema: *xorū*
	Gen.: *aṅ-i*	Thema: *modon, modoṅ*	Gen.: *ket-in, -in*	Gen.: *xorū-gin*
	Thema: *bišik*	*modo*	Selengisch:	(nach Grunzel, p. 49)
	Gen.: *bišig-i*	Gen.: *modon-i (°doṇ-i)*	Thema: *ajaga*	
			Gen.: *ajagani*	
Mongolisch.	*un, ụn*	*u, ụ*	*in*	
	Thema: *arat*	Thema: *arsalan*	Thema: *ụge*	
	Gen.: *arat-un*	Gen.: *arsalan-u*	Gen.: *ụge-in*	
	Thema: *ger*	Thema: *mergen*		
	Gen.: *ger-ụn*	Gen.: *mergen-ụ*		
Türkisch.	*iṅ, uṅ, eṅ (yṅ) ụṅ*		*niṅ, nuṅ, neṅ (nyṅ) nụṅ*	
	Thema: *dil*	Thema: *gụl*	Thema: *ada*	
	Gen.: *dil-iṅ*	Gen.: *gụl-ụṅ*	Gen.: *ada-neṅ*	
	Thema: *aslan*	Thema: *bulut*	Thema: *kapu*	
	Gen.: *aslan-eṅ*	Gen.: *bulut-uṅ*	Gen.: *kapu-nuṅ*	

nesischen *ṅ* in Lehnwörtern, wie *guṅ* (宮), *waṅ* (皇), *šaṅ* (上), *giṅ* (京 und 經), *šeṅ* (升), *faṅ jaṅ* (方丈) etc.[1] Der Gebrauch des Genitiv-Affixes *ni* ist demnach sehr beschränkt.

Um so häufiger sind die auf *n* oder einen Vocal auslautenden Themen. Rein äusserlich betrachtet scheint das Affix der *n*-Stämme heute allerdings *i* zu sein; doch ist es nicht zu bezweifeln, dass wir auch hier *ni* anzusetzen haben: von *bayan* lautete der Genitiv ursprünglich *bayan-ni*, von *amban* : *amban-ni*. In ihrer Schrift gebrauchen die altaischen Völker keine Doppelconsonanten, selbst dort nicht, wo sie etymologisch erforderlich wären; dass aber bei den auf *n* auslautenden Themen im Genitiv ein *nn* zum phonetischen Ausdruck kommt, beweisen die von Czekanowski[2] gegebenen Formen des Tungusischen (Kondógir): *minni, nokúnnil, oronni*, etc. Bei dem allmählichen Verschwinden des ausl. *n (amban-ambani ∾ amba)* abstrahierte man ein Genitiv-Affix *i (amban-ambani ∾ amba-ambai)*, eine Massregel, die wohl um so nöthiger wurde, als es kein Mittel gab, vocalische und auf *n* auslautende Themen zu unterscheiden, solange man an beide *ni* fügte; cf. *hala* Familie, Gen. *hala-i; halan* Menstruation, Gen. *halan-i*, die in *halani (*hala-ni)* und *halani (*halan-ni)* naturgemäss verwandelt werden mussten. Analogiebildung wird mitgewirkt haben, *i* auch bei den von Anfang an vocalisch auslautenden Wörtern zu verbreiten.[3]

Das Tungusische entgieng allen diesen Schwierigkeiten dadurch, dass es die lautliche Variante[4] *ṅi* für *ni* einsetzte, vor welcher Stimmlose in Stimmhafte übergehen und ausl. *n* verschwindet, resp. assimiliert wird. Interessant sind hier die Kondógir-Formen mit schliessendem *l* : *nokún-ni-l*, die wir uns erst später erklären können.

[1] Eine Zusammenstellung der chinesischen Lehnwörter im Mandschu wäre eine dankenswerthe Aufgabe für einen geschulten Sinologen.

[2] *Mélanges Asiatiques*, VIII, pp. 335 ff. vergl. Sprachproben n° 25, 35, 44, 69, 83, etc.

[3] Cf. m. Bemerkungen im *T'oung Pao*, I, 331.

[4] Cf. Grunzel, *Entwurf*, p. 31 und Verf. im *T'oung Pao*, II, p. 218. Zu burjät. *g* vgl. im Allgemeinen den Wechsel von *g*, *ṅ*, *n*.

Im Burjätischen sind die dialectischen Formen mit mouillierten *ḷ* und *ṇ* von Wichtigkeit,[1] denn sie beweisen, dass auf den Auslaut des Themas ein anderer Factor als *i* *(gal-i)* gewirkt haben muss; ob dieses aber *n* (cf. Mandschu) oder *ń* (cf. Tung.) war, ist schwer auszumachen, man vergl. z. B. *ań*, Gen. *ańi* und das Selengische *ajaga*, Gen. *ajagani*, doch lassen die Bildungen der auf langen Vocal ausgehenden Themen eher *ń* vermuthen.[2] Es verdient hier bemerkt zu werden, dass Wörter, welche auf *n*, *ń* ausgehen, im Burjätischen dialectisch den Vocal verlängern können, wenn sie *n*, *ń* abwerfen, sodass es vielleicht erlaubt ist *minā* = **minan*, **minań* zu setzen.[3] Die Bildung von *lama-lamain* erklärt sich aus dem Mandschu oder vielmehr nach dem Mandschu; *lamain* ist = *lama-i-n*; das schliessende *n* steht mit *l* in tung.-kondógir *oron-nil* auf einer Stufe, cf. auch Mong. *ųge-in*, *ger-ųn*.

Die mongolischen Formen erklären sich aus dem Bemerkten. In den Fällen, wo an ursprünglich vocalische Themen in neuerer Zeit noch *n* gefügt wird, können Doppelformen wie im Mand. *amban-i* ∾ *amba-i* entstehen, so z. B. *ųge-ųge-in* ∾ *ųgen-ųgen-ų* (Schmidt, *Mong. Gram.*, p. 26 Anm. Es sind Analogie-Bildungen, die ich nicht belegen kann).

Das Türkische ist nach dem Tungusischen am ursprünglichsten: *ada-ada-neń*; aus Formen wie *aslan-aslaneń* (= **aslan-neń*) abstrahierte man *eń* etc. als Genitiv-Affix und fügte es so an andere consonantisch auslautende Stämme. Auslautendes *ń* steht im Türkischen wie *l* im Tungusischen, *n* im Mongol.-Burjätischen.

[1] Castrén führt im Burj. *ḳ*, *x̣*, *ḷ*, *r*, *ṇ*, *ṭ*, *ḍ*, im Tung. *ḷ*, *ṇ*, *ṭ*, *ḍ* als mouillierte Laute auf. Mit Grunzel's Umschrift (p. 27) *kj*, *nj* etc. kann ich mich nicht befreunden; man vergl. schon Merkel, *Physiologie d. m. Spr.* 271—272, sodann Miss Soames, *Phonetics*, p. 122, Passy, *Les sons du Français*, §§ 161, 185 und besonders Lenz in Kuhn's *Zeitschrift* 29, pp. 13—14, 30 ff., wo man auch eine Besprechung von Sievers' und Trautmann's Aufstellungen findet. Experimente mit dem künstlichen Gaumen zeigen klar den Unterschied zwischen *l* mouillé und *lj* etc.; cf. auch Rousselot's *Modifications phonétiques du Langage* etc., p. 26.

[2] Die Gründe werden bei Besprechung des Accusativ-Affixes erörtert werden.

[3] Cf. *ulan*, *ulań*, *ulā̃*; *xaḷun*, *xalū̃*; *dųn*, *gųn*, *gū̃*; *hanań*, *sanā̃* etc.

Als Grundlage des altaischen Genitiv-Affixes hätten wir demnach *ni* gewonnen, welches, so viel ich sehe, nichts anderes als eine Composition aus den Pronominal-Elementen *n°* + *i* sein kann. Im Tungusischen, Burjätischen, Mongolischen und Türkischen wird dieses *n* noch durch *l*, *n*, resp. *ṅ* verstärkt; es wäre wunderbar, wenn das Mandschu nicht dieselbe Verstärkung zeigen sollte. Nach meiner Ueberzeugung liegen diese *l*, *n*, *ṅ* im Mandschu vor in Formen, wie *miniṅge, siniṅge, niyalmaiṅge.* Schott hat (nach Adam, *Gram. de la langue Mand.*, p. 31) in diesen Formen *-iṅ-ki* finden wollen, doch glaube ich nicht, dass man für den Uebergang von *ṅk* in *ṅg* Beweise anführen kann.[1] Nehmen wir an, dass *miniṅge* kein eigenes Suffix (*ge* oder *ke*, *ki* etc.) enthält, sondern dass die mandschuische Ligatur *ṅge* lediglich dem *ṅ* der verwandten Sprachen entspricht, so erklären sich auch die Adjectivbildungen auf *-ṅga, -ṅge, -ṅgo* sehr einfach als *ṅ* + vocalharmonisch angefügtem *a, e, o;* diese Vocale könnten angefügt sein, weil das Mandschu den consonantischen Auslaut nicht liebt.[2] Für meine Ansicht sprechen sehr die von den sog. Verbalformen auf *ha* und *ra* gebildeten mandschuischen Ableitungen wie *henduheṅge, yabureṅge,* in denen man doch gewiss kein neues Suffix finden will; sie entsprechen Laut für Laut Burjätischem *alahan (ala-ha-n) alahaṅ,* Mong. *mataksan.* Dass das chines. 上 unter der Form *šeṅge* ‚göttlich, erhaben' im Mandschu erscheint, ist wohl ausschlaggebend; man vergleiche dazu Fälle, wie *Leolen gisuren* 15, 9 *saiṅge be uilembi,* wo *saiṅge* statt des gewöhnlichen *sain* steht; cf. Burj. *sain, saiṅ, hain, haiṅ.*

---

[1] Denn das Nebeneinander von *juṅken* und *juṅgen, šuṅge* und *šuṅke* beweist nichts.

[2] Doch will ich damit keineswegs durchgängig diesen *-a, -o* einen formbildenden Charakter grundsätzlich abgesprochen haben; es ist sehr wohl möglich, dass sie als wirklich fortbildend zu betrachten sind, wie dies bisher wohl immer geschah. In Formen wie *eken-ekeṅge* ‚schief', *eyun-eyuṅge* ‚ältere Schwester' etc. ist dies aber kaum der Fall. Vielleicht sind auch *-ṅga, -ṅgo* definitiv in ihrer Beurtheilung von *-ṅge* zu trennen. Keinesfalls würde jedoch dadurch meine Auffassung von *-reṅge, -heṅge* etc. berührt.

Hinsichtlich Böhtlingk's Auffassung ist schliesslich zu bemerken, dass auf dem ganzen Gebiete des Altaischen das Genitivverhältniss keineswegs durch ein eigenes Affix ausgedrückt sein muss, dass vielmehr überall die blosse Nebeneinanderstellung von rectum-regens zu seinem Ausdruck genügt, und sodann, dass ein lautliches Zusammenfallen eines vorauszusetzenden jakutischen Genitiv-Affixes mit dem Accusativ-Affix[1] nicht als von vornherein ausgeschlossen erscheint; doch werden uns über diesen Punkt erst spätere Untersuchungen Gewissheit geben können.

Während demnach als allgemein uralaltaisches Genitiv-Affix *n* anzusetzen ist,[2] haben die altaischen Sprachen dieses *n* durch *i (+ n, l, ń)* weitergebildet. Was sodann die genauere Gruppirung innerhalb des Altaischen selbst betrifft, so ist auf Grund eines einzigen Factors natürlich eine solche nicht zu erzielen, doch scheint sich auch hier das Tungusische durch sein Festhalten am Ererbten vom Mandschu und Mongolischen zu trennen (*bira, bira-ńi,* dagegen *amba, amba-i* etc.), während es dem Türkischen in der Auffassung von *bira-ńi* ∾ *ada-neń* näher steht. Bedeutsam sind hier auch die burjätischen Formen.

II. Zum Locativ-Affix d^o.

Sehen wir vom Jakutischen, das auch hier seine eigenen Wege geht, ab, so herrscht hinsichtlich des Locativ-Affixes im Altaischen die schönste Uebereinstimmung:

Mandschu	*de*	
Tungusich	*du, dų* *tu, tų* dial. *dun*	Die Laute *k, t, f* werden vor *du, dų* zu *g, d, w;* oder *du, dų* wird zu *tu, tų,* was dialectisch auch nach *r* der Fall sein kann. Kondógir *dun* in *nodndun* ‚ihm' neben *nodndu.*
Burjätisch	*da, de, do, dö* *ta, te, to, tö* (nach dem zum Tungus. Bemerkten zu beurtheilen).	

[1] Oder den Resten des Locat.-Affixes.

[2] Cf. Fr. Müller, *Grundriss,* ii, 2, 203 und Winkler, *l. c.*

Mongolisch *da, de, du, dụ, dur, dụr*
ta, te, tu, tụ, tur, tụr (ebenso).

Türkisch *da, de*

Ueber den syntactischen Gebrauch sind besonders Winkler's *Uralaltaische Völker und Sprachen* und Grunzel's *Entwurf*, p. 50—51 nachzusehen; die Anwendung des Affixes *de* im Mandschu sei hier durch einige Beispiele illustriert, welche sämmtlich dem *Leolen gisuren* (ed. von der Gabelentz) entnommen sind.

1. § 10. *Fuze yaya gurun de isinaha de,* wenn Fuze in irgend ein Land *(gurun)* kommt.
3. § 15. *taimiyoo de dosifi,* eintretend in den grossen Tempel.
4. § 11. *erdemu be gōnin de tebumbi,* pflanzen in (ihren) Geist *(gōnin)* die Tugend.
5. § 2. *Lu gurun de ambasa saisa akō bici,* wenn im Lande Lu keine tugendhaften Männer wären.
6. § 12. *Ze-io U-ceñ hoton de wailan oho mañgi,* als Ze-io in der Stadt *(hoton)* U-ceng Gouverneur war.
9. § 13. *Fuze uyun aiman de teneki serede,* als Fuze sich unter (bei) den neun Barbarenvölkern niederlassen wollte.
5. § 6. *ada de tefi,* auf einem Floss sitzend.
ibid. *mederi de ailinaki,* auf dem Meere fahrend.
3. § 13. *abka de weile,* Schuld gegen den Himmel.
7. § 31. *uculere de sain,* gut im Singen.
6. § 14. *te-i jalan de,* im jetzigen Zeitalter.
5. § 25. *ashan de,* an der Seite, zur Seite.

Während über die vocalisch auslautenden Formen wenig oder nichts zu sagen ist, machen das mong. *dur* und das tung. kond. *dun* gewisse Schwierigkeiten. Schott[1] leitet *dur* von mand. *dorgi* ‚in, innerhalb, im Innern, im Hause, das Innere, Hof, Mitte' ab, und lässt *dorgi* seinerseits wieder aus *dolo* ‚in, innen, zu Hause, das Innere' + *ergi* ‚Seite, Richtung, diesseits' entstanden sein. Gegen

[1] Cf. Grunzel, *Entwurf*, p. 51, not. 1.

diese Auffassung des verdienstvollen Gelehrten muss ich leider bemerken, dass sie mit der Gleichung lat. *in* aus *interim* auf einer Stufe steht. Dabei ist auch gar nicht abzusehen, warum **dolo-ergi* zu *dorgi* geworden sein sollte, während doch mand. *tulergi,* bei dem man noch eher an eine Zusammensetzung mit *ergi* denken könnte, nicht zu **turgi* zusammengezogen wurde.[1]

Ich denke, die Sache liegt viel einfacher; doch sehen wir uns zunächst die mit *dorgi* am engsten verwandten weiteren Ableitungen von *d°* an; es sind dies: *dolo (do-lo)* ‚in, innen, das Innere', *dolori (do-lo-ri)* ‚innen, innerlich, im Innern', *dosi (do-si)* ‚innen, hinein, das Innere'; sodann *dulin (du-li-n* oder *du-l-i-n)* ‚in, mitten in, Mitte, Hälfte, halb', davon abgeleitet *dulimba*[2] *(dulin-ba)* und schliesslich *dulga* (wohl *du-l-ga*) ‚Hälfte, halbvoll, der mittlere'. Aus dem Burjätischen sind *doter, dotor* ‚das Innere', *dosō, docō* ‚hinein' und *dunda* ‚Mitte' zu vergleichen, denen sich im Tungusischen *dō* ‚das Innere' und *dolin, dulin* ‚Mitte' anschliessen.

In *dorgi* liegt meines Erachtens eine Zusammenziehung aus **do-ri-gi,* **do-re-gi* vor; man vergleiche die Bildungen: *deri* ‚durch, während, bis an, bis zu, von, zu, auf' und *dergi* ‚hoch, oben', mit denen burjät. *dēre* ‚auf, oben', mongol. *degere* ‚oben, auf, von oben etc.' und *degereki* ‚von oben' zu vergleichen sind;[3] äusserlich betrachtet gehören auch *tuleri* ‚ausserhalb', *tulergi* ‚ausserhalb', Ableitungen von *tule* ‚ausserhalb' hierher. Ob das mand. *-rgi* aus *ri-gi* oder aus *re-gi* entstanden ist, ist nicht ganz sicher auszumachen; auf jeden Fall sind im letzten Grunde *ri* = *r* + *i* und *re* = *r* + *e* oder *r°*.

---

[1] Uebrigens ist es keineswegs ausgemacht, dass *ergi* ‚Seite' und *ergi* ‚diesseits' von Haus aus identisch waren; zu *ergi* ‚Seite' vergl. Mong. *ergi* ‚bord élevé, rivage escarpé', Jakut. *erkin* ‚Wand', Burj. *erge* ‚Ufer'; *ergi* ‚diesseits' zerlegt man (nach dem Folgenden) wohl am besten in **e-ri-gi,* **e-re-gi* und vergleicht zu *e* den bekannten Pronominalstamm, der z. B. in *ere* ‚dieser' vorliegt, und seine mancherlei Ableitungen.

[2] Zur Bildung vergl. *dalba (dal-ba),* mong. *dala* ‚Seite'.

[3] Sind einmal die Gesetze des mongol. intervocalischen *g* und der mandsch. Contraction endgiltig erforscht, dann wird auch wohl mandsch. *dergi* mit *den* (Wechsel von *r* und *n*) verglichen werden dürfen.

Das auslautende *n* in *dun* stelle ich auf eine Stufe mit dem Schluss -*n* des Genitiv-Affixes *nin*,

ni : *nin* = *du* : *dun*

dun seinerseits verhält sich aber zu *dur*, wie *min* : *tar* oder Kondógir *er* ‚dieser', d. h. mit anderen Worten, wie *min (mi-n)* und *nin (ni-n)* durch das locale Element *n°* erweitert ist, so sind *dur (du-r)* und *tar (ta-r)* durch das local-demonstrative Element *r°* verstärkt. (Cf. burj. *ene* ‚dieser', mandsch. *ere* ‚dieser'.)

Anzeigen.

Édouard Chavannes, *Les mémoires historiques de Se-ma-ts'ien, traduits et annotés* par —, professeur au collège de France. Publication encouragée par la Société asiatique. Paris. Leroux. 1895. gr. 8°. Tome I. — CCXLIX & 367 pg.

Wenn die ‚Weltgeschichte' wirklich die Geschichte der zum Bewusstsein ihrer selbst gelangten Menschheit sein soll, dann darf am allerwenigsten die Geschichte des grossen Chinesenvolkes darin fehlen. Freilich hängt China mit dem Westen nicht so innig zusammen wie das westliche und südliche Asien, aber seine Cultur ist so bedeutend und eigenartig, dass sie schon deswegen eines aufmerksamen Studiums würdig erscheint. Was aber dieses Studium umso interessanter und lohnender macht, als dies auf anderen Gebieten der Fall ist, das sind die reichhaltigen und zuverlässigen Quellen, in welcher Beziehung China alle Völker des Erdkreises ohne Ausnahme übertrifft. Dies ist die natürliche Folge der Continuität der chinesischen Geschichte und Cultur. China war ein Zeitgenosse von Hellas und Rom, von Persien und Aegypten, als diese mit den Griechen und Römern in Verkehr standen, und während alle diese Völker und Staaten untergingen, beziehungsweise umgewandelt worden sind, lebt China beinahe in derselben Verfassung wie damals und hat noch immer nicht ausgelebt!

Gleichwie wir an die chinesische Kunst nicht dieselben Anforderungen stellen dürfen, an welche wir durch die griechischen Meisterwerke gewöhnt sind, ebenso dürfen wir auch an die Producte der chinesischen Historiographen nicht den Massstab der griechischen, römischen oder armenischen Historiker anlegen. Einem Herodot, einem Thukydides, einem Polybius, einem Sallust, einem Cäsar, einem Tacitus, einem Moses Chorenatshi, einem Eγišē, einem Γazar Pharpetshi wird man auf chinesischem Boden nicht begegnen. Die chinesischen Historiographen sind nicht so sehr Schilderer der Vorzeit und der Mitwelt, als vielmehr fleissige und genaue Chronisten. Ihre Stärke besteht in der Genauigkeit und Zuverlässigkeit ihrer Angaben. Ob etwas hauptsächlich oder nebensächlich ist, das kümmert sie wenig; beides wird mit derselben Gründlichkeit und Ausführlichkeit behandelt.

Das Werk, dessen ersten soeben erschienenen Band wir hiemit zur Anzeige bringen, ist die Uebersetzung des sogenannten Se-ki, eines Werkes, welches die Geschichte Chinas von der Urzeit bis zum Jahre 122 v. Chr. behandelt. Es wurde im ersten Jahrhundert v. Chr. von Se-ma-tshien verfasst oder, genauer gesagt, redigirt. Es steht bei den Chinesen im höchsten Ansehen und ist das Vorbild für alle späteren Geschichtschreiber dieses Volkes geworden.

Se-ma-tshien stammte aus der Familie Se-ma, einem edlen und alten Geschlechte, das später, in den Jahren 265—419 n. Chr. unter dem Namen Tsin den Thron Chinas einnahm. Der Vater Se-ma-tshien's, Se-ma-than, war Hof-Astrolog und ein Anhänger der Tao. Von ihm ging die Sammlung zu dem Geschichtswerke aus und er begann selbst die Redaction desselben. Als er im Jahre 110 v. Chr. in Loyang starb, hinterliess er seinem Sohne die Vollendung des Werkes, welche dieser auch durchführte, wobei er sich selbst als Fortsetzer des Werkes seines Vaters betrachtete.

Um den Plan Se-ma-than's zu begreifen, muss man wissen, dass damals die Dynastie Han den Thron Chinas inne hatte, jene Dynastie, auf welche die Consolidirung Chinas und die Begründung des Chinesenthums zu beziehen ist.

Das Geburtsjahr Se-ma-thien's ist nicht bekannt; wir kennen blos seinen Geburtsort, nämlich Long-men. Es scheint, dass man sein Geburtsjahr höchstens auf das Jahr 145 v. Chr. zurückverlegen kann, da Se-ma-tshien beim Tode seines Vaters ein ‚junger Mann' gewesen sein soll.

Se-ma-tshien machte in seinen jüngeren Jahren grosse Reisen (er soll beinahe ganz China besucht haben) und wurde gleich seinem Vater Hof-Astrolog. Sein Ende war sehr tragisch. Wegen einer scharfen Kritik, welche sich Se-ma-tshien über den Vorgänger des Kaisers Wu-ti, seines Herrn, erlaubt hatte, wurde er auf allerhöchsten Befehl entmannt und sein Vermögen confiscirt. Er starb um das Jahr 80 v. Chr. unter dem Kaiser Tšao-ti. Unter Wang-mang (9—22 n. Chr.), dem Begründer einer neuen Dynastie, wurde Se-ma-tshien geadelt und in den Grafenstand erhoben.

Das Werk Se-ma-tshien's gehört nicht blos zu den viel studirten, sondern auch zu den viel gelesenen Werken der chinesischen Literatur. In neuester Zeit (im Jahre 1888) erschien in Shanghai ein neuer Abdruck der Ausgabe des Kaisers Kien-long (1736—1796), in der Buchhandlung Thou-šu-ki-tšheng, nach welcher die vorliegende Uebersetzung gearbeitet ist.

Den reichen Inhalt des Werkes kann der Leser aus der Uebersicht (Appendice IV, pg. CCXLIV—CCXLIX) ersehen. Darnach zerfällt das Werk in 130 Kapitel. Darunter sind besonders jene Kapitel für uns von besonderer Wichtigkeit, welche über die fremden, China benachbarten Völker (wie z. B. Kap. 110 über die Hiong-nu, Kap. 116 über die Barbaren des Süd-Westens) handeln. Se-ma-tshien war überhaupt der erste, welcher den fremden Völkern seine Aufmerksamkeit geschenkt hat. Der Vater der chinesischen Geschichte hat hierin mit dem Vater der griechischen Geschichte, Herodot, eine grosse Aehnlichkeit.

Der vorliegende erste Band der Uebersetzung umfasst die vier ersten Kapitel: 1. Die fünf Kaiser, 2. Die Hia, 3. Die Ye und 4. Die Tšeu. Der Uebersetzung geht eine dritthalb hundert Seiten füllende Einleitung voran, worin über die beiden Verfasser des Werkes Se-ma-than und Se-ma-tshien, über die Regierung des Kaisers Wu-ti (140—86 v. Chr.), über Quellen, Methode und Kritik des Werkes, über seine Interpolatoren und Erklärer, sowie auch über die beiden Systeme der chinesischen Chronologie ausführlich gehandelt wird. Den Schluss bilden zwei Namen-Indices, von denen der eine auf den Text, der andere auf die Einleitung sich bezieht.

Wir werden auf das vorzügliche Werk, durch dessen Publicirung Herr Prof. E. Chavannes ein grosses Verdienst um die Geschichte Ost-Asiens sich erwirbt, beim Erscheinen der folgenden Bände wieder zurückkommen.

Friedrich Müller.

Brockelmann Carl, ܠܟܣܝܩܘܢ ܣܘܪܝܝܐ *Lexicon Syriacum.* Praefatus est Th. Nöldeke. Berlin. Reuther & Reichard. 1895. Lex. 8°. viii & 510 S. und ein Blatt ‚Index compendiorum'.

Brun J., ܣܝܡ ܐܠܦ ܕܡܠܐ ܣܘܪܝܝܬܐ ܪܗܘܡܝܬܐ *Dictionarium Syriaco-Latinum.* Beryti Phoeniciorum. Typ. pp. soc. Jesu. 1895. 8°. ix & 773 S.

Schon lange war nicht nur unter den Semitisten, sondern auch unter den Sprachforschern überhaupt das Bedürfniss nach einem vollständigen und den jetzigen Anforderungen der Wissenschaft entsprechenden Handwörterbuche der syrischen Sprache vorhanden und da fügte sich es plötzlich, dass diesem Wunsche von zwei Seiten auf eine äusserst dankenswerthe Weise die Erfüllung zu Theil wurde. — Kaum hatte nämlich der Breslauer Privatdocent C. Brockelmann, ein Schüler Th. Nöldeke's, sein ausgezeichnetes in Lieferungen erschienenes Werk vollendet, als das einem gleichen Zwecke dienende Werk des Jesuitenpaters J. Brun aus der Beyruter Presse hervorging.

Die beiden Werke sind einander, was den Umfang betrifft, so ziemlich gleich; das Material ist bei Brockelmann auf 404 gespaltene Seiten Lexikon-Octav vertheilt, während es bei Brun 730 gespaltene Klein-Octavseiten füllt. Beide Autoren haben die Vorarbeiten fleissig benützt; Brun konnte Brockelmann's Werk selbst zu Rathe ziehen. Beide Autoren konnten während ihrer Arbeiten des Rathes und des Beistandes der besten Kenner der syrischen Sprache und Literatur sich erfreuen; Brockelmann ist seinem ehemaligen Lehrer Nöldeke, Brun den Herren Duval und Land zu mannigfachem Dank verpflichtet.

So sind nun zwei Werke entstanden, die ein längst gefühltes Bedürfniss befriedigen und Jedermann, der das Syrische studieren will, mit gutem Gewissen empfohlen werden können.

Die Unterschiede, welche zwischen den beiden Werken obwalten, sind die folgenden:

Brockelmann sondert die einzelnen Wortsippen durch wagrechte Striche von einander ab, während Brun blos kurze Zwischenräume dabei eintreten lässt. Brockelmann's, die Uebersicht förderndes Verfahren erweist sich beim Nachschlagen von grossem Nutzen. — Brun bietet das lexikographische Material ohne Citate, während Brockelmann eine Fülle von Citaten bringt. Brockelmann fügt dem Werke auf den S. 405—487 einen ‚Index Latino-Syriacus' bei, während ein solcher bei Brun nicht vorhanden ist; dagegen hat Brun auf den S. 731—768 ein ‚Vocabularium nominum propriorum, quae frequentius occurrunt apud Syros', welches dem Sprachforscher sehr erwünscht sein dürfte.

Der Hauptunterschied beider Werke jedoch liegt im Preise. Das Brockelmann'sche Lexicon kostet 28 Mk., das Lexicon Brun's blos 20 Fcs. (mit 1·05 Francogebühr). Daher dürfte der Syrolog, der ein Handwörterbuch für die Lectüre braucht, nach dem Brun'schen Werke greifen, während für den semitischen Sprachforscher das Brockelmann'sche Werk unerlässlich ist.

Das syrische Lexikon ist auch für den Pahlawiforscher ein unentbehrliches Rüstzeug; aber auch der Sprachforscher überhaupt, ja selbst der Culturhistoriker wird dasselbe mit grosser Befriedigung studieren. — Darum sei es uns gestattet, den beiden wackeren Männern für ihre äusserst mühevolle Arbeit, welche eine seltene Selbstlosigkeit voraussetzt, unsere Anerkennung und unseren aufrichtigen Dank darzubringen.

Die Ausstattung beider Werke ist tadellos. — Die syrischen Typen der Drugulin'schen Buchdruckerei in Leipzig sind bekanntlich sehr schön, aber noch schöner sind die Beyruter Typen, da sie sich dem kalligraphischen Schwung der Handschriften mehr nähern.

Friedrich Müller.

Giornale della società Asiatica Italiana. Vol. viii. 1894. Firenze. Bernardo Seeber. 1895. 8°. viii & 208 S.

Dieser Band enthält die folgenden Abhandlungen: 1. René Basset ‚Le dialecte berbère de Taroudant' (p. 1—64). Eine werthvolle Arbeit, vgl. dazu Vol. vi (1892), von demselben Verfasser ‚Textes berbères dans le dialecte des Beni Manacer'. 2. Valenziani ‚Raccolta d' Intermezzi comici'. Il Principe di Satsuma (p. 65—76). 3.—6. Severini ‚Nota al preambolo del Prof. Valenziani sulla trascrizione etimologica della Lingua Giapponese' (p. 77—82), Studi e scritti del Prof. C. Valenziani (p. 83—92), C' è una lingua veramente monosillabica? (p. 93—96), L' Oca ovvero della alliterazione nell' Uta (p. 97—102). 7. C. de Harlez ‚Mi-tze, le philosophe de l'amour universel' (p. 103—126). 8. Severini ‚Genti e Famiglie Giapponesi' (p. 127—158). 9. Pullè ‚Ṣaḍdarçanasamuććayaṭīkā', Einleitung und Text (p. 159—178). 10. Pavolini ‚Il settimo capitolo della Rasavāhinī', Text und Uebersetzung (p. 179—186).

Friedrich Müller.

H. Lüders, *Die Vyāsa-Śikṣā, besonders in ihrem Verhältniss zum Taittirīya-Prātiśākhya.* Göttingen, 1894. SS. 118.

Die vorliegende Abhandlung bildet die Einleitung zu einer Ausgabe der Vyāsa-Śikṣā und lässt für diese letztere das Beste hoffen. Sie ist mit grossem Fleisse geschrieben und zeugt von gründlicher Durcharbeitung des betreffenden Materials. Zu bedauern ist nur, dass der Leser weder durch ein Inhaltsverzeichniss, noch durch Abtheilungen oder Seitentitel über den Gang der Untersuchung orientirt wird; auch wäre ein Résumé und eine Aufzählung der Stellen des

Prātiśākhya, die in dem Aufsatze besprochen werden, sehr erwünscht gewesen.

Die interessante Frage, ob die Kaṇḍikā-Eintheilung der Taittirīyasaṃhitā dem Prātiśākhya-Verfasser bekannt war, wird durch die Śikṣā in verneinendem Sinne beantwortet (p. 48). Die vom Verfasser (p. 106) aus inneren Gründen postulirte historische Reihenfolge: Taitt. Pr., Vāsiṣṭha-, Vyāsa-, Sarvasaṃmata-śikṣā, Śikṣāsamuccaya, Tribhāṣyaratna (der Commentar des Prātiśākhya) dürfte den Thatsachen entsprechen; dagegen kann ich mich ihm nicht anschliessen, wenn er hauptsächlich auf Grund der Unzulänglichkeit der betreffenden Regeln behauptet, dass der Jaṭā- und sogar der Kramapāṭha ursprünglich vom Prātiśākhya nicht berücksichtigt worden wären. Es geht doch nicht an, einfach vier auf die erste Methode bezügliche Sūtras, die ‚aus keinem innern Grunde dem Verdachte der Unechtheit unterliegen' (p. 32) für interpolirt zu erklären, und was den Kramapāṭha betrifft, so erlaube ich mir die Vermuthung auszusprechen, die ich hier allerdings nicht näher begründen kann, dass derselbe nicht aus dem Padapāṭha, den Lüders als ‚dem Verfasser des Prātiśākhya selbstverständlich bekannt' erklärt (p. 36), abgeleitet ist, sondern im Gegentheile die Grundlage desselben bildete.

Da der Text der Śikṣā noch nicht vorliegt, so ist es nicht immer leicht, sich über die Argumentationen des Verfassers ein Urtheil zu bilden, doch will ich einiges mir Zweifelhafte hervorheben.

Die von Lüders (p. 19) betonte Schwierigkeit der Erklärung von Taitt. Pr. I, 24, infolge deren er eine Umstellung der benachbarten Sūtras — über die ich aber nicht recht ins Klare gekommen bin — vornehmen will, löst sich sehr einfach, wenn wir nicht mit dem Commentar *teṣām āgamādīnām* ergänzen, sondern übersetzen: ‚Ein Zusatz etc. steht im Nominativ, oder man citirt' (die betreffende Form, in der der Zusatz etc. sich findet). Die Śikṣā sagt ja genau dasselbe.

Als eine Verbesserung des Prātiśākhya betrachtet Lüders die Śikṣāregel 249 (p. 67), dass ein euphonischer Einschub nur einmal stattfinde. Diese Vorschrift ist aber überflüssig, da die Verdopplung eines Buchstaben vor einem identischen durch die allgemeinen Regeln über den Varṇakrama verboten wird (vgl. meine Abhandlung in den *Mém. Soc. Ling.* v, 111).

Bezüglich der von Lüders als ‚Ueberschreitung' der in die Śikṣasphäre fallenden Materien bezeichneten Regel 246 (p. 82), verweise ich auf Vāj. Pr. vi, 25 ff.

Das Sūtra xiv, 3 des Taitt. Prātiśākhya ist meiner Ansicht nach von Whitney falsch übersetzt worden; es soll nicht heissen: ‚the mute only', sondern ‚a mute only', mit anderen Worten: ‚nach *l* und *v* wird blos ein Verschlusslaut verdoppelt.' Darnach kann man *kalppa*, aber nur *kalya* bilden, und das stimmt vortrefflich zu Taitt. Pr. xiv, 7. Die von Lüders (pp. 84, 85) besprochenen Schwierigkeiten und Widersprüche erledigen sich dadurch von selbst.

Die Angabe, dass in der Śikṣā ‚zum ersten Male' der Versuch gemacht werde, die Dauer der Mātrās durch Vergleich mit Thierstimmen zu fixiren (p. 92), ist irrig, vgl. Franke, *Sarv.*, S. 41.

Um schliesslich wieder einen Punkt hervorzuheben, in dem ich dem Verfasser zustimme, so bemerke ich, dass ich in der Polemik gegen Benfey und Roth (p. 54), die die einfache Schreibung des ersten Consonanten einer Gruppe auf Grund von gewissen Handschriften zum Gesetz erheben möchten, auf seiner Seite stehe. Man vgl. doch Vāj. Pr. iv, 24.

J. Kirste.

Kleine Mittheilungen.

Ist altind. pṛććhaswa = awest. pęręsańuha arisch oder indogermanisch? — Während man früher griech. φέρου = φερεσϝο = altind. *bharaswa* annahm, also die Bildung der 2. Person Sing. des Imperativs Medii mittelst des Suffixes *-swa* für indogermanisch (der Grundsprache angehörend) erklärte, hält man jetzt altind. *bharaswa*, awest. *pęręsańuha* für eine arische Neubildung (Brugmann ii, S. 1328). Die Form *bharaswa* soll aus dem activen *bhara* = φέρε durch Anfügung des Reflexiv-Pronomens *swa* = griech. ϝέ, ἕ hervorgegangen sein. Der Grund für diese Erklärung liegt darin, dass der Uebergang des inlautenden *sw* zu σϝ, σ und dann *h* im Griechischen nicht sichergestellt werden kann (Brugmann i, S. 421). Infolge dessen ist griech. φέρου = φέρεο = φέρεσο nicht auf altind. *bharaswa*, sondern auf awest. *barańha* (die augmentlose Form des Imperfectums Medii: *barańha* = ἐφέρου für ἐφέρεσο) zu beziehen.

Wie öfter, muss ich auch hier der neuesten Richtung der Sprachforschung den Vorwurf machen, dass sie auf Grund des überkommenen alten Materials Lautgesetze aufgestellt und auf Grund dieser Lautgesetze die Erklärung der Sprachformen durchgeführt hat, während eine Vermehrung des etymologischen Materials sie zu anderen Resultaten geführt hätte.

Ich behaupte nämlich, dass sich der Uebergang des zwischenvocalischen *sw* im Griechischen zu *h* nachweisen lässt, und stütze mich auf die folgenden Fälle:

1. φέρου = φέρεο (= *fereho*) = altind. *bharaswa*, awest. *barańuha*.

2. ὀστοῦν, ὀστέον (= *ostehon*), welches dem neupers. استخوان (*ustuχ̌ān*) entspricht, das auf ein vorauszusetzendes altiran. *astahwa-* = einem vorauszusetzenden altind. *asthaswa-* zurückgeht.

3. ἰός (= *ihos*) = ἰσϝος, eine Weiterbildung des arischen *išu-* (altind. *iṣu-s*, awest. *išhu-š*).

4. ἐΰς ist nicht ἐσυ-, sondern ϝεσυ- = altind. *wasu-*, awest. *wohu-*, *waṅhu-*. Dem griech. εὐ- (für ϝεσυ-) in der Composition entspricht im Arischen *su-* (abgekürzt für *wasu-*), also altind. *su-*, awest. *hu-*.

Die Götter heissen bei Homer δωτῆρες ἐάων.[1] Dieses ἐάων entspricht nach meiner Ansicht einer vorauszusetzenden pronominalen Neubildung *waswjāsām* zu altind. *waswjām*, awest. *waṅhujām* (belegt sind blos altind. *waswinām*, awest. *waṅuhinām*), Genit. Plur. von altind. *waswī-*, awest. *waṅuhi-*, dem Femininum von altind. *wasu-*, awest. *waṅhu-*. Darnach steht ἐάων für ἐϊάων (vgl. λύκου = λύκοο = λύκοιο = *lūkohjo* = λυκοσjο).

Mit Bezug auf diese vier unzweifelhaften Fälle (die sich gewiss noch vermehren lassen werden), halte ich altind. *pṛććhaswa* = awest. *pęręsaṅuha* = griech. φέρου, φέρεο für eine indogermanische Bildung, d. i. eine Bildung, welche der Grundsprache angehört.

Neupersisch آرد ‚Mehl‘ (HORN, S. 5, Nr. 13). — Zu آرد = awest. *aša-*, was altpers. *arta-* voraussetzt, ist sicher das griech. ἄρτος ‚Weizenbrod‘ zu stellen. In ἀρτοκόπος ‚Bäcker‘ sehe ich nicht die Wurzel πεκ (arisch = *pać*), sondern das Verbum κόπτω. Darnach ist ἀρτοκόπος einer, der das Weizenmehl (ἄρτος) zu einem festen Teig zusammenschlägt.

Neupersisch آغاليدن. — آغاليدن ‚incitare, irritare‘ fehlt bei HORN. Ich sehe in demselben ein Denominativ-Verbum, abgeleitet von einem vorauszusetzenden آغال = altiran. *āgarda-* ‚Begierde, Gier‘, vgl. altind. *gardha-* ‚Gier, Begierde‘ von *gṛdh* ‚streben, gierig sein‘.

Neupersisch آله ‚Adler‘ (HORN, S. 10, Nr. 43). — Der Zusammenhang mit ὄρνις wird durch das lange *a* ausgeschlossen (vgl. HÜBSCH-

[1] Awest. *wohunām dātāro.*

mann, *Persische Studien*, S. 8). Ich denke an ein altpers. *ardu-* = awest. *ęręzu-*, altind. *ṛǵu-* (vgl. den persischen Eigennamen in der Behistān-Inschrift iv, 86 = *ardu-maniš*,[1] was awest. *ęręzu-manah-* gleich wäre). — Das Wort steht daher mit arm. արծ (in արծանունգն), արծիւ, արծուի, awest. *ęręzifja-*, altind. *ṛǵipja-* im Zusammenhang. Die Form [illegible] im Bundehesch S. 31, Zeile 10 lässt vermuthen, dass neupers. آله, آلوه aus *āluf* (vgl. کوه aus *kōf*) entstanden ist. Dann kann آله direct mit dem aw. *ęręzifja-* (altpers. *ardufija-?*) identificirt werden.

Neupersisch آواره (Horn, S. 13, Nr. 53 und Hübschmann, *Pers. Stud.*, S. 9). — Ob nicht zu آوار, arm. աւար, das griech. ἀπ-αυράω ,berauben, wegnehmen' zur Vergleichung heranzuziehen ist?

Neupersisch افسان (Horn, S. 23, Nr. 98). — Ich mache aufmerksam, dass im Sanskrit neben *śāṇa-* auch *pāṣāṇa-* vorkommt, das mit dem ersteren gewiss zusammenhängt (vgl. *kōṣa-* und *kōśa-*) und manche der zur Vergleichung herangezogenen Formen (vgl. Hübschmann, *Persische Studien*, S. 17) zu erklären vermag.

Neupersisch انبوسیدن. — انبوسیدن ,apertum, manifestum fieri, apparere' fehlt bei Horn. Vullers (*Supplem. Lexici Persico-Latini*, p. 37) bemerkt darüber: ,Fortasse est verb. بوسیدن „osculari" cum praep. ان = b. *hām* compositum, unde etiam significatio „apparere", quae verior videtur, explicanda est, quum absentes denuo apparentes osculo excipi soleant.' — In dieser naiven Erklärung steckt insofern ein Körnchen Wahrheit, als sowohl بوسیدن als auch انبوسیدن auf die Wurzel awest. *bud*, altind. *budh* zu beziehen ist, ein Zusammenhang, den Vullers (s. بوسیدن a. a. O., S. 46) völlig verkannt hat. — بوسیدن ist nämlich unzweifelhaft = altiran. *bausāmi* (= *baud-sāmi* = *bhaudh-skāmi*, vgl. diese *Zeitschrift* vii, S. 145 und Hübschmann, *Persische Studien*, S. 31) von *bud* im Sinne von ,duften, riechen', انبوسیدن dagegen geht auf altind. *sam-budh* im Sinne von ,wahrnehmen, erkennen' zurück. Das Medium, altpersisch vorauszu-

[1] Wenn altp. *ardu-* = awest. *ęręzu-* = altind. *ṛǵu-* ist, dann wird Hübschmann's Wiederherstellung des vocalischen *r* (*ṛ*) in den altpersischen Keilinschriften etwas zweifelhaft.

setzendes *ham-bausataij* ‚er wird wahrgenommen', ist ebenso wie *agaubatā, anajatā, agarbājatā* zu beurtheilen.

Neupersisch اوام. — HORN (S. 30, Nr. 131) behandelt اوام, وام ‚Schuld', wobei er DARMESTETER's Etymologie mit Recht verwirft. HÜBSCHMANN (*Persische Studien,* S. 19) bemerkt, dass die iranische Grundform nicht feststeht, da sowohl *apāma-* (= neup. وام, baluč. *wām*) wie *āpāma* (= neup. آوام, Pahl. ꞷ) angesetzt werden kann. — Nach meiner Ansicht ist اوام aus dem Neupersischen zu streichen und ist blos وام, das durch das baluč. Lehnwort *wām* verbürgt ist, als echt anzuerkennen. Die altiranische Grundform, von welcher ausgegangen werden muss, ist *awāman-* = *awāpman-* (= *awa-āp-man* von altind. *awa* + *āp* ‚empfangen, sich zu eigen machen'), das im Pahlawi zu ꞷ *(awām)*, im Neupersischen zu وام werden musste.

Neupersisch ایشان und شان. — HORN bemerkt (S. 32, Nr. 137, Note 1): ‚FR. MÜLLER (*WZKM.* v, 185) will neup. *ēšān* auf *ēš* + *ān*, d. i. awest. *aēshām* + *ān* zurückführen.' — Hier zeigt sich wieder der vorlaute, besserwissende Kritikaster! Nach den iranischen Auslautgesetzen wird aus awest. *aēshām*, altpers. *aišām*, schon im Mittelpersischen *ēš*, geradeso wie aus altpers. *-šaij, -šām: -š* geworden ist. Geradeso wie man aus diesem *-š: -š-ān* bildete, um das verloren gegangene *-šām* zu ersetzen, ebenso bildete man auch aus *ēš* die Form *ēš-ān,* um das verlorene *aišām* zu ersetzen (vgl. HÜBSCHMANN, *Persische Studien*, S. 79).

Neupersisch باز. — HORN führt باز ‚Falke' (S. 37, Nr. 162), nach VULLERS (*Lex. Pers.-Lat.* I, 172 *a*), der ein Fragezeichen dazu macht, auf altind. *wāģin-* ‚rasch, muthig' zurück. Dagegen bemerkt HÜBSCHMANN (*Persische Studien*, S. 22) mit Recht, dass das altarmenische Lehnwort բազէ, բազայ auf ein altpers. *bāz-* (+ Suffix) hinweist, daher auf altind. *wāģin-* nicht bezogen werden kann. Ich erkläre arm. բազայ, բազէ aus einem altiran. *bāžajant-*, von altind. *bhāģajāmi* ‚ich jage nach allen Weltgegenden, ich jage auseinander' (BÖHTLINGK-ROTH. *Sanskrit-Wörterbuch*, Bd. v, S. 181 Causal: *bhāģajati* Bedeutung 3). Neup. باز verhält sich zu altind. *bhāǵajāmi* wie انباز zu *bhaǵ* (HÜBSCHMANN, *Persische Studien*, S. 18).

Neupersisch باغ ‚Garten'. — HÜBSCHMANN (*Persische Studien*, S. 23) bemerkt: ‚Neupers. *bāγ* ‚Garten' stimmt zu Skrt. *bhāga-* ‚Theil, Antheil' in der Bedeutung durchaus nicht.' — Dieser Bemerkung kann ich nicht beistimmen. Skrt. *bhāga-* bedeutet ja ‚zugeschiedenes Eigenthum', dann auch einen ‚Platz', eine ‚Stelle'. باغ ist ein mit einem Zaun umgebenes, wohlgepflegtes Stück Bodens im Gegensatz zum freien Acker, wie das griech. χόρτος, das wohl für ursprüngliches χόρθος steht und mit altind. *gṛha-* (= *ghṛdha-*), altsl. *gradŭ*, got. *gards* zu verknüpfen ist.

Neupersisch بچه. — Die Erklärung dieses Wortes hat allen Etymologen grosse Schwierigkeiten bereitet. HORN (S. 43, Nr. 184) meint, da neupers. *č* nicht für Skr. *-ts* stehen kann, so ist die Zusammenstellung mit altind. *watsa-* ‚Kalb, Jährling', aber auch ‚Kind, Sohn', unzulässig. — HÜBSCHMANN (*Persische Studien*, S. 26) sagt *baču, bačča* ‚Junges, Kind' = Pahl. *wačak* (aus *waččak* = *wat-čak*?), sei zu trennen von osset. *wäss* ‚Kalb', bal. *gwask* ‚Kalb, Kälbchen', wach. *wušk*, sar. *wišk* ‚Kalb', die auf iran. *wasa-* = altind. *watsa-* zurückgehen und einem neupers. *wah-* entsprechen würden. — Nach meiner Ansicht ist das Wort auf die folgende Weise entstanden. Altind. *watsa-* wurde im Iranischen zu *wasa-*, Pahl. *was*. An dieses *was* (geschrieben ون) wurde das Diminutiv-Suffix *-čak* (چک), neupers. چه angefügt (vgl. باغچه ‚Gärtchen', دیگچه ‚Töpfchen', گرهچه ‚Knötchen'), wo dann aus *was-čak*: *waččak* = neup. بچّه entstand, das später erst zu بچه wurde (vgl. HÜBSCHMANN, *Persische Studien*, S. 227).

Neupersisch بیرون. — Gegen HORN's Erklärung dieses Wortes (S. 58, Nr. 252) aus *dwarja* + *ūn* (nach NÖLDEKE) bemerkt HÜBSCHMANN (*Persische Studien*, S. 33), dass man dann *dērūn* als lautgesetzliche Form erwartet und nach HORN, Nr. 545 *bērūn* dialectisch sein müsste. Alle Schwierigkeiten liessen sich lösen, wenn man بیرون an arm. *դուր* anknüpfen könnte, woran ich schon vor mehr als dreissig

Jahren gedacht habe. — Doch spricht dagegen Pahl. [Pahlavi] = כל לברא in der Inschrift des Königs Šahpuhr (vgl. diese *Zeitschrift* VI, S. 73), das, wenn neup. پیرون = arm. [armen.] + Suffix *-ūn* wäre, dann [Pahlavi] lauten müsste.

Neupersisch پالودن (HÜBSCHMANN, *Persische Studien*, S. 36). — Hier dürfte am besten das griech. λοέω, λούω mit λουτρόν zur Vergleichung herangezogen werden.

Neupersisch پژمردن. — پژمردن ‚erschlaffen, verblühen' wird von HORN (S. 69, Nr. 313) auf die Wurzel *mar* ‚sterben' bezogen. — Dies ist nicht richtig. Das Wort gehört zu altind. *mlā* ‚welken, erschlaffen, weich werden' = griech. μαραίνω (vgl. μαρασμός, ἀμάραντος), die sich zu einander ebenso verhalten wie griech. πτω, iran. *ftā* zu altind.-iran. *pat*. — Altind. *mlāta-* (oder vielmehr eine anzusetzende Nebenform *mal-ta-*) ‚durch Gerben weich geworden' liegt dem armen. մորթ ‚Haut, Leder' (davon մորթեմ ‚ich ziehe die Haut ab, ich schlachte') zu Grunde.

Neupersisch پگاه. — HÜBSCHMANN (*Persische Studien*, S. 42) schreibt darüber ‚wird am besten mit NÖLDEKE als neupersische Neubildung von *pa* und *gāh* „Zeit" gefasst.' — VULLERS (*Gramm. ling. Persicae* ed. II, p. 286) hat: پگاه ‚diluculo, mane' compositum e گاه ‚tempus matutinum' (صبح صادق) et praefixo پ ut proprie significet ‚primo diluculo'. Das in پگاه steckende گاه (für کاه) ist nicht, wie ich bereits (vgl. diese *Zeitschrift* VII, S. 372) bemerkt habe = altpers. *gāϑu-*, sondern ist auf die Wurzel altind. *kāś* ‚sichtbar werden, erscheinen' zu beziehen. گاه ist direct = altind. *kāśa-* in *sa-kāśa-*.

Neupersisch پیروز (HORN, S. 78, Nr. 354). — Nach der Bemerkung HÜBSCHMANN'S (*Persische Studien*, S. 45), dass پیروز im Pahlawi als [Pahlavi], im Armenischen als Պերոզ, bei den Griechen als Περόζης und bei AMMIAN als *Piroses* auftritt, darf dasselbe nicht auf awest. *paiti-raočah-* zurückgeführt werden (vgl. diese *Zeitschrift* VIII, S. 386, Note), sondern kann nur auf awest. *pairi-raočah-* zurückgehen.

Neupersisch تند. — HORN (S. 89, Nr. 395) erklärt تند ,schnell, heftig, stark' aus vorauszusetzendem awest. *twant-* (= *tuwant-*) und stellt es mit توان zusammen. — Die Richtigkeit dieser Etymologie wird von HÜBSCHMANN (*Persische Studien,* S. 48) mit Recht bezweifelt. Ich beziehe تند auf die im Dhātupāṭha vorkommende Wurzel *tund ćēṣṭājām,* woraus ein altiran. *tunda-* sich ergäbe.

Neupersisch چرب. — چرب = armen. ճարպ, Pahl. ... wird von HORN (S. 97, Nr. 436) vorgebracht, aber nicht erklärt. Um wenigstens der Erklärung auf die Spur zu helfen, möchte ich den Eigennamen ,Galba' (gallisch), der nach SUETONIUS (Galba 3) soviel wie ,Schmeerbauch' bedeuten soll, zur Vergleichung heranziehen.

Neupersisch خرچنگ. — خرچنگ, Pahl. ... (HORN, S. 105, Nr. 475) ist nach HÜBSCHMANN (*Persische Studien,* S. 54) etymologisch an die Composition mit خر ,Esel' angelehnt worden, so dass nun das Wort aus خر ,Esel' und چنگ ,Kralle' zusammengesetzt erscheint. — Nach meiner Meinung lautete die ursprüngliche Umdeutung خارچنگ ,mit steinharten Krallen, Scheeren, versehen', ebenso gebildet wie syr. ܚܪܦܫܬܐ ,scarabaeus niger' = خارپشت (vgl. diese *Zeitschrift* VIII, S. 364). Die Verkürzung von خار zu خر zeigt auch خرپشته = جوشن, offenbar ein Panzer, der nebst der Brust auch den Rücken schützt.

Neupersisch خرمن. — خرمن ,Ernte, Haufen geernteter Früchte' (vgl. besonders خرمن سوخته ,qui pecuniam profudit, pauper, inops', خرمن گدا ,fruges accumulatae eorum, qui spicas in agris derelictas colligunt') kommt bei HORN nicht vor. — Ich setze dafür ein altiran. *harmana-* = *harp-man-a-,* eine Weiterbildung von *harp-man-* an, das mit dem griech. ἅρπη, altsl. *srŭpŭ,* altind. *sṛṇi-* (= *sṛp-ni-*) ,Sichel' zu verknüpfen ist.

Neupersisch رسیدن (zu dieser *Zeitschrift* VI, S. 186 und VII, S. 280). — HÜBSCHMANN bemerkt (*Persische Studien,* S. 67) ,die Etymologie galt schon lange vor *WZKM.* 6, 187'. — Ich frage nun: 1. Warum hat der ,gründliche' HORN, der seine Freunde und Gönner zu citiren nirgends unterlässt, diese Etymologie nicht verzeichnet, und 2. warum hat BARTHOLOMAE, der die Correctur des HORN'schen

Buches las, ihn nicht darauf aufmerksam gemacht? Da das erste nicht geschehen, muss ich annehmen, dass HORN meine in VI, 186 niedergelegte Bemerkung über رسيدن, welche er doch gelesen haben musste, für falsch hielt, was seiner Urtheilskraft grosse Ehre macht.

Neupersisch رهى. — رهى ‚Diener' = Pahl. لسيو wird von HORN (S. 141, Nr. 637) auf رسيدن bezogen. Dies ist unrichtig, da das *s* in رسيدن aus dem inchoativischen *-ska* entstanden ist, welches im Neupersischen nicht in *h* übergeht. Zudem stimmt رهى mit رسيدن gar nicht zusammen. Pahl. لسيو stammt von لس ‚Wagen' = awest. *raϑa-*, Skrt. *ratha-* und bedeutet ursprünglich einen ‚Wagenknecht'.[1] Pahl. لسيو verhält sich zu neupers. رهى wie Pahl. لس ‚Weg' (= skr. *rathjā-* ‚Landstrasse') zu neupers. راه.

Neupersisch (zoroastr.) زروان (vgl. HÜBSCHMANN, *Persische Studien*, S. 69). — Schon lange war mir klar geworden, dass awest. *zrwan-* ‚Zeit' = arm. Զրուան und *Ormizd* den griechischen Κρόνος und Ζεύς entsprechen und dass Κρόνος eine (im pelasgischen Munde vollzogene ?) Umbildung von χρόνος (= χρϝον-ο-ς) ist.[2] Interessant ist es nun, dass im Պատմութիւն Աշխարհագրի (Venedig 1842), S. 45 die Verse Ilias I, 528—530:

> ἦ καὶ κυανέῃσιν ἐπ' ὀφρύσι νεῦσε Κρονίων
> ἀμβρόσιαι δ' ἄρα χαῖται ἐπερρώσαντο ἄνακτος
> κρατὸς ἀπ' ἀθανάτοιο· μέγαν δ' ἐλέλιξεν Ὄλυμπον.

in folgender Weise übersetzt werden:

> Եւ կապուտակայիճն յօնօք ակնարկեաց Զրուանեանն,
> Եւ դրանչելի աստուածային վարսքն շարժեցան
> յանմահ գլխոյ թագաւորին եւ մեծապէս շարժեաց տատանեցաւ Ողիմպոս։

Hier wird das griechische Κρονίων direct mit Զրուանեան übersetzt.

[1] Vgl. VULLERS, *Lex. Persico-Latinum* II, p. 87, *b*: ‚vox رهى et arab. غلام masculinum mancipium significat ut پرستار vel پرستنده femininum docente RÜCKERT in *ZDMG.* VIII, 308, was man zu dieser *Zeitschrift* VI, S. 299 nachtragen möge.

[2] Ist awest. *zrwan-* = χρόνος, dann kann es unmöglich mit awest. *zaurwan-*, altind. *ǵariman-*, neupers. زرمان zusammenhängen. Mit *zrwan-* = χρόνος hängt wohl arm. զրաւ zusammen.

Neupersisch سار, سارک. — HORN (S. 153, Nr. 689 und 690) hat سار, blos in den beiden Bedeutungen ‚Kopf' und ‚Schmerz', und es fehlt bei ihm سار sowie auch سارک, welche den Vogel ‚Staar' bedeuten. سار ist das skrt. *śāri-*, während سارک dem skrt. *śārikā* entspricht, das gewöhnlich mit ‚Predigerkrähe' übersetzt wird. Jene Bedeutung von سار, welche VULLERS (*Lex. Persico-Latinum* II, p. 184 *b*) unter 5. angiebt, nämlich ‚arundo seu calamus intus cavus' dürfte auf altind. *śāri-* ‚Pfeil' = *śara-*, vgl. نی = arm. նետ (HORN, S. 237, Nr. 1063) zu beziehen sein.

Neupersisch ساس. — ساس (fehlt bei HORN) ist die ‚Wanze', gewöhnlich غسک genannt. Der Ausdruck scheint ein Provinzialismus zu sein und auf einer Verwechslung der ‚Wanze' mit der ‚Motte' zu beruhen. Ich halte nämlich ساس für identisch mit hebr. סס, syr. ܣܣܐ, griech. σής, arm. ցեց. — Das Wort stammt jedenfalls aus den semitischen Sprachen. Im Armenischen heisst die ‚Wanze' մլուկն, im Griechischen κόρις. Die Verwechslung der ‚Wanze' mit der ‚Motte' findet ihr Seitenstück im arab. بق ‚Wanze' und aram. בקא, ܒܩܐ ‚Mücke'. — Solche Verwechslungen von Thiernamen sind häufig. So bezeichnete arm. ինձ = altind. *siha-* gewiss ursprünglich den ‚Löwen', ist aber gegenwärtig der ‚Leopard'.

Neupersisch سراهنگ, سرهنگ. — سراهنگ und سرهنگ, von denen das letztere aus dem ersteren verkürzt sein soll (سرهنگ مخفف سراهنگ است), kommt bei HORN nicht vor. سراهنگ bedeutet ‚dux exercitus', dann ‚primum agmen', سرهنگ soll ‚athleta, pugnator, heros' bedeuten. VULLERS denkt an einen Zusammenhang mit هنگ ‚populus, tribus, exercitus'. Ich halte سراهنگ für = سر آهنگ, worin آهنگ mit dem altind. *āsaṅga-* ‚das sich an Jemanden Anhängen, Nachstellung' zu verknüpfen ist, während ich سرهنگ, falls man nicht gelten lässt, dass es aus سراهنگ verkürzt ist, = سر هنگ auf altind. *saṅga-* ‚feindliches Zusammentreffen' beziehe.

Neupersisch سرگین. — سرگین ‚Mist' fehlt bei HORN. Das Wort hängt sicher mit dem altind. *śakṛt-* zusammen. Gleichwie altind.

jakṛt- ‚Leben‘ im Awestischen als *jākar-* *(Zand-Pahlawi-Glossary)* = neup. جگر auftritt, ebenso muss auch für altind. *śakṛt-* ein awest. *sakar-* vorausgesetzt werden. Von diesem *sakar-* war ein Adjectivum *sakaraēna-* im Gebrauche, welches das Substantivum *sakar-* verdrängte. Dieses *sakaraēna-* ist das neupers. سرگین. Das arab. سرقين — syr. ܣܪܩܝܢܐ ist von der Pahlawi-Form des neupers. سرگین ausgegangen, welche noch *k* statt des späteren *g* hatte.

Neupersisch شگفت. — شگفت ‚admiratio, stupor‘, dann ‚mirum, miraculum‘ fehlt bei HORN. Das Wort ist auf das awest. *(Zand-Pahlawi-Glossary)* *skaptęm* ‚wonderful‘ = Pahl. [Pahlavi] zurückzuführen. Wegen neupers. *šk* = altiran. *sk* vgl. man neupers. شکستن = Pahl. [Pahlavi] oder [Pahlavi], awest. *skęnda-*.

Neupersisch فروختن. — HORN bemerkt (S. 183, Nr. 824): فروختن = awest. *fra* + *waχš* (Erweiterung von *wać*). Die Etymologie stammt von JUSTI, *Kurdische Grammatik*, S. 190. — Bekanntlich erschien JUSTI's Buch 1880. Nun steht aber bei VULLERS, *Supplem. Lexici Persico-Latini* 1867, p. 90: ‚fortasse verbum cum praep. فر = *fra* compositum est et ad rad. bactr. et sanscr. *vac* loqui referendum, ut proprie significet *edicere seu decernere pretium rei vendendae coram emtore*.‘ Das ist die berühmte auf Genauigkeit basirte ‚junggrammatische‘ Forschung!

Neupersisch كاروان. — Die Einwendung HÜBSCHMANN's (*Persische Studien*, S. 85) gegen meine in dieser *Zeitschrift* v, S. 354 gegebene Erklärung, dass nämlich arm. կարաւան (bei Eγiše, Faustos u. s. w.) ein altpers. *kāra-pāna-* ausschliesst, ist nicht ganz richtig. Finden sich doch unter den in den ältesten armenischen Denkmälern vorkommenden mittelpersischen Lehnwörtern solche, die an das Neupersische mahnen, so զընդան, գերեզման, ռազմ.[1]

---

[1] Nach HORN (S. 136, Nr. 612) ist neupers. رزم = awest. *arǝzo-*, wobei er bemerkt: ‚An Ableitung von awest. *rasman-* „Schlachtreihe“ zu denken, *verbietet die Bedeutungsverschiedenheit*.‘ HORN bedenkt gar nicht, dass awest. *arǝzo-* im Neupersischen ارز ergeben würde! Ich bleibe bei رزم = *rasman-* (vgl. HÜBSCHMANN a. a. O., S. 66).

Auch im Pahlawi erscheint manchmal *w* dort, wo man *p* erwartet, so z. B. in = neupers. روا, dessen Verbum روفتن, روی nur auf altpers. *hrap* = altind. *sarp*, ἕρπω, *serpo* und nicht auf altpers. *rab* (wie Hübschmann a. a. O., S. 67 thut), das nur = altind. *rabh* sein könnte, zurückgeführt werden kann.

Neupersisch کیک. — کیک ‚Floh' fehlt bei Horn. Das im Auslaute nach *ai* stehende ک beweist, dass das erstere aus *at* hervorgegangen ist. Ich setze daher eine altiranische Form *katuka-* an, die ich auf das altind. *kaṭu-* ‚stechend' (vgl. *kaṭu-kīṭa-*, *kaṭu-kīṭaka-* ‚Mücke') beziehe. — Das altind. *ṭ* macht keine Schwierigkeiten, vgl. گوی (oben S. 178) und نی (Horn, S. 237, Nr. 1060).

Neupersisch گال. — گال ‚clamor altus, vociferatio' fehlt bei Horn. Ich führe es auf ein vorauszusetzendes altpers. *garda-* zurück, von awest. *gard* = ‚heulen', einer Weiterbildung von *gar*.

Auf ein altpers. *gard* = awest. *garz* = altind. *garǵ* darf گال nicht bezogen werden, aus Gründen, die ich oben S. 81 مالیدن dargelegt habe.

Neupersisch گماشتن. — Dass گماشتن zur Wurzel *mar* (= *smar*) nicht gehören kann, habe ich bereits in dieser *Zeitschrift* (viii, S. 97) ausgesprochen. Nun bemerkt Hübschmann (*Persische Studien*, S. 95) mit Recht, dass das Pahl. , afghan. *gumārql*, armen. գումարել durchgehends *gu* im Anlaut zeigen, dass daher ein Zusammenhang mit *wi* + *smar* nicht vorhanden sein kann. Mit dem armen. գումար möchte ich altsl. *gumьno* ‚horreum' vergleichen (Miklosich, *Lex. palaeosl.-graeco-latinum*, p. 149 *a*).

Neupersisch (arab.) مدهوش. — Darüber schreibt Horn (S. 220, Note 1): ‚Irgend Jemand hat, wie mir Herr Prof. Nöldeke sagt, irgendwo (die Stelle war augenblicklich nicht aufzufinden) das als arabisch geltende *medhūš* „sinnlos" für ein persisches Wort (√ *mad* + *hōš* „Verstand, Sinn") erklärt.' Die betreffende Stelle ist wahrscheinlich Vullers, *Lex. Persico-Latinum* ii, p. 1151, *a*, wo man lesen kann: ‚apud Persas مدهوش (ō) pronuntiatur, significatione „amens, sensibus alienatis, mentis suae non compos' (بی هوش); cf. Bostān ed. GRAF 131, 7 et 18. — Dort steht مدهوش حیران وبیهوش. — Man sieht, dass HORN, der VULLERS Lexikon gehörig abgeschrieben hat, doch in ihm nicht ganz zu Hause ist.

Uebrigens wiederhole ich das, was ich in dieser *Zeitschrift* VIII, S. 92 unter بیشتر, بیش bereits gesagt habe.

Neupersisch میز. — میز ‚Tisch, Bewirthung' kommt bei HORN nicht vor. — Ich halte es für ein Lehnwort, hervorgegangen aus dem latein. *mensa* (gesprochen *mēsa*, *mēza*).

Neupersisch نهار. — HÜBSCHMANN (*Persische Studien*, S. 103) schreibt darüber: ‚nach SALEMANN نهار = ناهار, نخاره „fasten" von *naχurdan* „nicht essen" ?' — Dies ist ganz unrichtig. نهار, ناهار ist ein altindisches Lehnwort = *anāhāra-* (*an-āhāra-*), was schon VULLERS (unter اهار *Lex. Persico-Latinum* I, p. 59, *b*) gewusst zu haben scheint.

Neupersisch نهنگ. — نهنگ ‚Krokodil' kommt bei HORN nicht vor. Das Wort ist bekanntlich als նհանգ ins Armenische übergegangen. Im Pahlawi wird die Form *nisang* citirt (vgl. JUSTI, *Bundehesch-Glossar*, S. 249, *a*). JUSTI meint, نسنگ stehe fehlerhaft für نهنگ. Diese Ansicht kann ich nicht theilen. Ich sehe in نسنگ die ältere Form des neupers. نهنگ, die uns belehrt, dass das neupers. *h* aus *s* (= altind. *ś* und grundspr. *ḱ*) hervorgegangen ist. Ich construire für نهنگ — نسنگ ein altpers. *nasaṅga-* (von *nas*), in der Bedeutung des awest. *nasišta-*, ebenso gebildet wie خرچنگ = einem vorauszusetzenden altpers. *karćaṅga-* (vgl. skrt. *karkaṭa-*, griech. καρκίνος).

Neupersisch نیوشیدن. — HORN (S. 239, Nr. 1070) erklärt نیوشیدن aus awest. *ni-gaōš* unter Billigung HÜBSCHMANN's (*Persische Studien*, S. 104), während LAGARDE, DARMESTETER und ich (vgl. diese *Zeitschrift* V, S. 354) das Wort auf awest. *jaōχšti-* bezogen haben. Entscheidend ist nach meiner Ansicht nicht das baluč. *niyōšay* ‚hören, horchen, lauschen', sondern das neupers. نغوشه ‚subauscultando excipere voces ejus, qui submissa voce cum aliquo colloquitur' (گوش فرا دادن بسخن دو کس که باهم آهسته حرف می زنند). Da nun baluč.

niyōšay = neupers. نغوشه ist, so kann es nicht auch = نیوشیدن sein und dieses ist daher von baluč. *niyōšay* zu trennen.

Neupersisch ور. — Von ور wird bei VULLERS unter 2. die Bedeutung ,calor' (گرمی وحرارت) angegeben. Obschon dafür kein Beleg aus der Literatur vorliegt, ist diese Angabe dennoch richtig, da neupers. ور mit dem armen. վառ und dem altslav. *varŭ* ,καῦμα', davon *variti* ,ἕψειν, πέττειν' (MIKLOSICH, *Lex. palaeosl.-graeco-latinum*, p. 56), sich deckt. — Das Wort ور kommt bei HORN nicht vor. Von ور aus erklärt sich auch بریان, welches HÜBSCHMANN (*Persische Studien*, S. 27) Schwierigkeiten bereitet, da es vom skrt. *bhṛǵǵati* aus nicht erklärt werden kann (vgl. diese *Zeitschrift* v, S. 185).

Neupersisch ورسیج. — ورسیج ,tectus domus' kommt bei HORN nicht vor. — Ich stelle das Wort zu dem altind. *warṣman-* ,Höhe, das Oberste; Oberfläche; das Aeusserste, Spitze' und dem altslav. *vrŭhŭ*. Wegen neupers. س = altem. *š* vergleiche man neupers. خرس = awest. *arṣ̌ha-* (HORN, S. 105, Nr. 477).

Neupersisch وشناب. — وشناب (= وشنه آب) ist ,vinum ex aut cum succo cerasorum appronianorum confectum'. وشنه (ebenso auch türkisch) ist serb. *višnja*, bulgar. *višnj*, lit. *vyszna*, rum. *višnŭ*, neugriech. βίσηνον, βισηνιά (MIKLOSICH, *Lex. palaeosl.-graeco-latinum*, p. 65), althochd. *wîhsila*, mittelhochd. *wîhsel* ,Weichsel'. Im Armenischen, mit dem man vor allem eine Uebereinstimmung erwartet, da die Urheimat der Kirsche im westlichen Asien, zwischen dem Kaukasus und dem mittelländischen Meere gesucht werden muss, heisst die Weichselkirsche բալ.

Neupersisch هاله. — هاله ,homo pravus, seditiosus (مردم مفسد ومفتن وبدذات) fehlt bei HORN. Ich finde in demselben das awest. *harẹđiš* (Stamm = *harẹđi-*). SPIEGEL (*Avesta-Comm.* I, S. 74) und JUSTI (*Zend-Wörterb.*) übersetzen es mit ,Feindschaft'; der erstere stellt es mit dem altind. *sridh-* zusammen. Dass in *harẹđiš* die Bedeutung des neup. هاله stecken muss, dies beweist die Erklärung der Huzwaresch-Uebersetzung: [illegible] (ملو) كو ملو ,ein schlechter

Mensch, der keinen Lehrer annimmt'. Ganz unrichtig bezieht HORN (S. 109, Nr. 492) mit WEST das awestische *harędiš* auf neup. خله ,Wunde, Spitze, Geschwätz', was lautlich ganz unmöglich ist. Sehr schön nimmt sich dazu die höchst naive Bemerkung aus: ,Die Bedeutung der awestischen und mittelpersischen Worte ist unsicher; ebenso die Grundbedeutung des neupersischen.' — Ich möchte doch wissen, zu welchem Zwecke HORN den ganzen, völlig nutzlosen Artikel in sein Buch aufgenommen hat.

Neupersisch همال. — همال ,der Gleiche, Genosse' wird von HÜBSCHMANN (*Persische Studien*, S. 106) mit altind. *samartha-* ,entsprechend' identificirt. — Diese Erklärung ist nicht richtig. In همال steckt nicht altind. *artha-*, sondern *ardha-* (BÖHTLINGK-ROTH, *Sanskrit-Wörterbuch* I, S. 442. I. *ardha-* 3. ,der eine Theil von Zweien, Partei', und II. *ardha-* ,Seite, Theil — Ort, Platz') und es ist daher für همال ein altpers. *hamarda-* (awest. *hamaręda-*) vorauszusetzen.

Neupersisch هن. — هن (fehlt bei HORN) wird als ,gratia, favor' erklärt und durch einen Vers aus Rūdagī bestätigt. Dieser Vers lautet:

همه نعمت یکروز بما بخشد — ننهد منت بر ما وپذیرد هن

Zu vergleichen sind altind. *sani-* ,Geschenk' und awest. *han* ,würdig sein, verdienen', und dann auch ,würdig finden, gewähren', altind. *san* ,erwerben, als Geschenk empfangen', dann auch ,schenken'.[1]

Neupersisch هنگ. — Unter den zahlreichen Bedeutungen, welche diesem Worte zukommen, wird von VULLERS auch unter 6. ,populus, tribus, exercitus' (قوم وقبیله ولشکر وسپاه) angeführt. — VULLERS citirt sie blos auf die Autorität der einheimischen Lexica, ohne Literaturnachweis. Das Wort muss aber in dieser Bedeutung existiren, da es mit dem altind. *sāgha-* ,Schar, Haufe, Menge' sich deckt.

Armenisch առաջ. — առաջ ,Vordertheil', davon առաջի ,vor' habe ich für ein semitisches Lehnwort gehalten und mit hebr. ראש

[1] Wie ich sehe, hat JUSTI (*Iranisches Namenbuch*, S. 496) هن mit awest. *hanu* ,Würde' verglichen. Meine Etymologie war schon lange vor dem Erscheinen des JUSTI'schen Werkes niedergeschrieben.

zusammengestellt. Dies ist unrichtig. առաջ ist aus առ + աչ ,vor dem Auge' (vgl. griech. πρόσωπον, ἐνώπιον) zu erklären. աչ = altind. *akṣi-*, awest. *aši-* erklärt sich wie արջ = altind. *ṛkṣa-*, awest. *arəša-*. աչք gehört nicht zu altind. *akṣi-*, awest. *aši-*, sondern zu ակն, lit. *akis*, altslav. *oko*, lat. *oculus*. Interessant ist es, dass ակն, *akis*, *oko*, *oculus* die Wurzel *ak*, *akṣi-*, *aši-*, աչ dagegen die Wurzel *ak̂* voraussetzen.

Armenisch վանք. — HÜBSCHMANN (*Persische Studien*, S. 25) scheint armen. վանք für identisch mit altpers. *wahana-* = altind. *wasana-* ,das Wohnen' zu halten. Dem kann ich nicht beistimmen. վանք scheint ursprünglich nichts anderes als ,Eremitage' zu bedeuten (vgl. վանական, վանահայր) und mit dem altind. *wana-* ,Wald' identisch zu sein. Erst später bildete sich die Bedeutung von ,Hospiz' und dann jene von ,fester Wohnsitz'.

Armenisch աւտար. — աւտար (օտար) ,anderer, fremd' ist, so weit ich sehen kann, bis jetzt nicht erklärt worden. Es ist = altind. *antara-*, got. *anþar*, lit. *antras*, altslav. *vųtory*. Arm. աւ (օ) für *an*, wie in աւծանեմ (օծանեմ) = altind. *añj*, աւձ (օձ) = lit. *angis*, lat. *anguis*.

Pahlawi [illegible], [illegible] ,to pass, to depart'. — HORN (S. 199, Note 3) bemerkt, dass es auch (für awest. *iriþ*, vgl. Vend. v, 1 *nā tat para-iriþjeiti* [illegible]) ,sterben' bedeutet, wie im Neupersischen درگذشتن. — Dieselbe Begriffsentwicklung liegt vor im griech. οἴχομαι, vgl. Aeschylus Perser 248: τὸ Περσῶν ἄνθος οἴχεται πεσόν, Sophokles Elektra 1140: οἴχεται πατήρ, Euripides Hekabe 140: οἱ οἰχόμενοι ,die Gestorbenen'. Ganz dieselbe Begriffsentwicklung zeigen hebr. הלך ,gehen' und arab. هلك ,zu Grunde gehen'.

Pahlawi [illegible]. — Dieses Wort, welches das *Pahlawi-Pazand-Glossary* IV (HOSHANGJI-HAUG, p. 3) durch [illegible] = neupers. گندم ,triticum' übersetzt, wird *ag* gelesen (vgl. auch JUSTI, *Glossar zum Bundehesch*, S. 70, *a*), wurde aber bisher noch von Niemandem erklärt. Ich erblicke darin das arab. حَبّ ,granum frumenti'. Das Wort ist also nicht *ag*, sondern *hab* zu lesen.

Pahlawi prastan. — Dieses Wort wird in ANQUETIL DU PERRON's *Glossar* als = سگ citirt (vgl. JUSTI, *Bundehesch-Glossar*, S. 99, *a*).

JUSTI schreibt darüber: ‚پرستو *parçtan*. Scheint auf einem Missverständniss zu beruhen, da offenbar das neupers. پرستو „Schwalbe“ gemeint ist.‘ — Diese Bemerkung halte ich nicht für richtig. Ich sehe in *prastan* einen Schreibfehler für *prastar*, das nichts anderes ist, als das skrt. *prastara-* ‚Stein‘, so dass statt *prastan* = سنگ: *prastar* = سنگ gelesen werden muss. Indisches (für Pahlawi ausgegebenes) findet sich sonst noch bei ANQUETIL DU PERRON, so z. B. *awras* = سینه (JUSTI a. a. O., S. 67, *b* = افراس), das nichts anderes als اورس = skrt. *uras* ist. Manche Pahlawi-Worte beruhen auf argen Verlesungen, so z. B. *advar* = اسوار (vgl. JUSTI a. a. O., S. 58, *a*). Hier wurde [illegible] wie [illegible] (ω = r) gelesen. Daraus entstand schliesslich *atwar* (vgl. JUSTI a. a. O., S. 54, *a*). Offenbar ist sowohl *advar* als auch *atwar* aus dem *Pahlawi-Glossar* hinauszuschaffen.

Parsisch پتیت (HORN, S. 289, Nr. 167). — Dieses Wort erscheint bei VULLERS (*Lex. Persico-Latinum* I, 190, *b*) unter der Form پتیبا ‚poenitentia‘ (offenbar aus پتیتا verschrieben) und durch einen Vers aus میر نظمی belegt.

Altpersisch: *Aspaćanah-*. — HORN (S. 19, Nr. 77 und S. 322, Spalte 2) gibt den Namen *Aspaćana-* an. HÜBSCHMANN verbessert diesen Schnitzer nicht. Der Name lautet N. R. d, i *Aspaćanā* und ist Nomin. Sing. des Stammes *aspa-ćanah-* = altind. *aśwa-ćanas-* ‚an Rossen Gefallen habend‘. — Ein gleicher Schnitzer liegt vor in *wīdafarna-* (S. 181, N. 808 und S. 323, Spalte 3) statt *wīdafarnā*, Nomin. Sing. von *wīdafarnah-*, vgl. diese *Zeitschrift* VIII, S. 192 und HÜBSCHMANN, *Persische Studien*, S. 83.

Eingeschobenes n (zu dieser *Zeitschrift* VIII, S. 285). — Lehrreiche Fälle für diese Erscheinung sind: neup. تنبسه = arab. طنفسة ‚stratum‘, was wir ‚Teppich‘ nennen. Das Wort entstammt dem griech. τάπης. Der Tabak heisst im Neupersischen تنباکو, davon تنباکوکش ‚ein Tabakraucher‘. — Daneben kommen unzählige Worte sowohl im Persischen als auch im Arabischen vor, in welchen die Silben *taba, tafa* sich finden.

FRIEDRICH MÜLLER.

Beleuchtung der Bemerkungen Kühnert's zu meinen Schriften über das nestorianische Denkmal zu Singan fu.

Von

Dr. Johannes Heller S. J.

Alle, welche Kühnert's Besprechung meiner Aufsätze über die chinesisch-syrische Inschrift zu Singan fu (oben S. 26 ff.) gelesen haben und die Billigkeit des ‚Audiatur et altera pars' anerkennen, bitte ich, auch diese meine Gegenbemerkungen ihrer Aufmerksamkeit zu würdigen.

Im Interesse meiner Vertheidigung gegen Kühnert's ungerechte Angriffe bin ich leider genöthigt, eine für ihn wenig günstige Gegenkritik zu üben.

Ich besitze von Kühnert zwei Briefe. In dem einen fragt er mich um die Gründe für meine Erklärung eines im syrischen Texte stehenden chinesischen Wortes, das ich bis auf Weiteres *fap-schi* wiedergegeben hatte. Ich freute mich aufrichtig, einem Sinologen, von dem ich bis dahin nichts gewusst hatte, in der Nähe zu begegnen und erhoffte von ihm Aufschlüsse über Manches, worin nur ein Sinologe sicheren Bescheid wissen konnte. Als ich aber die Gründe für meine Conjectur seiner Beurtheilung vorlegte, erwiderte er in einem derartigen Tone und zugleich in einer für die betreffende Schwierigkeit so wenig befriedigenden Weise, dass mir die Lust verging, die Correspondenz fortzusetzen.

In meinem Briefe hatte ich ihm unter Anderem ausdrücklich gesagt, dass ich vom Chinesischen nichts verstehe. Er macht sich daher einer argen Ungerechtigkeit schuldig, wenn er in seiner Kritik von mir in einer Weise spricht, dass der Leser denken muss, ich sei ein Kenner des Chinesischen, aber mit sehr schülerhaften Kenntnissen ausgestattet. Ich bin kein Kenner des Chinesischen, und habe nirgends den Anspruch erhoben, als solcher zu gelten. Dies habe ich an zahlreichen Stellen, wenigstens indirect, gesagt; die Uebersetzung der grossen Inschrift gebe ich nach Wylie und die kurze Inschrift Han Thaihoas vom Jahre 1859 nach Professor von der Gabelentz, wie ich ausdrücklich angemerkt habe;[1] in einer Sitzung des siebenten Orientalisten-Congresses erklärte ich öffentlich meine Unbekanntschaft mit dem Chinesischen; endlich hat Kühnert selbst, laut seines zweiten Briefes an mich, meine Angabe hierüber zur Kenntniss genommen. Diesen Umstand seinen Lesern deutlich zu nennen, dazu war er strenge verpflichtet. Allein, wenn er das gethan hätte, so wäre ihm die schöne Gelegenheit entgangen, mich als Stümper im Chinesischen hinzustellen und wegen ‚Sprachwidrigkeiten' mit mir ins Gericht zu gehen.

Aber, wird man hier fragen, wenn du Chinesisch nicht verstehst, warum wagst du dich an die Bearbeitung der chinesischen Inschrift? Darauf diene Folgendes zur Antwort.

Ich hatte mich geraume Zeit früher mit der Geschichte der Auffindung und Erklärung der nestorianischen Tafel und mit der Frage über ihre Echtheit beschäftigt und mich dabei überzeugt, dass bei dem Mangel an getreuen Copien, und bei der Unkenntniss über die wahre Gestalt der Schrift, zunächst der syrischen, eine Entscheidung der Frage unmöglich sei. Die hässliche syrische Schrift auf dem ‚Ectypon' bei Kircher und auf dem sogenannten Facsimile der Pariser Nationalbibliothek (wovon mir aber nur die Reproductionen bei Pauthier und Dabry de Thiersant zu Gesichte kamen) schienen mir nur geeignet, die Bestreiter der Echtheit in ihrem Urtheil zu bestärken, und ich fand es begreiflich, wenn Stanislas Julien bei dem Anblick der modernen chinesischen Schrift ungläubig

[1] *Zeitschrift* 103 und 95.

den Kopf schüttelte. Als ich später einen Abklatsch der ganzen Inschrift vom Grafen Béla Széchényi erhielt, fand ich ganz neue Dinge: vor Allem die schöne Estrangeloschrift, ganz genau im Schriftcharakter des 8. Jahrhunderts. Zugleich bemerkte ich bei näherer Einsicht in den syrischen Text, dass nicht blos von Kircher, sondern auch von Assemani, Wylie und Pauthier zahlreiche Unrichtigkeiten über die Inschrift und deren Inhalt in Umlauf gesetzt worden seien und dass es der Mühe werth wäre, den Gegenstand abermals zu untersuchen. Mir war es zunächst um den syrischen Theil der Inschrift zu thun; für das Chinesische glaubte ich einfach auf die Arbeiten Visdelou's, Bridgman's und Wylie's verweisen zu können. Aber während der Arbeit bemerkte ich, dass zum vollen Verständniss mancher Punkte des syrischen Textes auch Rücksichtnahme auf die entsprechenden chinesischen Stellen nöthig sei, und zu diesem Zwecke wandte ich mich an bewährte Sinologen. Ich erhielt Aufschlüsse u. a. von Dr. Pfizmaier, besonders werthvolle von Professor von der Gabelentz, sowie vom chinesischen Gesandtschaftssecretär Tscheng Kitong, der mir einmal fast zwei Stunden Zeit schenkte. Ueberhaupt kamen mir diese Herren mit jener liebenswürdigen Freundlichkeit entgegen, wie sie gewöhnlich nur bei wahren Gelehrten zu finden ist. Daraus erhellt auch, dass die von Kühnert an mir bespöttelte ‚antediluvianische Gelehrsamkeit' nichts anderes ist, als was ich von jenen Gelehrten entlehnt habe, wie weiter unten noch öfter im Einzelnen sich zeigen wird.

Als unbillig muss es bezeichnet werden, wenn über Schriften, die zehn, beziehungsweise neun Jahre alt sind, in so absprechender Weise geurtheilt wird, über Schriften, in denen den Fachgelehrten Probleme vorgelegt und zu deren Lösung Versuche gemacht werden. Selbst wenn Kühnert's Vorwürfe richtig wären, musste er, wenn er sie aussprechen wollte, bedenken, dass ich in der Zwischenzeit weiter geforscht habe und manche früher vorgebrachte Hypothesen jetzt selbst nicht mehr aufrecht halte. Dass er mir Zurechtweisung ertheilt über Unkenntniss dessen, was Hirth nach mir geschrieben hat,[1] muss als höchst sonderbar erscheinen. Denn was in HIRTH's Buch Neues und Richtiges steht, hat KÜHNERT vor dessen Erscheinen ebensowenig gewusst wie ich, und was er daraus gelernt hat, habe ich zur selben Zeit wie er darin gelesen. Ich gestehe, dass ich aus dem vortrefflichen Buche Manches gelernt habe. Ueberhaupt habe ich mir nach und nach zu vielen Stellen meiner Abhandlung Berichtigungen gesammelt; aber zu keiner dieser verbesserungsbedürftigen Stellen hat KÜHNERT Etwas zu bemerken gefunden, zwei unbedeutende ausgenommen,[2] während seine Angriffe auf andere Stellen nur das eine Resultat haben, dass er sich selbst Blössen gibt. Kurz vor dem Reindruck meiner Abhandlung bin ich darauf gekommen, dass meine Behauptung: ‚Keiner der genannten (Glaubensboten) kam aus Syrien'[3] einer Einschränkung bedürfe, die Berichtigung konnte ich aber nur mehr in einer Fussnote anbringen durch Hinweis auf eine Anmerkung NÖLDEKE's zu Tabari — was KÜHNERT natürlich nicht beachten durfte, um mir in seiner Weise ein Privatissimum über ‚Syrien' halten zu können.[4]

Zur Beleuchtung der KÜHNERT'schen Bemerkungen muss vor Allem hervorgehoben werden, dass das Selbstbewusstsein und der siegesgewisse Ton, wodurch auf die Leser Eindruck gemacht werden soll, um so übler angebracht sind, als der Kritiker die Dinge, über welche er spricht, nicht genau sich angesehen hat. Eine andere Erklärung seiner Missgriffe und Unrichtigkeiten steht mir nicht zu Gebote, da ich mir weder erlaube, ihn für einen schlechten Sinologen zu halten, noch denken kann, dass er mir absichtlich Unrecht thun wollte. Er selbst

---

[1] Meine Abhandlung erschien im Januar 1885; von dem im Laufe desselben Jahres herausgegebenen Buche *China and the Roman Orient* erhielt ich zuerst Kenntniss durch R. v. SCALA's Besprechung in der *Oesterr. Monatsschrift für den Orient* XI (1885), 248 ff., 378 ff.

[2] Bezüglich meiner von KOEPPEN entlehnten Ableitung des Wortes ‚Bonze' und meiner Uebersetzung von 寺 mag KÜHNERT Recht haben.

[3] *Zeitschrift* 113.

[4] Verlorene und überflüssige Mühe! KÜHNERT hat aus veralteten und sehr mangelhaften Arbeiten unglaublich fehlerhaft abgeschrieben. Das Beste und Vollständigste über ‚Syrien' haben wir längst von NÖLDEKE.

hat es mir leicht gemacht, die Richtigkeit meines Ausspruches zu beweisen. Vorderhand nur ein Paar Beispiele in minder wichtigen Dingen. Von Wylie sagt Kühnert (S. 39), dass er das fragliche Wort *fap-schi* liest und es somit für chinesisch hält; aber an der Stelle, auf die Kühnert verweist, konnte er sehen, dass Wylie in Lesung und Erklärung des für syrisch gehaltenen Wortes *papaschi* nur Assemani folgt. — Ein Urtheil, welches in Wahrheit, auch nach der von Kühnert citirten Stelle, nur G. von der Gabelentz ausgesprochen hat, legt er diesem und Schlegel in den Mund (S. 36). — Einen weiteren schlimmen Streich hat ihm seine Flüchtigkeit gespielt S. 37, wo es heisst: ‚Zunächst sei bemerkt, dass 大師 ‚grosser Lehrer‘ (Hoherpriester [?]) ein Synonym für 法師 oder 禪師 ist‘. Es sollte heissen: ein Synonymum für 法師 im Gegensatz oder zur Unterscheidung von 禪師, d. h. ein Synonymum für das erstere, aber nicht für das zweite. Kühnert hat also bezüglich des zweiten verglichenen Compositums aus Eitel's *Handbook* genau das Gegentheil von dem abgeschrieben, was darin steht. Abgeschrieben hat er aus der ersten Auflage, deren Wortlaut bei flüchtigem Lesen leichter irreführen kann, beim Abschreiben aus der zweiten Auflage wäre der Missgriff doch kaum möglich gewesen; sein Citat gibt aber die Seitenzahl der zweiten Auflage, welche stark verändert ist. Es ist überhaupt zu rügen, dass Kühnert nicht angibt, nach welcher Auflage er citirt. Kühnert kann sich nicht berufen auf S. W. Williams' *Syll. Dict.* s. v. 師 (1874, p. 758[a]), da er nur Eitel citirt, und die Gleichstellung der Ausdrücke bei Williams und Eitel (s. v. *upadhyâya* gegen Ende) keineswegs für das 8. Jahrh., sondern erst für die Neuzeit gilt (now-a-days), da überdies diese Titel jetzt Geistlichen auch der niedersten Stufe, nicht dem ‚Hohenpriester‘ als solchem allein zukommen.

Eine grosse Ungerechtigkeit muss ich darin constatiren, dass nach Kühnert's Darstellung meine beiden Aufsätze kein einziges positives für die Wissenschaft brauchbares Resultat aufweisen, obgleich ich mehrere erhebliche und gut bewiesene Thatsachen festgestellt habe, welche Niemand vor mir erkannt oder vorgelegt hatte.

Das Urtheil über eine Schrift ist doch gewiss ein ungerechtes, wenn das Gute in derselben vollständig verschwiegen wird.

Noch grösserer Ungerechtigkeit macht sich Kühnert dadurch schuldig, dass er mehrere von mir richtig gestellte Dinge erwähnt, aber nicht als von mir zuerst gefundene, sondern so, dass der Leser denken muss, sie seien seine Entdeckungen, und er spreche sie aus, um einen Irrthum meinerseits zu berichtigen.

Die grösste Ungerechtigkeit aber liegt darin, dass er öfter meine richtige und klare Darstellung verdreht und mir Falsches unterschiebt und dann das, was ich eben dort wirklich vortrage und was er nur von mir gelernt haben kann, als seine Entdeckung gegen mich vorbringt, um den mir angedichteten Irrthum zu widerlegen. Was ich hier sage, wird man kaum glauben wollen; und doch spreche ich die lautere Wahrheit.

Besonders charakteristisch ist die Rüge, welche S. 26, Note 2, lautet: ,Wann wird man endlich dahinkommen einzusehen,[1] dass *fu, hien* ... nicht zu den Städtenamen gehören? ... ebensowenig darf man *Si-an fu* sagen.' Gegen wen wird denn hier raisonnirt? Offenbar gegen mich; der Leser muss wenigstens vor Allem an mich denken, da gerade oberhalb dieser Note dreimal meine Schreibung *Si-ngan fu* steht. Wollte er mich von dieser Rüge ausnehmen, so musste er anführen, was er bei mir gelesen hat,[2] nämlich: ,Der Name wird auch oft *Sian fu* oder *Sigan fu* geschrieben und gesprochen; die Silbe *fu* gehört eigentlich nicht zum Namen, sondern bedeutet ,Stadt (ersten Ranges)'. Ueberdies konnte Kühnert bei mir sehr oft dem Namen *Singan* (ohne *fu*) begegnen, z. B. *Zeitschrift*, S. 81, Z. 20, S. 82, Z. 10 v. u., S. 84, Z. 10, S. 90, Z. 7, 12 u. s. w. Dennoch gehöre ich zu denen, welche noch nicht dahingekommen sind, einzusehen, was *fu* bedeutet. Zu meinem Troste befinde ich mich damit in sehr guter Gesellschaft, denn ich könnte gleich ein Dutzend der besten Sinologen anführen, auf die

[1] Hervorhebung durch Sperrdruck ist überall von mir, wo nicht das Gegentheil bemerkt wird

[2] *Zeitschrift* 80, Note 1.

seine Zurechtweisung Anwendung findet; es wirkt nur komisch, wenn ein verhältnissmässig junger Sinologe Gelehrte, von denen er noch recht viel lernen kann, schulmeistert, weil sie noch nicht so weit gekommen sind, einzusehen, was *fu* heisst. HENRI HAVRET S. J. in Zi-ka-wei bei Schanghai, der soeben eine phototypirte Reproduction der ganzen Inschrift, als ersten Theil einer Arbeit über dieselbe, herausgegeben hat (*Variétés sinologiques*, Nr. 7), hätte zuerst bei KÜHNERT in die Schule gehen sollen, um zu lernen, dass es ein grosser Schnitzer ist, gleich auf dem Titelblatt *Si-ngan-fou* zu schreiben. Ja, selbst HIRTH, ‚ein sorgfältiger, gewiegter, umsichtiger und strengkritischer Forscher', ist noch nicht so weit im Chinesischen, um einzusehen, was *fu* heisst: er ‚darf nicht *Sian-fu* sagen', und sagt es doch. Da KÜHNERT im Stande ist, dies letztere in Abrede zu stellen, so muss ich ihm zuvorkommen und einige Stellen anführen. HIRTH, *China and the Roman Orient*, p. 178: *Chang-an-fu;* 285: *Lo-yang-fu;* ebenda Note *Si-an-fu;* 5: sogar *city of Hsi-an-fu;* 12, 78, 286, 292: *Hsi-an-fu;* 312: *K'ai-fêng-fu.*

S. 35 identificirt KÜHNERT die Namen 及然 (so!) und 業 (so!) 利 mit dem Namen ‚Gabriel'. Dass er diese Identität nicht selbst entdeckt, sondern von mir genommen hat, wird abermals ganz verschwiegen; es kann dies aber so klar als möglich nachgewiesen werden. Fürs erste kann er diese Thatsache nur bei mir gefunden haben. Denn vor mir hat Niemand geahnt, dass in den angeführten chinesischen Wörtern der Name ‚Gabriel' steckt. Meine Vermuthung dieses Sachverhaltes und meine Hoffnung, durch Anwendung der altchinesischen Aussprache ihn zu finden, bestätigten sich, als mir G. VON DER GABELENTZ die alte Aussprache der Zeichen angab. KÜHNERT gibt sich, durch Beisetzung der Aussprache im Kanton- und im Hakkadialekt, desungeachtet den Anschein, als ob diese Entdeckung ihm zu verdanken wäre. Den stärksten Beweis aber dafür, dass KÜHNERT sich hier nur mein Eigenthum im Stillen angeeignet hat, liefert er selbst durch zwei arge Missgriffe. Entweder hat er die betreffenden Stellen der Inschrift nur oberflächlich angesehen, oder, was wahrscheinlicher ist, er hat von meiner deutschen Umschreibung der chinesischen Laute auf die entsprechenden Schriftzeichen nur gerathen, und dabei falsch gegriffen, indem er 然 statt 烈 und 葉 statt 桑 nahm, wobei er nicht gemerkt hat, dass das erstere irrige Zeichen nicht *(kep) li,* wie er schreibt, sondern *(kep) t̆in,* kanton. *(kep-)in,* alt *(kep-)nien* lautet und somit unmöglich Vertreter von ‚Gabri(el)' sein kann, und dass das andere Zeichen mit seiner Aussprache *yap* ebensowenig zur Umschreibung von ‚Gabriel' geeignet ist.

S. 37 f. steht ein weiteres Beispiel, wie KÜHNERT es versteht, mit meinen Forschungsergebnissen zu prunken und mit denselben mich in den Schatten zu stellen. Er gibt zuerst die bei mir zu lesende Uebersetzung des Patriarchentitels aus dem Chinesischen und die aus dem Syrischen, und fährt dann fort: ‚Zur Uebersetzung des Chinesischen muss nun bemerkt werden: ‚So wie 知府 = ‚Präfect' . . . ist, ist 知東方之景衆 = ‚Katholikos'[1] und nichts mehr und nichts weniger.' Doch gemach! Wörtlich heisst das Chinesische: ‚Chef der christlichen Gemeinden des Ostens'. Darum ist der Ausdruck, genau genommen, nicht = ‚Katholikus' schlechtweg, denn die Armenier hatten und haben auch einen Katholikos, und auf diesen passt die chinesische Bezeichnung keineswegs; es ist darum auch unrichtig KÜHNERT's Beisatz: ‚nichts mehr und nichts weniger'; denn dem Gesagten zufolge muss es heissen = ‚Katholikus der Ostsyrer' (ܡܕܢܚ̈ܝܐ = ‚Orientalen'). Doch vor Allem die Frage: Woher weiss KÜHNERT, dass in den angeführten chinesischen Worten der Bischof von Seleucia-Ktesiphon gemeint ist, der eben den Titel Katholikos führt? Antwort: Von mir, und nur von mir. Alle Erklärer der Inschrift verstanden unter den Christengemeinden des Ostens die Christen Ostasiens, und darum konnte es ihnen nicht in den Sinn kommen, deren Oberhaupt Ningshu für eine Person mit dem Patriarchen und Katholikus Ḥnānīšō' zu halten. Ich habe zuerst nachgewiesen, dass Ningshu, alt Nangschu, der Patriarch Ḥnānīšō' des syrischen Textes ist, und dass das Chinesische in seiner Weise dessen altherkömmlichen Titel wiedergibt: Catholicus Patriarcha orientis,

[1] Von KÜHNERT unterstrichen.

oder: Catholicus Patriarcha orientalium populorum (bei Assemani *B. O.* iii, 2, an vielen Stellen); vgl. ‚Mar Shimoon, Catholicos and Patriarch of the East' (Badger, *The Nestorians* i, 376). Also meine Entdeckung ist es, die er sich da aneignet und auf Grund deren er zu meinem Texte, wie als Correctur einer Unrichtigkeit, hinzufügt: ‚... nichts mehr und nichts weniger', und dann als seine angeblich richtigere Uebersetzung hinsetzt: ‚Zur Zeit als der oberste (!) Patriarch Ningshu Katholikos war'. Was gibt denn hier Kühnert Neues und Besseres? So wie es einerlei ist, ob ich sage: damals war N. N. Präfect des Kreises N., oder: damals stand N. N. an der Spitze des Kreises N., ebenso ist es dasselbe, zu sagen: damals stand Patriarch Nangschu an der Spitze der Ostsyrer, oder: damals war der Patriarch N. Katholikus (der Ostsyrer). Wozu tadelt also Kühnert meine Worte, wenn nicht zu dem Zwecke, mich vor den des Chinesischen unkundigen Lesern blosszustellen?

S. 38 ff. stehen viele seltsame und einander widersprechende Behauptungen. Ich will nur etliche Beispiele ausheben. Curiosa sind u. a. der ‚oberste' Patriarch und die ‚Kirchenväter' (S. 34, 37), letzteres eine sonderbare Uebersetzung der bei Eitel (1. Aufl.) s. v. *sthavira* stehenden Worte: ‚the first fathers of the Buddhist Church'. — ‚主 僧 bedeutet Abt.' Aber bei Eitel (s. v. *vihārasvāmin*), von wo Kühnert entlehnt hat, steht 寺 主, ohne 僧, das ja nicht zum Amtstitel gehört. — ‚Abt bei den Buddhisten ... also (?) Bischof.' Für diese Bedeutung ‚Bischof' wird nun gar noch Eitel (a. a. O.) citirt, wo nur zu lesen ist: ‚lit. superior of a *vihāra*. Abbot (or abbess)'. — ‚Wenn nun 法主僧 den (obersten) Patriarchen bedeutet, so (?) wird 法 師 zweifelsohne eine kirchliche Würde bedeuten (wegen *fa* ? ?) ... Dies kann nur (?) der Vicar des Katholikos für China sein.' — Der dritte Absatz (S. 38) ist ganz sinnlos, wohl infolge eines Druckversehens. — Im folgenden Absatz ist 寺 僧 ‚Mönch'; 大秦 | | aber, was somit nur ‚syrischer Mönch' heissen könnte, ist für Kühnert auf einmal der Amtstitel des Ching-Cheng. S. 38 wird 寺 僧 mit ‚Mönch', S. 41 in demselben Texte mit ‚Priester der Tempel' übersetzt, was doch etwas ganz Anderes ist. — Ein anderes logisches Kunststück leistet KÜHNERT S. 37 (womit S. 42 zu vergleichen): 法師 heissen ‚auch jene buddhistischen Geistlichen (also eine Mehrheit), welche mit der Unterweisung des Volkes in der Lehre betraut wurden' (erste Prämisse); weiter sind zwei andere Wortverbindungen (von denen man aber nicht weiss, was sie hier zu thun haben) ‚Titel aller buddhistischen Priester (also wieder eine Mehrheit), denen das Lehren gestattet ist und die Aebte (noch nicht sind, aber) werden können' (zweite Prämisse); daraus wird nun (mit welcher Logik?) der Schluss gezogen, ‚dass *fa-ssy* sicher (natürlich sicher!) eine kirchliche Würde von keineswegs untergeordneter Bedeutung bezeichnet'. *Fa-ssy*, eine Bezeichnung derjenigen, welche Aebte werden können, ist somit (?) eine kirchliche Würde von keineswegs untergeordneter Bedeutung. Hat man bis S. 42 gelesen, so erscheint diese Schlussfolgerung noch mehr eingeschränkt und präcisirt: *fa-ssy* bezeichnet nunmehr den, dem in China die ‚oberste Lehrgewalt (法師) zufällt, gemäss der er einzig berufen war' u. s. w. Hienach also können nicht mehrere, sondern kann nur einer in ganz China den Titel *fa-ssy* führen.

S. 27 und 29 lässt mich KÜHNERT folgende Ungeheuerlichkeiten sagen: *Tha-thsin* (so!) ‚Tempel', ‚römischer Tempel', ‚christlicher Tempel'; *Ta-thsin* ‚Religion', ‚römische Religion'; *Tathsin* ‚römisches Reich'. Während ich in Wahrheit behaupte, *Tathsin* sei der chinesische Name des römischen Reiches, lässt mich KÜHNERT behaupten, *Tathsin* sei auch so viel wie Tempel, römischer Tempel, und wiederum bedeute dasselbe Wort: ‚Religion'; *Tathsin* heisse auch so viel als ‚christlich'. Bevor man jemand einen derartigen Unsinn nachsagt, wäre es doch Pflicht, den Text gehörig anzusehen. Wenn schon KÜHNERT das Bindezeichen für ein Gleichheitszeichen angesehen hat (eine Verwechslung, die a. a. O. für offene Augen unmöglich ist), so hätte doch die geringste Aufmerksamkeit auf den Zusammenhang dieses unglaubliche Missverständniss verhindern können. Wer Buddha-Religion sagt, behauptet der, Buddha sei so viel als Religion (Buddha = Religion)?

Aehnlich verhält es sich mit einem anderen Vorwurf (S. 29). Zur Uebersetzung: ‚Eine Jungfrau gebar den Heiligen in Tathsin',

bemerkt Kühnert: ‚Hier müsste doch Heller nach seiner Anschauung sagen: Sie gebar den Heiligen im römischen Reich, gebar den Heiligen in Christlich (?!).[1] Doch fassen wir die Sache ernst, denn diese gegen den chinesischen Sprachgeist verstossenden Hypothesen Heller's können nicht ernst genommen werden.' Kühnert liebt es, mit Emphase sich auf diesen Sprachgeist (so!) zu berufen, wenn es auch so wenig passt wie hier. Denn, wo stehen diese Verstösse gegen den chinesischen Sprachgeist? Einen Verstoss gegen den Geist der chinesischen Sprache wird man doch wohl darin nicht sehen können, dass man den Eigennamen Tats'in in der Uebersetzung beibehält. Auch Legge behält ihn bei; durch diesen Namen von bestem Klange (um andere nicht beizufügen) hoffe ich gegen die Anwürfe Kühnert's hinreichend gedeckt zu sein. Oder vielleicht zeigen sich die Verstösse in den Worten: Sie gebar den Heiligen in Christlich? Nun, das sage nicht ich, das lässt Kühnert mich sagen, um mich lächerlich zu machen. Aber mit welchem Rechte unterschiebt mir Kühnert die Behauptung, *Tats'in* heisse so viel wie ‚christlich'? Die Religion, welche die Nestorianer nach China brachten, hiess dort zuerst die persische Religion *(Possü kiao)*, seit Hiuen-tsungs Decret vom Jahre 745 Tats'in-Religion *(Tats'in kiao)*, unter beiden Namen ist doch gewiss die christliche zu verstehen. Ist darum ‚Persien' oder ‚Tats'in' gleichbedeutend mit ‚christlich'? Wenn Tats'in so viel als Syrien ist, dann ist doch Tats'in-Religion sicherlich so viel als syrische Religion, oder, wie Kühnert (S. 30) sagt, die syrische Lehre, d. i. der Nestorianismus; ist darum ‚syrisch' und ‚christlich', ist ‚syrisch' und ‚nestorianisch' eins und dasselbe? Auch S. 41 übersetzt Kühnert *da-tsin* mit ‚syrisch' (*da-tsin-shi* = syrische Tempel); also nach seiner Anschauung müsste er jenen chinesischen Satz so übersetzen: Eine Jungfrau gebar den Heiligen in Syrisch (?!), gebar den Heiligen in Nestorianisch (?!). Doch fassen wir die Sache ernst, um mit Kühnert zu reden. Kühnert weiss besser als ich, dass die chinesischen Wörter je nach ihrer Stellung u. s. w. die Function verschiedener Redetheile übernehmen, dass z. B. Substantive oft als

---

[1] Frage- und Rufzeichen sind von Kühnert.

Adjective u. s. w. fungiren; 佛 heisst ‚Buddha', aber S. 39 übersetzt er es mit Recht: ‚buddhistisch': nur mir gegenüber ignorirt er das, weil ihm daran liegt, mir einen Verstoss gegen den chinesischen Sprachgeist aufzubürden.

HELLER, so heisst es ferner, müsste doch sagen: ‚sie gebar den Heiligen im römischen Reiche'. Wäre das so unsinnig? wäre es ein Verstoss gegen den Sprachgeist? oder ist Christus nicht im römischen Reiche geboren? Nein, sagt KÜHNERT, das kann man nicht sagen, weil ‚es nicht erlaubt ist zu sagen, Christus ist in Rom geboren'. Wie kann es KÜHNERT, wenn er consequent sein will, trotzdem billigen, dass HIRTH the Roman Orient sagt, da doch nicht Rom, sondern Antiochia (S. 30; HIRTH, *China*, p. 207 ff.) die Hauptstadt von Tats'in ist? — Die Nestorianer darf man nicht römisch-christlich nennen, wie KÜHNERT will, das würde auf den Papst weisen. Aber ist denn ‚römisch' immer so viel wie ‚päpstlich'? ist denn the Roman Orient der päpstliche Orient?

In dem, was ich über ܦܐܦܫ geschrieben habe, bin ich nach KÜHNERT (S. 36) ‚mit dem Chinesischen ganz sprachwidrig umgesprungen'. Wieder eine seiner Lieblingsphrasen, die zeigen sollen, wie gut er sich im Chinesischen auskennt, aber wieder am unrechten Ort angebracht. Von Sprachwidrigkeit kann hier aus zwei Gründen absolut nicht die Rede sein. Erstens, weil das Wort ja nicht im Chinesischen, sondern im Syrischen steht, weil es sich nicht um einen chinesischen Satz u. dgl., sondern um ein einzelnes Wort, und darum handelt, welches chinesische Wort dies ܦܐܦܫ ist. Ob ich sage: Adam Priester und Chorbischof und kirchlicher Annalist von China, oder: Adam . . . und kirchliches Oberhaupt von China, oder sonst etwas substituire, mit den Sprachgesetzen des Chinesischen kann man dabei offenbar nicht in Berührung kommen, sowie es für die Sprachgesetze des Griechischen einerlei ist, ob in der letzten Bitte des Vaterunser unter ἀπὸ τοῦ πονηροῦ das Böse oder der Böse (Teufel) verstanden wird. Zweitens kann ich mit dem Chinesischen darum nicht sprachwidrig ‚umgesprungen' sein, weil ich nichts fest behauptet, nichts entschieden, sondern mehrmals ausdrücklich erklärt habe, das Wort ܦܐܦܫܝ sei mir räthselhaft, sei ein Problem, weil ich auf *fap-ssî* 法 史 (Annalist) nur gerathen, die Frage aber offen gelassen habe. So wenig dachte ich daran, etwas zu entscheiden, und so sehr gab ich die Möglichkeit zu, dass meine Conjectur unrichtig sei, dass ich den Einwurf von der Gabelentz' gegen dieselbe meinem Vortrage im Druck anschliessen wollte mit den Worten: ‚Gegen meine Erklärung machte von der Gabelentz die Einwendung ...'. Aber die Redaction trennte diesen Zusatz von meinem Vortrage und setzte ihn in die Berichte. Nun wird von Kühnert das gegen mich citirt, was ich selbst mitgetheilt hatte, um durch Vorlegung des pro und contra zu weiterer Forschung anzuregen. Wie ist es denn möglich, bei solchem Verhalten eine Sprachwidrigkeit zu begehen? Noch in anderer Weise zeigt sich hier mein Kritiker in wenig günstigem Lichte. Es verräth einen Anfänger im Fache, alle Schwierigkeiten lösen zu wollen, bei denen die Meister ein Fragezeichen machen. Von der Gabelentz hatte beim ersten Theil gerathen auf *fāp*, mit dem Beisatze: ‚aber das lange *a* im Syrischen? Der zweite Theil ist vielleicht 士 oder 師; vielleicht ist aber das Wort doch syrisch?' So Gabelentz. Auch andere Sinologen äusserten nur Zweifel. Kühnert aber, der die Gleichung nicht selbst gefunden, sondern von mir, respective Gabelentz, wo sie nur als Möglichkeit aufgestellt ist, entnommen hat, entscheidet flugs: ‚Dieser Ausdruck ist der hier gemeinte' (der gesuchte). Um hier gleich ein anderes Beispiel von dieser naiven Sicherheit Kühnert's beizubringen, sagt er (S. 33): ‚*A-lo-ben* ist sicher ‚Ruben', wie Hirth bereits bemerkt.' Für Hirth ist die Gleichung fraglich, denn er setzt ein Fragezeichen,[1] für Kühnert ist sie gewiss. Ich könnte dazu nur lächeln, wenn er nicht mit derselben Sicherheit zugleich die ungerechtesten Urtheile über meine Leistungen aussprechen würde.

Das zuletzt Gesagte geschieht namentlich in dem Abschnitt von der Transscription fremder Namen im Chinesischen und deren Identification. Bedauerlicher Weise mengt hier Kühnert abermals Dinge

[1] *China and the Roman Orient* 323. Die von Kühnert citirte Stelle ist mir nicht zugänglich.

zusammen, die weit auseinander zu halten sind. Die genannten Transscriptionen sowie deren Identification sind doch himmelweit verschieden von etymologischen Forschungen, womit er sie zusammen wirft. Wenn jemand Καμβύσης mit persisch Kambuǵija, Arminius mit Irmin, Mailand mit Milano identificirt, gibt er da die Etymologie der betreffenden Wörter? Oder gibt es für Kühnert keinen Unterschied zwischen wissenschaftlicher Etymologie und Volksetymologie?

Kühnert sagt (S. 27): ‚Bedauerlicher Weise hat sich Heller die Identification gewisser Namen sehr leicht gemacht, ohne zu bedenken, wie Hirth sich treffend ausdrückt, dass die Identification eines Namens bei chinesischen Transscriptionen schon an sich ein Problem ist.' Der Zwischensatz: wie Hirth sich treffend ausdrückt, soll andeuten, dass Kühnert in seinem abfälligen Urtheile über mich auch ‚gewiegte' Sinologen auf seiner Seite hat. Was Kühnert hier über mich sagt, ist genau das Gegentheil von dem, was er sagen musste, wenn er nicht eine Unwahrheit aussprechen wollte. Ich habe geschrieben:[1] ‚Wie sein (Alopens) syrisch-persischer Name gelautet habe, ist mit Sicherheit nicht zu ermitteln, wie es denn überhaupt nicht immer leicht ist, nichtchinesische Eigennamen aus ihrer chinesischen Form zu erschliessen.' Ueberdies habe ich mir besagte Identification so wenig leicht gemacht, dass ich mit Ausnahme jener Fälle, wo der syrische Name neben dem dazu gehörigen chinesischen steht, nur Vermuthungen mir erlaubte. ‚Alopen könnte danach wohl eine Umschreibung von *rabban* sein wie Yule glaubt. Assemani hält Alopen für Jahballâhâ; nicht unmöglich wäre es, dass wir in Alopen einen Ahron haben.'[2] ‚Es ist sehr wahrscheinlich,[3] dass Loham nichts anderes als Abraham ist.' Wie kommt Kühnert zu der Behauptung, ich mache Alopen zu Ahron und Lohan zu Abraham?

Drei der schlimmsten Beispiele stehen im folgenden kurzen Absatze (S. 35 f.): ‚Bei 普 論 das Heller „Pholün" transscribirt und

[1] *Zeitschrift* 117.

[2] Ebenda.

[3] Ebenda 119.

als Umschreibung für Paulus betrachten will, scheint er an Paulinus gedacht zu haben . . . Uebrigens kann 普 論 auch niemals Paulinus sein.' Es fehlt mir der Ausdruck, um diese Unterstellung, ich hätte Paulus geschrieben, aber an Paulinus gedacht (Pho-lün, Paulin), richtig zu charakterisiren, eine Unterstellung, gemacht, um mich zu ironisiren mit dem Satze: ,Nur schade, dass die Syrer aller Wahrscheinlichkeit [nach] nicht lateinisch ihre Namen ansetzten.' Weil er selbst oberflächlich vorgeht, glaubt er auch bei anderen dasselbe voraussetzen zu dürfen. Das ist die erste Ungerechtigkeit dieses Kühnert'schen Satzes. Die zweite liegt in seiner Behauptung, ich wolle das fragliche chinesische Compositum als Umschreibung für Paulus betrachten. Ich habe geschrieben:[1] ,Pholün kann Umschreibung von ,Paulus' sein', und dies deswegen, weil andere hier den Namen Paulus gefunden haben, ich gebe die Möglichkeit zu, weil es eben schwer ist, stets die richtige Identification zu finden. Will aber ich hier ,Paulus' finden? Ich sage: ,Dies kann ,Paulus' sein. Aber die Aspirate (P') deutet eher auf einen anderen Namen, etwa Ephrem.' Kühnert hat diese meine Bemerkung unterdrückt. Gelesen aber hat er sie, denn er kennt meine unmittelbar folgende Angabe, dass statt Paulus vielleicht das in der Inschrift anderswo stehende Ph'lim, Ph'rim, (A)phrem zur Beachtung sich empfehle. Und hier haben wir Kühnert's dritte Ungerechtigkeit gegen mich in diesem kurzen Absatze. Dem mir angedichteten ,Paulus' oder ,Paulinus' hält er entgegen, dass sich mit dem in Rede stehenden chinesischen Namen eher Ph'lim, Ph'rim ,in Beziehung bringen liesse', corrigirt also das, was ich nicht sage, was er mir aber zuschreibt, mit dem, was ich wirklich sage, aber ohne mit einem Worte anzudeuten, dass er sich nur meinen Vorschlag angeeignet habe. Er darf das auch nicht andeuten, weil sonst der ganze Absatz und seine spöttische Bemerkung gegenstandslos geworden wären.

Mein Kritiker redet mehrmals von den Gesetzen, die bei Identification chinesischer Transscriptionen zu beobachten seien und wirft

[1] *Zeitschrift* 120, Note 37.

mir vor, dass ich sie nicht berücksichtige. Gegen diese Gesetze habe ich mich, ihm zufolge, schon dadurch vergangen, dass ich anführe, wie drei Europäer, welche diese Gesetze gewiss kannten, im 17. Jahrhundert ihre Namen ins Chinesische umgeschrieben haben. Ist denn eine solche Kritik noch ernst zu nehmen? Kühnert macht selbst (S. 33 bis 35) zahlreiche Fehler gegen diese Gesetze, welche, wenn sie überhaupt, unabhängig von Kühnert's Theorien, existiren sollten, nicht so straff sind, als er vorgibt. Die chinesische Sprache ist ja bekanntlich unfähig, fremde Namen genau wiederzugeben. Für *R* z. B. muss sie *L* setzen, einen vocallosen Consonanten muss sie mit einem Vocal aussprechen, nach diesem Paradigma:

Ch-ri-s-tu-s *Kho-ra-z-m*
Ki-li-su-tu-su; *Huo-la-tsî-mu;*[1]

bei der Identification weiss man nicht immer, ob *L* ursprünglich oder Vertreter von *R* ist; *Lo-hu-lo* ist ein Beispiel für beides; wüsste man nicht, dass es für *Rāhula* steht, so könnte man auch auf *Lahura* oder *Lohura* oder *Lahul* oder *Rahura* u. s. w. rathen.

Kühnert will meine muthmassliche Identification *Lo-han* = *(Ab)-raham*, ausgesprochen *Auraham*, nicht gelten lassen. Denn er ‚sieht nicht ein (S. 34), warum eine mit *b* anfangende Silbe unterdrückt sein sollte' — *b* ist doch in *Ab-ra-ham* silbenschliessend; er sieht ferner nicht ein, ‚warum 阿 für *a* in *Abraham* nicht gebraucht ist' — er möge den Wegfall des *a* bei *Lo-han* für *Arhan* (S. 33) vergleichen; ferner ‚ist *Lo-han* nur zweisilbig und kann ganz wohl eine dritte Silbe vertragen' — warum gilt derselbe Grund nicht bei *Lo-han* für *Arhan*, bei *A-lo* für *Ab-ra(ham)*, jüdisch ausgesprochen *Aw-ra(ham)*? Siehe letzteres oben S. 180. ‚Im Weiteren ist es kaum wahrscheinlich, dass hier *lo* = *ro* sei' — der Kritiker vgl. das soeben angeführte *A-lo* = *Aw-ra(ham)*, und seine eigenen Worte weiter unten, wo ihm *lo* = *ro* auf einmal wieder wahrscheinlich geworden ist (für *Racham*). Etwas anderes ist es, einen fremden Namen nach

[1] E. Bretschneider, *Notices of the mediaeval Geography and History of Central and Western Asia* etc., Lond. 1876, p. 189.

allen seinen Lauten im Chinesischen wiederzugeben, wie es eben möglich ist, gleichsam zu buchstabiren oder zu sillabiren, und etwas anderes, einen Namen im Verkehr zu gebrauchen, wo er abgekürzt wird.

skt.	*bo-dhi-sat-tv-a*	nest.	*a-u-ra-ham*	skt.	*a-r-han*
altchin.	*bo-di-sat-tu-a*	(jüd.	*a-w-ra-ham*)	chin.	*a-lo-han*
	bo — sat	chin.	*a-wu-lo-ham*		*-lo-han*
neuchin.	*p'u — sa —*		*a — lo —*		
			— lo-ham		

Unser Sinologe findet so viel Schwierigkeit, in *Lo-han Abraham* zu erkennen. Nun, mit welchem Namen identificirt denn er dieses *Lo-han?* Ihm zufolge kann *Lo-han* sein: 1) *Locham*, 2) *Lochan*, 3) *Nocham*, 4) *Nochan*, 5) *Nachem*, 6) *Nachum*, 7) *Menachem*, 8) *Emanuel*, 9) *Racham*, 10) *Rach'm*, 11) *Merachem*, 12) *Rachmiel* (einen solchen Namen gibt es nicht, es soll heissen: *Jerachmiel*). Alle diese Namen, denen noch ein weiteres Dutzend zugefügt werden könnte, werden nach Kühnert chinesisch durch *Lo-han* wiedergegeben. ‚Namen, die semitisch sind', sagt Kühnert; er meint also, alle Namen, auf die man hier rathen kann, müssten semitische sein; kennt also die Sache, worüber er schreibt, so wenig, dass er nicht weiss, unter den 78 Personennamen der syrischen Inschrift seien recht viele nicht semitische. Wie vag müssen Kühnert's ‚Gesetze' sein, wenn so viele verschiedene Namen in chinesischer Transscription *Lohan* lauten; wenn man bei *Li-kan* auf ‚regn(um)' oder ‚('Ελλη)νικόν' oder ‚legion(es)' oder ‚Lycia' oder ‚(βασι)λική' oder ‚Rekem' rathen kann;[1] wenn der eine chinesische Laut *an* für *an*, *ar*, *ur*, *or* steht, *li* für *rik*, *lek*, *re* etc., *lu* für *ru*, *rw*, *rg*, *luk* und *po* für *bich*, *bai*, *pag*, *per*, *ba* u. s. w.; wenn die Silbe *leu* in ‚Seleucia' im Chinesischen bald *li*, bald *lo* transscribirt wird.[2] Freilich reducirt sich die Zahl dieser durch den gleichen Laut repräsentirten Silben in der ‚bescheidenen Liste' Hirth's durch die Rücksicht darauf, dass ‚manche fremde Namen durch andere Canäle zu uns als zu den Chinesen gekommen

[1] Hirth, a. a. O. 170.

[2] Ebenda 309—313.

sind'. Letztere haben nicht das griechische ,Seleucia' transscribirt, sondern das syrische ܣܠܝܩ *Slīq* (Seleucia bei Ktesiphon) und ܣܠܘܟ *Slōkh* (Karkhā dbēt Slōkh); der chinesische Name der Stadt Ma-lu oder Mo-lo ist eine Umschreibung von Mouro oder Maru, nicht von Merw oder Marg u. s. w. Nicht die Silbe *ram* von *Abram* ist in *lo* umgelautet, sondern *ra* von *Ab-ra(ham)*.

Cohn Antenorid bringt oben S. 179 ,einen positiven Beweis für die Richtigkeit der Kühnert'schen Ansicht', ,dass mit ,Alopen' unmöglich ,Ahron' gemeint sein kann, wie Heller . . . wollte' (80). Dieser Beweis ist mit nichten erbracht. Ich kann und will es nicht beweisen, dass Alopen = Ahron ist, ich behaupte nur die Möglichkeit dieser Identification; Kühnert und Cohn können aber ebensowenig die Unmöglichkeit derselben darthun. Cohn hat uns die Transscription des Namens ,Ahron' auf einem Täfelchen der Synagoge von Kaifungfu mitgetheilt. Aber er hat nicht bewiesen, dass ,Ahron' *nicht auch anders* transscribirt werden *könne*, dass man im 8. Jahrhundert keine andere Umschreibung anwenden *konnte*, als im 16. Jahrhundert. Der Name ,Mosche' ist auf dem erwähnten jüdischen Täfelchen mit 乜攝, auf der Nestorianischen Tafel mit 福壽 ausgedrückt. Auf letzterer stehen 12 Jôḥannān, 5 Isḥāq u. s. w., der gleiche Name lautet im Chinesischen jedesmal anders. Man sehe die chinesischen Namen der Jesuitenmissionäre in China im *Catalogus Patrum ... e Soc. Jesu, qui in Sinis adlaboraverunt.* Shanghai 1873. Der gleiche Name, z. B. Franciscus, Johannes, wie verschieden wird er transscribirt! Doch, weil Kühnert Eitel's *Handbook*, 2. Aufl., zur Hand hat, bitte ich ihn, dort nachzusehen: bei einem und demselben Namen gibt Eitel mehrere verschiedene chinesische Umschreibungen; jede Seite liefert Beispiele von dem . . . *or* . . . *or* . . . *or* . . . Buddha z. B. wird chinesisch auf sechsfach verschiedene Weise gegeben (86ᵃ), Veda auf fünffach andere Art (196ᵇ), Avalokites'vara hat vier Transscriptionen (23ᵇ), Brahma (35ᵃ) sechs.

In dem Satze (S. 34 f.): ,Die katholischen Missionäre (speciell die Jesuiten) haben als Ming *stets* ihre transscribirten Taufnamen beibehalten, daher blieb ihnen bei Transscription ihres Familiennamens nur eine Silbe', begegnen uns wieder mehrere irrige Angaben. Wenn das Gesagte bei den Einen zutrifft, ist bei vielen Anderen das Umgekehrte der Fall; bei manchen dient der Familienname zugleich als Sing und als Ming; z. B. im erwähnten *Catalogus*, S. 2, Nr. 2: Der Taufname Alexander ist hier Ehrenname *li-schan*, der Familienname Valignani aber Familienname und Rufname: Fan li-ngan. Bei Bartholomäus Tedeschi, ebenda Nr. 19, ist der europäische Familienname gar nicht verwendet, der Taufname dient für den chinesischen Familien- und Rufnamen: Tu lu-meu. Anderswo ist wieder der europäische Familienname als Ming verwendet, z. B. ebenda No. 7. Kurz, jede denkbare Abwechslung und Verschiedenheit ist in den chinesischen Namen des citirten *Catalogus* zu beobachten. Bei den Beispielen, auf die KÜHNERT sein Gesetz aufbaut, passirt ihm das Missgeschick, Adam für den Familiennamen des Missionärs zu halten, während es einer seiner Vornamen ist, Johann Adam, sein Familienname Schall von Bell aber in der Umschreibung gar nicht verwendet wird.[1] Ein Gelehrter, der in chinesischen Sachen so bewandert ist, sollte von diesem Johann Adam Schall doch etwas wissen, zum mindesten konnte er S. 85 meiner Abhandlung[2] seinen vollen Namen finden, und durfte einen derartigen Verstoss sich nicht zu schulden kommen lassen, weil mit allen diesen Unrichtigkeiten die ganze hier vorgetragene Theorie so ziemlich über den Haufen fällt.

Die Bemerkung, welche sich KÜHNERT S. 38 zu einem Zweifel HIRTH's betreffs der Transscription des *R* gestattet, wäre sehr ansprechend, wenn sie nicht wieder durch zwei Flüchtigkeitsverstösse verunziert wäre. Abgesehen von diesen, müsste KÜHNERT zur besseren Begründung der hier vorgetragenen Erklärung erst beweisen, dass in allen Fällen, in denen das Anfangs-*R* eines Wortes mit *L* ohne Vorschlagsvocal wiedergegeben wird (z. B. *lo* statt *o-lo*, siehe EITEL [2. Aufl.], S. 127 ff., wo u. a. Râhu ohne den Vorschlagsvocal transscribirt erscheint), der Vorschlag erst durch Verkürzung ausgefallen

[1] *Catalogus*, a. a. O., S. 6, Nr. 44.

[2] Wo er irrthümlicher Weise aufgeführt ist als Mitherausgeber des chinesischen Theiles der Inschrift.

ist. Aber das Schlimmste ist, dass Kühnert in der Wahl der Hauptbeispiele für seine Erklärung sehr unglücklich gewesen ist. *O-lo-ssŭ* für ‚Russia' will er mit seiner Theorie erklärlich machen; er hat aber übersehen, dass der Name der Russen schon in mittelasiatischen Sprachen, z. B. im Mongolischen, *oros* lautet (ung. *orosz*), von wo der Name erst zu den Chinesen gekommen ist.[1] Ausserdem passt das Beispiel *A-lo-han*, *Lo-han* für *Arhan* durchaus nicht zur vorausgehenden Erörterung, wo die Rede ist vom Anlaut *R*, der als Vorschlag *A* oder *O* annimmt, welches dann zur Verkürzung wegfallen kann. In *A-r-han* = *A-lo-han* ist *R* nicht Anlaut, und *A* nicht Vorschlagsvocal.

Ich will nicht näher eingehen auf andere Unrichtigkeiten, z. B. die curiose Gleichstellung von Chorbischof und Titularbischof; ich unterlasse es, das zu beleuchten, was Kühnert über die kirchlich-hierarchischen Verhältnisse der Nestorianer vorbringt, wodurch er nur darthut, dass es, um auf diesem Gebiete ohne Gefahr vielfachen Anstosses aufzutreten, nicht genügt, ein Compendium der Kirchengeschichte gelegentlich aufzuschlagen. Allen seinen Ausführungen hierüber halte ich die Thatsache entgegen, dass uns die syrisch-chinesische Inschrift den vollständigen und genauen Personalstand der nestorianischen Klerisei in China um das Jahr 781 liefert. Diese ist folgendermassen gegliedert: Ein Bischof Jōḥannān (nur einer); unter ihm stehen: drei Chorbischöfe, welche blos Priester sind (nicht geweihte Bischöfe nach Art der modernen apostolischen Vicare), zwei Archidiakone, welche aber die Priesterweihe haben, 25 einfache Priester (darunter fünf Mönche), zwei Diakonen (einer davon Mönch, also sechs Mönche), endlich 42 niedere Kleriker oder Kirchendiener.

[1] S. Bretschneider a. a. O. 175—181; Fraehn (bei R. v. Scala, *Beziehungen zwischen Orient und Occident im MA.*, S. 38 steht irrthümlich Mahn), *Ibn Fosslan's und anderer Araber Berichte über die Russen älterer Zeit*, St. Petersb. 1823, S. 33.

Entgegnung auf Heller's ‚Beleuchtung'.

Von

Fr. Kühnert.

Aus principiellen Gründen jede persönliche Polemik vermeidend, da es mir nur um die Sache zu thun ist, lasse ich Alles, was in HELLER's ‚Beleuchtung' gegen mich persönlich vorgebracht wird, bei Seite liegen.

Ich setze von jedem, der sich über die Sache ein Urtheil bilden will, voraus, dass er zu meinen ‚Bemerkungen' auch die angeführten Originalarbeiten HELLER's einsieht, denn sonst müsste ich seine fünfzig Seiten umfassende Arbeit in extenso meinen Bemerkungen anreihen, was in einer Zeitschrift doch nicht angeht.

Dass ich des Guten, das seine Arbeit enthält, nicht gedacht habe, meint HELLER mir übel anrechnen zu müssen. Bezüglich dieses Punktes dürften ihm aber die ersten vier Zeilen meines Aufsatzes Aufschluss geben, worin ich ausdrücklich sage: ‚bezüglich einiger Punkte von HELLER's, soviel mir bekannt, bis jetzt erschienenen Arbeiten, die seinerzeit mein Interesse erweckten, Umschau zu halten .....'

HELLER hat nirgends in den von mir angeführten Arbeiten ausdrücklich erklärt, dass er nicht Chinesisch verstehe. Der Leser kann dies nicht ahnen, sondern wird eher von der Ansicht ausgehen, HELLER kenne das Chinesische, wie ich gleich zeigen werde.

Für meine ‚Bemerkungen' konnten nur HELLER's gedruckte Arbeiten existieren, weil nur diese dem Leser vorliegen, nicht aber seine Persönlichkeit, welche dem Leser nicht bekannt zu sein braucht. Trotzdem sage ich (p. 28 dieser Bemerkung) doch deutlich genug, dass HELLER kein Sinologe ist.

In der ‚Beleuchtung' sagt HELLER: ‚Ich bin kein Kenner des Chinesischen und habe nirgends den Anspruch erhoben, als solcher zu gelten.' In seiner ersten Arbeit (*Zeitschrift*, p. 103) ist jedoch zu lesen: ‚Die Uebersetzung geben wir nach WYLIE, ausser wo wir Gründe haben, von ihm abzuweichen.'[1] Dieses ‚wir' bezieht sich doch wohl auf HELLER. Dann hätten wir die beiden Aeusserungen HELLER's vor uns:

a) er sei kein Kenner des Chinesischen;

b) er hatte Gründe, die Uebersetzung WYLIE's zu corrigieren.

Zur Correctur einer Uebersetzung muss man doch — ich glaube wenigstens — eine Kenntniss jener Sprache besitzen, aus welcher übersetzt wird?

Ich constatiere nur den hier vorliegenden Widerspruch und stelle ferner die Frage, wieso ein Nichtkenner des Chinesischen entscheiden kann, ob Jemand in Sinicis Recht habe oder nicht?

Da ich mich nur mit Einzelnem von dem beschäftigte, was HELLER über chinesische Dinge vorbrachte, er selbst aber nunmehr ausdrücklich erklärt, kein Kenner des Chinesischen zu sein, so wäre es an sich gar nicht nöthig, auf seine Ausstellungen näher einzugehen. Im Interesse der Sache jedoch, soll auf die einzelnen Streitpunkte Schritt für Schritt in Kürze geantwortet werden.

Ich bemerke, dass in der Uebersetzung der chinesische Theil der genannten Inschrift (im Drucktexte der HELLER'schen Arbeit) etwas über 300 Druckzeilen, der syrische etwas über 30 umfasst.

S. 303. Die Textierung HELLER's macht nicht den Eindruck, als ob dem Fachgelehrten Probleme vorgelegt würden, man sehe nur das Citat p. 31 meiner Bemerkung, Absatz 1.

S. 305. Wegen SI-ân vgl. Pei-wen-iün-fu, K. 14 a, s. v. 西安.

Bezüglich des 大師 habe ich mir keine Blösse gegeben. Sowohl der 法師 als auch der 禪師 werden 大師 genannt (vgl.

[1] Das hier Gesperrte liess ich und nicht HELLER sperren.

Wells-Williams, *Syllabic Dict.* s. v. *shï;* bezüglich des Alters von *tà-sy* etc. vgl. Pei-wen-iün-fu, K. 4 a, s. v. 大師, 法師). Um den Unterschied zwischen beiden genannten anzudeuten, wurde auf Eitel *upadhyâya* verwiesen (u. Aufl.). 大師 ist ‚Hoherpriester', wie auch Schlegel's Wörterbuch gibt, 和尚 ‚Hoshan' ist Volksausdruck; auf ihn bezieht sich Eitel's ‚now-a-days'. Hätte ich aus Eitel abgeschrieben (!?), so hätte ich mit Gänsefüsschen citiert. Dass Wylie *fapschi* **liest**, sage ich nirgends.

S. 307. Nirgends schreibe ich mir die Identification zu, wenn man das bereits hier eingangs Gesagte festhält. 然 ist übersehener Druckfehler, wie jeder des Chinesischen Kundige sieht, weil er weiss, wie leicht man solche übersieht. Auf meiner, in Peking, April 1893, von mir selbst erworbenen Photographie eines Abklatsches ist deutlich 烈 zu lesen, hingegen ist bei dem zweiten Namen das erste Zeichen selbst unter einer starken Lupe undeutlich und nur ein langer, oberer horizontaler Strich hervortretend. 然 klingt gar nicht *žán*.

S. 308. So gut wie das *ṅ (ng)* im Anlaute von 業 für *g* stehen kann, so gut kann das *ny* oder *y* des Anlautes von 葉 dafür stehen. Kann *g* und *y* in der Aussprache nie verwechselt werden?

S. 308. Ich prunke nicht mit Heller's Forschungsergebnissen; denn er sagt nirgends, dass 知 . . . 衆 Katholikos sei. In O. C. ist dies übersetzt: ‚die orientalische Kirchengemeinde regierte'; in der *Zeitschrift:* ‚an der Spitze der Orientalen stand.' Wie kann Heller, **als Nichtkenner des Chinesischen**, behaupten: ‚Doch gemach! Wörtlich heisst das Chinesische: Chef der christlichen Gemeinden des Ostens'? Von wem dies herrühre, ist gleichgiltig; bemerkt sei nur, dass dies wörtlich **nicht** im Chinesischen steht. Chef müsste durch 首 wiedergegeben sein und dieses am Ende und nicht am Anfang der Phrase stehen, weder 會 ‚Gemeinde' ist vorhanden, noch ein Ausdruck für christlich u. s. w. Ich masse mir nicht an, entdeckt zu haben, dass der Patriarch Ḥnânîšô Katholikos war, sondern ich sage nur, dass bei einer richtigen Uebersetzung des Chinesischen, dasselbe mit der von Heller angegebenen Uebersetzung des Syrischen stimmt.

S. 309. Es ist einerlei, ob ich sage: ‚N. N., Präfect des Kreises N.‘ oder ‚stand N. N. an der Spitze von N.‘; nicht aber einerlei, ob ich eine Stelle in der ersten oder in der zweiten Weise übersetze.

S. 309. Auch hier habe ich nicht aus EITEL entlehnt (weil dies nicht im Buche EITEL's steht). Die Verweisung hat ähnlichen Zweck, wie die früher besprochene.

S. 309. Den Tadel wegen ‚Kirchenvater‘ nehme ich sehr gerne hin, da er auch den grössten Kenner des Chinesischen, G. SCHLEGEL, trifft, dessen Werke HELLER gewiss kennt. Er schlage SCHLEGEL's Wörterbuch nach, dort kann er dies finden, sowie auch, dass der Ausdruck mit 僧 wirklich chinesisch ist, wie er auch auf der Inschrift steht. (僧 gehört zum Titel vgl. Pei-wen-iün-fu: 主|, 寺|, 大德|.) Der unverständliche Absatz ist wohl für keinen Kenner des Chinesischen entstellt, weil 僧 vor statt nach ‚durch‘ steht. Zur Illustration der in gewisser Beziehung eigenthümlichen Discussionsweise, die nun folgt, nämlich etwas über den Leisten eines selbst gefertigten Syllogismus zu schlagen, wobei auch ein kleiner Irrthum unterlaufen kann, diene folgende Skizze des Gedankengangs:

1. Die Buddhisten haben eine bestimmte Terminologie zur Bezeichnung der kirchlichen Würden;

2. Die Nestorianer haben diese Terminologie für ihre kirchlichen Würden entlehnt.

Daraufhin ist chinesischer Gepflogenheit gemäss anzunehmen, dass die Stufenfolge der so bezeichneten Würden bei den Nestorianern ein analoges Rangverhältniss aufweist, wie die Stufenfolge der entsprechenden buddhistischen Würden.

寺主僧 und 寺僧 stehen bei den Buddhisten in dem Verhältniss von Abt zu Mönch, also werden diese Ausdrücke bei den Nestorianern auch ein analoges Verhältniss andeuten. Dies wäre etwa Bischof und Priester.

法師 ist bei den Buddhisten eine höhere Würde als 僧; es ist daher anzunehmen, dass es bei den Nestorianern ein ähnliches Verhältniss geben wird, wenn 法師 vorkommt. Patriarch ist bei den Nestorianern durch Vorsetzung von 法 aus dem Ausdrucke für Bischof gebildet, der Patriarch steht aber doch wohl dem Range nach höher als ein einfacher Bischof; so dürfte es denn nicht so ungeheuerlich sein, nach Allem anzunehmen, dass das 法師 bei den Nestorianern, infolge des auftretenden 法, einen höheren Rang andeutet, und dass eine derartige Würde, gerade wegen des 法 im Ausdruck für Patriarch, in einer näheren Beziehung zum Patriarchen stehen wird. Ob ein solcher Gedankengang confus ist oder nicht, überlasse ich dem Urtheile jedes Unbefangenen.

S. 310. Heller sagt ausdrücklich: ‚Ta-thsin-Religion ist soviel als römische, d. h. christliche Religion etc.'

大秦國 heisst ‚ta-thsin-Reich', ta-thsin 寺 ‚ta-thsin-Tempel'. Lässt man nun das erstere als römisches Reich gelten, dann muss man auch ta-thsin-Tempel als römischen Tempel nehmen. Ta-thsin ist einmal Bezeichnung eines Landes, Staates oder Volkes. Kann ich sie identificieren, dann muss ich, falls ich sie einmal einführe, dieselbe auch überall, je nach Erfordernis, als Adjectiv, Substantiv, Verb etc., aufführen. Will ich nun ta-thsin-Tempel als christlichen Tempel auffassen, dann ist ta-thsin gleichbedeutend mit christlich genommen. Nun ist aber christlich meines Wissens kein Adjectiv, das von einem Länder-, Staaten- oder Volksnamen kommt; ich kann daher auch kein Substantivum davon angeben, wie z. B. Syrien zu syrisch.

Römisch ist nicht immer soviel als päpstlich, aber römisch-christliche Religion, Römlinge sind Ausdrücke, denen eine gewisse Beziehung auf den Papst nicht abzusprechen ist.

S. 312. Der chinesische Ausdruck 法史 kann nicht Annalist der Kirche heissen, das ist sprachwidrig, und die Analogie mit 國史 ist auch nicht zulässig. Bei dieser Conjectur Heller's sind sonach Sprachwidrigkeiten unterlaufen, gegen die, meines Erinnerns, auch Schlegel war.

Bezüglich der Transcription (S. 313 ff.) bemerke ich Folgendes: Wissenschaftliche und Volksetymologie kommen bei Reconstruction fremder Namen aus chinesischer Transcription nicht in erster Linie in Frage (cf. *J. R. A. S. C. B.*, Vol. xxi, p. 127 ff.). Der Chinese

22**

kennt keine Etymologie, keinen Vocal oder Consonanten, noch weniger Länge und Kürze der Vocale. Er sucht nur den gehörten Laut wiederzugeben, soweit es ihm möglich ist, wobei für ihn die Shêngs seiner Sprache vor Allem in's Gewicht fallen. Es muss dann aber doch zwischen dem supponirten Originalwort und der Transcription eine Klangähnlichkeit existieren, die weder bei Alopen und Ahron (bei Ruben l. c. kein ?) noch bei Pholün und Paulus in Bezug auf die letzte Silbe vorhanden ist. Heller musste also eine andere nicht genannte Form im Gedächtniss haben und ich nahm an, dass dies vielleicht Paulin war. Wer Heller's Anm. 37 gelesen (die lautet: ‚Pholün kann Umschreibung von „Paulus" sein; die Aspirate aber deutet eher auf einen andern Namen, etwa Ephrem. In der syrischen Inschrift ist letzterer Name mit Phelim, Ph'lim, d. i. Ph'rim, (A)phrim gegeben'), dürfte in meinen Ausführungen, dass Pholün weder Paulus noch Paulinus, sondern eher das Ph'rim etc. der syrischen Inschrift ist, wohl eine Aeusserung zu Gunsten der Heller'schen Ansicht finden. S. 318.

Hier genügt es ferner, meine Worte (S. 319) anzuführen: ‚Die von Heller angezogenen Beispiele ‚Ricci, Matteo' etc., beweisen für die Sache gar nichts.'

Dass ich auch im Punkte der Transcription immer vom Standpunkte des Chinesen rede, hat Heller nicht bemerkt. Ob *b* im Originalwort silbenschliessend ist oder nicht, dies kümmert den Chinesen nicht im Mindesten. So steht auf der Inschrift von Kai fong: 阿無羅漢 als zweite Silbe *ú*, deren älterer Anlaut *b* war. Ich wusste auch vor Heller's Bemerkung, dass der europäische Familienname von Thang Scho wang ‚Schall' heisst, im Chinesischen ist aber Adam (Thang) als 姓 oder Familienname genommen. Heller übersah ferner die Klammern bei ‚für Russia', im Gegensatz zu rūpa etc. (Hirth's Beisp. l. c.) Hiedurch wurde zur Genüge angedeutet, dass Russia, was ich auch vor Heller's Bemerkung wusste, nicht als Originalwort der chinesischen Lautwiedergabe zugrunde lag, was übrigens schon in den angeführten Worten Hirth's zutage tritt, sondern Oross.

Hier denkt Heller an das der chinesischen Transcription zugrunde liegende Originalwort; wo ich aber, mir consequent bleibend, sage, Abraham kann dies nicht sein, da will Heller nichts davon wissen. Verkürzungen sind nur bei häufig gebrauchten oder eingebürgerten Worten zu erwarten (das ist wohl Abraham nicht), und dann müssen die volle und die verkürzte Schreibweise doch mindestens in einer und derselben Quelle vorliegen.

Auch bei Ârhan hat Heller diesen von mir eingenommenen Standpunkt des Chinesen ausser Acht gelassen. Der Chinese sagt nicht Arhan, sondern A-lo-han und erst durch das *A* wird erkennbar, dass $L = R$ sei. Lo-han heisst auch nie Arhan, sondern ist Abkürzung, deren richtiges Originalwort nur durch die Auffindung der Transcription *a-lo-han* sichergestellt war. Wegen der Vorschlagssilbe sehe man in Eitel an: Râdjagriha, Râdjapura, Râdjavarddhana, Râhula, Râivata, Ratnatchinta, Rohu und St. Julien, *Méthode* §. xviii D.

Als Gegenstück zum letzten Absatz sehe man meine Worte (p. 42 d. Bem.) ‚Ist dem so, dann . . .', zu denen ich jetzt beifüge: Es musste deshalb auch darauf hingewiesen werden, was vom Standpunkte des Chinesischen in Heller's Erörterungen unrichtig ist, damit der Syrologe nicht auf Abwege gerathe.

Der sogenannte Personalstand der nestorianischen Klerisei in China um das Jahr 781 (S. 320) ist wohl der Hauptsache nach aus den etlichen 70 Namen des syrischen Textes an den Seitenflächen des Denkmals abgeleitet. Steht aber im Syrischen der Inschrift ausdrücklich, dass dies der vollständige und genaue Personalstand ist? Hierüber kann nur der Syrologe entscheiden; der Uebersetzung (p. 111, 112 der *Zeitschrift*) ist dies wohl nicht zu entnehmen.

Epigraphic discoveries in Mysore.

By

Georg Bühler.

Mr. L. Rice, C.I.E., the Director of the Archaeological Department in Mysore, who, two years ago, discovered the Aśoka Edicts of Siddâpur, has again made three most valuable finds. He has kindly forwarded to me photographs and transcripts of his new inscriptions; and, with his permission, I give a preliminary notice of their contents, which indeed possess a great interest for all students of Indian antiquities.

The best preserved among the three documents is a long metrical Sanskrit Praśasti or Eulogy on the excavation of a tank near an ancient Śaiva temple at Sthâna-Kundûra, begun by the Kadamba king Kâkusthavarman, and completed in the reign of his son Śântivarman. The author of the poem, which is written in the highest Kâvya style, was a Śaiva poet called Kubja, who, as he tells us, transferred his composition to the stone with own hands. He devotes nearly the whole of his work to an account of the early Kadamba kings, regarding whom hitherto little was known except from their land grants, published by Dr. Fleet in the *Indian Antiquary*. Like the land grants, the Praśasti states that the Kadambas were a Brahminical family, belonging to the Mânavya Gotra, and descended from Hâritîputra. But it adds that they derived their name from a Kadamba tree which grew near their home. In this family, Kubja goes on, was born one Mayûraśarman, who went to Kâñchî in order to study, and there was involved in a quarrel with its Pallava rulers. He took up arms against them, and after a prolonged and severe struggle he became the ruler of a territory between the Amarârṇava and Premâra (?). Mayûraśarman left his possessions to his son Kaṅga, who adopted instead of the Brahminical termination *śarman* of his father's name, that which distinguishes the Kshatriyas, and was called Kaṅgavarman. Next followed Kaṅga's son Bhagîratha, who had two sons, Raghu and Kâkusthavarman. Both became successively rulers of the Kadamba territory; and Kâkustha's successor was his son Śântivarman, during whose reign Kubja composed his poem, while residing in an excellent village *(varaśâsana)* granted by that king. The last two kings are known through Dr. FLEET's Kadamba land grants, but the names of their predecessors appear for the first time in Mr. RICE's Praśasti. New also is the account of the manner in which this branch of the Kadambas rose to power. It seems perfectly credible, since Brahminical rebellions and successful usurpations have occurred more than once in the Dekhan both in ancient and in modern times. The change of the termination in Kaṅgavarman's name, and the adoption of the names of mythical warriors by his descendants, may be due to a marriage of the Brahman Mayûra with the daughter of a chief or king belonging to the Solar race, whereby his son and his offspring would become members of the Kshatriya caste. The inscriptions show that such alliances were by no means uncommon in ancient times.

Incidentally, the Praśasti mentions besides the Pallavas two other royal races: "the great Bâṇa," on whom Mayûraśarman is said to have levied tribute; and, what is of much greater interest, the Guptas, whom Kâkusthavarman is said to have assisted by his advice. The verse referring to the Guptas occurs in line 12 of the Praśasti, and I give its translation in full:

"That sun among princes *(Kâkustha)* awakened by the rays of his daughter *(Sâvitrî-Sarasvatî-Prajñâ,* 'personified intelligence'), the glorious races of the Guptas and other kings, that may be likened to lotus-beds, since their affection, regard, love, and respect resemble the filaments [of the flower], and since many princes attend them, like bees [eager for honey]."

The Guptas, who were attended by many princes, hungering for their gifts as the bees seek the honey of the lotus, are, of course, the Imperial Guptas; and the Gupta king whom Kâkusthavarman "awakened by the rays of his intelligence" is in all probability Samudragupta. As far as is known at present, he was the only Gupta who extended his conquests to the Dekhan. His court-poet, Harishena, alleges in the Allahabad Praśasti that Samudragupta imprisoned and afterwards liberated "all the princes of the Dekhan", and mentions twelve among them by name. Samudragupta's reign came to an end sometime before A.D. 400. Hence Kâkusthavarman, too, would seem to have ruled in the second half of the fourth century, and Mr. Rice's new inscription probably belongs to the beginning of the fifth. Its characters closely resemble those of Kâkusthavarman's copper-plates, which Dr. Fleet long ago assigned to the fifth century on palaeographical grounds. The two estimates thus agree very closely, and mutually support each other.

In addition to these valuable results, Mr. Rice's new inscription furnishes an interesting contribution to the religious history of Southern India. As all the land grants of the early Kadambas are made in favour of Jaina ascetics or temples, and as they begin with an invocation of the Arhat, it has been held hitherto that these kings had adopted the Jaina creed. Kubja's Praśasti makes this doubtful, and shows at all events that they patronised also Brahmans and a Śaiva place of worship. An incidental remark in the concluding verses, which refer to the temple of Sthâna-Kundûra, proves further that Śaivism was in the fifth century by no means a new importation in Southern India. Kubja mentions a Sâtakarṇi as the first among the benefactio of the Śaiva temple. This name carries us back to the times of the Andhras, and indicates that Śaivism flourished in Southern India during the first centuries of our era.

Mr. Rice's two other finds are older than the Praśasti, and possess, in spite of their defective preservation, very considerable interest. They are found on the one and the same stone pillar, and show nearly the same characters, which are closely allied to those of the latest Andhra inscriptions at Nasik and Amarâvatî. The upper one, which is also the older one, contains an edict in Prakrit of the Pâli type, by which the Mahârâja Hâritîputta Sâtakaṇṇi, the joy of the Viṇhukaḍaḍuṭu or Viṇhukaḍḍachuṭu family, assigns certain villages to a Brahman. This Sâtakaṇṇi is already known through a short votive inscription, found by Dr. Burgess at Banavâsi, which records the gift of the image of a Nâga, a tank, and a Buddhist Vihâra by the Mahârâja's daughter. The new document, which contains also an invocation of a deity, called Maṭṭapaṭṭideva, probably a local form of Śiva, teaches us that Sâtakaṇṇi was the king of Banavâsi; and it furnishes further proof for the early prevalence of Brahmanism in Mysore. It certainly must be assigned to the second half of the second century of our era. For the palaeographist it possesses a great interest, as it is the first Pâli document found in which the double consonants are not expressed by single ones, but throughout are written in full. Even Hâritîputta Sâtakaṇṇi's Banavâsi inscription shows the defective spelling of the clerks.

The second inscription on this pillar, which immediately follows the first, and, to judge from the characters, cannot be much later, likewise contains a Brahminical land grant, issued by a Kadamba king of Banavâsi, whose name is probably lost. Its language is Mahârâshṭrî Prakrit, similar to that of the Pallava land grant published in the first volume of the *Epigraphia Indica*, and Sanskrit in the final benediction. It furnishes additional proof that, at least in Southern India, the Mahârâshṭrî became temporarily the official language, after the Prakrit of the Pâli type went out and before the Sanskrit came in. This period seems to fall in the third and fourth centuries A.D.

The numerous and various points of interest which the new epigraphic discoveries in Mysore offer, entitle Mr. Rice to the hearty congratulations of all Sanskritists, and to their warm thanks for the ability and indefatigable zeal with which he continues the archaeological explorations in the province confided to his care. To the expression of these sentiments I would add the hope that he may move the Mysore government to undertake excavations at Sthâna-Kundûra, or other promising ancient sites, which no doubt will yield further important results.

Vienna: September 3, 1895.

Zu Açoka's Säulen-Edicten.

Von

R. Otto Franke.

Die folgenden Bemerkungen sollen die Erörterungen über die Açoka-Inschriften fortsetzen, die ich in einem für die ‚Gött. Nachr.‘ bestimmten, im Druck befindlichen Artikel angefangen habe, aber wegen Raumbeschränkung nur auf die Felsen-Edicte sich erstrecken lassen konnte. Ich darf also hier gleich in medias res gehen.

Delhi Sivalik I, 7 findet sich der Satz: *Pulisâ pi ca me .. anuvidhîyaṃtî saṃpaṭipâdayaṃti câ,* und analog lautet er und enthält ebenfalls *anuvidhîyaṃti* in den anderen vollständigen Säulen-Versionen. Bühler übersetzt richtig: ‚Meine Diener aber ... befolgen und führen (meinen Willen) aus.‘

Delhi Sivalik VII, 2, 7 enthält den Satz: *yâni hi kânici mamiyâ sâdhavâni kaṭâni taṃ loke anûpaṭîpaṃne taṃ ca anuvidhiyaṃti,* den Bühler treffend übersetzt: ‚Alle die Werke der Heiligkeit, die ich vollbracht habe, haben die Menschen nachgeahmt und denen folgen sie nach.‘

Auch aus den Felsen-Edicten habe ich die Stellen des Vorkommens des Passivums von *anuvidhâ* nachzutragen. In Ed. X bietet Girnar, Z. 1/2 *dîghâya ca me jano dhaṃmasusrusâ susrusatâṃ dhaṃmavutaṃ ca anuvidhiyatâṃ.* Shâhb. hat in seinem analogen Satze *anuvi[dhiyatu],* Mans. *a[nu]vidhiyatu,* Khâlsî *(anu)vidhiyatu.* In Dh. und Jaug. fehlt das Wort. Es wird von Senart übersetzt ‚se conformer à‘. Wir haben ferner *anuv[i]dh[i]yare* in dem neugefundenen, von Bühler, *WZKM.* VIII, S. 318—320 behandelten Stück des XIII. Girnar-Edictes, dem in Shâhb., Z. 10 *[an]u(vidhiyaṃti)* entspricht in dem Satze *te pi çru[tu] (devanaṃ priyasa) dhramavuṭaṃ vidhena(ṃ dhramanuçasti dhramaṃ) [an]u(vidhiyaṃti) anu(vidhiyiçaṃ(ti) ca* = ‚befolgen das Gesetz, sobald sie die nach dem Gesetze erlassenen Befehle (und) die Gesetzeslehre des Göttergeliebten gehört haben, und werden sie in Zukunft befolgen‘ (Bühler's Uebersetzung), in Mansehra *anuvidhiyaṃti* und *anuvidhi[yisaṃti]*, und in Khâlsî XIII, 2, 12 *anuvidhiyaṃti anuvidhiyisaṃti*. Ueberall hat das uns interessirende Wort active Bedeutung, aber passive Form.[1] Dasselbe ist verschiedene Mal im späteren Sanskrit, vom Mahâbhârata an, der Fall. Im P. W. ist, wie aus der Uebersetzung ‚sich richten nach‘ hervorgeht, dem Passivum eine reflexive Bedeutung beigelegt. Die verdienstvollen Interpreten der Açoka-Inschriften haben diese Auffassung zu der ihren gemacht. Indessen besitzt natürlich die Sanskritform für uns keine höhere Autorität als die Pâliform und ist umso mehr in gleicher Weise wie diese zu beurtheilen, weil die Sprache des Mahâbhârata bekanntlich viele Eigenthümlichkeiten mit dem Pâli gemeinsam hat. Sollten wir daher eine andere Erklärungsweise der Form für das Pâli als möglich erweisen können, so würde diese Möglichkeit auch für das Sanskrit Beachtung beanspruchen dürfen. Unmöglich gemacht wird, das will ich von vornherein bemerken, die frühere, an sich ja berechtigte, Auffassung nicht durch diejenige, die ich an die Stelle setzen werde. Nur das subjective Ermessen wird bei der Bevorzugung einer von beiden Möglichkeiten zu entscheiden haben, und wenn es sich für die von mir aufgestellte entscheiden sollte, so wird es die Berechtigung dazu herleiten können aus einer Kategorie paralleler Erscheinungen des Pâli, auf die ich hier eingehen werde. In einem Artikel über ‚Das Wirken des Bequemlichkeitsprincips in der Pâlisprache‘ in K. Z.[2] habe ich dargethan, in wie mannigfacher Weise die Sprech- und Denkträgheit der Schöpfer des Pâli auf die Umgestaltung der ererbten Formen und auf die

[1] Vgl. auch Nasik, Nr. 18, Z. 10 (Burgess): *rājarisivadhusadam akhilam anuvidhiyamānāya.* [G. B.]

[2] Bd. XXXIV, Heft 3.

Durcheinanderwürfelung der grammatischen Kategorien eingewirkt hat. Eine Art solcher Confusion habe ich dort aber noch nicht berührt: das Eintreten der Passivformen für das Activ. Offenbar war auch hierbei das von mir a. a. O.[1] erwiesene durchgreifende Streben nach *a*-Stämmen die hauptsächliche Triebfeder, denn solche *a*-Stämme wurden durch das Passivsuffix *-ya* auch für Wurzeln gesichert, die anderen Conjugationsclassen als denen mit *-a* angehörten. Solche Beispiele activen Gebrauchs von Passivformen sind *nidhîyasi* = du legst nieder (mit v. l. *nidayâsi*) G. von Jât. IV, 279; *khajjare* = sie essen, und *piyyare* = sie trinken, in G. von Jât. IV, 380; *muccate* in *eso muccate iṇaṃ* = er wird seine Schuld los, in G. von Jât. V, 238; *paññâyase* = du erkennst, in G. von Jât. V, 255; *pithîyare* = sie schliessen, in G. von Jât. V, 266; *nikhaññasi* (die wohl allein richtige und statt des im Texte stehenden *nighaññasi* einzusetzende v. l.) = du gräbst ein, in G. 8 von Jât. VI, 13, vom Comm. erklärt mit *nikhaṇissasi; neyati* in G. 43 von Jât. VI, 85: *Santaṃ hi Sâmo vajati, santaṃ pâdâni neyati* = denn Sâma geht leise, leise setzt (wörtl. ‚führt') er seine Füsse (*neyati* für *nîyati* mit Durchführung des Activstammes *ne*); *vanîyati* = begehrt (v. l. *vatîyati* und *dhaniyyati*) in G. von Jât. VI, 264 und VI, 270; und der Aor. Pass. *harîyiṃsu* (v. l. *-iy-*) in G. von Jât. V, 302; die 3. Pl. Imper. Pass. *âhaññaruṃ*, mit Accusativ verbunden, in G. von Jât. IV, 395. Vielleicht beruht es auf dieser Verwilderung des Passivs, wenn in dem letzten Einleitungsvers von Milindap. S. 90 in *chejjapessâmi* der Passivstamm der Causativbildung zu Grunde gelegt ist. Das Sanskrit hat im Pass. *mriyate* = ‚sterben' ein weiteres Beispiel des gleichen Gebrauchs. Auch im Pâli heisst ‚sterben' häufiger *miyyati*, z. B. G. J. III, 426; *mîyare* G. von Jât. IV, 51. 53. 494; *miyanti* G. von Jât. V, 77. VI, 26. Jât. IV, 51.[2] Es ist aber auch möglich, dass *mriyate* und sein Pâlicorrelat empfunden worden sind als Passiv zu *mṛ* = zermalmen.

---

[1] Und noch eingehender in einem im Druck befindlichen Artikel in B. B.

[2] Allerdings liegt es aber näher, diese Pâli-Formen *miyyati* etc. als Activa nach der vierten Classe aufzufassen.

23*

Ein solches rein aus formalen, praktischen, nicht aus logischen Gesichtspunkten zu erklärendes Passivum im activen Sinne kann auch *anuvidhîyati* der Açoka-Inschriften sein und einfach den etymologischen Sinn von *anu* + *vi* + *dhâ* repräsentiren = nachmachen, befolgen.

In dem oben angeführten Satze von Shâhbâzg. xiii, 10 verdient noch das Wort *vidhenaṃ* Beachtung und eingehendere Erläuterung. Bühler übersetzt es mit ‚Befehl' und fügt in den Anmerkungen hinzu ‚*vidhenaṃ* wird von dem Verbum *dhi*, das neben *dhâ* erscheint, abgeleitet sein'. Die Verknüpfung von *vidhena* mit *dhâ* ist zweifellos richtig. Wenn ich nochmals auf das Wort zurückkomme, so geschieht es, um ihm seinen gebührenden Platz in einer umfassenderen Kategorie von Erscheinungen anzuweisen, an die Bühler's Ableitung nicht so ohne Weiteres denken lässt. Wenn ich recht unterrichtet bin, nimmt die Sprachwissenschaft für einige *â*-Wurzeln jetzt *i*-diphthongische Vorläufer an, die sich sowohl zu *â*- wie zu *i*-Formen variiren und die schliesslich auch ihren diphthongischen Charakter beibehalten konnten. Das Pâli liefert eine ganze Menge neuer Bestätigungen für diese Erklärung. Es lässt sich vielleicht nicht in allen Fällen entscheiden, ob da das *i*-Element altes Erbe ist, und es ist recht gut möglich, dass es, den Zwecken der Bequemlichkeit dienend, durch die Analogie auch in Stellen eingeführt ist, wo es nicht hingehörte, auf jeden Fall ist es als sprachliches Element alt. Es findet sich nun zunächst, zum Theile gemeinsam mit dem Sanskrit, zum Theile aber auch über den Bestand des Sanskrit hinausgehend, in Verben von dem Typus *trai*, der also in seiner von den einheimischen Grammatikern gegebenen Gestalt trotz des P. W. in aller Form Rechtens beizubehalten ist. Die angenommene Zugehörigkeit zur vierten Classe ist hier nur eine scheinbare. Dass es in solchen Verben auf *-âyati* häufiger als im Sanskrit entweder erhalten worden ist oder auf's Neue Verwendung gefunden hat, hat seinen Grund in der für das Bequemlichkeitsprincip der Pâlisprache überaus zweckdienlichen Verwendbarkeit dieses Elementes. Mit seiner Hilfe liessen sich nämlich auf die einfachste Weise *â*-Wurzeln anderer als der *a*-Classen für die Umwandlung in *a*-Verba bequem zurecht machen. So ist für die Wurzel *pâ* ‚trinken' des Sanskrit hie und da die Form *pây* eingetreten, in *pâyâmi* z. B. in G. von Jât. IV, 217, und in G. 134ᵇ von Jât. VI, 152: *pâyâmi visaṃ marissâmi;* von Wurzel *sthâ* findet sich das Fut. *niṭṭhâyissati* in Jât. I, 436; von Wurzel *yâ* gehen Part. *yâyato* G. von Jât. V, 330, Part. Âtm. *yâyamâno* G. von Jât. VI, 125 und Absol. -*yâyitvâ* Jât. IV, 214; von *ghrâ* ‚riechen' neben *upaghâtuṃ* der G. von Jât. V, 328 in der Prosa *upagghâyituṃ*. Da durch die Zurückführung auf diphthongische Wurzeln auch diejenigen auf -*î* mit denen auf -*â* verknüpft werden und es so eigentlich nur noch eine Frage nach der Majorität der Formen ist, ob man eine derartige Wurzel als *î*- oder als *â*-Wurzel ansetzt, so gehört z. B. auch √*bhî* ‚fürchten' hierher, das im Pâli, vom Skr. *bibheti* abweichend (aber mit dem *bhayate* des Veda sich berührend), in der Regel *bhâyati*[1] (wie Skr. *trâyate*) bildet und auf der anderen Seite seine Zusammengehörigkeit mit den *â*-Wurzeln durch die Prohibitivform *mâ bhâtha* = fürchtet nichts, G. 206 von Jât. III, 304, beweist. — Bei diesem Schwanken gewisser vocalischer Wurzeln zwischen der sogenannten athematischen und thematischen Flexion erscheint es bedenklich, festere principielle Grenzen zwischen den verschiedenen in Frage kommenden Classen in den Fällen ziehen zu wollen, wo sich auch das Sanskrit an diesem Schwanken betheiligt, wie in dem Falle von *çete* neben *çayate* und *çayati;* und es erscheint ferner bedenklich, die Form *neti* = ‚führt' und deren Sippe als Producte der Contraction von *aya* in *nayati* etc. aufzufassen. Vielmehr herrschte hier wohl von Anfang an die Beliebigkeit der Bildung nach der zweiten oder nach der ersten Classe, und es wurde nur aus Bequemlichkeitsrücksichten im Pâli zum Theile und im Sanskrit überwiegend für den *a*-Stamm entschieden. Das Vorkommen der Flexion nach der zweiten Classe auch im alten Sanskrit spricht dafür, dass wir es bei *neti* im Pâli nicht mit einer contrahirten Form zu thun haben. Allerdings überwiegen auf der späteren Sprachstufe des Pâli, in der Prosa, die Formen

[1] Daneben aber auch *vihemi* G. Jât. V, 154 und *vibheti* G. Jât. V, 509.

nach dem Typus *neti;* das beweist aber nur, dass in der späteren Entwicklung auch *nayati* dem allgemeinen Zuge nach Contraction von *aya* zu *e* hat nachgeben müssen, und dass dieser also noch stärker war als die Vorliebe für die *a*-Formen (was übrigens auch daraus hervorgeht, dass die vielen Verba, die nur aus Vorliebe für den *a*-Stamm das Causativ im Sinne des Primitivs anwandten, das *-aya* dann doch zu *-e* contrahirten). — Was *nî* recht ist, ist *ji* = ‚siegen' mit seiner doppelten Formenreihe *jayati* und *jeti* (schon in den Pâli-Gâthâs) billig. Und annähernd bewiesen wird auch hier die Ursprünglichkeit der zweitclassigen Formen wie *jeti* durch ihr Vorkommen auch im alten Sanskrit. — Wer weiss, ob wir nicht auch für manche *û*-Wurzeln eine ursprüngliche Zweiheit der Flexionsmöglichkeiten anzunehmen haben, so in allererster Linie für *bhû*. Die Fälle der anscheinenden Contraction von *ava* zu *o*, also Formen wie *bhoti* und *hoti*, überwiegen auffallender Weise schon in den Gâthâs ganz bedeutend, und da diese Formen von *bhû* die Hauptmasse der angeblichen Contractionsfälle von *ava* zu *o* ausmachen, erklärt sich mit dieser Annahme am befriedigendsten die schon auf der Pâlistufe hervortretende, bei Weitem grössere Neigung von *ava* zur scheinbaren Contraction als die von *aya*, die doch wohl linguistisch ganz parallel stehen.[1]

Das *i*-Element findet sich im Pâli weiter aber auch noch mit dem *â* von *â*-Wurzeln zum Diphthong *e* vereint, nicht in *ây* verwandelt, vor, und wir haben dann Wurzeln auf *e*, die in die zweite Conjugationsclasse gehören. Das *e* ist auch durch die schwachen Formen durchgeführt, was mir nicht nothwendig als Analogiebildung betrachtet werden zu müssen scheint. Da z. B. die Wurzel *yâ* im Sanskrit keinen Unterschied zwischen starkem und schwachem Stamm zeigt, brauchte auch ein mit *i* erweitertes *â* im Pâli in den schwachen Formen keinen Veränderungen zu unterliegen. Es gehören hierher die Formen, von denen ich nur die nicht auf Schritt und Tritt begegnenden

[1] Das übrige gewichtige Material zur Beurtheilung der *â*-, *i*- und *û*-Stämme in Conjugation und Declination aus der Pâli-Literatur und den Inschriften muss ich für eine umfassendere Sonder-Untersuchung aufsparen.

mit Stellen belege: von *dâ* 1. P. S. Praes. *demi* Jât. I, 352. Comm. von Jât. VI, 266; 2. P. *desi* Jât. I, 279; 3. P. *deti, âdeti* G. von Jât. VI, 251; Plural 1. P. *dema* G. J. IV, 207. Jât. III, 436. VI, 37. 156; 2. P. *detha* G. J. V, 370; 3. P. *denti;* Imper. 2. P. *dehi;*[1] 3. P. *detu* Jât. IV, 171; 2. P. Plur. *detha* J. I, 351; Part. *dento*. Eine problematische Form von *dâ* ist *diyati, âdiyati,* z. B. G. von Jât. V, 221; Mil. 25, 23. Vielleicht müssen wir zu ihrer Erklärung den geschwächten Stamm *di* oder *dî* annehmen, der in der beliebten Weise zum *a*-Stamm erweitert ist. Das wäre die einfachste und vielleicht ansprechendste Erklärung. Andere sind aber nicht ausgeschlossen.

Von *sthâ:* Imper. 2. S. *uṭṭhehi,* z. B. von Jât. IV, 18. 84. 94. 433 etc. Jât. I, 151. III, 515. IV, 36. VI, 40; 2. Pl. *uṭṭhetha* G. von Jât. VI, 176. Jât. IV, 281. 290. 376; 3. Pl. *uṭṭhentu* G. J. VI, 165.

Von *dhâ: vidhenti* G. von Jât. V, 107; Imper. *vidhentu* G. von Jât. VI, 230; Inf. *apidhetuṃ* = schliessen, G. von Jât. V, 60 und *nidhetave* G. von Jât. III, 17; und Absol. *saṃvidhetvâna* G. 191 von Jât. VI, 301.

Ausserdem habe ich von anderen Verben bisher nur vereinzelte und zweifelhafte Formen gefunden: von *â* + *bhâ* die 3. P. Pl. Ind. *âbhenti* in G. von Jât. VI, 118 und 124, beide Male aber mit v. l. *âbhanti*. Und vielleicht sind einige Futurformen von *â*-Wurzeln auf *-essati,* und, wegen Gleichwerthigkeit und Vertauschbarkeit von *e* und *i* vor Doppelconsonanz, auf *-issati* hierherzuziehen: *vijahessasi* G. von Jât. VI, 301, und *hessâmi* G. von Jât. IV, 415. V, 468. VI, 80. 190 und v. l. *hissâmi* (neben *hassâmi* im Text) G. von Jât. IV, 420, alle von der Wurzel *hâ; pissâmi* = werde trinken (mit vv. ll.) in G. von Jât. III, 432; *akkhissaṃ* von *â* + *khyâ* G. von Jât. IV, 257. V, 41. 65. 69. 250. VI, 20; *upaññissati* von *upa* + *jñâ* G. von Jât. V, 215; *paccupadissâmi* von *prati* + *upa* + *dâ* G. von. Jât. V, 221; *anuyissanti* G. von Jât. VI, 49; *vijahissaṃ* Jât. IV, 261 von *hâ*.[2] Ich kann

[1] Auch dieser gehört nun natürlich in diese Formenreihe und ist mindestens für das Pâli nicht mehr durch Consonantenausfall vor dem *h* zu erklären.

[2] Dieses lässt sich aber auch so erklären, dass aus dem durch Verkürzung des Stammauslautes von *jahâ* entstandenen *jahati* eine Wurzel *jah* abstrahirt und den weiteren Bildungen zu Grunde gelegt wurde.

von diesen Futura nur hypothetisch sprechen, weil sie auch eine andere Erklärung zulassen: ihr *e* (resp. das vor Doppelconsonanz secundär daraus entwickelte *i*) kann nämlich auch entstanden sein aus *â* + dem in die Stammsilbe zurückgetretenen *y* des Futursuffixes *syati*, so dass diese Futurformen der Kategorie der Futura *dekkhati*, *pavecchati*, des Praesens *meñati* des Shâhbâzgarhi-Edictes XIII und der Genitive *kalaṇesa* und *piyeṣa*, *stiṣa* etc. in den Açoka-Inschriften, *Agathuklayesa* und *Lisikisa* auf den griechisch-indischen Münzen und *ekissâ* etc. im literarischen Pâli einzuverleiben sein würden, über die ich an anderer Stelle gehandelt habe.

caghati. Delhi Sivalik 9/10: *te pi ca kâni viyovadisaṃti, yena maṃ lajûkâ caghaṃti âlâdhayitave* (und analog in den anderen Versionen) möchte ich nicht mit Bühler übersetzen ,und sie (d. h. die anderen Diener, abgesehen von den Lajjûka's) werden gleichfalls einige vermahnen, damit die Lajjûka's meine Gunst zu gewinnen trachten', sondern ,und jene (nämlich die Lajjûka's) werden einige (von diesen anderen Dienern, die nämlich im Dienste des Königs säumig sind), vermahnen, wodurch die Lajjûka's meine Gunst gewinnen können'. Der wichtigste Unterschied meiner Uebersetzung ist die abweichende Auffassung von *caghaṃti*. Bühler leitet es mit Kern her von einem Verb, das sich als *cáh* = wünschen nach Bühler's Bemerkung *ZDMG.* 41, S. 19 und 46, S. 61 noch in allen tertiären Prâkrits findet. Mir scheint es, als ob für die fragliche Verbalform *caghati* an allen Stellen ihres Vorkommens zum Theil ebenso gut und zum Theil besser als ,wünschen' die Bedeutung ,können' passte. Es findet sich gleich wieder im nächsten Satze dieses selben Edictes, der in der Delhi Sivalik-Version heisst: *Athâ hi pajaṃ viyatâye dhâtiye nisijitu asvathe hoti: viyata-dhâti caghati me pajaṃ sukhaṃ palihaṭave* —, nach Bühler's Uebersetzung, in der ich nur das ,trachtet' in ,kann' oder ,ist im Stande . . zu' umändere: ,denn, wie (ein Mann) sich beruhigt fühlt, wenn er sein Kind einer verständigen Wärterin übergeben hat — indem er sich sagt: „die verständige Wärterin ist im Stande mein Kind gut aufzuziehen" —.'

Es kommt ferner an zwei Stellen der Separat-Edicte vor, nämlich in Dhauli Sep. I, 18/19: *Hevaṃ ca kalaṃtaṃ (t)uphe (ca)gha(tha) saṃ(pa)[ṭi]pâdayitave*. Während Senart das Wort übersetzt mit ,ayez soin', indem er es von *jâgṛ* ableitet, gibt Bühler den Satz wieder mit ,Wenn ihr so handelt, werdet ihr euch bestreben (meinen Befehl) richtig auszuführen'. Mir scheint, dass die Beamten, indem sie in der vorgeschriebenen Weise handeln, nicht nur sich bestreben, den Befehl auszuführen, sondern ihn thatsächlich ausführen, dass also die Uebersetzung ,dann werdet ihr in der Lage sein, (meinen Befehl) richtig ausgeführt zu haben', treffender ist als die mit ,trachten'. Derselbe Satz, in Dhauli nur ohne *ca*, kehrt auch Sep. II, 11 = Jaugaḍa Sep. II, 16 wieder.

Sehen wir uns für die Bedeutung ,können' nach einem geeigneten an *caghati* erinnernden Verbum um, dann stossen wir sofort auf *c(a)kiye* in Dhauli Sep. II, 5 = *cak(i)ye* Jaugaḍa Sep. II, 7, das auch Bühler mit ,kann' übersetzt, und auf *cakiye* im Sahasrâm-Ed., Z. 3 und *cakiye* und *cakye* im Bairât-Ed., Z. 5 und 6 (während Bühler *ZDMG.* 45, S. 151 *cakaye* für Bairât angibt). Dass *cakiye* etc. in allen diesen Stellen wenigstens dem Sinne nach = *çakya* sein muss, beweist ausser dem Zusammenhange das an der entsprechenden Stelle des Rûpnâth-Edictes stehende *sakiye* und das im Ed. I, Z. 4 und 5 der ersten Version der Śiddâpura-Edicte entsprechende *sakye*, und *s[ak]e* Z. 9 und *sak*. Z. 10 des I. Edictes der zweiten Version derselben Edicte. Und Bühler bemerkt denn auch *ZDMG.* 41, S. 27, Anm. 3, *cakiye* sei das Part. Fut. Pass. des Prâkrit Verbs *cak* ,können', eines Repräsentanten und vielleicht Verwandten von Sanskrit *çak*, die Mâhârâṣṭriform sei *cay*. Mit dem *c* ist, glaube ich, die Hauptschwierigkeit erledigt. *cagh* ist offenbar der Futurstamm von *cak*, mit Ersetzung der Tenuis *kh* durch die Media *gh*. Für die Möglichkeit solcher Ersetzung im Allgemeinen brauche ich bei deren Landläufigkeit keine Beispiele zu erbringen. Dass sie auch eine für Tenuis + Sibilant eingetretene Tenuis aspirata ergreifen kann, beweist im Pâli *jhâyati*, in der Mâhâr. *jhiṇaṃ* und *jhijjaï* für *kṣi*. Damit auch eine ziemlich genaue Parallele nicht fehle, hebe ich das Fut. *bhejjati*, für *bhecchati*, von *bhid*, G. von Jât. III, 430, hervor, wo freilich ausserdem noch Verlust der Aspiration eingetreten ist. Ich glaube, es stehen der Auffassung von *caghati* als Futurum also keine unüberwindlichen Schwierigkeiten entgegen.[1] Auch die futurale Bedeutung fügt sich ohne Weiteres in den Zusammenhang. Aber auch dem, der ein Praesens verlangt, kann ich einen Ausweg zeigen, indem ich ihn auf meine Erörterungen über praesentisch gebrauchte Futurstämme in dem oben erwähnten, in den ‚Gött. Nachr.' erscheinenden Artikel verweise. Meinen dort gegebenen Beispielen will ich hier noch zwei weitere und die Bemerkung hinzufügen, dass auch die Verallgemeinerung des Futurstammes auf das von mir in K. Z. a. a. O. behandelte Bequemlichkeitsprincip, speciell auf die eine Aeusserung desselben, zurückzuführen ist, die in dem Streben nach *a*-Formen besteht. Weil der Futurstamm auf *a* endete, wurde er an Stelle der häufig nicht auf *a* endenden Praesensstämme gesetzt. Die neuen Beispiele, die ich anführen möchte, sind: *acchati* = sitzen bleiben, für Skr. *âste*, z. B. G. von Jât. IV, 25. V, 43. VI, 45. 117. 127. Jât. IV, 218. 306. Bisher ist es aus dem Aoriststamme hergeleitet worden. Analogiegründe sprechen aber für das Futurum. Das andere ist der gleichlautende Futurstamm *acch* von *as*, der durch die neue Futurbildung *acchissati* in Jât. IV, 336 beweist, dass auch er als Praesensstamm adoptirt worden ist. Als Futurum findet sich *[a]chaṃti* = ‚werden sein' noch Shâhbâzg.-Ed. V, 11.

Edict V, Lauriya Ararâj Z. 5 und Lauriya Navandgarh Z. 6, steht in einer Aufzählung weiblicher Thiere auch *ajakâ-nâni*, das Bühler in der hier geschriebenen Weise in zwei Worte zerlegt, Senart aber in *ajakâ kâni* corrigirt. Bühler erklärt *nâni* für das neutr. Pluralis des Demonstr. *na*, das sich, geschlechtlich incongruent, auf die dabei stehenden Feminina beziehen soll. An der Incongruenz des Genus ist allerdings kein Anstoss zu nehmen, da sie in den Pâli-Dialecten ausserordentlich häufig ist. Anstoss nehme ich

[1] Den bündigen Beweis für die Richtigkeit meiner Auffassung habe ich nachträglich in *sagghasi* = ‚du wirst können' von Sutta Nipâta Nr. 46, Strophe 11 gefunden (Corr.-Note).

aber an dem als Adjectivum gebrauchten *na*. So weit meine Beobachtungen reichen, findet *na* sich an sicheren Stellen nur substantivisch gebraucht, in Abweichung von *ta*. Es gibt nun aber im Pâli ein Suffix *âna*, das wohl von *n*-Stämmen ausgegangen sein wird (z. B. *addhâna* für *adhvan*), das aber dann einfach die Rolle eines Svârthika-Suffixes angenommen hat und auch an vocalische Stämme antreten kann. So findet sich *sotthânaṃ* für *sotthi* = *svasti* in G. von Jât. iv, 75. vi, 139, auch schon bei Child.; *gimhânaṃ* = Sommermonat G. Jât. v, 63, auch bei Child.; *vesiyâno* = *vaiçya* in G. Jât. vi, 15 und *vesiyânâ* G. 183 von Jât. vi, 301; *vassâno* = Regenzeit, häufiger belegt, auch schon bei Child.; und, ebenso zu erklären, das bekannte *tiracchâno* = Thier; im Milindap. S. 241 aber sogar *puttânaṃ* = den Sohn. So kann *ajakâna* eine Weiterbildung mit diesem Suffix von *ajaka* sein. In *-âni* aber dürfen wir die Feminin-Endung *-ânî* sehen, die, eigentlich wohl gleichen Ursprungs wie das Suffix *âna*, im Pâli manchmal die kürzeren Feminin-Suffixe vertritt, so in *mâtulânî* ‚Tante', z. B. G. von Jât. iv, 184 (auch im Sanskrit); *gahapatânî* ‚Hausherrin', z. B. C. Jât. ii, 286. In dem End-*i* für *-î* müssen wir dann die Vocalkürzung erblicken, die gerade für den Dialect von Lauriya Ararâj und L. Navandgarh so bezeichnend ist. Aber ich gestehe, dass meine Erklärung von *ajakânâni* zu viele, zum Theil ungewöhnliche Zwischenglieder erfordert, um vollständig bündig zu sein. Als Möglichkeit darf sie aber vielleicht mit in Erwägung gezogen werden.

Zu *nîlakhitaviye* und *nîlakhiyati* im v. Edicte (Delhi Sivalik, Z. 16 und 17) = castriren, aus *nis* + *lakṣay* (Senart und Bühler, s. *ZDMG.* 46, S. 79, Anm. 27) möchte ich nur bemerken, dass dadurch auch das *nilicchita* (in barmanischen Handschriften *nilacchita*) des Pâli, das Trenckner, *P. M.*, p. 55 von *akṣ* ableitet, seine Erklärung findet. Es kommt vor z. B. in G. von Jât. vi, 238 in dem Compositum *nilicchitaphalo* = dessen Hoden herausgerissen sind. Die vv. ll. *niluñcita* und *niluñji-* sind wohl nur Ausflüsse des Versuches, ein durchsichtigeres Wort an die Stelle zu setzen.

Den Anfang des Edictes vi übersetzt Bühler: ‚Der göttergeliebte König Piyadasi spricht also: „Als ich zwölf Jahre gesalbt war, liess ich Religions-Edicte zum Heil und Wohl des Volkes schreiben, (damit) das Volk das (gewohnte Sündenleben) aufgeben und in dieser und jener Hinsicht ein Wachsen im Gesetze erlangen möge".' Bei dieser Uebersetzung sieht man aber nicht ein, was Piyadasi für einen Grund hatte, hier die Religions-Edicte aus seinem 13. Regierungsjahre zu erwähnen; ausserdem fehlt (was indessen nicht als voller Beweisgrund gelten kann) dann eine Verordnung an das Volk, die den Kern des Edictes abgeben könnte. Ich ziehe daher vor, den bei Bühler mit ‚(damit)' beginnenden Nachsatz *se taṃ apahaṭâ taṃ taṃ dhaṃmavaḍhi pâpovâ* vielmehr zu übersetzen mit ‚dieses (nämlich das Volk, *loko*) möge also[1] dieselben nicht vernachlässigen, sondern in dieser und jener Hinsicht Wachsthum in der Gesetzeserfüllung erlangen'. Ich fasse also *apahaṭâ* ebenso wie Bühler als ein Absolutivum, aber nicht von *apa + hṛ*, sondern von *a + pra + hâ*. Dabei fehlt es allerdings an irgendwelcher Motivirung für das cerebrale *ṭ*, und ich bekenne, dass daran möglicherweise die Billigung meiner Interpretation scheitern wird. Eine einigermassen annehmbare Erklärung dürfte aber vielleicht mit der Annahme einer Contamination von *hâ* mit *hṛ* gegeben sein. Hin und wieder haben wir solche Formen- und sogar Wortgefüge-Mischungen im Pâli anzuerkennen. Solche bekannteren Fälle, wo ein Wort die Bedeutung und ein anklingendes die Form hergegeben hat, sind z. B. im Pâli *palibodha* = Hinderniss, für *palirodha*, wofür in Girnar v, 6 sogar *parigodha* eingetreten ist, und in den Açoka-Inschriften (z. B. Girnar x, 4) *usaṭa*, das der Form nach *ut + sṛta*, der Bedeutung nach aber *ucchrita* repräsentirt, ferner *parisrava* (Girnar x, 31 und analog in den anderen Versionen), das die Bedeutung von Pâli *parissayaṃ* hat.[2]

[1] Das Demonstrativum *ta* hat in den Pâli-Dialecten sehr oft einen anknüpfenden Sinn irgendwelcher Art.

[2] Da ich solche scheinbaren Fälle von Contamination jetzt anders erkläre, den ersten nämlich als Dissimilation der Consonanten gleichzeitig mit Assimilation des Consonanten an den Vocal, die beiden letzten als Stammwechsel, so ziehe ich nunmehr vor, das Absol. *a-pahaṭâ* (von *pra + hṛ*) zu übersetzen: ‚ohne die Inschriften zu verletzen' (vielleicht auch: ‚ohne sie zu beseitigen', oder ‚ohne gegen den Inhalt zu verstossen'?) (Corr.-Note).

Ueber *kimaṃ* in demselben Edict (Delhi Sivalik vi, 6), das ich als vocalische Weiterbildung von *kiṃ* auffasse, habe ich in meinem Artikel in K. Z. a. a. O. gehandelt.

Dass *kathaṃ* in Delhi Siv. vii, 1, 12 nach *ichisu* nicht ,auf irgend eine Weise' bedeutet, sondern mit dem sonst in dieser Verbindung erscheinenden *kiṃti* ganz auf gleicher Stufe steht und wie dieses einfach ,dass' zu übersetzen ist, habe ich an anderer Stelle erörtert; ebenso, dass *me anuvekhamâne* von D. S. vii, 2, 2 wohl vielmehr Loc. absol. als Nom. absol. ist, wenn ich auch den Loc. *me* sonst bisher nur in Cariyâp. i, 9, 19 constatirt habe.

In Delhi Sivalik vii, 2, 2 lesen wir *nigohâni* .. *châyopagâni* = geeignet zum Schattenspenden, d. h. schattenspendend. Ich stelle damit zusammen aus den Felsen-Edicten: *manusopaga* und *pasopaga* in Girnar ii, 5. 6 (*manuçopaka* und *pa[ço]paka* in Shâhbâzgarhi, *manu* .. *ka* und *pa* .. *ka* in Mansehra, *manusopaga* und *pasopaga* in Khâlsî, *munisopaga* und *pasuopaga* in Dhauli und Jaugaḍa), auf *osuḍha* (resp. *osaḍha*) bezogen und, woran nie gezweifelt worden ist, ,geeignet für, passend für' bedeutend. Ebenso bedeutet im Felsen-Edict viii, 5 von Girnar *tadopayâ* (auch ebenso in Dhauli, dagegen *tatopayâ* in Khâlsî, *tatopayaṃ* in Shâhb. und *tatopaya* in Mans.), als Attribut zu *rati* (resp. *abhilâme*) ,dem angemessen'. Es ist aber bisher nicht gelungen, auch die Ableitung des Wortes ebenso zweifellos klarzustellen wie die Bedeutung. Das literarische Pâli scheint mir aber diese Klarstellung zu ermöglichen. Es bietet einige Variationen dieses fraglichen Wortes. Im Milindapañho S. 9, Z. 20 steht der Satz *kaṭacchubhikkhaṃ*[1] *tadûpiyañ ca byañjanaṃ dâpetvâ* = nachdem er ihm einen Löffel voll Bettelspeise und die dazu passende (dazugehörige) Sauce hatte geben lassen. Gâthâ 2 von Jâtaka ii, S. 160 sagt ein Affe zu dem Krokodil, das er überlistet hat: *Mahatî vata te bondi, na ca paññâ tadûpikâ* = Massig zwar ist dein Körper, aber es fehlt

[1] Ein Compositum mit umgestellten Gliedern. In K. Z. werde ich darlegen, dass der treibende Grund für diese Umstellung in vielen Fällen der Wunsch war, das Compositum nach der hervorragend beliebten a-Flexion decliniren zu können.

dir der dementsprechende Witz. Der Commentar erklärt richtig *tassa sarîrassa anucchavikâ*. Gâthâ 30 von Jât. v, S. 96 lesen wir *senûpiyâ* . . . *khattiyakaññâ* = für das Bett geeignete Kṣatriya-Mädchen. Der Commentar erklärt hier, was wir uns merken wollen: *sayanûpagatâ*. Und schliesslich sei das bekannte *kulûpako* neben *kulûpago* angeführt, welche beiden, auch nach Childers, ‚Hausfreund' bedeuten.[1] Trotz der Mannigfaltigkeit der Formen haben wir es, wie ich glaube, mit einem Complex von Variationen ein und desselben Wortes zu thun. Es ist keine darunter, die nicht mit einer der übrigen durch die Gemeinsamkeit eines wesentlichen Lautes oder der Bedeutung verbunden wäre. *kulûpako* und *kulûpago* gehören selbstverständlich wegen ihrer Bedeutung auch formell zusammen. Mit *kulûpako* zusammen gruppirt sich aber *manuçopaka* und *pa[ço]paka* von Schâhb. und *manu* . . *ka* und *pa* . . *ka* von Mans., mit *kulûpago manusopaga, pasopaga*, resp. *pasuopaga* und *châyopaga*. Von *manusopaga* und *pasopaga* ist wiederum der gleichen Bedeutung wegen *senûpiya* nicht zu trennen, und *tadûpiya* vermittelt dieses wiederum einerseits mit dem der Bedeutung nach etwas seitwärts liegenden *tadopaya* und *tatopaya* (= gemäss, entsprechend) und andererseits mit dem ebenfalls ‚dem entsprechend' bedeutenden *tadûpikâ*, dessen *k* schliesslich die ganze Reihe wieder an *kulûpaka* anschliesst und als Prüfstein für die Richtigkeit der Formverknüpfung dienen kann. Die Bedeutungsdifferenz zwischen *kulûpako* ‚Hausfreund', wörtlich ‚zu einer Familie gehend' und z. B. *tadûpiya* ‚dem angemessen' verschmilzt in der Praeposition *upa* zur Einheit, denn *upa* bedeutet nicht nur ‚hinzu', sondern nach den Lexicographen ist es auch = *sâdṛçya*. So fragt es sich nur noch, welche von den angeführten Varianten den übrigen als Ausgangspunkt zugrunde zu legen ist. Es ist nicht unmöglich, dass *upako* (und daraus entwickelt *upiko* und *upiyo*, resp. *upayo*) einfach das flectirbar gemachte *upa* ist. Im Pâli ist die Erscheinung gar nichts Ungewöhnliches, dass Adverbia zu flectirenden Adjectiven

[1] *kulupiko*, das E. Müller, S. 38 seiner sehr schlechten Grammatik aufführt, beruht auf Phantasie. *kulupikaṃ* ist an der fraglichen Stelle, Cullav. x, 13, 1, Acc. fem.

gemacht werden: so findet sich *tatho*[1] z. B. im Commentar von Jât. iv, 164, d. i. das flectirte *tathâ*, das Adj. neutr. *nânaṃ* ‚verschieden', ein flectirtes *nânâ*, Mil. 86, 18, etc. Vielleicht ist auch das noch unerklärte *tâvade* im Pâli nichts weiter als der Locativ einer Neuflexion des zum *a*-Stamm erweiterten Adverbs *tâvad*, der wiederum im gleichen Sinne adverbiell gebraucht wird; und *tasmâti*, z. B. Gâthâ 2 von Jât. iv, 53 kann möglicherweise der Locativ des einer Neuflexion als Stamm zugrunde gelegten *tasmât* sein. — Wie gern ferner das Suffix *ka* zu dem rein praktischen Zwecke verwendet wird, einer Wortform ein anderes Gepräge zu geben und sie in eine andere Kategorie überzuführen, ist evident genug. Auch aus den Açoka-Inschriften kann ich eine ziemlich genaue Analogie anführen. Das Localadverb *et(ra)ke* in Shâhb. ix, 20 und *[a]trake* in Mans. ix, 6 ist doch wohl weiter nichts als das mit *ka* weiter gebildete und dann flectirte adv. *etra*, resp. *atra* ‚hier'. — Wählen wir diesen Ausgangspunkt, dann ist der Weg der grammatischen Erklärung kürzer. Die Endung *-ako* kann beliebig mit *-iko* wechseln. Bewiesen zu werden braucht diese für das Pâli notorische Thatsache nicht. Ich wähle unter Dutzenden von Fällen nur ein Beispiel aus: *heraññika* ‚Bankier' steht Jât. iii, 100 neben *heraññaka* Jât. Nr. 290. *k* im Innern kann ferner durch *y* ersetzt werden.[2] Ein Beispiel von vielen ist *posâvaniko* neben *posâvaniyo* Jât. iii, 432; und, für die Form mit *-aka*, *sovaṇṇaya* golden Gâthâ Jât. vi, 230. Dadurch ist das Nebeneinander der Formen *upaka, upaya, upika* und *upiya* erklärt. Zu *upaga* würden wir von hier aus durch die Annahme einer Ersetzung von Tenuis durch Media gelangen, wie wir sie für *ka* häufiger erst

---

[1] Das substantivirte Neutrum hiervon, mit der Bedeutung ‚Wahrheit' (entsprechend *vitatham* ‚Unwahrheit'), erblicke ich auch in dem Titel *tathâgata* des Buddha, den ich erkläre als ‚zur Wahrheit gelangt' (*tatha* + *âgata*), also als Synonym zu *buddha*. Auch der Comm. a. a. O. associirt *tathaṃ* mit *saccaṃ*.

[2] Auch in den Açoka-Inschriften: Khâlsî ix, 24 *nilathi(y)aṃ* und Dhauli ix, 7 *(nilaṭhiya)ṃ*. Die Schreibung *-ikya* für diese Endung, die vereinzelt in Delhi Sivalik vii, 2, 2 und fast regelmässig in Khâlsî erscheint, ist der sprachgeschichtlich interessante Versuch, eine Mittelstufe in der Entwicklung graphisch zu fixiren und dem schwankenden Sprachgebrauch nach beiden Seiten hin Rechnung zu tragen.

aus der Mâhârâṣṭrî kennen, wie sie aber auch im Pâli ihre Analogien, z. B. in *eḷamûgo* für *eḍamûko*, hat. — Ziehen wir es aber vor, von dem Adj. *upaga* ‚hinzugehend, sich anschliessend' als der Entwicklungsgrundlage auszugehen, dann sind *kulûpaga* und *manussopaga* etc. von vornherein klar; *kulûpaka*, *manuçopaka* etc. aber weisen dann die Ersetzung von Media durch Tenuis auf, die für das Pâli keiner weiteren Exemplificirung bedarf, die aber auch für die Açoka-Inschriften durch Hindeutung auf Formen wie *vracaṃti* in Shâhb. xiii, 10, den Namen *Maka* für Magas (ebend.), auf *Kaṃboca* Dhauli v, 23, auf das häufig wiederkehrende *paṭipâtayati* von *pad* in den Jaugaḍa Separat-Edicten, auf *paṭipogaṃ* von Lauriya Ararâj v, 5 (für *paṭibhogaṃ*) u. a. als etwas durchaus Mögliches bewiesen werden kann. — *-upaya*, *-upika* und *-upiya* entstanden dann aus *-upaka* auf dieselbe Weise wie bei der ersten Annahme. Nur die Bedeutungsentwicklung erscheint bei der zweiten Eventualität etwas schwieriger, aber doch nicht unverständlich. ‚Zu etwas hingehend' kann sich recht gut zu der Bedeutung ‚mit etwas harmonirend, zu etwas passend, geeignet zu' entwickeln. *senûpiyâ* von Jât. v, 96 liess ja, wie wir gesehen haben, sogar beide Bedeutungen als möglich zu. Es bleibt dann nur noch erstens das *û* von *tadûpika* und *tadûpiya* zu erklären, denn das von *senûpiya* und *kulûpaga* erklärt sich aus dem für das Pâli, freilich nicht ausnahmslos, giltigen Morengesetz, aus der für einen elidirten Vocal eintretenden Ersatzdehnung eines anderen. In *tadûpiya* aber haben wir eine der vielfachen Vocalverlängerungen vor uns, die im Pâli und in den Açoka-Inschriften so häufig sind und zum Theil, wie schon behauptet ist, auf Accentverhältnisse zurückgehen. — So bedarf nur noch das *o* von *pasopaga* in Girnar und Khâlsî, *pasuopaga* in Dh. und Jaug. und *pa[ço]paka* in Shâhb., *tadopaya* in Girnar und *tatopaya* in Kh., Sh. und M. der Erklärung. *opaga* ist ein sogenanntes svârthika-Taddhita, das ebenso gleichbedeutend ist mit *upaga* wie im Pâli *porâṇa* mit *purâṇa* etc. und wie in Jaug. Sep.-Ed. i, 2 und ii, 2 *mokhiya-* und in Dhauli Sep. i, 3 und ii, 2 *mokhya-* mit Sanskrit und Pâli *mukhya*. — Die auffällige scheinbare Contraction von *u* und *o* zu *o* in *pasopaga* und *pa[ço]paka* ist vielmehr als Elision des ersten Vocales *u* zu erklären, wie solche im Pâli (neben anderen Verfahrungsweisen) sehr üblich ist: z. B. *kulupikâ, râjisi, sosârita* und *dosârita* (für *su* + *osârita* und *du* + *osârita*, von E. Müller S. 43 seiner Grammatik aber falsch beurtheilt), Mâh. ix, 4, 11. Parallelen zu diesem Process haben wir auch in unseren Inschriften selbst, in *bramaṇibheṣu* Shâhb. v, 12, *bramaṇibhyeṣu* Mans. v, 23, *baṃbhanibhesu* Khâlsî v, 15, . . *bhanibhi* . . Jaug. v, 26 und *bâbhanibhi[ye]su* Dh. v, 24, in *pajupadane* Shâhb. ix, 18, *pajupadâye* Jang. ix, 14.

In *pasuopaga* von Dh. und Jaug. ist diese Elision unterblieben. Beliebigkeit herrscht auf grammatischem Gebiete nirgends so sehr wie in den Sandhi-Erscheinungen des Pâli. — Senart und Bühler leiteten *tadopayâ* (und die aequivalenten Formen) und *tadûpiya* aus *aupayika*[1] ab, Trenckner aus *âvap*. Diese Etymologien lassen aber die durch die Bedeutungsgleichheit gewährleistete Zusammengehörigkeit von *tadûpiya* und *manusopaga* ausser Auge.

In Delhi Sivalik vii, 2, 4 findet sich der Satz *dhaṃmamahâmâtâ pi me t[e] bahuvidhesu aṭhesu ânugahikesu viyâpaṭâ-se*, von Bühler übersetzt mit ‚Meine Gesetzesoberen beschäftigen sich auch mit mancherlei Gnadensachen'. Hier ist das *se* von *viyâpaṭâ-se* auffällig, und umso auffälliger, weil es genau in dieser selben Verbindung und Stellung in den Açoka-Edicten wiederholt vorkommt, nämlich noch einige Male in unserem Edict, ferner in Dhauli v, 24 und 25, wo Girnar drei Mal *vyâpatâ te*, Khâlsi *viyâpaṭâ te*, Mansehra *viyapuṭa te, viyapraṭa te* und *vapuṭa [te]* und Shâhb. *vapaṭa [te]* und *viyapaṭa te* hat. Dieses *te* hat die Interpreten und mich früher verleitet, auch in dem *se* von *viyâpaṭâ-se* das Demonstrativpronomen zu erblicken. Nun habe ich aber noch nirgends ein *se* als Nom. Pluralis gefunden, denn an den drei einzigen Stellen, wo es auf den ersten Blick so gedeutet werden könnte, in Dhauli v, 21, Mansehra v, 20 und Khâlsi v, 14 bezieht es sich auf den Singular *apatiye* und es hat denn auch in Mansehra folgerichtig das Verb *kaṣati* im Sin-

[1] Aber *aupayika*, das nach P. W. auf *upâya* zurückgehen soll, wird umgekehrt mit *tadopaya* etc. auf einem Strauche gewachsen sein.

gular bei sich, während der Plural *kach(aṃ)ti* in Dhauli und *kach(a)ṃ(t)i* in Khâlsî auf constructio κατα συνεσιν beruht. Gegen die demonstrative Natur spricht dann noch im Besonderen der Umstand, dass an der oben angeführten Stelle von Delhi Sivalik VII, 2, 4 schon ein Demonstrativum, *t[e]*, vorhanden ist. So werden wir also *se* in dieser Verbindung an allen Stellen seines Vorkommens anders zu erklären haben. Da es immer hinter einem Plural masc. steht, so scheint mir alle Wahrscheinlichkeit dafür zu sprechen, dass es mit dem *â* dieses Plurals zusammen die dem vedischen *-âsas* entsprechende vollere masculine Pluralendung repräsentirt, die auch im Pâli in der gleichen Form *-âse* häufig genug belegt ist. Dass in allen westlichen Versionen der Açoka-Dialecte dafür *te* erscheint, erkläre ich mir so, dass die Steinmetzen diese Endung *-âse* nicht verstanden und für das *se*, von dessen demonstrativer Natur sie eine, wenn auch nicht vollkommen genügende Kenntniss besassen, den wirklichen Plural *te* des Demonstrativums substituirten, weil dieser in den Zusammenhang passte.

Abû Ma'šar's ‚Kitâb al-Ulûf'.

Von

Julius Lippert.

Am Ende seines Artikels ‚Abou Maaschar' in der Bibl. Orient. (Haye 1777) sagt d'Herbelot gelegentlich der Aufzählung der Werke dieses Autors: ‚Mais le plus renommé de tous est celuy des Olouf ou Milliers d'années, dans lequel il traite de la naissance, de la durée, et de la fin du monde. C'est dans ce Traité qu'il soûtient que le monde a été créé, les sept Planètes se trouvant placées au premier point du signe du Belier; et qu'il finira, lorsque les mêmes Planètes se rencontreront ensemble au dernier point du signe des Poissons, en leur exaltation, ou tête du Dragon. Il marque aussi dans ce même Livre les époques des Empires et des Religions avec le terme de leur durée. La Religion Chrêtienne selon cet Auteur ne devoit durer qu'un millier et demy d'années Lunaires ou Arabiques, c'est-à-dire 1500 ans ....'

Ich habe vergeblich gesucht festzustellen, aus welcher Quelle d'Herbelot hier geschöpft hat; ein Manuscript des Werkes ist meines Wissens in keiner abendländischen Bibliothek vorhanden. Ḥaǵǵî Ḫalfâ, dem er sonst in seinen bibliographischen Angaben folgt, ist für diesen Fall sein Gewährsmann nicht. Dass das Buch astronomische oder richtiger astrologische Probleme behandelt habe, beweist seine Rubricirung seitens Ibn al-Ḳifṭi's[1] und Ibn Ḫallikân's.[2] Indessen

---

[1] فمن كتبه فى صناعة الأحكام كتاب اللطبايع كتاب الألوف ...

[2] Vita 135 Anf. وله التصانيف المفيدة فى علم النجامة منها المدخل والزيج والألوف ...

wäre es verkehrt, anzunehmen, dass damit sein Inhalt erschöpft gewesen sei; diese Berechnungen können vielmehr nur den Rahmen gebildet haben, dem sich ein ganz anderer, und man darf wohl sagen interessanterer, Stoff einfügte. Denn nur unter dieser Voraussetzung konnte Mas'ûdî (*Prair. d'or.* IV, 91)[1] über das Werk mit folgenden Worten referiren: وقد ذكر أبو معشر المنجّم فى كتابه المترجم بكتاب الألوف الهياكل والبنيان العظيم الذى تحدث بناؤه [l. العظيمة التى تحدّث بناؤها] فى العالم فى كلّ ألف عام . . . Und bei Bîrûnî (*Chronol.*, p. 205, 16) wird es geradezu als كتاب فى بيوت العبادات citirt.[2] Wir haben also in dem Werke nach den Worten Mas'ûdî's ein chronologisch geordnetes Corpus monumentorum zu erblicken. Das فى كلّ ألف عام wörtlich zu nehmen, habe ich allerdings meine Bedenken. Denn gesetzt auch den Fall, dass der gelehrte balchische Astronom die Gründungszeit eines jeden Bauwerks kannte oder doch berechnen zu können glaubte, auf wieviel Jahrtausende hätte er wohl zurückblicken können? Welche Eintheilung bot sich ihm ferner für die Disposition des Stoffes, da Jahrtausende doch keine organischen Zeitabschnitte sind? Viel grössere Wahrscheinlichkeit hat die Annahme für sich, dass der Verfasser die bei den arabischen Chronisten beliebte Eintheilung nach Dynastien oder Nationalitäten gewählt hat. Mit dieser Annahme würde die im Fihrist (277, 13) dem Titel beigefügte Notiz im Einklang stehen, dass das Werk aus acht Büchern bestanden habe; denn acht ist ja bei den Arabern die classische Zahl für die Culturvölker.[3]

---

[1] Und mit ihm fast wörtlich übereinstimmend Ḥaǵǵî Ḫalfâ v, 50, nr. 9897.

[2] Darf schon bei der inhaltlichen Uebereinstimmung dieses Titels mit der Erklärung Mas'ûdî's die Identität beider Werke als sicher gelten, so wird sie vollends dadurch ausser Zweifel gehoben, dass die zur Anführung der Werke Gelegenheit gebende Erwähnung der Moschee von Damaskus als Citat aus ihnen aufzufassen ist. Der Titel ist von Bîrûnî also wohl a potiori des Inhalts hergenommen. Denkbar freilich wäre auch, dass der Titel vollständig كتاب الألوف فى بيوت العبادات gelautet habe, was ich jedoch für weniger wahrscheinlich halte.

[3] So Ḳifṭi am Schlusse seiner Platobiographie: واليونانيّون أحد الامم الثمانى الذين عنوا بالعلم واستنباطه وهم الهند والفرس والكلدانيّون والروم وأهل مصر والعرب والعبرانيّون Vgl. auch Ḥaǵǵî Ḫalfâ I, 67 ff. und STEINSCHNEIDER, Fârâbî 129, 142 und 143.

Im Verfolg der schon angezogenen Stelle aus Bîrûnî werden die Tempel der Harrânier in einer Weise erwähnt, dass die Annahme, Abû Ma'šar habe die Culturstätten dieser Religionsgenossenschaft im Zusammenhang behandelt, berechtigt erscheint. Auch dieser Umstand würde für meine Hypothese sprechen, da ja nach der Anschauung der Araber jeder Nationalität eine bestimmte Religion entspricht. So werden wir also in dem beanstandeten Passus Mas'ûdî's nur einen Versuch zur Erklärung des zur Kennzeichnung des Inhalts zwar ungeeigneten, aber nach arabischer Art nicht ungewöhnlichen Titels zu betrachten haben, eine Erklärung, die möglicherweise der Vorrede des Werkes selbst entnommen ist.

Was nun den Inhalt des Werkes anlangt, so ist zu bemerken, dass der Verfasser sich nicht auf die trockene Aufzählung und Beschreibung der Bauwerke beschränkt hat. Vielmehr scheint er, nach den uns erhaltenen Fragmenten zu urtheilen, durch Einflechtung culturhistorischer und geographischer Nachrichten, sowie biographischer Notizen über die Erbauer der Monumente als auch über die, denen zu Ehren sie erbaut waren, seine Darstellung belebt zu haben. Doch lassen wir die Fragmente selbst zeugen.

In seiner Asklepiosvita sagt I. A. Uṣaibi'a gelegentlich der Bemerkung, dass Asklepios ein Grieche sei (ɪ, p. 15, 7): وقال أبو معشر فى المقالة الثانية من كتاب الألوف أنّ بلدة من المغرب كانت تسمّى فى قديم الدهر أرغس وكان أهلها يسمّون أرغيوا وسمّيت تلك المدينة بعد ذلك أيونيا وسمّوا أهلها يونانيّين بسم بلدهم وكان ملكها أحد ملوك الطوائف, *Abû Ma'šar sagt im zweiten Buche seines „Kitâb al-Ulûf", dass ein Land im Westen in alter Zeit Argos und seine Bewohner Argiver genannt wurden. Später wurde dieses Land Jonien und seine Bewohner nach dem Namen ihres Landes Jonier genannt. Ihr König war einer von den Diadochen.*' Ob diese Nachricht wohl auf Strabo zurückgeht, wo Cap. 367 derselbe Gegenstand discutirt wird? Dass dort dem Ἄργος und Ἀργεῖοι ein Ἑλλάς und Ἕλληνες gegenübersteht, während die arabische Transcription أيونيا — anders als يونان — Ἰωνία im griechischen Original zu bedingen scheint, darf uns nicht stören, da andererseits die Möglichkeit, dass ein griechischer Autor in historischer Zeit Ἰωνία für Gesammthellas gebraucht hätte, ausgeschlossen ist.

In derselben Biographie begegnen wir einem weiteren Citate aus dem Werke (p. 16, 21): *Abû Ma'šar, der Astronom von Balch, berichtet in seinem ‚Kitâb al-Ulûf', dass Asklepios nicht der Erste wegen der Heilkunst Vergötterte und nicht ihr Begründer war, sondern dass er sie von anderen gelernt und den Weg, den andere vor ihm eingeschlagen, gewandelt sei. Und er berichtet, dass er ein Schüler des ägyptischen Hermes gewesen, und sagt, dass es der Hermesse drei gegeben habe: Was den ersten anlangt, so war dieser der dreifach begnadete; denn er war vor der Sintflut. Das Wort Hermes ist ein Gattungsname, wie z. B. Caesar und Chosrau; die Perser nennen ihn in ihren Biographien Lahǵad [?], d. h. Besitzer der Gerechtigkeit, und er ist derjenige, von dessen Prophetenthum die Harranier melden. Die Perser sagen, dass sein Grossvater Kajumarṯ, d. i. Adam gewesen, die Hebräer aber, dass es Henoch sei, d. i. im Arabischen Idris. Abû Ma'šar sagt, dass er der erste gewesen, der von überirdischen Dingen und zwar aus der Bewegung der Sterne geredet habe und dass sein Grossvater Kajumarṯ, d. i. Adam, ihn die Stunden der Nacht und des Tages*[1] *gelehrt habe; dass er der erste gewesen, der Tempel gebaut und darin Gott gepriesen habe; dass er der erste gewesen, der Betrachtungen über die Heilkunde angestellt und Vorträge darüber gehalten habe; dass er für die Leute seiner Zeit viele Bücher verfasst habe in metrischer Form und bekannten Reimen in der Sprache der Leute seiner Zeit über die Kenntniss der irdischen und überirdischen Dinge, und dass er der erste gewesen, der bezüglich der Sintflut gewarnt wurde, indem er sah, dass ein vom Himmel kommendes Unwetter von Wasser und Feuer die Erde erreichte. Zum Wohnsitze hatte er sich Saïd in Aegypten gewählt. Hier erbaute er die Pyramiden und die Erdstädte,*

[1] Die Eigenthümlichkeit der Semiten, die Nacht dem Tage voranzustellen, wie auch das ganze Duodecimalsystem geht, glaube ich darauf zurückzuführen, dass sie nach Mondmonaten rechneten, wobei also der nächste erscheinende Neumond eine neue Zeitphase einleitete (vgl. Bîrûnî, *Chronol.* 5, 19 ff.).

und da er den Untergang der Wissenschaft durch die Sintflut befürchtete, so erbaute er die Tempelstädte, d. i. der Barbabir genannte Berg in Achmim, und stellte darin alle Künste und ihre Vertreter in Relief dar und bildete alle Werkzeuge der Künstler ab und gab Hinweise auf die Eigenarten der Wissenszweige für die Leute nach ihm, durch Andeutungen, von dem Wunsche beseelt, die Wissenschaften für die Leute nach ihm zu verewigen und aus Furcht, dass die Spuren davon von der Welt verschwänden. Und durch die von den Vorfahren überkommenen Nachrichten steht es fest, dass Idris der erste gewesen, der die Bücher studirt und wissenschaftlich geforscht hat, und dass Gott ihm 30 Blätter offenbart hat, und dass er der erste gewesen, der Kleider genäht und sich damit bekleidet, und dass Gott ihn zu einem hohen Orte entrückt habe. — Bei dem eigenartigen Satzbau der arabischen Sprache wird sich hier die berechtigte Frage aufdrängen, ob das in der Uebersetzung Wiedergegebene ganz, resp. was davon dem Abû Ma'šar angehört. Da aber innere Indicien für die Beurtheilung fehlen, würden wir die Antwort schuldig bleiben müssen, wenn wir nicht bei Ḳifṭi am Schlusse seiner Hermesvita einen Paralleltext hätten, der mit unserem zusammengehalten, zu einigermassen sicheren Resultaten gelangen lässt. Zwecks besserer Vergleichung, und da Ibn-al-Ḳifṭi noch unedirt ist, gebe ich die Stelle hier in extenso:

قال سليمان بن حسّان المعروف بابن جلجل الهرامسة ثلثة أوّلهم هرمس الذى كان قبل الطوفان ومعنى هرمس لقب كما يقال قيصر وكسرى وتسميّه الفرس فى سيرها ايماىحل وتذكر الفرس انّ جدّه حيومرت وتسمّيه العبرانيّون خنوخ وهو عندهم إدريس أيصا قال أبو معشر وهو آول من تحكّم فى الأشياء العلويّة من الحركات النجوميّة وهو أوّل من بنى الهياكل ومجّد الله فيها وهو أوّل من نظر فى الطبّ وتكلّم فيه وألّف لأهل زمانه قصائد موزونة وأشعارا معلومة فى الأشياء الأرضيّة والعلويّة وهو أوّل من أنذر بالطوفان وذلك أنّه رأى أنّ آفة سماويّة تلحق الأرض من الماء والنار وكان مسكنه صعيد مصر تخيّر ذلك فبنى هياكل الأهرام ومدائن البرابى وخاف ذهاب العلم بالطوفان فبنى البرابى وصوّر فيها جميع الصناعات وصانعيها نقشا وصوّر جميع آلات الصنّاع وأشار إلى صفات العلوم برسوم لمن بعده خشية أن يذهب رسم تلك العلوم وثبت فى الأثر المروىّ عن السلف أنّ إدريس أوّل من درس الكتب ونظر فى العلوم وأنزل الله عليه ثلثين صحيفة وهو أوّل من خاط الثياب ولبسها ورفعه

اللّه إليه مكانا عليّا وحكى عنه أبو معشر حكايات شنيعة أتيتُ بأحقّها وأقربها انقضى كلام ابن جلجل Wie die Schlussworte lehren, ist diese ganze Stelle der Philosophengeschichte des Ibn Ǵulǵul (lebte in der zweiten Hälfte des 10. Jahrhunderts in Cordova) entnommen, der seinerseits für gewisse Nachrichten sich auf die Autorität des Abû Ma'šar beruft. Der Bericht bei I. A. Uṣaibi'a stimmt, wenn wir von seinem Anfang absehen, inhaltlich mit dem des Ḳifṭi überein, nur dass dort die biographischen Nachrichten über Hermes nach Abû Ma'šar, hier nach Ibn Ǵulǵul gegeben werden. Das könnte nun freilich so erklärt werden, dass auch Abû Ma'šar diese Nachrichten gehabt, und Ibn Ǵulǵul sie ebenfalls aus ihm gebracht, ihn aber hierfür nicht citirt hat. Allein es ist doch im höchsten Grade auffällig, dass I. A. Uṣaibi'a nach ebendenselben Worten mit dem zweiten وقال أبو معشر anhebt, nach denen Ibn Ǵulǵul den Astronomen als Gewährsmann citirt. Da liegt denn doch die Vermuthung nahe, dass in dem Texte I. A. Uṣaibi'a's vor der Notiz, dass es drei Hermesse gegeben, durch einen nicht näher zu erklärenden Zufall der Name Ibn Ǵulǵul's ausgefallen ist. Dies zugegeben, sondert sich als Eigenthum Abû Ma'šar's aus dem übersetzten Citat bei I. A. Uṣaibi'a Folgendes aus: 1. die Nachrichten über Asklepios; 2. die zuerst aufgezählten Awâil des Hermes; 3. die Nachrichten über die Wirksamkeit des Hermes in Aegypten. Der Anschluss dieses letzten Theiles an das Vorausgehende durch das وكان مسكنه ist freilich lose genug; doch wird hierfür die Autorschaft Abû Ma'šar's ausdrücklich bezeugt durch Ṯa'âlibî (Laṭâif al-Ma'ârif, ed. DE JONG 101), wo es heisst: وزعم أبو معشر المنجّم أنّ الأوائل من الأمم السالفة قبل الطوفان لمّا علموا أنّ آفة سماويّة تصيب الناس من الغرق والنيران فتاتى على كلّ شيء من الحيوان والنبات بنوا فى ناحية صعيد مصر أهراما كثيرة الحجارة على رءوس الجبال والمواضع المرتفعة ليتحرّزوا بها من الماء والنار. — Die zum Schlusse des Citats gebrachten Awâil gehören meines Erachtens dem Abû Ma'šar nicht an. Vielmehr scheint mir Ibn Ǵulǵul mit dem وثبت فى الأثر المروىّ عن السلف im Gegensatz zu den auf Abû Ma'šar zurückgehenden harranischen Berichten die Ueberlieferung der jüdisch-arabischen Tradition geben zu wollen.

Noch einem dritten Citate aus dem كتاب الألوف begegnen wir bei I. A. Uṣaibi'a. Bei der Würdigung des indischen Arztes كنكه heisst es (II, 32 v. 9): وقال ابو معشر جعفر بن محمّد بن عمر البلخىّ فى كتاب الألوف أنّ كنكه هو المقدّم فى علم النجوم عند جميع العلماء من الهند فى سالف الدهر *Abû Ma'šar aus Balch sagt in seinem ‚Kitâb al-Ulûf', dass Kanka nach der Meinung aller Gelehrten unter den Indern in der vergangenen Zeit der Erste in der Astronomie gewesen ist.* Dieses Citat ist insofern interessant, als es in Bestätigung der von mir gegebenen Disposition zeigt, dass auch die indische Welt von Abû Ma'šar in den Bereich seiner Darstellung gezogen war.

Von der Richtigkeit der Mas'ûdî'schen Angaben bezüglich des Inhalts uns zu überzeugen, haben wir bisher noch keine Gelegenheit gehabt. Dass seine Angaben den Thatsachen entsprechen, beweist die Geschichte der Hauptmoschee von Damascus (Mas'ûdi IV, 90, 7 und Bîrûnî, *Chronol.* 205, 12), die Nachrichten über die Tempel der Harranier in Baalbek, Harran, Salamsin und Tara'uz (Bîrûnî, *Chronol.* 205, 15), die Beschreibung der ‚beiden (als Grabstätten des Agathodämon und Hermes geltenden) Pyramiden' (Ṯa'âlibî, Laṭ. al-Ma'ârif 101), die, wie der Zusammenhang ergiebt, insgesammt auf das كتاب الألوف zurückzuführen sind. Ob das, was Jâkût s. vv. بابل und السّواد (I, p. 447, 18 und III, p. 175, 17) über die Urgeschichte der Chaldäer in wörtlicher Uebereinstimmung mit Berufung auf Abû Ma'šar mittheilt, ebenfalls dem كتاب الألوف entnommen ist, ist nicht sicher, hat aber manches für sich.

Für die Abfassungszeit des Werkes gilt zunächst, was von der gesammten literarischen Production Abû Ma'šar's zu bemerken ist, dass sie nämlich in die zweite Hälfte seines Lebens fällt, d. i., da er 272/886 gestorben und über 100 Jahre alt geworden ist, in die Zeit von circa 830—886.[1] Ein chronologisches Moment, das uns zwar nicht weiter hilft, aber zu dem oben Bemerkten passt, liefert uns eines der betrachteten Fragmente selbst in der Erwähnung des har-

[1] Es ergibt sich das aus der Ueberlegung, dass seine Schriften alle in Beziehung zur Mathematik stehen, er sich aber mit dieser Wissenschaft erst nach seinem 47. Lebensjahre zu beschäftigen angefangen hat.

ranischen Hermes. Die Glaubenslehren dieser Secte sind der muslimischen Welt sicher nicht früher zugänglich geworden, als bis sie durch die Drohungen Mamun's gezwungen waren, sich als أهل الكتاب zu legitimiren, zu welchem Zwecke sie unter anderem eben ihren Hermes mit dem Idris-Henoch der Muhammedaner identificirten (vgl. Fihrist 320, 16 ff.). Wir erhalten also in dem Jahre 218/833, dem Datum der Unterredung Mamun's mit den Harraniern, einen Terminus post quem für die Abfassung des Werkes.[1] Dass das Buch nicht das erste und einzige seiner Art gewesen ist, erfahren wir aus Mas'ûdî (IV, 92 oben). Wie sein Inhalt erwarten lässt, und wie die zahlreichen Bezugnahmen darauf lehren, scheint es schnell eine weite Verbreitung gefunden zu haben. Dieser Umstand mochte auch einen Schüler Abû Ma'šar's, Masiar mit Namen, veranlasst haben (vielleicht mit Weglassung des astrologischen Beiwerks) einen Auszug aus dem Werke zu veranstalten (cf. Mas'ûdî und Ḫaǵǵî Ḫalfâ ll. cc.).

[1] Chwolson (*Ssabier* I, 140, Anm.) nimmt 215 als Datum dieser Unterredung an. Seine Argumentation ist jedoch hinfällig. Tabarî, der die von Mamun auf seinem Römerzuge des Jahres 215 eingeschlagene Route ziemlich genau angibt, führt unter den berührten Städten (Bagdad—Baradan—Takrit—Mosul—Ras-al-'ain—Manbiǵ—Dabik—Antiochia—Maṣṣîṣa—Tarsus) Harran nicht auf. Ueberdies konnte der Chalif im Jahre 218, welches Jahr Chwolson überhaupt nicht mehr in Betracht zieht, auf seinem Wege von Rakka nach Tarsus sehr wohl Harran passirt haben. Zum Ueberfluss bemerkt der von Nadîm citirte Bericht des Abû Jûsuf Isa' al-Ḳaṭî'î ausdrücklich, dass Mamun auf dieser Expedition seinen Tod gefunden habe (Fihrist 320, 29 وقُضِىَ أن المأمون توفّى فى سفرته تلك بالبذندون). Auch die Erwägung, dass gerade aus dem Jahre 218 die Religionsedicte stammen, durch die Mamun der Mu'tazila zum Siege über die Orthodoxie verhalf, empfiehlt das Jahr 218. Dass übrigens auch die arabischen Autoren dieses Jahr als Datum des Zusammentreffens Mamun's mit den Harraniern gefasst haben, lehrt die Nachricht eines so trefflichen Chronologen wie Birûnî (*Chronol.* 318, 17), wo indess für irrthümlich dastehendes 228 auch 218 zu lesen ist.

Die literarische Thätigkeit des Ṭabarî nach Ibn 'Asâkir.

Von

Ignaz Goldziher.

Die vollständigste Liste der Werke des Ṭabarî war uns bisher im *Kitâb al-Fihrist* (234—235) geboten. Ibn al-Nadîm zählt alles in allem neun Werke des grossen Historikers und Theologen auf (von seinen zehn Nummern ist eine, كتاب اللطيف, doppelt aufgeführt), begleitet jedoch die Titel — wenn überhaupt — nur mit sehr mageren Andeutungen über Absicht und Inhalt der betreffenden Werke. Dabei ist das an achter Stelle (235, 4) aufgeführte كتاب المسترشد aus dieser Liste zu tilgen; dasselbe hat einen Namensgenossen, vielleicht auch Landsmann des berühmten Mannes, nämlich den ši'itischen Gelehrten Abû Ǵa'far Muḥammed b. Ǵerîr b. Rustam al Ṭabarî (vgl. FLÜGEL, *Grammat. Schulen* 96) zum Verfasser, wie Al Ṭûsî in seiner ši'itischen Bibliographie ausdrücklich hinzufügt: وليس هو صاحب التاريخ فانّه عامّى المذهب[1] (List of Shy'ah books Bibl. Ind. — 282). Trotz seines Bekenntnisses zur Sunna (العامّة) hat übrigens auch der Historiker seine Stelle im ši'itischen Büchersaal erhalten. Er verdankte diese Berücksichtigung seiner das ši'itische Interesse fördernden Schrift über die Authentie der Chumm Tradition, welche bekanntlich den Angelpunkt der 'alidischen Ansprüche bildet.[2]

Al-Ṭabarî hat einen sehr eingehenden biographischen Artikel in des Ibn 'Asâkir (geb. 499, st. 571) grosser Monographie von

[1] S. *ZDMG.* xxxvi, 278 ff.

[2] *Muhammedanische Studien*, ii 116

Damascus (تأريخ مدينة دمشق) erhalten. Die Biographien in diesem Werke beschränken sich nicht auf berühmte Damascener (*ZDPV.* XIV, 83), sondern erstrecken sich grossentheils auch auf Gelehrte, welche die syrische Hauptstadt in den Kreis ihrer Studienreisen einbezogen, die das Ṭalab al-'ilm kürzere oder längere Zeit daselbst festhielt.

Auch Al-Ṭabarî hatte auf seinen ausgedehnten Ṭalabreisen die an berühmten Gelehrten und Traditionskennern reiche Stadt nicht abseits liegen lassen. So konnte denn Ibn 'Asâkir seine bändereiche Monographie mit einer Biographie des grossen Gelehrten schmücken, wohl des grössten unter jenen, die je zwischen den Säulen der Umejjadenmoschee gewandelt.

Die an seltenen Handschriften reiche Bibliothek meines Freundes, des Grafen LANDBERG-HALLBERGER, besitzt zwei Bände des تأريخ مدينة دمشق, durch welche der auf europäischen Bibliotheken bisher nachgewiesene Besitz an einzelnen Theilen des grossen Werkes in willkommener Weise bereichert wird. Die beiden Bände (19 + 13 Kurrâsen in 4°, nicht datirt) erstrecken sich auf die Biographien zwischen محمد بن ادريس الشافعى und محمد بن خداش الازرقى, beziehungsweise zwischen محمد بن خريم ابو بكر العقيلى und محمد بن عبد الله المهدى (dem 'abbâsidischen Chalifen). Dem ersteren Bande verleiht ausser dem Artikel über Al-Šâfi'î (mit dem er anhebt), der über Muḥammed b. Ismâ'îl al-Buchârî, dem letzteren der über Muḥammed b. Ǵerîr al-Ṭabarî besonderen Werth.

Der Ṭabarî-Artikel ist sehr sorgfältig gearbeitet. Wir haben vorausgesetzt, dass die Kenntniss des mittleren Theiles des Artikels, in welchem die literarische Thätigkeit des Ṭabarî in ihrer ganzen Ausdehnung geschildert und die bibliographisch-trockene Titelnomenclatur des Fihrist durch eingehendere Charakterisirung einer dazu noch grösseren Anzahl von ausgeführten oder unvollständig gebliebenen Werken ergänzt wird (Ibn 'Asâkir zählt 15 Werke des Ṭabarî auf), manchem Leser nicht unwillkommen sein dürfte. Wir gewinnen dadurch einen vollständigeren Einblick in die Wirksamkeit Ṭabarî's als Gelehrten, Schriftsteller und Lehrer.

Aus den dem Texte beigegebenen Anmerkungen wird ersichtlich werden, welche von den hier erwähnten Werken dem Verfasser des Fihrist nicht bekannt waren. Auch Ḥ. Ch. kennt nur kaum die Hälfte der von Ibn 'Asâkir aufgezählten Schriften des Ṭabarî; es fehlen bei ihm auch solche, die bei Ibn al-Nadîm erwähnt sind. Hingegen finden wir bei Ḥ. Ch. (v 103, Nr. 10210) ein كتاب الشذور von Ṭabarî, welches weder in der Liste des Ibn 'Asâkir noch auch im Fihrist vorkommt; über den Inhalt des Werkes bietet uns jedoch Ḥ. Ch. nicht die leiseste Andeutung. Auch ein Buch über Formulare von Rechtsurkunden (شروط vgl. *Muh. Stud.* ɪɪ, 233), das Ṭabarî nach šâfi'itischen Principien verfasste, wird bei Ḥ. Ch. ɪv, 46, 10 als besonderes Werk des Ṭabarî angeführt. Es ist jedoch wahrscheinlich, dass dasselbe mit dem im Fihrist (234) unter den einzelnen Kapiteln des كتاب البسيط erwähnten كتاب الشروط الكبير identisch ist.

Da der folgende Text nur auf eine einzige, nicht immer eben präcise Handschrift gegründet ist, so mögen besonders hinsichtlich der in demselben vorkommenden Personennamen nicht allzustrenge Ansprüche gestellt werden. Einige Eigennamen in den Isnâden sind dunkel und zweifelhaft geblieben; unmöglich war es, dieselben anderweitig zu identificiren. Es ist begreiflich, dass nicht alle Scheiche des Ibn 'Asâkir (seine Biographen sprechen von mehr als 1300) Personen waren, deren Namen uns auch anderswo begegnen. Für den sachlichen Inhalt besitzen sie übrigens keine entscheidende Bedeutung.

Dem hier mitgetheilten Stücke gehen voran: biographische Notizen, Nachrichten über Studienreisen, Scheiche und Hörer des Ṭabarî. Demselben folgen Mittheilungen über seinen Sterbetag; endlich Trauergedichte von Ibn al-A'râbî und Ibn Durejd.

---

*
*   *

قال الفرغانيّ وكتب اليّ المراغيّ يذكر ان المكتفى قال للعبّاس بن الحسن انّى أريد ان أقِف وقْفا يجتمع أقاويل العلماء على صحّته ويسلم من الخلاف فأحْضِر الطبريّ وأجْلِس فى دار يسمع فيها المكتفى كلامَه وخوطب فى أمر الوقف فأمْلى عليهم كتابًا لذلك على ما أراده الخليفة فلما فرغ وعزم على الانصراف أُخْرِجت له جائزة سنيّة فأبى أن يقبلها فحرّض به صافى الحُرَمِىّ وابن الحوارىّ لانّهما كانا حاضرَيْن المجلس وبينه وبين المكتفى سترٌ وعاتباه على ردّها فلم يكن فيه حيلة فقيل له من وصل الى الموضع الذى وصلت اليه لم يحسن ان ينصرف الّا بجائزة وقضاء حاجة فقال امّا قضاء حاجة فانا اسأله[1] فقيل له قل ما تشاء فقال يتقدّم امير المؤمنين الى اصحاب الشرط يمنع السُؤّال[2] من دخول المقصورة يوم الجمعة الى ان تنقضى الخطبة فتقدّم بذلك وعظم فى نفوسهم ' قال الفرغانى وأرسل اليه العبّاس بن الحسن قد أحببتُ أن أنظر فى الفقه وسأله أن يعمل له مختصرا على مذهبه فعمل له كتاب الخفيف وأنفذه اليه فوجّه اليه بألف دينار فردّها عليه ولم يقبلها فقيل له تُصَدَّقْ[3] بها فلم يفعل وقال انتم أولى بأموالكم وأعرف بمن تصدّقون عليه ' اخبرنا ابو القاسم العَلَوىّ وابو الحسن الفشانى[4] قالا وانا ابو منصور المقرئ انا ابو بكر الخطيب قال وسمعت علىّ بن عبيد الله بن عبد الغفّار اللغوىّ المعروف بالسمسمانىّ[5] يحكى ان محمّد بن جرير مكث اربعين سنة يكتب فى كلّ يوم منها اربعين ورقة قال الخطيب وبلغنى عن ابى حامد احمد بن طاهر الفقيه الاسفارايني انه قال لو سافر رجل الى الصين حتّى يحصُل له كتاب تفسير محمّد بن جرير لم يكن ذلك كثيرا او كلامًا هذا معناهُ ' قرأتُ على ابى القاسم زاهر بن طاهر عن ابى بكر البيهقىّ انا ابو عبد الله الحافظ قال سمعته يعنى ابا احمد الحسين بن علىّ بن محمّد بن يحيى بن عبد الرحمن بن الفضل الدارينىّ يقول اوّل ما سألنى ابو بكر محمّد بن اسحاق قال لى كتبتَ عن محمّد بن جرير الطبرىّ قلتُ لا قال لِمَ قلت لأنّه كان لا يَظْهَر وكانت الحنابلة

[1] Handschr. اسال.

[2] Die Bittsteller, Bettler; H. السوال.

[3] H. يصدق.

[4] القاشانىّ?

[5] Bei Al-Nawawî, Tahdîb 101, 7 علىّ بن عبد الله السمسار.

تمنع عن الدخول عليه[1] فقال بئس ما فعلت ليْتك لم تكتب عن كلّ من كتبتَ عنهم وسمعتَ من ابى جعفر، اخبرنا ابو القاسم بن ابى الجنّ وابو الحسن بن قيس[2] قالا نا وابو منصور بن خيرون انا ابو بكر الخطيب سمعتُ ابا حازم عمر بن احمد بن ابراهيم العبدوىّ بنيسابور يقول سمعت حُسَيْنَك[3] واسمه الحسين بن على التميمىّ يقول لمّا رجعتُ من بغداد الى نيسابور سألنى محمّد بن اسحاق بن خزيمة فقال لى ممّن سمعتَ ببغداد فذكرتُ له جماعةً ممّن سمعتُ منهم فقال هل سمعتَ من محمّد بن جرير شيئًا فقلتُ لا إنّه ببغداد لا يُدْخَل عليه لأجل الحنابلة وكانت تمنع منه فقال لو سمعتَ منه لكان خيرًا لك من جميع مَن سمعتَ منه سواه قال وحدّثنى محمّد بن احمد بن يعقوب ح وقرأتُ على ابى القاسم الشحامىّ عن ابى بكر البيهقىّ قالا انا محمّد بن عبد الله النيسابورى الحافظ قال سمعتُ ابا بكر بن بالويه يقول قال لى ابو بكر محمّد بن اسحق يعنى ابن خزيمة بلغنى انّك كتبتَ التفسير عن محمّد بن جرير قلتُ بلى كتبتُ التفسير منه إملاء قال كلّه قلتُ نعم قال فى اىّ سنة قلت من سنة ثلث وثمانين الى سنة تسعين قال فاستعاره منّى ابو بكر فردّه بعد سنتَيْن ثمّ قال قد نظرتُ فيه من أوّله الى آخره وما اعلم على اديم الارض أعلمَ من محمّد بن جرير ولقد ظلمَتْه الحنابلة، انبانا ابو المظفّر القشيرىّ عن محمّد بن علىّ بن محمّد انا ابو عبد الرحمن السلمىّ[4] قال وسألته عن محمّد بن جرير الطبرىّ فقال تكلّموا فيه بانواعٍ، قرأتُ بخطّ ابى محمّد التميمىّ ممّا نقله من كتاب ابى محمّد عبد الله بن احمد الفرغانىّ وقد لقى مَن حدّثه عنه قال فتمّ من كتبه كتاب تفسير القرآن وجوّده وبيّن فيه أحكامَه وناسخه ومنسوخه ومُشْكِلَه وغريبه واختلاف اهل التأويل والعلماء فى أحكامه وتأويله والصحيح لَدَيْه من ذلك وإعراب حروفه

[1] Vgl. *ZDMG.* xli, 62. Die Ursache davon, dass die Ḥanbaliten den Ṭ. bis über den Tod hinaus anfeindeten, war dies, dass Ṭ. den Aḥmed b. Ḥanbal nicht als Faḳîh gelten liess, sondern ihn nur als Traditionarier anerkennen wollte. Siehe Ẓâhiriten 4, Anm. 6. Ḥ. Ch. i, 196, 2; er sagte: لم يكن احد فقيها انّما كان محدّثا. Auch der Sohn des Begründers der Ẓâhirschule, Abû Bekr Muḥammed b. Dâwûd, Zeitgenosse Ṭabarî's (st. 302) richtete eine Streitschrift gegen ihn: الانتصار على محمّد بن جرير Ḥ. Ch. i, 446, Nr. 1307. [2] H. قبيس.

[3] Ueber solche Deminutiva arabischer Eigennamen s. Karabacek, *ZDMG.* xxxi, 140 f.; vgl. das häufige Epitheton مُصَنِّفَك, z. B. Ḥ. Ch. vii, 1031. ابراهيمك, مبارك, حسنك Jâḳût ii, 444, 14; iii, 513, 3; 891, 7 u. a. m. [4] H. اسلمى.

والكلام على المُلْحِدِين فيه والقِصَص وأخبار الأمَم والقيْمة[1] وغير ذلك ما حواه من الحِكَم والعجائب كلمةً كلمةً وآيةً آيةً من الاستعاذة الى أبى جاد[2] فلو ادّعى[3] عالم أن يصنّف منه عشرة كتب كلّ كتاب منها يحتوى على علم مفرَد عجيب مستقصٍ لفعل، وتمّ من كتبه ايضا كتاب القراآت والتنزيل والعدد[4] وتمّ ايضا كتاب اختلاف علماء الامصار وتمّ[5] ايضا التأريخ الى عصره وتمّ ايضا تأريخ الرجال[6] من الصحابة والتابعين والخالفين[7] الى رجاله الذين كتب عنهم ثمّ ايضا لطيف القول فى احكام شرائع الاسلام[8] وهو مذهبه الذى اختاره وجرّده[9] واحتجّ له وهو ثلثة وثمانون كتابا منها كتاب البيان عن اصول الأحكام وهو رسالة اللطيف[10] ثمّ ايضا كتاب الخفيف فى احكام شرائع الاسلام وهو مختصر لطيف[11] ثمّ ايضا كتابه المسمّى التبصير[12] وهو رسالة الى اهل آمُل طبرستان يشرح فيها ما يتقلّده من اصول الدين وابتدأ بتصنيف تهذيب الآثار وهو من عجائب كُتُبه فابتدأ بما رواه ابو بكر الصدّيق ممّا صحّ عنه سَنَدُه وتكلّم على كلّ حديث منه فابتدأ بعِلَله وطُرُقه وما فيه من الفقه والسنن واختلا[ف] العلماء وحُجَجهم وما فيه من المعانى والغريب وما يطعن فيه المُلْحِدون والردّ عليهم وبيان فساد ما يطعنون به فخرّج منه مُسْنَد العشرة[13] واهل البيت والموالى ومن

[1] H. unklar; der Sinn ist wohl, dass Ṭ. im Korancommentar Legenden und Geschichten der Vorzeit, sowie auch eschatologische Fragen (Auferstehung) erörtert.

[2] Für الجد. — H. حاد.

[3] H. فلوار عالم könnte auch aus فلو اراد عالم corrumpirt sein.

[4] Wohl identisch mit Ḥ. Ch. II, 578, Nr. 3977, v 135, 9 كتاب حافل فيه نيف وعشرون قرآءة سمّاه الجامع.

[5] Fehlt H.

[6] Im Fihrist nicht erwähnt.

[7] H. والحالفين.

[8] Bei Fihrist als كتاب اللطيف فى الفقه zweimal erwähnt.

[9] Vielleicht وحرره. Die Anhänger des Maḏhab des Ṭ. nennt man einzeln جريرى; so wird der später zu erwähnende Ḳâḍî Abu-l-Farağ al-Mu'âfâ b. Zakarijja al-Ǵerîrî bezeichnet.

[10] d. h. eine zu den Furû' des Buches *Al-laṭîf* als Einleitung dienende Uṣûlabhandlung, gleichwie Al-Šâfi'î die methodologische Grundlegung seiner Codification in seiner *Risâla* gegeben hat.

[11] Vielleicht اللطيف.

[12] Im Fihrist nicht erwähnt.

[13] Die von den Zehn hervorragendsten Genossen unmittelbar aus dem Munde des Propheten tradirten Sprüche. Gemeint sind die Zehn, denen Muḥammed

مسنَد ابن عبّاس قطعةً كبيرةً وكان قصده فيه أن يأتى بكلّ ما يصحّ من حديث رسول الله صلّى الله عليه وسلّم عن آخره ويتكلّم على جميعه حسب ما ابتدأ به فلا يكون لطاعن فى شىء من علم رسول الله صلعم مَطْعَن ويأتى بجميع ما يحتاج اليه اهل العلم كما عمل فى التفسير فيكون قد أتى على علم الشريعة القرآن والسُنَن فمات قبل تمامه ولم يمكن أحدا[1] بعده أن يفسّر منه حديثا واحدا ويتكلّم عليه حسب ما فسّر من ذلك وتكلّم عليه، وابتدأ بكتابه البَسيط فخرّج منه كتاب الطهارة فى شيبه بألف وخمسمائة ورقة لأنّه ذكر فى كلّ باب منه اختلاف الصحابة والتابعين وغيرهم من طرقها (sic) وحجّة كلّ من اختار منهم لمذهبه واختياره هو رحمه الله فى آخر كلّ باب منه واحتجاجه لذلك وخرّج من البسيط اكثر كتاب الصلاة وخرّج منه آداب الأحكام تامّا وكتاب المحاضر والسجلّات وكتاب ترتيب العلماء[2] وابتدأ بآداب النفوس[3] وهو ايضا من كتبه النفيسة لأنّه عمله على ما ينوب الانسان من الفرائض فى جميع اعضاء جسده فبدأ بما ينوب القلب واللسان والبصر والسمع على أن يأتى بجميع الاعضاء وما رُوى عن رسول الله صلعم فى ذلك وعن الصحابة والتابعين ومن يحتاج [اليه] ويحتجّ فيه ويذكر فيه كلام المتصوّفة والمتعبّدين وما حُكى من أفعالهم وايضاح الصواب فى جميع ذلك فلم يتمّ الكتاب، وكتاب آداب المناسك[4] وهو ما يحتاج اليه الحاجّ من يوم خروجه وما يختاره له من الإتمام لابتداء سفره وما يقوله[5] ويدعو به عند ركوبه ونزوله ومُعاينة المنازل والمشاهد الى انقضاء حجّه، وكتاب شرح السُّنّة[6] وهو لطيف بيّن [فيه] مذهبه وما يدين الله به على ما مضى عليه [سنّة] الصحابة والتابعين ومتفقّهة الأمصار وكتابه

---

bei Lebzeiten die Zusicherung des Paradieses gegeben: العشرة المبشّر لهم بالجنّة (die Benennung عشرة مبشّرة bei Hughes, *Dictionary of Islam*, 24b, wo auch die Namen der Zehn Genossen zu finden sind, ist nachlässiger Sprachgebrauch des ungebildeten Volkes), vgl. Usd al-ġâba II, 307; III, 314.

[1] H. يكن احد, vielleicht يكن لاحد.

[2] Im Fihrist werden die zu Ende geführten Kapitel dieses Werkes anders aufgezählt.

[3]—[4] Im Fihrist nicht erwähnt; ersteres wird wohl identisch sein mit H. Ch. I, 212, Nr. 303 الآداب الحميدة والاخلاق النفيسة.

[5] H. لقوله.

[6] Im Fihrist nicht erwähnt.

المسنَد المخرّج[1] يأتى على جميع ما رواه الصحابة عن رسول الله صلعم من صحيح وسقيم ولم يتمّه، ولمّا بلغه ان ابا بكر بن ابى داود السجستانى تكلّم فى حديث غدير خمّ عمل كتاب الفضائل[2] فبدأ بفضل[3] ابى بكر وعمر وعثمان وعلىّ رحمة الله عليهم وتكلّم على تصحيح غدير خمّ واحتجّ لتصحيحه وأتى من فضائل امير المؤمنين علىّ بما انتهى اليه ولم يتمّ الكتاب، وكان ممّن لا تأخذه فى دين الله لومة لائم ولا يعدل فى علمه وبيانه عن حقّ يلزمه لربّه وللمسلمين الى باطلٍ لرغبة ولا رهبة مع عظيم ما كان يلحقه من الأذى والشناعات من جاهل وحاسد وملحد فامّا اهل الدين والورع والعلم فغير منكِرين علمه وفضلَه وزهدَه فى الدنيا ورفضَه لها مع إقبالها عليه وقناعتَه بما كان يرِد عليه من حِصّةٍ من ضيعة خلفها ابوه بطبرستان يسيرةٍ، قال الفرغانى وحدّثنى هرون بن عبد العزيز قال قال ابو جعفر الطبرىّ استخرت اللهَ وسألته العون على ما نويته من تصنيف التفسير قبل ان امله بثلث سنيت فاعاننى، قال الفرغانىّ وحدّثنى شيخ من[4] جيران ابى جعفر عفيفٌ قال رأيت فى النوم كأنّى فى مجلس ابى جعفر الطبرى والتفسير يُقرأ عليه فسمعت هاتفا بين السماء والأرض يقول مَن[5] أراد ان يسمع القرآن كما أُنزِل وتفسيرَه فيستمع هذا الكتاب اوكلاما هذا معناه، اخبرنا ابو منصور محمّد بن عبد الملك انا ابو بكر الخطيب اخبرنى القاضى ابو عبد الله محمّد بن سلامة القضاعىّ المصرىّ اجازةً نا علىّ بن نصر بن الصبّاح التغلبىّ نا القاضى ابو عمر عبيد الله بن احمد السمسار وابو القاسم بن عقيل الورّاق ان ابا جعفر قال لأصحابه اتنشطون لتفسير القرآن قالوا كم يكون قدره فقال ثلثون الف ورقة فقالو هذا ممّا يُفْنى الأعمارُ قبل تمامه فاختصره فى نحو ثلثة آلاف ورقة ثمّ قال هل تنشطون لتأريخ العالَم من آدم الى وقتنا هذا قالوا كم قدره فذكر نحوا ممّا ذكره فى التفسير فأجابوه بمثل ذلك فقال إنّا للّه ماتت الهِمَم فاختصره فى نحو ما اختصر التفسير،[6] اخبرنا ابو القاسم العلوىّ وابو الحسن المالكىّ قالا نا

[1]—[2] Nicht im Fihrist; das letztere ist wohl identisch mit dem von Ṭûsî l. c. كتاب غدير خمّ genannten Buche.

[3] H. فبدا يفضل.

[4] Fehlt H.

[5] H. + ان.

[6] Bald hat man jedoch, namentlich in Andalusien, Compendien des grossen Tafsîrwerkes veranstaltet; vgl. ausser den im Fihrist 234, 25 ff. erwähnten noch Ibn Baškuwâl, ed. Codera Nr. 29, ibid. Nr. 1119, Jâḳût iii, 531, 7.

وابو منصور بن خيرون انا ابو بكر الخطيب قال قرأت فى كتاب ابى الفتح عبيد الله بن احمد النحوى سمعت القاضى ابن كامل يقول اربعة كنتُ أُحبّ بقاءهم ابو جعفر الطبرىّ والبربرىّ وابو عبد الله بن ابى خيثمة والمعمرىّ فما رأيت أفهم منهم ولا أحفظ، اخبرنا ابو العزّ السلمىّ مناولةً وإذنًا وقرأ علىّ اسناده انا محمّد بن الحسين انا المعافى بن زكريّاء[1] انا محمّد بن جعفر بن احمد بن يزيد الطبرىّ نا ابو احمد جعفر بن محمّد الجوهرىّ نا عُبيد بن اسحٰق العطّار نا نصر بن كثير قال دخلتُ على جعفر بن محمّد انا وسفيان الثورىّ منذ ستّين سنة او سبعين سنة فقلت له انّى اريد البيت الحرام فعلّمنى شيئا ادعو به قال اذا بلغتَ البيت الحرام فضع يدك على حائط البيت ثمّ قُل يا سائق الفوت، ويا سامع الصوت، ويا كاسى العظام لحمًا بعد الموت، ثمّ ادْعُ بعده بما شئتَ فقال له سفيان شيئا لم افهمه فقال يا سفيان او يا ابا عبد الله اذا جاءك ما تحبّ فأكثِرْ من الحمد لله واذا جاءك ما تكره فأكثِرْ من قول لا حول ولا قوّة الّا بالله واذا استبطأتَ الرزق فأكثِرْ من الاستغفار، قال القاضى وحكى لى[2] بعض بنى الفرات عن رجل منهم او من غيرهم انّه كان بحضرة ابى جعفر الطبرى رحمه الله قبل موته وتوفّى بعد ساعة او اقلّ منها فذكر له هذا الدعاء عن جعفر بن محمّد فاستدعى[3] محبرة وصحيفة فكتبها فقيل له أفى هذا الحال فقال ينبغى للانسان ان لا يدع اقتباس العلم حتّى يموت، قرأت بخطّ ابى محمّد الكنانىّ ممّا نقله من كتاب ابى محمّد الفرغانىّ نا ابو علىّ هرون بن عبد العزيز قال قال لى ابو جعفر الطبرىّ اظهرتُ مذهب الشافعىّ فأفتيت به فى بغداد عشر سنين وتلقّاه[4] منّى ابن بشّار الأحول استاذ ابن سُرَيْج فلمّا اتّسع علمه أدّاه اجتهاده وبحثه الى ما اختاره فى كلّ صنف من العلوم فى كتبه إذ كان لا يسعه فيما بينه وبين الله جلّ وعزّ إلّا الدينونة بما أدّاهُ[5] اجتهادُه اليه فيما لم ينصّ عليه مَن يجب التسليمُ لأمره فلم يال[6] نفسَهُ والمسلمين نصحا وبيانا فيما صنّفه، قال الفرغانىّ وكتب

[1] Dieser ist der berühmteste Anhänger und Verfechter des Madhab al-Tabarî; in diesem Sinne widmet ihm der Verf. des Fihrist, sein jüngerer Zeitgenosse, einen eigenen Artikel, 236.

[2] H. فى. [3] H. فاسند عنى.

[4] H. وتلقنه (corrumpirt aus وتلقيه).

[5] H. ارادة.

[6] H. يال; bezieht sich auf einen dem Mu'âd b. Ǵebel zugeschriebenen Spruch أجتهد رايى ولا آلو Ẓâhiriten 9, Anm. 1; 220, 12.

الىّ المراغىّ قال لمّا تقلّد الخاقانىّ الوزارة وجّه إلى أبى جعفر الطبرى بمال كثير فامتنع من قبوله فعرض عليه القضاء فامتنع فعرض عليه المظالم فأبى فعاتبه اصحابه وقالوا لك فى هذا ثواب وتُحْيِى سنّة قد درستْ فطمعوا فى قبوله المظالم فباكروه ليركب معهم لقبول ذلك فانتهرهم وقال قد كنت اظنّ أنّى لو رغبتُ فى ذلك لنهيتمونى عنه ولامهم قال فانصرفنا من عنده خجلين ٠ اخبرنا ابو القاسم علىّ بن ابراهيم وابو الحسن علىّ بن احمد قالا نا وابو منصور ابن خيرون انا ابو بكر الخطيب حدّثنى ابو القاسم الازهرىّ قال حكى لنا ابو الحسن بن رزقويه عن ابى علىّ الطومارىّ قال كنت احمل القنديل فى شهر رمضان بين يدى ابى بكر بن مجاهد الى المسجد لصلاة التراويح فخرج ليلة من ليالى العشر الأواخر من داره واجتاز على مسجده فلم يدخله وانا معه وسار حتّى انتهى الى آخر سوق العَطَش فوقف [عند][1] باب مسجد محمّد بن جرير ومحمّد يقرأ سورة الرحمن واستمع قراءته طويلا ثمّ انصرف فقلت له يا استاذ تركتَ الناس ينتظرونك وجئتَ تسمع قراءة هذا قال يابا علىّ دع هذا عنك ما ظننت أن الله تعالى خلق بشرًا يُحْسن يقرأ هذه القراءة او كما قال ٠ اخبرنا ابو غالب احمد بن الحسن بن البنّاء وابنه ابو القاسم سعيد قالا انا ابو القاسم عبد الواحد بن علىّ بن محمّد بن فهد العلّاف انا ابو الفتح محمّد بن احمد الحافظ قال وفيما اخبرنا محمّد بن علىّ بن سهل المعروف بابن الامام صاحب محمّد بن جرير الطبرىّ قال سمعت ابا جعفر محمّد بن جرير الطبرىّ الفقيه وهو يكلّم المعروف بابن صالحٍ الأعلم وجرى ذكر علىّ بن ابى طالب فجرى خطاب فقال له محمّد بن جرير مَن قال ان ابا بكر وعمر ليسا بامامَى هدًى ايش هو قال مبتدع فقال له الطبرىّ إنكارًا عليه مبتدع مبتدع هذا يُقْتل من قال ان ابا بكر وعمر ليسا بامامَى هدًى يُقتل يُقتل ٠ اخبرنا ابو القاسم نصر بن احمد بن مقاتل انا ابو محمّد عبد الله بن الحسن بن حمزة بن الحسن بن حمدان بن ابى فجة (؟) البعلبكىّ انا ابو عبد الله الحسين بن عبد الله بن محمّد بن ابى كامل اجازةً نا عثمان بن احمد الدينورىّ ابو سعيد قال حضرت مجلس محمّد بن جرير الطبرىّ وحضر الوزير الفضل بن جعفر بن الفرات وكان قد سبقه رجل للقراءة فالتفت اليه محمّد بن جرير فقال له ما لك لا تقرأ فاشار الرجل الى الوزير فقال له اذا كانت لك[2] النوبة فلا تُكْثَرِثْ[3]

[1] Praeposition fehlt in H.

[2] H. له. [3] H. تكثرت.

لدجلة ولا لفرات، اخبرنا ابو محمّد محمود بن احمد بن عبد الله بن الحسين الخللى(?)[1] نا الشيخ الامام ابو محمّد عبد الله محمّد بن ابراهيم الكروىّ إملاء فى الجامع باصبهان قال أنْشِدتُ لمحمّد بن جرير الطبرىّ

عليك بأصحاب الحديث فانّهم * على نَهْجٍ للدِّينِ لا زال مُعْلَما
وما الدِّينُ إلّا فى الحديث وأهلِهِ * إذا ما دَجَى الليلُ البَهيمُ وأظلما
وأعلى البَرايا مَنْ[2] إلى السُّنَنِ اعْتَزى * وأغْوى البَرايا مَن إلى البِدَعِ انْتَمى
ومَن تَرَكَ الآثارَ ضَلَّلَ سَعْيَهُ * وهَلْ يَتْرُكُ الآثارَ مَنْ كان مُسْلِما

اخبرنا ابو القاسم علىّ بن ابراهيم وابو الحسن بن قيس قالا نا وابو منصور ابن خيرون انا ابو بكر احمد بن علىّ أنشدنا علىّ بن عبد العزيز الطاهرىّ ومحمّد بن جعفر بن علّان الشروطى قالا أنشدنا محمّد بن جعفر الدقّاق أنشدنا محمّد بن جرير الطبرىّ

إذا أعْسَرْتُ لَمْ يَعْلَمْ رَفيقى   وأستَغْنى فيَسْتَغْنى صديقى
حياءى حافظٌ لى ماءَ وَجْهى   ورِفْقى فى مُطالبتى رَفيقى
ولو أنّى سَمَحْتُ بِبَذْلِ وَجْهى   لَكُنْتُ إلى العُلى سَهْلَ الطَّريقِ

قال الخطيب وأنشدنى الطاهرىّ والشروطىّ قالا أنشدنا مَخْلد بن جعفر أنشدنا محمّد بن جرير

خُلُقانِ لا أرْضَى طَريقَهما   بَطَرُ الغِنى ومَذَلَّةُ الفَقْرِ[3]
فاذا غَنِيتَ فلا تَكُنْ بَطِرًا   واذا افْتَقَرْتَ فَتِهْ على الدَّهْرِ

قال الخطيب وانا القاضى ابو العلاء محمّد بن علىّ الواسطىّ نا سهل بن احمد الديباجىّ قال قال لنا ابو جعفر محمّد بن جرير الطبرىّ كتب الىّ احمد بن عيسى العَلَوىّ من البلد

ألا إنّ إخْوانَ الثِّقاتِ قليلُ * وهل لى إلى ذاك القليلِ سبيلُ
سَلِ النّاسَ تَعْرِفْ غَثَّهم مِنْ سمينِهم * فكُلٌّ عليهِ شاهدٌ ودَليلُ

قال ابو جعفر فأجَبْتُهُ

---

[1] So in H.; vielleicht الحلبىّ.

[2] So Randglosse; Text ما.

[3] Mit Bezug auf die verbreitete Tradition: وكان من دعاء السلف رضى الله عنهم انّى اعوذ بك من ذلّ الفقر وبطر الغنى Al-Mustaṭraf, Cap. LII (ed. Kairo 1275, II, 64).

يُسِىءُ أميرى الظَّنَّ فى جهد جاهد * فهل لى بحُسْنِ الظَّنِّ مِنْهُ سبيلُ
تأمَّلْ أميرى ما ظَنَنْتَ وقُلْتَـــــهُ * فإنّ جميل الظّنِّ مِنْكَ جميـــــلُ

كتب الىّ ابو نصر بن... القشيرىّ آنا ابو بكر البيهقىّ آنا ابو عبد الله الحافظ قال سمعتُ الخليل بن احمد يقول سمعتُ ابا عبد الله الحسين بن اسمعيل القاضى يقول سمعت ابا العباس بن شُرَيح يقول ابو جعفر محمّد بن جرير الطبرىّ فقيه العلم، قال وآنا ابو عبيد الله انشدنا ابو عبد الله محمّد بن نصر الطبرىّ فى مسجد ابى الوليد انشدنا ابو طارق محمّد بن ابراهيم الأَمُلىّ قال انشدنا محمّد بن جرير الفقيه الطبرىّ

مَيّاسُ أنّى أنْتَ مِن هٰذا الوَرَى — لا أنْتَ معلومٌ ولا مجهـــــولُ
لو كُنْتَ مجهولًا تَرَكْتُكَ مُعْلَمًـــا — او كنت مَعْلومًا لغالَكَ غُـــولُ
أمّا الهجاء فدَقَّ عِرْضُكَ دونَـــهُ — والمَدْحُ عنكَ كما علِمْتَ جليلُ
فاذْهَبْ فأنْتَ طليقُ عِرْضِكَ إنّهُ — عِرْضٌ عَزِزْتَ به وأنت ذليـــــلُ

قرأت بخطّ ابى محمّد عبد العزيز بن احمد ممّا نقله من كتاب ابى محمّد الفرغانىّ وقد القى مَن حدّثه عنه حدّثنى ابو بكر الدينورىّ قال لمّا كان وقت صلاة الظهر من يوم الاثنين الذى توفّى فى آخره طلب ماء ليتجدّد[1] طهارةً لصلاة الظهر فقيل له تؤخّر الظّهر لتَجمع بينها وبين العصر فأبى وصلّى الظهر مُفْرَدَةً والعصر فى وقتها أتمّ صلاة واحسنَهما وحضر وقت موته جماعة من اصحابه منهم ابو بكر بن كامل فقيل له قبل خروج روحه يابا جعفر انت الحجّة فيما بيننا وبين الله عزّ وجلّ فيما تدينه[2] به فهل من شىء توصينا به من أمر ديننا وتُبيّنه لنا نرجو به السلامة فى معادنا فقال الذى أدين اللهَ به وأوصيكم [به][3] هو ما بيّنتُ فى كتبى فاعملوا به وعليه او[4] كلامًا هذا معناه واكثر التشهّد وذِكْرَ الله جلّ وعزّ ومسح يده على وجهه وغمّض[5] بصره بيده وبسطها وقد فارقت روحه جسده، وكان عالما زاهدا فاضلا ورعًا وكان مولده بآمل سنة اربع وعشرين ومائتين ورحل منها لمّا ترعرع وحفظ القرآن وكتب الحديث

[1] H. ليجدد.
[2] H. يدينه.
[3] H. nur اوصيكم. [4] H. و.
[5] H. وعمص. Das Wort wird besonders vom Augenzudrücken bei Todten gebraucht; Ṭabarî III, 1136, 13 im letzten Willen des Ma'mûn: فاذا انا متّ فوجّهونى وغمّضونى الخ ibid. 1363, 20.

لطلب العلم واشتغل به عن سائر امور الدنيا وآثر دار البقاء على دار الغناء ورفض الأهل والاقرباء وكتب فأكثر وسافر فأبعد وسمع له ابوه فى أسفاره وشكره على افعاله وكان ابوه طول حياته يمدّه بالشى بعد الشى الى البُلدان التى يقصدها فيقتات به فسمعته يقول أبطت عنّى نفقة والدى واضطررتُ الى ان فتقت كمّى قميصى فبعتهما وانفقته الى ان لحقتنى النفقة فاطلع الله على نيّته ومقصده فاعانه بتوفيقه وارشده الى ما قصد له بتسديده فابتدأ بعد ان أحكم ما أمكنه إحكامه من علم القرآن والعربيّة والنحو ورواية شعراء الجاهلية والاسلام ومسند حديث النبىّ صلعم من طُرُقه وما روى عن الصحابة والتابعين من علم الشريعة واختلاف علماء الامصار وعِلَلهم وكُتُب اصحاب الكلام وحُجَجهم وكلام الفلاسفة واصحاب الطبائع وغيرهم بتصنيف كتبه وكان قبل تصنيف كتبه يقرأ ويجوّد[1] بحرف حمزة الزيّات، حدّثنا محمّد بن جرير قال قرأت القرآن على سليمان بن عبد الرحمن الطلحىّ وكان قد قرأ على خلّاد المُقرئ وذكر لى سليمان ان خلّادًا اخذه عليه وان خلادا كان يقرأ على سُلَيم وان سليما[2] كان يقرأ على حمزة الزيّات واخذ سليمان بن عبد الرحمن علىّ هذا الحرف من حروف حمزة، نا محمّد بن جرير الطبرىّ قال حدّثنى بجميعه يونس بن عبد الأعلى الصّدفى قال قرأنا على ابن كبشة وانا [ابن] كبشة انّه أخذه عن سليم وان سليما اخذه عن حمزة ويتفقه بقول[3] الشافعىّ،

[1] H. ويجرد.
[2] H. سليم.
[3] H. يقول.

Anzeigen.

Abikean, Miḥran. — Ընդարձակ Բառարան Տաճկերէն Հայերէն յօրինեաց Միհրան Աբիկեան քարտուղար թարգման ի դրան սպարապետի եւ ուսուցիչ Օսմաներէն, Արաբերէն եւ Պարսկերէն լեզուաց. — Պարունակութիւն աւելի քան 30.000 հին եւ նոր գրագիտական, պաշտօնական, ընտանեկան եւ գիտական բառ., յատուկ անուանք եւ 8000 է աւելի մանաւոր ասացուած, ոճ, եւ Արաբերէն ու Պարսկերէն առածք եւ ասացուածք. — معارف نظارت جليله سنك ٤٤٣ نومرولى رخصتنامه سيله طبع اولنمشدر — Փորագրիչ Սերվիչէն տպագրութիւն եւ վիմագրութիւն Կ. Պոլիս, Սուլթան համամ Աղբիւրին քով. 1892. (*Ausführliches türkisch-armenisches Wörterbuch*, verfasst von Miḥran Abikean, Secretär-Translator in der Kanzlei des Seraskers und Lehrer der türkischen, arabischen und persischen Sprache, umfassend mehr als 30.000 alte und neue auf literarische, gottesdienstliche, häusliche und wissenschaftliche Gegenstände bezügliche Ausdrücke, Eigennamen und mehr als 8000 Idiotismen und arabische und persische Sprüche und Ausdrücke. — Gedruckt mit Erlaubniss der hohen Censur mittelst Decret Nr. 443. — Servitšhēn, Graveur. Buchdruckerei und lithographische Anstalt. Constantinopel. Sultan hamam, beim Brunnen, 1892.) 8°. Ը & 671 S., davon 1—652, das Wörterbuch umfassend, doppelspaltig.

Der Verfasser des vorliegenden Werkes gilt für einen der besten Kenner der türkischen Sprache; von seinen engeren Landsleuten, den in Constantinopel lebenden Armeniern, wird er für den besten gehalten. — Das Werk bietet die jedesmalige türkische Form in arabischer Schrift mit der Aussprache in armenischer Schrift und die Bedeutung in armenischer Sprache. Am Schlusse (S. 653—666) finden sich die gebräuchlichsten arabischen Dictionen und Sprüchwörter, deren der gebildete Türke im Gespräche sich bedient, sowie auch deren Aussprache in armenischer Schrift und armenische Uebersetzung zusammengestellt.

Der Hauptwerth des Buches für uns Europäer liegt in der genauen Bezeichnung der heutzutage in Constantinopel geltenden Aussprache. Der Preis des Buches ist unglaublich niedrig; er beträgt acht Piaster.

Friedrich Müller.

Jacob, Georg, *Studien in arabischen Dichtern*. Heft iii. — Das Leben der vorislâmischen Beduinen nach den Quellen geschildert. Berlin. Mayer & Müller. 1895. 8°. — xi, 179 S.

Der Hauptgewinn, der aus dieser gediegenen Arbeit fliesst, wird vor allem der Ethnologie zu gute kommen. Dies mag auch der Verfasser, der nicht blos das Reinigen der Texte, sondern vielmehr noch die Realien als die Hauptaufgabe der orientalischen Philologie betrachtet,[1] gefühlt haben, da er bereits vor zwei Jahren einzelne Abschnitte seines Werkes in der Zeitschrift ‚Globus', dem passendsten Orte, um der Publication den Weg zu ebnen, veröffentlicht hat. — Die vorliegende Arbeit ist tadellos und, sofern ich dies nach den Kenntnissen, die mir von meinen ehemals eifrig gepflegten Studien der arabischen Dichter im Kopfe geblieben sind und den angestellten Stichproben zu beurtheilen im Stande bin, sehr zuverlässig. Sie behandelt nach einer Einleitung über die Quellen die Fauna und Flora des Landes, die Stammverfassung, Volksnamen, Wohnung, Kleidung, Geschlechtsleben, Nahrung, Trank, Spiel, Unterhaltung, Jagd, Krieg, Waffen,

---

[1] Vgl. meine Anzeige des i. Heftes dieser Publication im ‚Ausland' 1893, S. 831.

Tod, woran schliesslich die Blutrache, Handel, Handwerk, Arznei- und sonstige Kenntnisse, Schreibkunst und die Anfänge des staatlichen Lebens sich reihen. Ueberall sind die Quellen genau citirt, so dass dem Fachmann die Nachprüfung leicht möglich ist.

Die Darstellung, welche bei einem für ein grösseres Publicum berechneten Werke von einer gewissen Bedeutung ist, kann als dem Gehalte entsprechend bezeichnet werden. Nur hie und da begegnet man Wendungen, die getadelt werden müssen. So z. B. S. 25: ‚Die Wüstenflora besteht hauptsächlich aus Stachelgewächsen, da diese hier, wo jeder Halm willkommen ist, der Verfolgung besser Widerstand zu leisten vermochten.' — Der Verfasser hat wohl unter der Verfolgung ‚die Ausrottung' gemeint. Ganz fehlerhaft ist der Satz auf S. 61: ‚Obwohl das Kamel erst mit den Arabern in Afrika einwanderte, ist es doch seit alten Zeiten der Gefährte des Beduinen gewesen, wenn es auch auf den ägyptischen Darstellungen nicht erscheint.' — Es soll wohl heissen: ‚Das Kamel ist erst mit dem Araber, dessen Gefährte es seit alten Zeiten gewesen, in Afrika eingewandert, daher es auch auf den ägyptischen Darstellungen nicht erscheint.' Sätze, wie S. 47: ‚als ob sie die gestreckten, langen, schwarzen Schlangen von Rammân' (ohne ‚wären'); S. 72: ‚Von den B 161/2 beschriebenen Kamelkrankheiten scheint diesen keine identisch' (statt ‚mit diesen keine identisch zu sein'); S. 78: ‚als ob ihre Hälse Fetische' (ohne ‚wären'); S. 100: ‚da die Weinbude eine fremde Pflanze auf arabischem Boden' (ohne ‚ist'); S. 102: ‚Der Wein scheint meist roth gewesen' (ohne ‚zu sein'); S. 137: ‚milchreiche Schaf- und Kamelheerden, so dass ihr alle von jenem Besitz gesättigt' (ohne ‚werdet' oder ‚seid') sind zu vermeiden.

Die *Hamâsah* Al-Buḥturî's (S. 8) wird gegenwärtig in Beyrut zum Drucke vorbereitet und dürfte bald erscheinen.

Das arabische مال ist in der Bedeutung ‚Vieh, Viehstand' (S. 63) auch in's Mongolische übergegangen. — Die ‚Säge' heisst auf arabisch nicht *mišâr*, wie S. 152 und im Index, S. 176, *b* steht, sondern *minšâr* (منشار).

Friedrich Müller.

Horn, Paul. *Das Heer- und Kriegswesen der Gross-Moghuls.* Leiden 1894. 8°. 160 S.

Diese Publication ist aus einem Vortrage entstanden, den der Verfasser, Privatdocent der Universität in Strassburg und k. sächsischer Lieutenant der Landwehr, in der Gesellschaft der Reserve- und Landwehr-Officiere in Strassburg gehalten hat. Daher haben wir die competenten Beurtheiler derselben im Kreise der Militär-Schriftsteller zu suchen. Mir sind bis jetzt aus diesem Kreise zwei Recensionen bekannt geworden, welche über das Buch kein günstiges Urtheil abgeben. Die eine derselben ist in der *Allgemeinen Militär-Zeitung*, lxix. Jahrgang 1894, Nr. 36, Darmstadt, 5. Mai, S. 287, die andere in ‚Streffleur's *Oesterreichische militärische Zeitschrift*' 1895, November-Heft, Literatur-Blatt, S. 2 enthalten. Da den Orientalisten diese Zeitschriften kaum zu Gesicht kommen dürften und ich vermeiden möchte, dass durch wohlwollende Gönner Horn's (auch ich bin dafür, dass man jüngeren Forschern mit Wohlwollen begegnet, aber nur solchen, die geziemend auftreten) das Urtheil über die vorliegende Schrift im Kreise der Orientalisten irregeführt wird, so erlaube ich mir den Inhalt der zweiten Recension hier im Kurzen anzudeuten. — Der Recensent meint, dass Horn kein Historiker zu sein scheint (wahrscheinlich ist er ‚Jung-Historiker'), dass die Quellen, auf welche er sich stützt, lange schon in's Englische, Französische und Deutsche übersetzt worden sind und dass er die einem jeden Fachmann bekannten Werke von Fürst Galitzin ‚Allgemeine Kriegsgeschichte', Max Jähns ‚Handbuch einer Geschichte des Kriegswesens' und General Köhler ‚Entwicklung des Kriegswesens und der Kriegführung in der Ritterzeit' nicht zu kennen scheint. — Also dieselbe nervöse Hast und Uebereilung, wie sie Horn in seinem Hauptwerke, dem *Grundriss der neupersischen Etymologie,* an den Tag gelegt hat!

Friedrich Müller.

Abhandlungen und Berichte des königlichen zoologischen und anthropologisch-ethnographischen Museums zu Dresden 1894/95. — Nr. 15. *Die Mangianenschrift von Mindoro,* herausgegeben von A. B. MEYER und A. SCHADENBERG, speciell bearbeitet von W. FOY. Mit vier Tafeln in Lichtdruck. Verlag von R. FRIEDLÄNDER & Sohn in Berlin. 1895. gr. 4°. 33 S.

Ich bringe die vorliegende ausgezeichnete Publication in unserer *Zeitschrift* zur Anzeige, weil sie einen ansehnlichen Beitrag zur Geschichte der aus der indischen Schrift abgeleiteten Alphabete der Malayen-Stämme Sumatras und der Philippinen bildet. Diese Alphabete zeigen bekanntlich einen ganz anderen Charakter als die Schrift der Džawanen und hängen unter einander auf das Innigste zusammen, wie ich bereits im Jahre 1865 in meiner Abhandlung ‚Ueber den Ursprung der Schrift der malayischen Völker‘ (*Sitzungsber. der kais. Akad. d. Wissensch.* Bd. L. Mit einer Tafel) nachgewiesen habe.

Die Publication gibt auf den drei ersten Tafeln Abbildungen von Bambuscylindern, Köchern und andern Geräthen mit Inschriften der Mangianen, der malayischen Bevölkerung des Westens von Mindoro.

Das Alphabet dieser Inschriften zeigt die innigste Verwandtschaft mit den Alphabeten der anderen Tagala-Völker (Tagalen, Ilocanos, Pangasinanen, Zambales, Pampangos, Visayas, Tagbanuas), sowie auch der Stämme von Sumatra (Battak, Redžań, Lampoń). Dies hat der Verfasser der auf die Schrift bezüglichen Untersuchung, Dr. W. FOY, Assistent am Dresdener Museum, durch eine vergleichende Zusammenstellung des Tagala-Alphabets (auf Luzon), des Tagbanua-Alphabets (auf Palawan) und des Mangianen-Alphabets auf der Tafel IV vortrefflich vor Augen geführt.

S. 1—9 umfasst die ethnographische Einleitung der beiden Herausgeber, wobei auf die vorzüglichen Arbeiten BLUMENTRITT's häufig zurückgegriffen wird; S. 9—33 füllt die Untersuchung FOY's aus.

Die Ausstattung des Werkes muss geradezu als prachtvoll bezeichnet werden.

FRIEDRICH MÜLLER.

Kleine Mittheilungen.

Neupersisch آبا. — آبا ‚jus, jusculum', dann ‚potio, potus' fehlt bei HORN. Es ist unzweifelhaft auf *pā* ‚trinken' (= *āpāja-*? vgl. altind. *āpājin-* ‚trinklustig') zurückzuführen.

Neupersisch آباد. — آباد leitet HORN (S. 2, Nr. 4) lakonisch von einem altpers. *ā-pāta-* (wohl von *pā* ‚schützen'?) ab, wobei er dem Worte die einzige Bedeutung ‚bewohnt' zuschreibt. Diese Etymologie ist höchst oberflächlich und unrichtig. Ich führe آباد, welches nicht blos ‚bewohnt', sondern auch ‚frisch, angenehm, schön' bedeutet, auf ein vorauszusetzendes altpers. *āpāta-* = *āp-pāta-* ‚wasser-getränkt' zurück. Aus ‚wassergetränkt' entwickelte sich zunächst die Bedeutung ‚frisch', welche in der Phrase آباد کردن = شاد کردن ‚recreare, reficere' und in den Wendungen آباد بید ‚seid gegrüsst' und آباد آمدی = خوش آمدی zu Tage tritt. — Aus der Bedeutung ‚frisch, gesund' (vgl. Pahl. [Pahlavi] ‚welfare, prosperity, blessing, benediction') entstand jene von ‚schön, gut, angenehm, lieblich' und zuletzt die Bedeutung ‚bebaut, bewohnt' (Pahl. [Pahlavi]), wobei man das wasserarme Land sich vor Augen halten muss, dessen Cultur blos durch die Wasserwerke ermöglicht wurde. — In letzterer Beziehung sind die zahlreichen Composita mit *-ābād* (Städtenamen) hieherzustellen.

Wenn meine Ausführungen über آباد richtig sind, dann kann نبید (HORN, S. 230, Nr. 1025 *bis*) nicht einem vorauszusetzenden altpers. *nipīta-* entsprechen. Ich halte نبید wegen Pahl. [Pahlavi] - [Pahlavi] (*Pahl.-Paz.-Glossary*, S. 4, Z. 5), das in [Pahlavi] - [Pahlavi] zu emendiren ist, für semitisch.

Neupersisch اوشان. — اوشان wird von VULLERS (*Gramm. linguae Persicae*, ed. II, p. 195) neben ایشان als Plural der dritten Person zu او, اوی angeführt. Es soll weniger gebräuchlich sein und der Vulgärsprache angehören. Dass es keine ganz neue Bildung ist, wird durch Pazand [illegible] bewiesen. Trotzdem ist اوشان keine organische Bildung, welche in der alten Sprache gleich ایشان ihre Wurzel hat. ایشان ist, wie ich bereits bemerkt habe (vgl. oben, S. 288), aus dem alten *aišām* (awest. *aēšhãm*), welches den Auslautgesetzen zufolge schon im Mittelpersischen zu *ēš* werden musste, durch Anfügung des Pluralsuffixes *-ān* hervorgegangen. Es passte aber nicht zum Singular او, اوی. Man bildete deshalb, um die Uebereinstimmung des Plurals mit dem Singular herzustellen, die Form اوشان. Auf *awaišām* kann اوشان nicht bezogen werden, da es dann ویشان (= *awaišām* + *ān*) lauten müsste. — اوشان kommt bei HORN nicht vor.

Neupersisch بال. — بال ‚brachium‘ und ‚penna, ala volucris‘ fehlt bei HORN. Man könnte ‚brachium‘ und ‚ala‘ vereinigen, insofern als der Flügel des Vogels der Hand des Menschen entspricht; ich ziehe es aber vor, beide Bedeutungen von einander zu trennen. بال als ‚brachium‘ führe ich auf ein vorauszusetzendes altpers. *barda-* = awest. *barəza-* zurück, das mit dem griech. βραχίων (das einem altpers. *bardijan-* [nach HÜBSCHMANN *brdijan-*], awest. *barəz-an-* entspräche) wurzelverwandt ist, während ich بال im Sinne von ‚ala volucris‘ auf ein vorauszusetzendes altpers. *barda-*, awest. *barəza-* zurückführe, das ich als vollkommen identisch mit dem altind. *barha-* ‚Feder, Pfauenschwanz‘ (welches mit *bṛhant-*, *barhaṇa-*, *barhas-* zusammenzustellen ist) anerkennen möchte.

Neupersisch بیشه. — HORN, S. 59, Nr. 256. Dazu bemerkt HÜBSCHMANN (*Persische Studien*, S. 34): ‚Neup. *bēša* „Wald“ (= altpers. **waiša-*) kann ich mit zd. *warəsha-* nicht vereinigen.‘[1] Vgl.

[1] Ich kann es jetzt auch nicht, da ich awest. *warəsha-* in neupers. ورش, ورشان, syr. ܘܪܫܢܐ ‚Waldtaube, Turteltaube‘ (= awest. vorauszusetzendes *warəšhja-*) wiederzufinden glaube.

dazu Spiegel (*Avesta-Commentar* ii, 510), der *Jašt* v, 54 statt *waēskaja*, *waēsakaja* mit einigen Handschriften *waēshakaja* lesen will, das er mit dem neupers. بیشه zusammenhält.[1]

Neupersisch پالودن. — Die Erklärung von پالودن ‚durchseihen, reinigen' macht bedeutende Schwierigkeiten. Man vergleiche besonders Hübschmann, *Persische Studien*, S. 36. Wie ich nun glaube, hängen آلودن und پالودن mit einander gar nicht zusammen und ist bei dem letzteren an eine Zusammensetzung mit *paiti (pāiti)* gar nicht zu denken. — Ich identificire پالودن mit dem armen. պարզել ‚filtriren, reinigen' (dann auch ‚klar, offenbar machen, erklären'), einem Denominativ-Verbum von պարզ ‚klar, durchsichtig'. Arm. պարզ verräth sich schon durch sein nach dem ր stehendes զ als ein dem Pahlawi entnommenes Lehnwort. Die echte mittelpersische Form wird *pard* gelautet haben, das im Neupersischen zu پال werden musste. Von پال wurde پالودن für پالیدن ebenso abgeleitet wie بالودن (= awest. *warędaja*- activ und medio-passiv), das neben بالیدن vorkommt. Beide Verba, sowohl بالودن als auch پالودن wurden in die Regel der Verba in *-ūdan*, Praesens *-ājam* aufgenommen.

Neupersisch پوئیدن. — پوئیدن ‚laufen, eilen' verzeichnet Horn (S. 63, Nr. 282) unter پایستن, gibt aber keine Erklärung desselben. — Nach meiner Meinung ist پوئیدن ein Denominativ-Verbum, abgeleitet von پوی ‚Eile' = einem vorauszusetzenden altpers. *pauda*-, das dem griech. σπουδή vollkommen entspricht. Griech. σπυδ verhält sich zu iran. *pud* geradeso wie got. *stut* zu altind. *tud*. Mit *pā*, wie man aus der Einreihung von پوئیدن unter پایستن bei Horn schliessen könnte, kann es nicht zusammenhängen.

Neupersisch توش. — توش (*tōš*) ‚robur, potestas, potentia' fehlt bei Horn. Ich identificire es mit dem *Jasna* xxi, 1 vorkommenden *tawiš*, das ich nicht mit ‚Dieb', sondern mit ‚Gewaltanwendung, Miss-

[1] Vgl. Justi, *Zendwörterbuch*, S. 260, b *waēska*. Geldner liest *waēsakaja*. Nach Spiegel müsste also awest. *waēšhaka*- = neupers. بیشه angesetzt werden.

handlung' übersetze und dem altind. *tawas-* gleichstelle. Man vergleiche im Altindischen *tawiṣ-a-* = *tawas-* als Adjectivum ,kraftvoll, thatkräftig' und altpers. *maniš-* = awest. *manah-*. Natürlich liegt توش nicht direct *tawiš-*, sondern eine davon abgeleitete Form *tawiš-a-* zu Grunde. Wegen *ō* = *aw* vergleiche man تو = awest. *tawa*.

Neupersisch جاه. — جاه ,Würde, Stellung' erklärt HORN (S. 94, Nr. 416) aus einem vorauszusetzenden altpers. *jaϑa-* = altind. *jāta-* ,Gang'. HORN mag dabei unser Ausdruck ,Carrière' und das moderne ,Streberthum' vorgeschwebt haben. Ich erkläre جاه aus جه, das ich auf ein vorauszusetzendes altpers. *jaϑah-* = altind. *jaśas-* ,Würde, Herrlichkeit' zurückführe. Wegen der Verlängerung des *a* vergleiche weiter unten چار, خوان, مار u. s. w. Das was HÜBSCHMANN (*Persische Studien*, S. 50), abgesehen von der gegen HORN vorgebrachten richtigen Einwendung, über جاه bemerkt, kommt mir nicht richtig vor.

Neupersisch جنبيدن. — جنبيدن fehlt bei HORN. Unter diesem Verbum verzeichnet VULLERS (*Lex. Persico-Lat.* I, S. 532, *a*) auch die Bedeutung ,coire' (جماع كردن) und belegt sie durch einen Vers des Dichters اشرف. Dieses جنبيدن ist gewiss nichts anders als das altind. *jabh*, das sich auch im Slavischen und Armenischen (vgl. diese *Zeitschrift* VI, S. 267) nachweisen lässt. Möglich ist es, dass *jabh* ursprünglich die Bedeutung des neupers. جنبيدن ,se movere, agitari' hatte und die zweite obscöne Bedeutung von dieser erst abgeleitet ist.[1] — Dann ist جنبيدن von چنبيدن zu trennen.

Neupersisch خشت. — HORN verzeichnet S. 108, Nr. 488 خشت ,Ziegel, Backstein' = awest. *ištja-*. Neben diesem خشت gibt es noch ein anderes, welches HORN übersehen hat, in der Bedeutung ,hasta brevis, in cujus medio anulus est ex gossipio vel serico contextus, quam digitum indicem in anulum immittentes contra hostes jaculantur' (VULLERS, *Lex. Pers.-Lat.* I, p. 694, *b*). Dieses خشت ist das altpers.-awest. *aršti-* = altind. *ṛṣṭi-*, im Armenischen als աշտեայ, աշտէ (vgl.

[1] Oder liegt die ursprüngliche Bedeutung von *jabh* im griech. ἅφ (ἅπτομαι)?

dazu noch աշտեհաւոր ‚Lanzenträger‘), offenbar ein Lehnwort aus dem Pahlawi, vorhanden. Das Wort خشت in der Bedeutung des alten *arští-* kommt im Schāhnāmeh öfter vor. Darnach ist Horn, S. 266, Nr. 23 zu streichen.

Neupersisch خواليدن ‚praegustare, delibare‘ Farhang-i-šu'ūrī sine exemplo. — Horn (S. 111, Nr. 500) vergleicht es richtig mit awest. *qarᶒzišta-* (Superlativ von *qarᶒzu-*). Das Wort خوال, von welchem خواليدن als Denominativ-Verbum abgeleitet ist, muss auf ein vorauszusetzendes altpers. *uwardu-* (= *hwardu-*) oder *uwarda-* (= *hwarda-*) zurückgeführt werden. Damit scheint mir armen. քաղցր (Gen. քաղցու) ‚süss, annehmlich‘ ganz sicher zusammenzuhängen. Das ց statt des zu erwartenden ծ hat քաղցր wahrscheinlich von քաղց ‚Hunger‘ hergenommen, das ich aus dem awest. *qar*, neupers. خوردن und dem Suffix *-sḱa* erkläre, so dass քաղց eine Grundform *swarsḱa-* voraussetzt.

Neupersisch دفد. — دفد citiren die persischen Lexica als = arab. عروس und belegen es durch folgenden Vers des ابو المعانى:

دل مده آرایش زیبنده دنیــــای دون
این عجوز پرحیل خودرا نماید دفد خوب

Hier kann meines Erachtens دفد, der Gegensatz von عجوز, = دختر, arab. بنت, gesetzt werden. Dann ist دفد = wach. *dagd*, sangl. *daγ* und der directe Reflex des awest. *duγδar-* (wie دخت auf den alten Nominativ zurückgehend). — Es muss aus einem östlichen Dialect stammen.

Neupersisch دندان. — Hier bietet Horn (S. 128, Nr. 574) die folgende interessante Bemerkung: ‚Nach Joh. Schmidt (zuletzt *KZ.* 32, 329) die Esser.‘ — Führwahr θάμβος μ' ἔχει εἰσορόωντα! oder auf gut persisch: انگشت بدندان گزیده ام. Diese Entdeckung war schon damals bekannt, als J. Schmidt auf der Schulbank buchstabiren lernte, denn sie findet sich bereits in Bopp's *Glossarium Sanscritum* (Berolini 1847), S. 163 verzeichnet: ‚दन्त (ut mihi videtur a r. अद् s. अन्त, ita ut mutilatum sit ex अदन्त) dens.‘ J. Schmidt mag sich bei dem gründlichen und gewissenhaften ‚Junggrammatiker' für die ihm zu Theil gewordene grosse Auszeichnung bedanken.

Neupersisch رخ. — رخ ‚facies, vultus; gena; latus; nomen latrunculi in Schahiludio, quem latrunculum nos turrem appellamus' fehlt bei Horn.[1] Ich identificire das Wort mit dem sanskritischen *sṛkwan-* ‚Mundwinkel', das im Altpersischen zu *hraχwan-* (nach Hübschmann *hṛχwan-*), geschrieben *hraχuwan-* (Nom. *hraχuwa*), wurde. — Aus *hraχuwa* wurde neupers. رخ, ebenso wie aus *hraftanaij* (Infin. von *hrap* = altind. *sṛp*) رفتن geworden ist. Die Bedeutung von رخ war ursprünglich ‚Mundwinkel', eine Bedeutung, die in latus und dem رخ im Schachspiel durchscheint; daraus entwickelte sich die Bedeutung ‚Mund' und endlich ‚Antlitz', wie im altind. *mukha-*, latein. *os*.

Neupersisch روان. — Unter روان vergisst Horn (S. 139, Nr. 625) nicht die Bemerkung zu machen, dass awest. *urwan-* eigentlich *uruwan-* ist. Dies ist eine zu feine Bemerkung! Awest. *juwan-* (neben *jawan-* vorkommend) hat im Gen. Sing. *jūno* = *juwno*, Gen. Plur. *jūnām* = *juwnām*. Darnach müsste *uruwan-* im Gen. Sing. *urūno*, Dat. Sing. *urūnē*, Instr. Sing. *urūna* haben. Es hat aber *uruno*, *urunē*, *uruna*, woraus hervorgeht, dass nicht *uruwan-*, sondern *urucan-* als Stamm anzusetzen ist.

Neupersisch سخن und پاسخ (Nachtrag zu oben, S. 80). — Dass beide Worte auf *sañhwa-*, *saqārę* nicht bezogen werden können, sondern auf *ϑāhana-*, *sañhana-*, *śāsana-*, wie ich oben bemerkt habe, zu beziehen sind, dies beweist schlagend das armen. պատասխանի, welches, wenn die erste Ansicht richtig wäre, պատասքարի lauten müsste.

Neupersisch سنب. — سنب ‚Höhle, Loch' führt Horn (S. 164, Nr. 746) auf سفتن zurück, das selbst (S. 163, Nr. 740) unerklärt bleibt. — Ich identificire die in سفتن liegende iranische Wurzel *sumb* (= grundsprachlich *ḱumb*) mit der griechischen Wurzel κυμβ,

[1] Die Erwähnung auf S. 136, Nr. 610 kann nicht als eine Erklärung gelten.

welche in κύμβη ‚Kahn, Nachen; Becken‘, κύμβος ‚Höhlung‘, κύμβαλον ‚Cymbel‘ (Becken aus Metall, die an einander geschlagen, einen gellenden Ton von sich geben) vorliegt.

Neupersisch شكافتن. — HORN bemerkt darüber S. 175, Nr. 787: ‚Zu griech. σκάπτω „graben, hacken“ (NÖLDEKE, mündliche Mittheilung). Durch diese schöne Entdeckung wird die bisher nur für europäisch gehaltene Wurzel *sk²ap*, bezw. *sk²ab* „schaben, graben“ als indogermanisch erwiesen.‘ — Und in der Fussnote dazu heisst es: ‚Erst jetzt besteht FEIST's culturgeschichtliche Bemerkung unter got. *skaban* (Nr. 499) zu Recht.‘ Leider ist diese ‚schöne‘ Entdeckung schon vor 30 Jahren gemacht worden, da sie sich in meiner Schrift ‚Die Conjugation des neupersischen Verbums‘. Wien 1864. S. 15 (*Sitzungsber. der kais. Akad. der Wissensch.* Bd. XLIV) verzeichnet findet.[1] Ich fühle mich unendlich geehrt, dass HORN eine meiner höchst bescheidenen Entdeckungen[2] — wenn auch unbewusst — mit dem Epitheton ornans ‚schön‘, welches er blos seinen Freunden und Gönnern zu verleihen pflegt, auszuzeichnen geruht hat.

Neupersisch شهريار. — Dieses Wort wird allgemein auf ein vorauszusetzendes awest. *χšaϑro-dāra-* (vgl. HORN, S. 177, Nr. 798 und JUSTI, *Iranisches Namenbuch*, S. 174) zurückgeführt. Dies ist angesichts der Pahlawiform *šatardarān*, *χšatardarīn* (Inschrift von Hādžiābād, vgl. diese *Zeitschrift* VI, 92) nicht richtig. Es muss ein awest. *χšaϑro-dara-* (vgl. Skrt. *bhū-dhara-*) angesetzt werden, dessen *a* später gelängt wurde (vgl. oben, S. 168), wie ich bereits in dieser

[1] Dass solche bereits bekannte Entdeckungen als etwas ‚Neues‘ in die Welt hinausposaunt werden, daran sind nicht so sehr jene, welche die Entdeckung dem Autor ohne Angabe der Quelle mittheilen, als vielmehr die Autoren selbst schuld. So las ich, nachdem ich in dieser *Zeitschrift* VI, 72 Pahl. [illegible] mit Balūčī *čēdag* identificirt hatte, dass den Autor X Herr Prof. Y auf diese Gleichung (natürlich ohne Rücksicht auf meinen Aufsatz) aufmerksam gemacht habe. Ein anderes Mal erfuhr ich aus einem ethnologischen Werke, dass nach den Forschungen des Prof. Z arm. [illegible] mit altind. *sĩha-* identisch ist.

[2] NB. falls sie mir wirklich angehört und sie nicht schon ein anderer Gelehrter vor mir gemacht hat.

Zeitschrift vi, 356 gethan habe. Unrichtig ist Horn's Bemerkung (S. 251, Note 1): ‚Das Suffix *-jār* ist generell jünger als *-dār*,' wie jeder mit den Lautgesetzen einigermassen Vertraute weiss (vgl. Justi, *Iranisches Namenbuch*, S. 497, unter *yār*).

Neupersisch غال. — غال ‚spelunca, caverna' fehlt bei Horn. — Es ist augenscheinlich identisch mit dem awestischen *gęręđa-*, das ein altpersisches *garda-* voraussetzt. Schon Justi hat *gęręđa-* mit altind. *gṛha-* verglichen. Damit hängt auch altslav. *gradų*, lit. *gardas* (Hürde), got. *gards* ‚Haus, Hof, Hauswesen', *garda* ‚Stall' *(gardan-)*, sowie auch griech. χόρτος, unser ‚Garten' zusammen.[1] Während das persische ‚Haus' (خانه) von der ‚Grube' ausgegangen ist, hat das indische ‚Haus' *(gṛha-)* aus der ‚Höhle' *(gęręđa-)* sich entwickelt.

Neupersisch غرو. — غرو ‚Rohr' fehlt bei Horn. Es ist, wie schon Justi (*Zendwörterb.*, S. 106, *a*) und Spiegel (*Avesta-Commentar*, i, S. 276) gesehen haben, das awestische *grawa-*.

Neupersisch فر (zu oben, S. 172). — Nach den Bemerkungen Bartholomae's könnte man glauben, dass altpers. *farnah-* die westiranische Form für awest. *qaręnah-* ist. Dem ist aber nicht so, sondern *farnah-* muss auch im Ostiranischen neben *qaręnah-* existirt haben. Dies beweist schlagend der Eigenname Βαρζαφάρνης (Justi, *Iran. Namenbuch*, S. 65, *a*), der auf *baręza-farnah-* zurückzuführen ist. Westiranisch, speciell Altpersisch müsste der Name Βαρδαφάρνης = *barda-farnah-* lauten.

Neupersisch کارد (Horn, S. 185, Nr. 833). — Das Wort ist, wie schon Justi *(Zendwörterb.)* bemerkt hat, in die slavischen Sprachen (lit. *kardas* ‚Degen, Säbel', čech. *kord* u. s. w.) übergegangen. Das lange *a* in *kārd* gegenüber dem kurzen *a* in awest. *karęta-* ist ebenso wie in den oben S. 168 verzeichneten Fällen zu erklären. Dazu ge-

[1] Aus der ursprünglichen Bedeutung ‚Höhle' ging jene eines ‚festumschlossenen Wohnsitzes' überhaupt hervor. Vgl. altind. *aśman-*, altpers. *asman-*, ursprünglich ‚Stein', dann ‚Steingewölbe, Gewölbe überhaupt' — endlich ‚Himmel'.

hören noch neupers. آزر = awest. *asha-*, was altpers. *arta-* (= griech. ἄρτος) voraussetzt (HORN, S. 5, Nr. 13), neupers. خار ‚Fels, Stein' = altind. *khara-* ‚hart, rauh, scharf' (HORN, S. 102, Nr. 461), neupers. پادفراه, Pahl. [Pahlavi] = awest. *paitifrasa-* (Horn, S. 36, Nr. 154), neupers. پار = altind. *parut-*, arm. հերու, griech. πέρυσι (HORN, S. 61, Nr. 270), neupers. راه neben ره, vgl. awest. *raϑa-*, altind. *ratha-* (HORN, S. 185, Nr. 607), neupers. کار- (HORN, S. 185, Nr. 832) und گر- (HORN, S. 199, Nr. 894) werden wohl beide auf awest. *-kara,* altind. *-kara* zurückzuführen sein; neupers. -وار, -واره = altpers. *-bara,* awest. *-bara,* altind. *-bhara* (HORN, S. 240, Nr. 1073), dann گوشوار = awest. *gaōshāwarę* (HORN, S. 210, Nr. 943). Auch neupers. ناخن (= altind. *nakha-*), das ich aus *naχna-* (aus *naχna-* wurde zunächst *naχn* und dann *naχyn, naχun*) entstanden erkläre, dürfte hierhergehören.

Neupersisch کافتن. — Vgl. HORN, S. 186, Nr. 837 und diese *Zeitschrift* VII, S. 281. HÜBSCHMANN (*Persische Studien,* S. 86) bemerkt: ‚Neupers. *kāftan* „spalten, graben" ist schon bei VULLERS „Verborum linguae Persicae radices" s. v. mit kirchensl. *kopati* „graben" zusammengestellt.' — Diese Bemerkung ist richtig, sie passt aber gar nicht auf diese *Zeitschrift* VII, S. 281. VULLERS, dessen Werk 1867 erschienen ist, hat mehreres meinen Abhandlungen entnommen (er sagt selbst a. a. O. VI. ‚MÜLLERI . . . consilia et inventa in usum meum converti'[1]), so namentlich کافتن = *kopati* meiner 1864 erschienenen Abhandlung ‚Die Conjugation des neupersischen Verbums' S. 15 (*Sitzungsber. der kais. Akad. der Wissensch.* Bd. XLIV). Und dass VULLERS die Identität von کافتن mit altslav. *kopati* nicht selbst gefunden, sondern während der Ausarbeitung seiner Radices dieselbe sich angeeignet und in sein Werk aufgenommen hat, dies beweist schlagend seine 1870 erschienene *Grammatica linguae Persicae* ed. II, p. 151, wo کافتن auf zend. *χshub,* sanskr. क्षुभ् zurückgeführt wird.

Neupersisch کف. — کف ‚Schaum' (HORN, S. 192, Nr. 860) ist das awest. *kafa-* ‚Schaum', sanskr. *kapha-* ‚Schaum'. Die Wurzel

[1] Noch nachdrücklicher in diesem Sinne spricht sich VULLERS in einem Briefe aus, den er bei der Uebersendung der Radices an mich gerichtet hat.

dazu europ. = *kap* kommt im Slavischen vor: altsl. *kapati, kanōti* (= *kap-nō-ti*) ‚stillare', *kaplja* ‚gutta' (= *kap-ja*). Interessant ist die Uebereinstimmung des neupers. كف ‚kleine Menge' mit dem čech. *kapka*. Awest. *kafa-*, sanskr. *kapha-* verhalten sich zu altslav. *kapati* ebenso wie awest. *safa-*, sanskr. *śapha-* zu altslav. *kopato, kopüto* (wo das *k* gegenüber altind. *ś*, awest. *s* wie in *kamen-* = *aśman-*, *asman-* zu beurtheilen ist).

Neupersisch مار ‚Schlange'. — Horn führt (S. 219, Nr. 877) مار auf *mar* ‚sterben' im causativen Sinne = ‚tödten' zurück. — Ich halte مار identisch mit dem awest. *mairja-*. Dass *mairja-* nicht, wie man erwarten sollte, im Neupersischen zu *mēr* geworden ist, dies hat seinen Grund in der Längung des *a* (wie neupers. خوان = awest. *qaini-* Horn, S. 110, Nr. 498, während neupers. مينو, awest. *mainjawa-* Horn, S. 227, Nr. 1011). Neupers. مار ist also wie die oben S. 168 verzeichneten Fälle zu beurtheilen.

Neupersisch نشت. — نشت ‚perditus, devastatus' fehlt bei Horn. Es ist, wie schon Vullers eingesehen hat = altind. *naṣṭa-*, awest. *naśta-* und gehört zu (Horn, S. 228, Nr. 1018) ناسيدن ‚abmagern', das nicht direct awest. *nas*, altind. *naś* entspricht, sondern als ein reflexives Denominativ-Verbum auf ein ehemals vorhandenes ناس = altind. *nāśa-* ‚das Hinschwinden, Zugrundegehen' zurückzuführen ist.

Neupersisch نورديدن (Nachtrag zu oben, S. 174). — Es ist wohl möglich, dass in نورديدن ‚1. peragrare, obire, iter facere, 2. complicare, convolvere, contorquere' zwei verschiedene Verba, nämlich a) das primäre *ni-wart* (*wart* = گرديدن Horn, S. 198, Nr. 886. Neben گرديدن — گشتن und ebenso neben نورديدن — نوشتن), das ebenso wie رسيدن, ترسيدن, پرسيدن schwach flectirt wurde und b) das Causativum davon (*ni-warta-jāmi*) vorliegen.

Neupersisch نهادن. — نهادن hat im Praesens نهم, welches Hübschmann (*Persische Studien*, S. 103 zu 1057) aus *nihiham* erklärt. Diese Erklärung scheint mir nicht richtig zu sein. نهم von نهادن ist

FSC
www.fsc.org
MIX
Papier aus ver-
antwortungsvollen
Quellen
Paper from
responsible sources
FSC® C141904

Druck:
Customized Business Services GmbH
im Auftrag der KNV-Gruppe
Ferdinand-Jühlke-Str. 7
99095 Erfurt